LES RAVAGES DE LA PASSION
est le quatre cent vingt-septième livre
publié par Les éditions JCL inc.

Catalogage avant publication de Bibliothèque et Archives nationales du Québec et Bibliothèque et Archives Canada

Dupuy, Marie-Bernadette, 1952-

Les ravages de la passion

Suite de : La grotte aux fées.

ISBN 978-2-89431-427-2

I. Titre.

PQ2674.U693R38 2010 843'.914 C2010-940505-6

Édition originale : avril 2010

Les Ravages de la passion

Les éditions JCL inc.
930, rue Jacques-Cartier Est, Chicoutimi (Québec) G7H 7K9
Tél. : (418) 696-0536 – Téléc. : (418) 696-3132 – www.jcl.qc.ca
ISBN 978-2-89431-427-2

MARIE-BERNADETTE DUPUY

Les Ravages de la passion

ROMAN

LES ÉDITIONS JCL

DE LA MÊME AUTEURE :

Les Fiancés du Rhin, roman, Chicoutimi, Éditions JCL, 2010, 790 p.

Le Rossignol de Val-Jalbert, tome II, roman, Chicoutimi, Éditions JCL, 2009, 792 p.
L'Enfant des neiges, tome I, roman, Chicoutimi, Éditions JCL, 2008, 656 p.

La Grotte aux fées, tome IV, Roman, Chicoutimi, Éditions JCL, 2009, 650 p.
Les Tristes Noces, tome III, roman, Chicoutimi, Éditions JCL, 2008, 646 p.
Le Chemin des falaises, tome II, roman, Chicoutimi, Éditions JCL, 2007, 634 p.
Le Moulin du loup, tome I, roman, Chicoutimi, Éditions JCL, 2007, 564 p.

Le Val de l'espoir, roman, Chicoutimi, Éditions JCL, 2007, 416 p.

Le Cachot de Hautefaille, roman, Chicoutimi, Éditions JCL, 2006, 320 p.

La Demoiselle des Bories, tome II, roman, Chicoutimi, Éditions JCL, 2005, 606 p.
L'Orpheline du Bois des Loups, tome I, roman, Chicoutimi, Éditions JCL, 2002, 379 p.

Le Refuge aux roses, roman, Chicoutimi, Éditions JCL, 2005, 200 p.

Le Chant de l'Océan, roman, Chicoutimi, Éditions JCL, 2004, 434 p.

Les Enfants du Pas du Loup, roman, Chicoutimi, Éditions JCL, 2004, 250 p.

L'Amour écorché, roman, Chicoutimi, Éditions JCL, 2003, 284 p.

Nous reconnaissons l'aide financière du gouvernement du Canada par l'entremise du Programme d'aide au développement de l'industrie de l'édition (PADIÉ) pour nos activités d'édition. Nous bénéficions également du soutien de la SODEC et, enfin, nous tenons à remercier le Conseil des Arts du Canada pour l'aide accordée à notre programme de publication.

Gouvernement du Québec – Programme de crédit d'impôt pour l'édition de livres – Gestion SODEC

À Isabelle et Yann,
avec tout mon amour.

REMERCIEMENTS

Je tiens à remercier à nouveau monsieur Jacques Bréjoux, propriétaire du moulin du Verger, qui m'a parlé avec beaucoup de gentillesse de l'histoire de son moulin. Je vous invite à découvrir les diverses étapes de la fabrication artisanale du papier. Un travail admirable!

Un remerciement tout spécial à madame Geneviève Rebel qui a eu l'amabilité de m'ouvrir les portes de sa charmante demeure surnommée le château du Diable. J'ai eu plaisir à utiliser ce cadre historique dans mon roman et à discuter avec cette très aimable personne qui aurait pu être une de mes héroïnes de la célèbre vallée des Eaux-Claires. Même de nos jours, en effet, il ne fait pas bon habiter ce fameux château du Diable, ainsi nommé en raison de vieilles légendes. Madame Rebel en a fait la pénible expérience, elle qui a été victime de superstitions bien tenaces. Mais heureusement, notre chère Claire, elle, saura en rire!

Merci aussi à toutes les personnes qui ne désirent pas être citées et qui m'ont aidée dans mes recherches. Depuis une quinzaine d'années, je me passionne pour les romans de terroir. J'aime m'inspirer de faits authentiques. Mon but est de faire revivre à travers mes personnages une époque, une atmosphère. Pour moi, c'est un régal, un plaisir.

Et encore un immense merci à ma chère et dévouée Guillemette pour son soutien. Il n'est pas facile de vivre auprès de certains auteurs en pleine écriture, perdus dans leurs recherches; il faut du courage pour les supporter. Encore merci à toi de me rester fidèle.

NOTE DE L'AUTEURE

Je n'aurais pas pu me séparer de Claire, mon héroïne préférée, même si je l'avais souhaité. Cette douce et belle femme, l'âme du Moulin du Loup, cheminait à mes côtés, comme pour m'implorer de lui donner vie plus longtemps.

Il y avait aussi les nombreux courriers de mes lectrices et lecteurs, qui me demandaient une suite. Je tiens à les en remercier.

J'ai repris ma plume, sachant bien que je devais continuer, puisque j'avais laissé en suspens une situation fort compliquée pour Jean Dumont, un autre personnage-clé de la saga qui n'est pas, je le pense, terminée.

Et moi qui croyais bien connaître la vallée des Eaux-Claires, un des fleurons du patrimoine charentais, j'ai découvert que la réalité rejoint parfois la fiction. J'avais inventé un réseau souterrain entre les moulins établis au bord de la rivière et les falaises; j'ai appris récemment qu'il y en aurait un. Malheureusement, je n'ai pas de renseignements précis. Sans oublier le château du Diable qui devait jouer un petit rôle dans ce cinquième tome, où la passion devient tragédie, où l'amour bat de l'aile, tout ceci avant une surprenante révélation qui va bouleverser le destin de Claire. En ai-je terminé avec ces êtres chers à mon cœur?

Marie-Bernadette Dupuy

1
Trahison

26 août 1925

Les flammes s'élevaient vers un ciel d'encre; des flammes démesurées, furieuses, pareilles à des démons gesticulants. Une clarté sanglante, digne des enfers, balayait les hauts murs gris et léchait les fenêtres dont les carreaux volaient en éclats. Le bruit était assourdissant; on entendait des grondements, des sifflements, des déflagrations. Malgré ce vacarme de fin du monde, on percevait les cris stridents et affolés d'une femme. Le feu envahissait la belle et ancienne maison, rampait dans une pièce aux murs ocre rose, attaquait les buffets ventrus cirés pendant des années. Le visage de la femme se précisa, défiguré par une violente expression d'effroi, d'incrédulité. Ses vêtements se changeaient en torche vive, tandis qu'elle tentait de sortir du brasier.

— Le moulin brûle! Claire, ma chérie! Claire! hurla Jean Dumont en se réveillant.

Il regarda autour de lui d'un air angoissé. Il était dans le train qui reliait Paris à Angoulême. Un homme le fixait d'un air interloqué. C'était l'autre passager du compartiment.

— Excusez-moi, monsieur! dit Jean.

Le convoi approchait de Poitiers. De chaque côté de la voie ferrée s'étalaient des prairies jaunies par un été sec et brûlant.

— Vous dormiez bien, pourtant! Je suppose que vous avez fait un mauvais rêve, répliqua avec bienveillance Pierre-Gaspard Fondrat, professeur d'histoire.

— Oui, en vérité, c'était un cauchemar, expliqua Jean d'un air gêné.

Pierre-Gaspard Fondrat observa mieux le voyageur. Il le

jugea très séduisant avec ses traits réguliers et ses cheveux bruns et ondulés, à peine semés d'argent. Il paraissait très distingué dans son costume trois pièces en toile beige, assorti d'une cravate de la même couleur. Il avait de grands yeux d'un bleu soutenu, ourlés de cils noirs si longs qu'ils paraissaient fardés.

— Un cauchemar hélas bien trop réel! ajouta-t-il. Le moulin du Loup a vraiment brûlé!

Le professeur, intrigué, approuva poliment d'un signe de tête.

— Il s'agit d'une propriété qui vous appartenait? demanda-t-il, visiblement satisfait de pouvoir bavarder un peu.

Jean lança un coup d'œil par la vitre et adressa un sourire tendu à son interlocuteur.

— Oui, enfin, pour être exact, le moulin du Loup était l'héritage de mon épouse.

Il n'avait guère envie d'en dire davantage et il alluma une cigarette d'un air accablé.

«Oh! Ce rêve! pensait-il. Au début, je crois, j'étais avec Angéla! Je la tenais dans mes bras, elle sanglotait. Tout à coup elle éclatait de rire, parce que sa robe s'entrouvrait. Elle se retrouvait nue. Je la serrais contre moi, je cherchais comment cacher sa nudité. Je me répétais que c'était ma fille adoptive, mais cela ne m'empêchait pas d'être fou de désir pour elle, malgré la foule alentour, malgré la sirène du bateau qui annonçait le départ. Ensuite il y a eu ces flammes, le moulin du Loup en feu et Claire que ce brasier allait dévorer. Seigneur, quel désastre! Sans cet incendie, je serais encore avec Angéla... Que va-t-elle devenir sans moi?»

Il poussa un tel soupir d'affliction que le professeur crut bon de s'en mêler.

— Vous me semblez bien peiné, monsieur, déclara-t-il. Je me présente: Pierre-Gaspard Fondrat. J'enseigne la géographie et l'histoire dans un lycée de Niort. Je change de train à Poitiers.

— Moi, c'est Jean Dumont. En fait, j'étais en voyage à l'étranger quand j'ai reçu la mauvaise nouvelle. Le feu, causé par la foudre, a dévasté les bâtiments du moulin familial. Un très gros sinistre. Heureusement, nous étions assurés.

— Vous m'en voyez désolé. Mais votre nom ne m'est pas inconnu. Seriez-vous Jean Dumont, l'auteur du livre *Les Enfants dans les colonies pénitentiaires*?

— Oui, c'est bien moi.

Ils échangèrent une poignée de main. Pierre Gaspard Fondrat vérifia du bout des doigts l'ordonnance de ses mèches brunes, raides et divisées par une raie, comme par souci d'être présentable devant un personnage aussi important. Il paraissait vraiment enchanté de rencontrer Jean, qui, pour sa part, était soulagé de trouver un exutoire à ses idées noires. Le professeur, d'un ton exalté, se lança dans un éloge de l'ouvrage et posa de nombreuses questions.

— J'ai grandement apprécié votre œuvre, fort documentée, mais aussi empreinte d'émotion. Du vécu, n'est-ce pas?

— Oui, je ne m'en cache pas, acquiesça Jean.

Il aurait donné cher à cet instant pour être encore le véritable Jean, celui que sa famille vénérait. Pour sa fille Faustine, il représentait même une sorte de héros. Lors des veillées, la jeune femme aimait évoquer le destin hors du commun de son père qui avait connu la misère pendant son enfance, avant de découvrir qu'il était issu d'une riche famille bourgeoise du côté maternel.

« Bien sûr, je suis passé de bagnard[1] illettré au rang d'écrivain à succès et de propriétaire terrien, songea encore Jean. Un nanti, comme le répétait ma sœur Blanche. Rien ne manquait à mon bonheur, et j'ai tout fichu en l'air. Mais je n'ai pas pu résister. Angéla est si séduisante, si gaie. J'ai oublié que c'était ma fille adoptive. Je l'ai déshonorée. Je suis devenu le pire des salauds, je ne me le pardonnerai jamais[2]. »

Il ferma les yeux quelques secondes. Tout de suite, le visage délicat et spirituel de sa maîtresse se dessina, souriant, comme sublimé par l'éclat de ses petites dents très blanches. Il crut sentir le parfum troublant de sa chair douce et nacrée. Elle avait un corps élancé et doré qui le rendait fou. Sans cesse il la revoyait sur le port, à Québec, quand il allait embarquer. Angéla sanglotait, vulnérable et pathétique, son fin visage au

1. Voir livre 1, *Le Moulin du loup*.

2. Voir livre 4, *La Grotte aux fées*.

teint mat ravagé par le chagrin. Elle l'avait supplié de rester ou de l'emmener, mais il avait dû refuser.

Son voyage en solitaire avait été un enfer. Jean souffrait de l'absence d'Angéla tout en étant torturé par le remords. De nature jalouse, il s'inquiétait de ses futures fréquentations, sans toutefois projeter un instant de quitter Claire, sa femme, qu'il aimait profondément. De cela, il ne doutait pas et n'en douterait jamais.

— Monsieur Dumont, le train vient de s'arrêter, déclara Pierre-Gaspard Fondrat. Nous sommes à Poitiers.

— Je descends à Angoulême, dit Jean.

Le professeur prit sa valise et coiffa son canotier.

— Je suis enchanté d'avoir fait votre connaissance, dit-il avec un peu d'emphase. Et même flatté. Je vous souhaite une bonne fin de voyage. Et j'espère que le retour dans votre foyer ne sera pas trop pénible.

Fondrat sortit du compartiment. Resté seul, Jean alluma une cigarette. Angéla aussi fumait.

« Elle savait que je n'appréciais guère ça d'une jeune fille. Elle me narguait. »

Il fallut une bonne vingtaine de minutes à Jean pour remarquer que le train ne repartait pas. Il descendit sur le quai et chercha un contrôleur. On l'informa qu'une panne de motrice leur imposerait une attente d'environ deux heures.

« Eh bien, autant en profiter et manger quelque chose au buffet! » conclut-il.

Cela retardait l'inéluctable. Ce soir, malgré la panne et son appréhension, il serait au Moulin du Loup, confronté à sa famille.

« Et à des ruines noircies par les flammes, pensa-t-il. Un gros chantier en perspective! Enfin, le télégramme précise que le logis a été épargné. Heureusement, sinon Claire aurait été désespérée. »

Durant le voyage, il s'était peu autorisé à évoquer son épouse, la belle Claire Roy. La liaison passionnée qu'il avait entretenue avec Angéla à Québec avait su voiler, mais non effacer, l'amour infini qui unissait le couple.

« Dieu du ciel! s'effara-t-il. Si Claire savait ce que j'ai fait!

Elle doit ignorer ma trahison jusqu'à sa mort. J'ai couché avec notre fille adoptive. Je suis le pire des vauriens. Quand je considère les choses sous cet angle, j'ai l'impression d'être un monstre de perversité. »

Terrassé par l'étendue de son péché, Jean, pareil à un somnambule, entra dans le restaurant.

— Monsieur Dumont! fit une voix. Votre train a du retard. Déjeunez donc avec moi. Nous pourrions continuer à discuter.

C'était encore le professeur Fondrat. Des lunettes à double foyer grossissaient ses yeux clairs. Il désignait le couvert mis en face de sa propre assiette.

— Nous étions amenés à nous revoir bien plus tôt que prévu, ajouta-t-il.

Jean saisit l'opportunité de repousser, le temps du repas, ce qui le torturait. Il commanda du bon vin, de la charcuterie et une omelette au lard. Dès le hors-d'œuvre, il dut satisfaire la curiosité de son compagnon de table.

— Sans vouloir être indiscret, commença Pierre-Gaspard Fondrat, je suppose que, comme moi, vous revenez de Paris?

— Oui et non, rétorqua Jean qui hésitait à se confier. Disons que j'ai fait une courte halte à Paris, contraint par les horaires des trains.

— Ah! Paris! fit le professeur. La capitale des arts, des lettres. Je suis d'autant plus heureux de faire votre connaissance que j'écris aussi. De la poésie et de la prose. Je suis un passionné de littérature. Un beau jour, je ferai éditer mes textes.

— Pourquoi pas!

D'abord réservé, voire taciturne, Jean se détendit, le vin aidant. Se séparer d'Angéla lui avait été douloureux. Sur le bateau du retour, se sentant très seul, il avait beaucoup bu. L'alcool le calmait, l'aidait à dédramatiser une situation dont il avait en réalité terriblement honte. Pierre-Gaspard Fondrat lui était sympathique. Flatté de l'intérêt que lui témoignait le professeur, il céda bientôt à l'agrément d'une conversation entre hommes mûrs.

— Voyez-vous, déclara-t-il devant son omelette, en fait, je reviens du Canada. Un périple très agréable. J'étais à Québec.

— Vraiment! À Québec! s'enflamma Fondrat. Je vous

envie, cher monsieur Dumont. J'ai toujours rêvé de découvrir ce pays.

— Moi aussi, coupa Jean. J'avais projet de visiter Montréal, mais il y a eu ce télégramme annonçant l'incendie. J'ai dû écourter mon séjour. Toute ma famille est bouleversée. C'est un véritable désastre. Le Moulin du Loup appartient à ma femme, par héritage, mais j'y ai passé les plus belles années de ma vie.

Jean se laissa aller à présenter tous ceux qui lui étaient chers. Le professeur écoutait, oubliant de déguster son bœuf bourguignon.

— Mon épouse, Claire, a élevé son jeune frère Matthieu, de dix-huit ans son cadet. Et il s'est marié avec ma fille Faustine, née de mon premier mariage. Ils ont deux enfants, Isabelle et Pierre. Un troisième s'annonce, je l'ai appris par une lettre.

— Vous êtes donc déjà grand-père! On ne dirait pas.

La remarque flatteuse arracha un sourire triste à Jean. Loin des siens, au bras d'Angéla, il avait cru retrouver une seconde jeunesse.

«J'étais fier d'être vu avec une fille aussi ravissante, aussi désirable! se disait-il. J'en ai fait, des folies, pour lui faire plaisir. J'ai dilapidé une petite fortune qui aurait été bien utile à Claire maintenant, étant donné les circonstances. Pourquoi diable ai-je pris la décision d'accompagner Angéla au Canada? Rien ne serait arrivé si j'étais resté tranquille au Moulin. Je n'aurais pas ce poids sur la poitrine. Je ne serais pas devenu une ordure, oui, c'est bien le mot qui convient, une ordure!»

— Et produisez-vous toujours du papier? questionna Fondrat.

— Oui, mais mon gendre, Matthieu, a développé la vente des cartons fins pour l'emballage. Nous avions également lancé une imprimerie. Tout est à refaire...

— Avec les moyens actuels, les travaux ne traîneront pas! avança le professeur d'un ton rassurant.

— Espérons-le! Je n'ose pas imaginer le désespoir qu'a dû ressentir mon épouse. Depuis l'instant où j'ai embarqué, j'ai hâte de pouvoir la réconforter.

— Et ce nom, le Moulin du Loup, a-t-il une origine précise? demanda Fondrat.

— En effet! Tout est né d'une belle histoire. Jeune fille, Claire a trouvé un louveteau croisé de chien qui lui-même a rencontré une louve, et ils ont eu des petits. C'est pour cela que son père, le maître papetier Colin Roy, a changé le filigrane de l'entreprise, remplaçant l'aigle de jadis par un loup. L'appellation a suivi.

— Des loups! J'ignorais que ces bêtes s'apprivoisaient!

— Mon épouse n'est pas une personne ordinaire, précisa Jean avant de vider son verre d'un trait. Je veux dire par là qu'elle est généreuse et dotée de pouvoirs magiques à mes yeux. Depuis quelques mois, elle soigne les gens de notre vallée avec des plantes et par imposition des mains. Les animaux ont droit à ses soins également. Si je vous disais que ce louveteau, qu'elle avait baptisé Sauvageon, a vécu jusqu'à plus de vingt ans! Enfin, bref, ma chère femme aime avoir un loup à ses côtés et, dans le pays, c'est devenu une sorte de légende. Les loups du Moulin... Ce sont des bêtes mal jugées, selon elle. Oui, Claire est une personne peu commune.

Plus il encensait Claire, plus Jean sentait son cœur se serrer. Il prenait enfin la mesure du tort qu'il lui avait fait. Avec un soupir, il regarda sa montre. Le repas terminé, il lui faudrait remonter dans son wagon, puis descendre à Angoulême. Matthieu l'attendrait à la gare.

« Le début de l'épreuve! s'affola-t-il intérieurement. Je devrai jouer la comédie du Jean Dumont sérieux, sincère, courageux et prêt à retrousser ses manches. Je vais tous les duper! Je les ai tous trahis! »

Fondrat respecta son silence. Cependant, lui ne buvait pas. Fin et perspicace, il devina un souci plus profond chez son interlocuteur. Malgré l'incendie et ses conséquences certes désastreuses, Jean Dumont n'avait pas eu, pour évoquer sa fille, ses petits-enfants et son épouse, le ton affectueux et heureux d'un chef de famille comblé. Le professeur, un rien romantique et coutumier des romans dramatiques, songea avec justesse à une histoire amoureuse. Il se garda bien de toucher au sujet.

— Je vous raconte tout ça, décréta soudain Jean, mais en vérité je me suis mis dans un sale pétrin.

Pierre-Gaspard Fondrat nota la voix moins vive, les gestes nerveux de ce bel homme aux yeux fascinants.

« Mon Dieu, il a fini la bouteille de vin! se dit-il. J'aurais dû boire, moi aussi. »

— Un sale pétrin! répéta Jean, en fixant une des fenêtres du restaurant. Voyez-vous, monsieur, je n'ai pas l'habitude d'étaler ma vie privée, mais vous m'êtes sympathique. Nous sommes entre hommes et, à moins d'un hasard, je ne vous reverrai jamais. Je peux bien vous le confesser, j'avais une amie, là-bas, à Québec.

— Une amie?

— Une maîtresse, puisque c'est le terme employé par la majeure partie de la population. Mais il y a une bonne raison à l'usage de ce mot-là. Une maîtresse vous domine, n'est-ce pas? Elle prend possession de vous, elle est capable de vous mener par le bout du nez et de pleurer si vous devez la quitter. Mais pardonnez-moi, je vois bien que je vous embarrasse. Je tiens à le préciser, je n'ai jamais trompé mon épouse auparavant. Je l'aimais follement, je l'aime toujours autant, d'ailleurs. Je ne sais vraiment pas ce qui m'a pris. J'ai cédé à la tentation, voilà, comme le premier crétin venu. Et je m'en veux!

Vaguement embarrassé, Fondrat, le teint plus coloré, répondit tout bas:

— Pendant mes séjours à Paris, je loge chez une amie du genre de la vôtre... Que voulez-vous, à nos âges, comment résister à une jeune créature qui s'entiche de nous? Ne vous jetez pas la pierre! Cette personne est loin, à présent. Si vous témoignez beaucoup d'amour et de tendresse à votre épouse et qu'elle reste dans l'ignorance, tout rentrera dans l'ordre.

Jean hocha la tête. Il semblait naturel au professeur de céder à l'appel de la chair.

« S'il savait, lui aussi, que je couchais avec ma fille adoptive, il en ferait, une mine! Seigneur, quelle idée a eue Claire d'accueillir un fruit vert chez nous! Non, Angéla n'est pas un fruit vert. C'est une adorable jeune femme, ardente et gaie. Une artiste, de surcroît. »

Il alluma une cigarette et en proposa une à Fondrat qui refusa.

—Je crois que mon train part dans quelques minutes, expliqua le professeur. De toute façon, je ne fume pas. Monsieur Dumont, j'ai été enchanté de vous rencontrer. Et ne vous en faites pas, je n'irai pas ébruiter ce que je sais. Je vous souhaite bonne chance.

Le professeur eut un sourire complice qui agaça Jean. Il se leva à son tour, en insistant pour régler l'addition.

— En tout cas, je vous félicite encore pour votre ouvrage, renchérit Fondrat. Je vous aurais bien fait lire une ou deux poésies de ma plume, mais nous n'avons plus le temps.

— Une autre fois, peut-être! coupa Jean.

Ils se serrèrent la main. Sur le quai, il faisait une chaleur lourde. L'odeur caractéristique de goudron, de ferraille, de poussière dégagée par les voies ferrées fit grimacer les deux hommes. Ils se séparèrent. Jean était très mécontent de lui.

«J'ai encore trop bu. J'ai confié tout ce qui me passait par la tête à un inconnu. Et, à moins d'un miracle, je n'échapperai pas à ce qui me rend malade. Je dois rentrer au Moulin du Loup, mentir à tout le monde. Claire va me poser tout plein de questions. Claire... J'ai l'impression de ne pas l'avoir vue depuis des siècles.»

De plus en plus en proie au remords, Jean fut dévoré par la honte. Il aimait Claire; de cela il ne doutait pas. Mais il l'avait trompée.

« Si je l'aime, je dois lui éviter le moindre chagrin! décida-t-il une fois assis dans le compartiment. Je ferai tout mon possible pour qu'elle ignore ma liaison avec Angéla.»

Fort de cette résolution, il brassa des idées noires jusqu'à Angoulême. Il voulait se préparer aux retrouvailles. Chacun devait miser sur lui, qui avait si souvent représenté l'élément fort, invincible de la famille. Son vieil ami Léon, leur homme à tout faire devenu indispensable, gémirait en lui décrivant la nuit effroyable de l'incendie. Matthieu en rajouterait, sûrement très accablé par ce coup du sort. Le jeune homme s'était endetté pour acheter le matériel d'imprimerie. Faustine sourirait, douce, son visage harmonieux de madone blonde rayonnant de bonté. Les rires des enfants retentiraient; le loup Moïse le jeune lui ferait la fête.

«Mon Dieu! Ils vont me recevoir à bras ouverts, me harceler de suppliques, de plaintes! s'effara-t-il. Et si je n'avais plus envie, moi, d'être le roc sur lequel tous se reposent? Gamin, j'ai vécu en colonie pénitentiaire. Que dis-je? Gamin? Plutôt jusqu'à mes vingt ans. Ensuite, Claire n'a pas pu me suivre à La Rochelle et j'ai failli périr noyé pendant le naufrage du *Sans-Peur*. Fichu morutier, broyé comme une coque de noix par la tempête. Et au moment où j'aurais pu profiter de mes terres et de mes vignes, il y a eu la guerre. Une boucherie, oui...»

Jean estima qu'il avait droit à un peu de bon temps, si bien que ses pensées revinrent à Angéla. Il l'avait couverte de cadeaux, de toilettes de luxe, de bijoux. Ils dînaient dans les meilleurs restaurants. Elle aimait cette existence dorée qui compensait son passé d'orpheline, elle qui avait été violée à neuf ans par un beau-père d'occasion.

«Angie, une ravissante diablesse! conclut-il. J'adorais la regarder peindre le matin, en chemise de nuit, un châle sur les épaules. Elle mordait sa lèvre inférieure pour étudier son œuvre, et moi, je l'entourais de mes bras, je soulevais sa chemise, je glissais une main entre ses cuisses... Tout de suite, elle fermait les yeux et respirait plus vite. Avec elle, je n'avais jamais à patienter, elle cédait joyeusement à tous mes caprices.»

Le train ralentissait. Jean aperçut par la vitre le beffroi de l'hôtel de ville dont le clocher pointait sur un ciel pâle.

— Angoulême! Déjà!

Matthieu faisait les cent pas dans le hall de la gare, un ancien collège de la marine. Il poussa une exclamation soulagée en reconnaissant Jean parmi les voyageurs. Un porteur véhiculait sa malle sur un chariot.

— Jean! Enfin! Je poireaute depuis deux heures, s'écria-t-il. On m'a expliqué que ton train avait un gros retard.

Ils s'embrassèrent. Matthieu Roy, à vingt-huit ans, était un beau jeune homme, grand et élancé, d'une élégance naturelle que soulignaient ses mouvements déliés et son port de tête avenant. En cela, il ressemblait beaucoup à sa sœur Claire. Il était brun comme elle et avait son regard de velours noir.

— Content que tu sois là, Jean, dit-il d'emblée. J'ai bien besoin d'aide. Tu n'as pas pu venir plus tôt?

— Si tu crois que ça se fait comme ça! J'ai eu de la chance de trouver un bateau deux jours après avoir reçu le télégramme, mais ce n'était pas un paquebot flambant neuf. La traversée m'a paru interminable. Maintenant, je suis là. Où est ta voiture?

Matthieu remarqua les traits tendus de Jean qui évitait de le fixer droit dans les yeux.

« Bah! Il doit être ému! songea le jeune homme. La nouvelle de l'incendie a dû lui causer un tel choc! »

— Ne te fais pas trop de bile, Jean. L'essentiel, c'est qu'il n'y a pas eu de morts. Ernest, notre meilleur ouvrier, l'a échappé belle. J'ai réussi à le porter sur mon dos. Ses vêtements brûlaient et j'ai plongé avec lui dans la retenue d'eau du bief. À part ça, nous avons bien nettoyé les décombres. En deux semaines! Ce n'est pas joli à voir, mais on s'en accommode. Que veux-tu? La foudre frappe au hasard. Comme dit Claire, nous avions été épargnés jusqu'ici. Mais je compte faire installer un paratonnerre sur les nouveaux bâtiments.

— Ce serait une précaution utile. Je ne pouvais pas le savoir, pour Ernest. Bravo, tu t'es conduit en héros!

— N'importe qui en aurait fait autant! coupa Matthieu. Toi le premier.

— Sans doute, soupira Jean.

Ils continuèrent à discuter en marchant vers la Panhard du jeune homme. Bientôt, ils roulaient en direction de Puymoyen, le village situé sur le plateau rocheux surplombant la vallée des Eaux-Claires, où s'étaient construits plusieurs moulins des siècles auparavant, dont le moulin du Loup.

Plus il approchait de son foyer, plus Jean aurait voulu ne jamais arriver, et il se reprochait cette pensée. Matthieu se confondait en paroles pleines d'espoir, évoquant les travaux déjà commencés et les améliorations que cela entraînerait, mais Jean, lui, ne pensait qu'à Angéla. Il calculait le décalage horaire et constatait que, là-bas, de l'autre côté de l'Atlantique, la jeune fille devait se lever. Chaque matin, elle s'étirait, féline, toute chaude de la nuit passée contre lui. Il aurait donné cher pour s'envoler vers elle par magie et la surprendre, à demi nue, pour la couvrir de baisers. En même temps, il aurait donné dix ans de sa vie pour ne pas avoir séduit Angéla et rentrer au bercail la conscience tranquille.

Au moment où la Panhard bleue franchit au ralenti le portail du Moulin, il ne savait plus du tout où il en était. La seule certitude qu'il avait, c'était d'avancer en équilibre sur une corde raide. Cependant, quand il vit les murs fissurés de l'ancienne salle des piles, les poutres carbonisées et les bâtiments à ciel ouvert, il poussa un juron.

— Je t'avais prévenu, ce n'est pas beau à voir; ça retourne vraiment le cœur, déclara Matthieu. Léon et moi avons trié tout ce qui était récupérable. Et regarde un peu ce comité d'accueil! Tout le monde t'attendait avec impatience.

Le cœur de Jean se serra. Il jeta un œil incrédule sur les bâtiments incendiés, puis sur les personnes rassemblées en bas du perron.

« Ma famille! pensa-t-il. Seigneur, s'ils savaient la noirceur de mes actes! »

Pendant que Matthieu effectuait une manœuvre pour se garer sous l'auvent de l'appentis, Jean alluma une cigarette. Il appréhendait surtout le face-à-face avec Claire. Cela lui donnait des sueurs froides.

« Elle ne doit rien savoir, rien deviner! décida-t-il. Mais je la connais. Si j'ai l'air bizarre, elle va vite se douter de quelque chose. »

Déjà, Arthur accourait en compagnie d'Isabelle. Les deux enfants gambadaient autour de la voiture, si bien que Faustine les appela d'une voix grondeuse.

— Laissez-les descendre, garnements!

Matthieu sortit le premier et, vite, souleva sa fille pour la faire tournoyer en l'air. C'était une adorable poupée de quatre ans et demi, aussi blonde que sa mère. Elle éclata de rire en se débattant, les bras tendus vers Jean. Il frissonna, anéanti. Comment avait-il pu oser passer plus d'un mois en amant insouciant, alors qu'il était grand-père?

Il passa ses nerfs sur Arthur.

— Ne saute pas sur place comme un idiot! dit-il au garçon. Tu as onze ans, il me semble!

L'enfant recula aussitôt, contrarié. Jean se tourna alors vers les siens. D'abord, il vit Faustine, en robe rose, son ventre légèrement bombé tendant le tissu léger. Elle tenait la main du petit Pierre, âgé de seize mois. Léon et Anita, sa seconde épouse, se tenaient à ses côtés, lui en salopette de toile grise, elle en tablier rayé, un foulard sur la tête. La petite Janine, âgée de cinq ans, suçait son pouce, réfugiée dans les jupes de Thérèse. La jeune fille était de plus en plus jolie. Elle avait hérité des traits fins et de cheveux blonds de Raymonde.

Deux ouvriers du moulin étaient là également, en tenue de travail. Mais il manquait Claire. Matthieu avait rejoint Faustine et l'embrassait.

— Eh bien, papa, s'écria la jeune femme, avance donc, on dirait que tu hésites!

— Je vous contemple! expliqua Jean d'un ton qui se voulait jovial. J'ai vu tellement de visages inconnus pendant toutes ces semaines. Je vérifie que vous êtes au complet.

Une silhouette féminine apparut en haut du perron. Un cri retentit, vibrant d'amour et de soulagement.

— Jean! Enfin te voilà! Mon Jean!

Claire dévala les marches. Elle se montrait rarement aussi familière. Il comprit alors à quel point cette catastrophe avait dû l'accabler.

— Jean! répéta-t-elle en se jetant contre lui et en l'étreignant.

Il referma ses bras et la berça avec tendresse. Mais le hasard faisait mal les choses. La lumière vive de ce début d'après-midi avait souligné sans pitié les infimes rides de son épouse au coin des yeux et autour de la bouche. Des fils d'argent parsemaient la chevelure, jadis d'un brun intense. Claire faisait des confitures. Elle avait les mains poisseuses et portait un vieux tablier maculé de taches.

— Câlinette! dit-il avec un sourire. Ton mari revient du Canada en urgence et tu n'aurais pas eu l'idée de poser tes casseroles! C'est bien toi, ça!

Cette remarque laissa Claire déconcertée. Elle avait toujours eu soin de sa beauté, de son corps. Si Jean était revenu à la date prévue, en septembre, elle aurait pris le temps de passer du brou de noix sur ses quelques cheveux blancs et de mettre une toilette plus seyante.

— Je ne veux pas gaspiller une seule prune ni une seule poire, protesta-t-elle. J'avais pris la résolution d'économiser sur tout, et avec le malheur qui nous frappe c'est plus que jamais indispensable.

Il déposa un baiser sur ses lèvres et l'enlaça en se reprochant intérieurement sa maladresse. Claire venait de lui rappeler de façon discrète, peut-être involontaire, combien le voyage au Québec avait coûté cher. Il la regarda mieux, conscient de l'avoir offensée. Au fond, elle ne changeait pas. Et il l'aimait toujours aussi fort, malgré sa toquade pour Angéla. C'était son épouse, sa compagne des bons et des mauvais jours. Un affreux sentiment de culpabilité l'envahit face à cette belle femme dont il connaissait trop bien le courage et l'immense bonté. De plus, il retrouvait sous ses doigts le contact de son corps vigoureux et ferme, dont les formes lui étaient familières. Le souvenir d'innombrables étreintes le terrassa. Il eut envie d'elle, sur l'instant, et cela le réconforta. Pierre-Gaspard Fondrat avait raison, tout rentrerait dans l'ordre.

— Je te taquinais, lui dit-il à l'oreille. Je suis rentré le plus vite possible. Nous allons trimer dur, mais le moulin de ton père sera reconstruit avant l'été prochain. Je t'aime, Claire.

Faustine saisit son père par le poignet.

— Et moi, papa! Je n'ai pas droit à un bonjour!

— Mais si, ma chérie! Tu m'en as fait, une surprise! Ainsi, un autre petit est en route! C'est pour quand, cette nouvelle naissance?

— Début janvier, je pense, répondit la jeune femme. Ce sera un bébé de l'hiver, celui-là.

Jean fut accaparé par sa famille. Il eut un mot aimable pour chacun et donna l'accolade à Léon qui reniflait, ému aux larmes de le retrouver.

— J'ai préparé un bon goûter, annonça Anita. Trois tartes aux pommes et du cidre. Et du lait pour les petits.

Rien ne changeait vraiment au Moulin du Loup. Jean reprit sa place au bout de la longue table en bois sombre. Les enfants s'installèrent sur les bancs. Une succulente odeur de fruits cuits et de sucre chaud flottait dans la vaste cuisine. Les buffets s'ornaient de bouquets de fleurs des champs, dans leurs vieux vases en grès beige.

— Quel bonheur de te voir ici! soupira Claire.

Incapable d'oublier la réflexion de son mari au sujet de ses casseroles, elle avait vite enlevé son tablier sale et s'était lavé les mains. Elle se sentait lasse.

« Depuis l'incendie, je me suis à peine regardée dans un miroir! se reprocha-t-elle. Nous avons eu tant de soucis, tant de travail! »

Elle avait hâte d'être seule avec Jean, de se confier, de partager son fardeau. Toujours énergique et en apparence sereine, Claire devait assumer l'organisation d'une nombreuse maisonnée dont les finances battaient de l'aile.

Anita découpait les tartes sous le regard intéressé des enfants. Un silence inhabituel s'était installé. Très sensible aux atmosphères familiales, Faustine eut l'impression d'un vague malaise et en chercha la cause.

« Je crois que nous sommes tous gênés à cause de papa. Il n'a pas l'air très content. Je le trouve bizarre, mal à l'aise avec nous. Mais pourquoi? Cela dit, il a dû avoir un gros choc en constatant l'état des bâtiments. Je m'y suis habituée, mais lui, il revient et découvre l'ampleur des dégâts. »

Thérèse, la fille aînée de Léon, sa superbe chevelure coupée à la nouvelle mode, mordit la première dans sa part de tarte.

— Un régal! déclara-t-elle. Au fait, Jean, et Angéla?

— Eh bien quoi, Angéla? rétorqua-t-il trop sèchement.

— Comment va-t-elle? insista l'adolescente. Moi, je n'aurais pas aimé ça, partir vivre aussi loin! En plus, elle ne m'a envoyé qu'une carte postale.

— Tu sais, je ne passais pas mon temps à la surveiller! coupa Jean. Et elle dessinait beaucoup. C'était déjà assez compliqué de lui trouver un emploi et un logement.

— Raconte-nous! supplia Faustine d'un air impatient.

— Plus tard. Je suis affamé et fourbu, protesta son père. Et, ne m'en veuillez pas, le voyage du retour n'était pas des plus agréables. J'ai pris un bateau de commerce pour être là rapidement. Je me suis rongé les sangs en pensant au moulin. Encore une chance que la maison n'ait pas brûlé aussi.

— Dieu ne l'aurait pas permis! s'écria Claire. Il y a eu un vrai déluge qui a bien aidé les pompiers. Mais je t'assure que nous avons vécu une nuit d'épouvante.

— Le pire, c'est quand nous avons cru Matthieu mort dans les flammes, précisa Faustine d'un air tragique.

Les récits mêlés des uns et des autres fusèrent. Chacun voulait témoigner, même Janine et Isabelle. Cela composa un véritable tohu-bohu, dominé par les jurons de Léon, qui, lui, mimait les instants les plus critiques.

— Alors là, mon Jeannot, je vois notre gars Matthieu ruisselant, mais la moustache et les tifs roussis, qui sortait du bief en portant un type sur le dos. Tu parles si j'ai vite couru prévenir Faustine et Claire qu'il était vivant!

— Et ce bruit affreux quand le toit s'est effondré, renchérissait Anita. Je me suis dit que notre logement était fichu. C'était vrai! Nous avons perdu tout notre linge, tous nos vêtements. Et nos meubles et même la médaille de baptême de Janine.

— Du coup, j'ai installé Léon et Anita dans l'ancienne chambre de Colin, expliqua Claire. Janine dort avec Thérèse, quand elle n'est pas en ville.

Jean dut faire un effort pour se souvenir que Thérèse était apprentie chez une coiffeuse d'Angoulême.

— Et César sera là pour souper, nota Léon avec un bon sourire. Il devient coureur, depuis qu'il n'est plus fiancé! Pardi, comme je le lui ai dit, une de perdue, dix de retrouvées!

Cette fois, Jean ferma les yeux. Il avait oublié cela aussi. Angéla avait rompu avec le fils de Léon. Angéla... Il crut entendre sa voix, le dernier matin à l'hôtel.

« Jean, ne me laisse pas! Je n'ai que toi! Ou bien je rentre avec toi. Je vivrai dans une chambre de bonne, n'importe où, je t'attendrai à chaque instant. Jean! »

Il avait failli céder. Elle était vive, passionnée, impudique.

Le plaisir faisait d'elle un gracieux animal au charme dévastateur. Il ne devait plus penser à elle. Furieux contre sa propre faiblesse, il chassa vite Angéla de son esprit.

— Papa! Papa! appela Faustine. Est-ce que ça va?

— Je suis épuisé! dit-il en regardant sa fille. Je ferais mieux de monter me reposer. Ne m'en veuillez pas, je n'ai pas fermé l'œil depuis hier.

Il avait conscience de les décevoir. Tous l'avaient espéré comme un messie capable de réparer le mal en claquant des doigts. Faustine piqua du nez dans son assiette, Matthieu sifflota. Léon en resta muet de surprise. Dès que Jean fut à l'étage, Claire fit remarquer:

— Nous l'avons pris d'assaut avec nos bavardages et nos cris! Vous verrez, ce soir, il ira mieux.

Elle donna sa part de tarte à Arthur d'un air songeur.

«J'ai eu tort de célébrer l'arrivée de Jean en fanfare! se reprocha-t-elle. Il préfère être seul avec moi, comme toujours.»

Faustine, dépitée, déclara qu'elle rentrait chez elle faire la sieste. Matthieu l'accompagna un bout de chemin. Il portait le petit Pierre sur ses épaules.

— Ton père a un comportement bizarre! dit-il soudain. Je comprends qu'il soit très contrarié par l'incendie, mais d'habitude Jean prend le taureau par les cornes. On aurait dit qu'il s'en fichait!

— Mais non, tu te trompes! s'exclama-t-elle. Papa avait investi dans l'imprimerie. Il doit s'en vouloir aussi de s'être trouvé au bout du monde alors que nous avions de gros soucis.

— Franchement, Faustine, tu ne l'as pas trouvé différent?

— Un peu, avoua la jeune femme. Mais je me souviens qu'après la guerre il était lunatique, morose.

— Il ne revient pas de la guerre, là! décréta Matthieu. Il a fait une sorte de croisière, sur un paquebot en première classe. Il devrait être satisfait. Ce n'est pas tout le monde qui peut faire un si beau voyage! Dans la voiture, il me parlait à peine et il ne me regardait pas. Je sais, il m'en veut! Je suis certain qu'il me juge responsable de ce désastre.

Faustine obligea son mari à s'arrêter. Leur maison était en vue. Elle lui caressa la joue.

— Tu n'as pas allumé l'incendie, mon amour! dit-elle avec douceur. Je te promets que papa sera de meilleure humeur au dîner. Peut-être que notre Angéla lui a causé des problèmes, qu'il n'osait pas le dire à Claire, pas devant nous tous. Angie a un sacré caractère!

Cette hypothèse parut réconforter Matthieu.

— Tu as sans doute raison, dit-il. Je retourne sur le chantier. Je n'ai pas eu le temps de te le dire, mais, si je peux récupérer le plomb des caractères de l'imprimerie, cela me coûtera moins cher pour en faire fabriquer de nouveaux.

Le jeune couple s'embrassa du bout des lèvres.

Pendant ce temps, Claire entrait sans bruit dans la chambre où Jean et elle avaient partagé tant de nuits enchanteresses au fil de leurs années de mariage. Elle s'était rafraîchie dans la salle de bains. Enveloppée d'un peignoir en coton, les cheveux défaits et soigneusement brossés, elle se promettait de consoler son mari à sa manière.

«J'ai dû lui manquer, toutes ces semaines, se disait-elle. Je le connais si bien. Il a besoin de moi comme j'ai besoin de lui.»

Jean était allongé sur le lit, un bras cachant ses yeux. Il n'avait ôté ni ses chaussures ni son pantalon, mais sa chemise était ouverte.

— Tu dors? demanda Claire.

D'un imperceptible mouvement de la tête, il fit signe que non.

— Si tu as la migraine, je peux te donner mes pastilles à la mélisse ou te masser, dit-elle en se couchant près de lui.

Elle posa une main chaude sur son ventre, s'aventura vers la boucle de sa ceinture.

— J'espérais juste dormir un peu, avant de me doucher, Câlinette! dit-il avec douceur en repoussant sa main. Je suis éreinté et je me sens poussiéreux.

— Oh, mon chéri, j'avais tellement hâte que tu sois là! nota Claire avec un regard plein de tendresse. Toutes ces nuits solitaires à ressasser les soucis! Et j'étais pressée de te raconter qui nous a sauvés. J'en ai parlé à Matthieu, mais tu dois savoir la vérité. Une vérité inouïe, merveilleuse.

Jean se tourna sur le côté. Il considéra sa femme attentivement, atteint en plein cœur par son beau regard de velours brun, empreint d'un amour immense, inaltéré.

— Je t'aime! dit-il. Je n'aurais jamais dû partir au Canada. C'était de la folie.

— Tu étais si joyeux de traverser l'océan, et il fallait un protecteur à Angéla. Tu as entendu ce que je disais? Il s'est produit un miracle au Moulin, Jean. Nicolas était là, parmi nous! Je l'ai vu plusieurs fois et quand je l'ai supplié de nous aider il a plu à torrent. Ne fais pas ces yeux, je ne suis pas folle. C'était incompréhensible, je te l'accorde, mais tellement magique. J'ai eu l'impression que mes prières étaient exaucées grâce à lui. Et le vieux père Maraud, le rebouteux, m'avait dit que les âmes en peine essaient parfois de se racheter.

— Je te crois, Claire, ça s'est sûrement passé comme ça. S'il y a une vie après la mort, quelqu'un qui a des fautes à réparer peut se consacrer aux autres. Tout est bien, dans ce cas. Avec toi, rien n'est ordinaire, n'est-ce pas? Tu as un don de guérisseuse.

Claire devina que son mari n'avait aucune envie d'aborder ce genre de sujet.

— Nous en reparlerons! soupira-t-elle. Je parie que tu as la migraine.

— Nous en reparlerons, répéta Jean. Je suis si fatigué! Viens plus près. Je suis désolé d'être un peu grincheux.

Il se serra contre elle, enfouissant son visage au creux de son épaule, le nez dans ses cheveux. Pour un peu, il aurait pleuré comme un enfant qui a fait une grosse bêtise et aspire au soulagement de l'aveu.

« Si tu savais! pensait-il. Je me suis conduit en sale type, en mâle qui doit assouvir ses désirs. »

Claire repoussa son mari délicatement. Elle ne rêvait pas. Jean pleurait.

— Enfin! Qu'est-ce que tu as? s'inquiéta-t-elle. Cela te

bouleverse à ce point de voir le moulin détruit? Mais l'assurance nous permet de reconstruire. Ne te mets pas dans des états pareils. Jean, il y a autre chose que tu n'oses pas me dire?

— Non, pas du tout! affirma-t-il sans relever la tête. Je vous aime si fort, tous. Faustine, les petits. Toi, Claire, ma femme. Là-bas, à Québec, j'avais l'impression d'être très loin de vous.

— Ce n'était pas qu'une impression! plaisanta-t-elle en cherchant ses lèvres. Mais c'est fini. Tu es revenu et nous t'aimons aussi très fort.

Claire guida la main de Jean vers ses seins. Elle croyait naïvement qu'il ne cherchait pas à faire l'amour parce qu'il ne s'était pas douché.

— Je me moque que tu sois poussiéreux ou en sueur. Je me languissais de toi.

Jean se redressa brusquement et s'écarta de sa femme. Il revit Angéla le matin où il devait embarquer. Elle était nue dans leur lit, en larmes.

— Au moins, Jean, promets que tu ne toucheras pas Claire! avait-elle crié. J'en mourrai si tu couches avec elle! Je t'ai tout donné, tu es le seul homme au monde que j'aimerai!

Il avait répondu qu'elle exigeait l'impossible, que Claire était son épouse devant Dieu depuis des années et que cela éveillerait ses soupçons s'il la délaissait.

— Alors, sois maudit! avait sangloté la jeune fille. Que ton bateau coule, que l'océan t'engloutisse! Tu ne m'aimes pas, tu m'as utilisée comme un jouet. Je te déteste!

Jean avait dû rassurer Angéla, la consoler. Affolé à l'idée de rater le départ du navire marchand qui acceptait de le transporter jusqu'au Havre, il s'était engagé à revenir dès qu'il le pourrait.

«J'étais complètement fou! songea-t-il, alors que Claire le regardait d'un œil intrigué. Bon sang, je ne peux pas rayer d'un coup ma famille et mes responsabilités! Le verger, les vignes, l'imprimerie. Et Faustine, les enfants. Et ma femme, une femme qui n'a jamais failli à aucun de ses devoirs, contrairement à moi!»

— Mais qu'est-ce que tu as? demanda Claire. Je ne te plais plus, je ne suis plus assez séduisante?

— Ne sois pas sotte! grommela-t-il plus durement qu'il ne l'aurait voulu. Il y a que j'ai sommeil et, quitte à ne pas dormir, je ferais mieux de rejoindre Matthieu et d'inspecter les ruines du moulin avec lui.

— Tu ne sortiras pas de cette pièce sans m'avoir expliqué ce qui te préoccupe, Jean! C'est Angéla? Avoue, elle t'a causé des problèmes que tu n'as pas pu résoudre et tu as honte! C'est une jeune fille compliquée, parfois capricieuse. Allons, parle! Elle t'a faussé compagnie, vous vous êtes querellés? J'aurais dû l'accompagner, moi! Tu n'es pas à ton aise avec les filles, excepté avec la tienne. Mais Faustine n'a pas le tempérament d'Angie. De plus, nous l'avons adoptée alors qu'elle était déjà adolescente.

Jean se mordilla la lèvre inférieure. Claire lui rappelait à présent qu'il était bel et bien le père officiel de sa jeune maîtresse, son tuteur légal.

« Dans quel pétrin je me suis mis! » s'effraya-t-il.

— Non, Câlinette, Angéla ne m'a causé aucun souci. C'est une gosse discrète, peu bavarde, toujours occupée à crayonner. Je me tracasse surtout pour l'argent que j'ai gaspillé. En fait, il aurait mieux valu que Louis de Martignac épouse Angéla et lui fasse mener la vie de château. Nous n'aurions pas dilapidé le maigre capital qui nous restait. Même avec l'argent de l'assurance, il faudra prévoir d'autres dépenses. Et oui, cela me rend malade!

Claire referma son peignoir. Jean n'avait manifesté aucun intérêt pour son corps. Cette attitude ne lui ressemblait pas. Ils avaient déjà connu des heures plus graves et justement le plaisir qu'ils se donnaient les aidait à affronter les épreuves du quotidien.

— Est-ce que les Giraud sont de retour? interrogea-t-il à mi-voix.

— Non, pourquoi?

— J'emprunterai la somme nécessaire à Bertrand ou à Bertille. Ils roulent sur l'or, eux.

— Bertille m'a déjà prêté beaucoup d'argent, protesta Claire. Moi, ça me déplaît de vivre à leurs crochets. Jean, nous redresserons la barre, nous deux. Matthieu avait de nombreuses commandes. Nous pouvons compter sur lui, il travaillera dur.

Elle se leva du lit et prit des vêtements propres dans l'armoire.

— Repose-toi! déclara-t-elle presque sèchement. Je vais terminer mes confitures. Bref, je retourne à mes casseroles, puisque je ne suis bonne qu'à ça!

Jean ne releva pas l'allusion à sa remarque. Il avait besoin d'être seul pour réfléchir.

« Déjà, ça commence mal, songea-t-il, couché à plat ventre. Si je vexe Claire, l'ambiance sera vite à l'orage. »

Il ne descendit qu'à l'heure du dîner, après avoir somnolé. Anita avait préparé un petit festin. Toute la table fit honneur aux confits de canard et aux pommes de terre fricassées, à la compote de poires agrémentée de biscuits au beurre frais. Jean se servait du vin entre chaque bouchée, imité par Léon. Après le dessert, les deux hommes fumèrent plusieurs cigarettes assis au coin de la cheminée. Ils riaient trop fort et affichaient des mines réjouies.

— Sers-nous une goutte de fine! cria Jean à Anita.

Faustine et Claire échangèrent un regard réprobateur. Matthieu sortit prendre l'air, déçu par la tournure de la soirée.

— Papa, je crois que tu as suffisamment bu! décréta la jeune femme. Et je te rappelle que je suis enceinte; votre fumée commence à me soulever l'estomac.

— Ta fille a raison, Jean! s'indigna Claire. On dirait des vieux piliers de comptoir. Ce n'est pas un spectacle édifiant pour les enfants.

— Je ne suis pas vieux du tout! bégaya Jean. Je peux en remontrer à des blancs-becs. Anita, elle vient, cette goutte?

Thérèse éclata en sanglots, car Léon entonnait une chanson paillarde dont les mots crus lui faisaient honte. L'adolescente prit sa petite sœur à son cou et monta dans leur chambre.

— Qu'est-ce que je fais, madame? interrogea Anita. Je les sers, ces messieurs?

— Non, il leur faut plutôt du café bien noir! jeta Claire avec mépris.

Une vingtaine de minutes plus tard, Matthieu dut prêter main-forte à sa sœur et à Anita pour coucher Léon et Jean. Ils s'endormirent aussitôt. Faustine ne décolérait pas.

— Moi qui me réjouissais d'un repas en famille avec mon père! confia-t-elle à sa mère adoptive. Mais vous les avez vus? En plus, papa a poussé Léon à boire.

— Oh! Il n'a guère besoin d'être poussé, mon homme, remarqua Anita. J'ai beau le surveiller, il lève le coude quand même. Un verre par-ci, un verre par-là, dès qu'il n'a pas le moral. Je sens bien qu'il pense souvent à sa première dame, Raymonde.

— Je suis sûre que Jean est très affecté par l'incendie du moulin, répondit Claire.

Elle s'en tenait encore à cette hypothèse, une fois seule dans sa cuisine, assise dans le fauteuil en osier. C'était un moment de grand calme qu'elle affectionnait. Tout était en ordre. La lueur d'une bougie relayait la lumière électrique. La flamme lançait des reflets mouvants sur les meubles et les ustensiles en cuivre. La chatte Mimi réapparaissait et se lovait sur les genoux de Claire.

« Demain, cela s'arrangera, se promit-elle. Le plus important, c'est que Jean soit revenu sain et sauf et que Matthieu ait survécu à son expédition dans le brasier. Nous sommes une famille, un clan, et quoi qu'il arrive nous resterons tous unis. »

*

Le lendemain, Jean se leva à l'aube et enfila des vêtements usagés qu'il réservait aux travaux des champs. Avant même d'avaler un café, il parcourait les décombres du moulin.

Claire le rejoignit, souriante et épanouie. Elle l'avait enlacé, au réveil, et s'était révélée câline et provocante. Jean s'était montré un peu grognon, puis il l'avait aidée à ôter sa chemise de nuit. Nue contre lui, elle avait enfin obtenu ce dont elle rêvait. Il avait couvert son corps de baisers enflammés, lui prodiguant même des caresses audacieuses qui les avaient excités tous les deux. Très vite, avec une fièvre nouvelle, ils s'étaient abandonnés à la joie d'une étreinte ardente et passionnée. Complètement rassurée, Claire ne songeait plus qu'à passer le maximum de temps auprès de son mari.

— Alors? lui dit-elle au milieu de l'ancienne salle des piles dont la toiture s'était effondrée. Il y a de l'ouvrage à abattre, n'est-ce pas?

— Oui, et je commence ce matin, répliqua-t-il. Devant un tel désastre, le mieux est de retrousser ses manches et de ne pas se poser de questions.

— Matthieu et ses ouvriers ont déjà sorti toutes les tuiles cassées et trié celles qui sont encore en bon état, expliqua-t-elle. Tu dois aussi t'occuper de tes vignes. Et les pommes sont bonnes à récolter.

— Je n'ai pas dix bras, Câlinette!

Elle s'approcha de lui et posa ses lèvres chaudes sur sa bouche.

— J'aime quand tu m'appelles comme ça, avoua-t-elle.

— Je ne me gênerai pas! affirma Jean. Tu seras toujours ma Câlinette! Tu ne m'en veux pas trop, pour hier soir? Je me suis endormi comme une masse. J'ai eu tort de boire autant. Mais j'étais chamboulé par tout ceci!

Il désignait les poutres à demi carbonisées, gisant sur le sol couvert de suie et de cendres.

— Le moulin représentait beaucoup pour moi! ajouta-t-il. Et je tenais à cette imprimerie. Cet après-midi, j'irai à Angoulême chercher une entreprise capable de vite remonter une charpente.

Elle le regarda, bouleversée. Jean avait le teint hâlé et affichait un air déterminé. Ses magnifiques yeux bleus, ourlés de cils noirs, semblaient défier les vestiges noircis.

« Qu'il est beau! » se dit-elle.

Soudain, confiante en leur avenir, Claire posa sa joue contre l'épaule de Jean. Elle caressa sa nuque et joua avec une mèche brune qui frôlait le col de sa chemise.

— Il n'y avait pas de coiffeur pour hommes, au Canada? Cela te change, ces cheveux qui ont poussé. Je t'ai toujours vu rasé de près.

— C'est un détail auquel je n'ai pas pris garde, précisa-t-il.

— Puisque tu comptes aller en ville, va chez ton ami Alfred. Il sera content de te revoir. Il paraît qu'il a agrandi son salon de coiffure.

Encore une fois, Jean approuva d'un air conciliant. Angéla adorait plonger ses doigts dans ses boucles. Elle l'avait supplié de ne pas se couper les cheveux.

« Je lui enverrai un télégramme de la Grande Poste d'Angoulême. Ce sera plus discret qu'à Puymoyen », pensa-t-il avec un pincement au cœur, en imaginant la jeune fille seule à Québec. Sans doute devait-elle souvent se promener sur les quais, afin de contempler avec amertume les eaux du Saint-Laurent qui l'avaient emporté.

Claire embrassa son mari et s'éloigna d'un pas, bien à regret.

— Matthieu sera là dans quelques minutes. Je suis dans le potager, si vous avez besoin de moi.

— D'accord! répliqua-t-il. Excuse-moi si je te parais inattentif, mais je calcule la somme qu'il nous faudrait. Les ouvriers peuvent travailler sur le chantier; Léon et Anita seront plus utiles au verger. Ce n'est pas cette année que je pourrai embaucher des gars pour la récolte de pommes, car je ne vois pas comment les payer, à moins que...

— Non, par pitié, ne reparle pas d'emprunter de l'argent à Bertrand Giraud! s'exclama Claire.

— Et ma sœur! Blanche a fait de bons placements. Elle ne refusera pas de nous secourir.

— Depuis que je l'ai empêchée d'acheter le château de Torsac, ta sœur nous dédaigne. C'est même pire, elle ne m'a pas écrit après l'incendie, alors qu'il y a eu un article dans le journal. Edmée m'a téléphoné le soir même pour me réconforter, mais de ta sœur jumelle, rien!

Jean hocha la tête et entreprit de déblayer une caisse en métal qu'il avait toujours vue dans un angle d'une petite pièce du moulin, nommée le pourrissoir. C'était là que, jadis, le prédécesseur de Colin Roy laissait se désagréger des morceaux de linge et de tissu dans de l'eau très chaude qui deviendrait de la pâte à papier.

— Tu verras, Câlinette, l'année prochaine, à la même

date, les piles seront en fonction et le carnet de commandes sera bondé. L'imprimerie tournera à plein rendement et la papeterie aussi. Je me le suis promis, tant je m'en veux de ne pas avoir été là, près de vous. Aie confiance!

Pendant la semaine qui suivit, Claire, Matthieu et Faustine durent avouer que Jean se tuait à la tâche. Il était à pied d'œuvre dès l'aube et ne posait ses outils qu'au crépuscule. Bien sûr, ils ignoraient qu'il n'avait trouvé que ce moyen-là d'apaiser ses nerfs torturés par le souvenir d'Angéla. La jeune fille hantait ses pensées.

— Vous aviez tort de vous tracasser, madame, dit Anita, le dimanche. Monsieur Jean sue sang et eau pour réparer les dégâts. Mon Léon, lui, il joue les contremaîtres au verger. Une chance que monsieur Jean a pu engager du monde.

— Je ne sais pas si c'est une chance. Mon mari a emprunté une somme énorme à sa sœur. Comme je connais Blanche, elle réclamera vite des intérêts.

Les deux femmes écossaient des haricots qu'elles serviraient le soir même, cuits dans du bouillon et assaisonnés au persil et à l'ail.

— Je mettrai le gigot au four dès cinq heures, madame, annonça Anita, visiblement satisfaite de faire cuire une si belle pièce de viande.

— Du lard aurait suffi, soupira Claire. Encore une dépense superflue de mon mari. Un gigot de ce prix!

Elles discutèrent encore du menu du lendemain. Claire cachait vaillamment la tristesse qui l'accablait. Jean était si fatigué qu'il s'endormait très tôt pour quitter le lit conjugal dès le réveil, dans sa hâte de retourner travailler. Elle n'osait plus le solliciter ni provoquer son désir. « Et si je ne lui plaisais plus! s'alarmait-elle. Ou bien, il se tourmente pour un motif qui m'échappe! »

Afin de ne pas contrarier son mari, elle évitait toute conversation à risque. Elle avait feint de se réjouir pour l'argent prêté par Blanche. Elle n'évoquait plus les apparitions de Nicolas ni la pluie miraculeuse. Au fil des jours, elle commençait à croire que le nœud du problème était bien Angéla.

« Si j'avais le temps de lui écrire, à notre chère petite, je saurais peut-être ce qui s'est passé là-bas. Jean m'en veut, je le sens. Tout ça parce qu'il n'a pas pu s'entendre avec elle. Comme dit Faustine, Angéla a beaucoup souffert ces derniers mois. Sa rupture avec César, son rêve d'amour brisé avec Louis de Martignac, tout ceci l'a perturbée. Elle a pu se montrer blessante avec Jean, lui en faire voir de toutes les couleurs, même s'il prétend le contraire. »

Pas une seconde Claire n'envisagea la vérité. Elle avait toujours pris des enfants sous son aile et, quand elle se déclarait leur mère de cœur, ce n'était pas un vain mot. Ainsi considérait-elle Angéla comme leur fille, à Jean et à elle.

Trois semaines s'écoulèrent ainsi. Les travaux avançaient vite, les hommes du moulin consacrant la majeure partie de leur temps à seconder l'équipe angoumoisine engagée par Jean. Claire avait renoncé à obtenir de son mari autre chose que des baisers rapides sur les lèvres. Elle se disait qu'il se consacrait tout entier à sa tâche.

« Je ne peux pas lui reprocher de se démener autant pour nous tous! »

Un lundi matin, un télégramme rompit l'écoulement laborieux des premiers jours d'octobre.

— Oh, écoutez ça! s'écria Claire après l'avoir lu en toute hâte. C'est de Bertille: « Serons là jeudi. Merci de prévenir Mireille et Maurice. Rentrons avec une surprise. »

Faustine tricotait sans quitter de l'œil les déambulations de son fils. Isabelle et Janine jouaient aux dominos sur une petite table que Léon leur avait fabriquée.

— Tantine nous aura rapporté une invention à la mode en Amérique! supposa la jeune femme. J'ai lu que des postes de radio sont en vente, là-bas, qui diffusent de la musique.

Arthur, lui, était muet de saisissement. Le télégramme signifiait que Clara serait bientôt de retour dans la vallée. Claire perçut le ravissement de son demi-frère.

— J'en connais un qui est heureux! dit-elle avec malice. Sois patient, mon Arthur, plus que trois jours. Moi aussi, Bertille et Clara me manquaient. Sans ma cousine, la vie a moins de piquant. Ils sont restés absents presque un an.

— Un an, maman! affirma Faustine. Je me demande ce qu'ils ont bien pu faire si longtemps en Amérique!

— Le petit Félicien a dû changer! déclara Anita. Clara aussi.

Claire en oublia son désarroi au sujet de Jean. Elle se réjouissait d'entendre bientôt le récit des pérégrinations de Bertille. La dame de Ponriant racontait à merveille et elle devait avoir une foule d'anecdotes palpitantes.

Le soir même, elle crut toucher au bonheur parfait. Jean et Matthieu avaient passé la journée à surveiller le déchargement des tuiles toutes neuves qui étaient destinées à la toiture des étendoirs. Par mesure de sécurité, un maçon et son apprenti avaient consolidé les zones de mur endommagées. Claire et Faustine, elles, s'étaient penchées sur les plans réalisés par un jeune architecte.

— Tu as vu ça, maman? Tout sera exactement comme jadis, s'était émerveillée la jeune femme. Même le logement au-dessus de la salle des piles.

Matthieu jubilait lui aussi. Dès que les bâtiments seraient couverts, il pourrait faire livrer la machine à papier achetée d'occasion du côté de Limoges, tout comme le matériel d'imprimerie.

— C'était un mal pour un bien, ne cessait-il de répéter. Mon futur équipement sera de meilleure qualité.

Rasséréné par la bonne marche des travaux, Jean déboucha du cidre. Il était de bonne humeur. Peut-être était-ce dû à la gentillesse constante de Claire et au prêt que sa sœur lui avait accordé. Après avoir été bagnard et traîne-misère, le fait de se découvrir issu de la haute bourgeoisie et riche héritier lui avait donné le goût des dépenses. Il détestait se retrouver en panne de capitaux.

Une fois à table, il leva son verre en riant:

— Trinquons à l'avenir! Et à mon prochain livre! J'ai terminé le roman qui traite du naufrage du *Sans-Peur*. Et l'ouvrage sera imprimé chez nous!

— Quelle bonne nouvelle, papa! se réjouit sa fille.

Claire jeta un regard satisfait sur sa famille. Matthieu et Faustine prenaient presque tous leurs repas au Moulin.

Isabelle et Janine, qui n'avaient aucun lien de parenté, grandissaient comme des sœurs. Arthur rêvassait, les bras croisés sur la table. Il vivait un peu à l'écart de tous, mais Claire devinait que cet enfant sensible percevait la somptueuse musique de la nature, les chants d'oiseaux, le refrain de la rivière, le soupir des feuillages. Le retour de Clara, son amie de toujours, le comblait.

Le repas fut riche en conversations, en souvenirs évoqués. Jean se sentait réconcilié avec la douce vie d'avant. Il reprenait avec plaisir sa place de patriarche. Les sourires de sa petite-fille Isabelle, les grimaces comiques du petit Pierre, tout cela redevenait précieux à ses yeux.

« Je suis guéri! se disait-il. Angéla n'a pas répondu à mes télégrammes, elle a dû s'accoutumer à son emploi. Et, sans doute, faire des rencontres. Tout est réglé. »

Il monta se coucher le dernier, après avoir fumé une cigarette assis sur la pierre de l'âtre. La grande cuisine du Moulin, plongée dans une douce pénombre, lui parut le lieu le plus chaleureux du monde.

« Claire, je vais me montrer le meilleur époux du monde jusqu'à la fin de nos jours, songeait-il. Dieu sait qu'elle ne méritait pas d'être trompée. Je l'ai un peu délaissée ces temps-ci, mais c'était pour mener à bien les travaux. C'était pour elle, pour effacer les traces de la catastrophe et qu'elle revoie son moulin aussi beau que par le passé. Je l'aime si fort, ma femme. »

Bientôt, il entrait dans leur chambre. Claire, parée d'une vaporeuse chemise de nuit, brossait ses longs cheveux bruns. La pièce embaumait une délicate senteur de lavande et de talc.

— Hum, partout où tu es, ma chérie, ton parfum me rappelle combien je t'aime! dit-il en la prenant par les épaules. Je n'ai pas été très démonstratif, ces dernières semaines, mais je t'aime.

Jean se pencha et glissa ses mains dans l'échancrure du vêtement en coton satiné de sa femme. Il effleura la pointe de ses seins, plus lourds que jadis, mais fermes et ronds. Le désir l'enflamma. Claire, le souffle court, n'osait plus bouger. Enfin, elle posa sa brosse sur la commode et appuya sa tête contre le ventre de son mari.

— Moi aussi, je t'aime! avoua-t-elle. Et je sais que tu as travaillé dur, que tu t'es épuisé. Je t'aime comme aux premiers jours, hélas!

— Pourquoi, hélas? demanda-t-il.

— Les jeunes amoureux sont plus passionnés qu'un vieux couple. J'ai toujours peur de ne plus te plaire. Je me fais des idées dès que tu n'as pas envie de moi.

— Pardonne-moi, ma tendre Câlinette! murmura-t-il en l'embrassant dans le creux du cou. Je te l'accorde, ces derniers jours, je n'étais pas très empressé au lit. Avec ce boulot de dingue, je n'avais pas la tête à ça. Je vais me rattraper!

Il l'obligea à se lever. Léon avait allumé le poêle à bois. Il faisait chaud dans la chambre. Jean déboutonna la chemise de Claire et la lui ôta. La vision de son beau corps à la peau dorée attisa son désir. Il l'enlaça et prit ses lèvres avec une insistance toute virile.

— Jean, mon Jean, enfin! gémit-elle, déjà consentante, offerte.

Il se déshabilla et se coucha à ses côtés. Claire était ivre de joie. Cela la rendait impudique, farouche. Elle voulait tant s'assurer du plaisir de son mari qu'elle brûlait les étapes, décidait de caresses dont elle aurait rougi des années auparavant. Ils firent l'amour comme s'il s'agissait d'un combat qu'ils devaient mener.

Des plaintes sourdes leur échappèrent, ainsi que des cris brefs. Cela inquiéta Arthur, de l'autre côté du couloir. L'enfant crut que des bêtes se battaient dans le grenier et il se boucha les oreilles.

Claire reprit ses esprits avec cette pensée: « Pourvu que mon petit frère n'ait rien entendu! »

Mais Jean poussa un soupir heureux et s'étira. Il fixait la flamme de la chandelle qui avait éclairé leurs ébats.

— Eh bien, remarqua-t-il, pour une grand-mère, tu en remontrerais à des plus jeunes!

La remarque déplut à Claire. Elle la jugea offensante. Cela ne ressemblait pas à Jean, ce genre de propos.

— Je te rappelle que tu es grand-père, toi aussi! Surtout toi, car Isabelle et Pierre sont tes vrais petits-enfants. Et puis ce n'est pas très gentil de me dire ça, juste après.

Elle en aurait pleuré de dépit. De plus, quelque chose dans le ton de son mari faisait tinter en sourdine une sonnette d'alarme. Soudain furieuse, elle se redressa sur un coude.

— D'abord, comment le saurais-tu? demanda-t-elle.

— Savoir quoi? bredouilla Jean qui s'endormait.

Claire le secoua sans douceur. Il ouvrit les yeux, inquiet.

— Savoir que j'en remontrerais à des plus jeunes! N'importe quelle imbécile comprendrait que tu en as la preuve! déclara-t-elle.

— Mais pas du tout! Enfin, ma Câlinette, qu'est-ce qui te prend? Je blaguais, voilà. Sur le bateau du retour, je discutais avec des matelots et l'un d'eux prétendait que sa femme, depuis ses quarante ans, ne valait plus rien au lit. Moi, je pensais que la mienne était toujours aussi ardente et impétueuse.

Il ponctua son explication, qui était d'ailleurs vraie, d'un baiser très tendre.

— Jamais tu n'aurais dit une chose pareille, avant! soupira-t-elle.

Jean était bien réveillé à présent et il se maudissait d'avoir offensé Claire.

— Câlinette, je suis désolé, dit-il en la prenant dans ses bras. Je ne suis qu'un rustre! Je croyais que tu serais flattée. Aussi, je dormais à moitié.

Claire sanglotait sans bruit. Il la trouva attendrissante et se confondit en excuses.

— Sais-tu ce que je vais faire? conclut-il. Je descends à la cuisine et je rapporte de quoi réveillonner. Tu te souviens, on avait pris cette habitude, de veiller la nuit et de bavarder. Il reste du gâteau aux noix et du cidre. Et on pourrait bavarder, parler de notre rencontre, le soir où tu m'as débusqué dans la grange de Basile, grâce au flair de ton Sauvageon. Ce soir-là, dès que je t'ai tenue prisonnière contre moi, j'ai su que je t'aimerais.

Il fut rassuré de voir Claire sourire entre ses larmes.

— Vraiment, c'était un compliment? balbutia-t-elle. Il faut me comprendre, Jean. Toi, tu écoutes les boniments des matelots; moi, quand je suis à l'épicerie, il y a toujours une commère qui raconte que les hommes délaissent leurs femmes pour des jeunesses.

Jean accusa le coup. Vite, il déposa un baiser sur l'épaule de Claire.

— Les autres hommes n'ont pas épousé une magicienne, douée de mystérieux pouvoirs. Oublie ces fadaises, oublie ma misérable plaisanterie!

Il s'enveloppa d'un peignoir et quitta la pièce. Claire se leva et courut s'observer dans le miroir de son armoire. Elle vit une superbe créature aux formes encore très désirables et à la chevelure sombre, somptueuse.

« Que je suis sotte! se reprocha-t-elle. J'ai gâché notre joie en prenant la mouche comme ça! Plus j'y songe, plus je pense que c'était bien une sorte de compliment. Jean ne s'attendait peut-être pas à ce que je sois si sensuelle, si audacieuse. Mais j'avais tellement envie de lui! »

Claire se recoucha, complètement consolée et prête à veiller une partie de la nuit. Jean fut soulagé de la retrouver aussi radieuse. Il déposa le plateau au bout du lit en sifflotant.

— Câlinette, si précieuse, si merveilleuse! dit-il tendrement. J'ai ouvert une bouteille de pineau. Tu l'adores.

Ils dégustèrent le vin fruité, délicatement sucré, et se partagèrent la part de gâteau. Jean semblait fasciné par la poitrine généreuse de sa femme, qui avait enfilé une combinaison en soie noire très décolletée.

— Maintenant, dit-il, un peu ivre, je vais me faire pardonner. Tu es plus appétissante que tout, Claire.

— Attends, il faut débarrasser! pouffa-t-elle.

Il s'empressa et faillit renverser la bouteille. Elle secoua les miettes qui parsemaient la couverture et se jeta sur lui. Ils riaient en échangeant des baisers avides. Ils firent l'amour deux fois, insatiables. Souvent, Jean instaurait une pause dans leur joute sensuelle et évoquait un souvenir tout aussi voluptueux.

Claire riait tout bas, stupéfaite, car son mari se rappelait avec précision tous les lieux insolites où ils avaient cédé à un désir impérieux.

— Dans ton atelier d'herboristerie! disait-il. Et même derrière la porte de l'écurie, tandis que Léon balayait la cour. Et en Normandie? Dans le bois de pins! Un promeneur nous a dérangés, mais dès qu'il s'est éloigné nous avons recommencé.

— C'est magnifique, de s'aimer autant depuis des années! dit-elle avec un air songeur. Jean, mon amour, pardonne-moi! À vrai dire, je suis une mauvaise épouse. Je m'occupe de tout le pays, des enfants de Léon, je soigne n'importe qui, et toi tu te dévoues pour nous.

Jean la fit taire d'un dernier baiser. Claire s'endormit lovée contre lui, certaine qu'ils connaîtraient encore tous les deux beaucoup d'autres soirées aussi enchanteresses que celle-ci.

2
Au cœur de l'automne

Moulin du Loup, 10 octobre 1925

Claire n'en finissait pas de guetter le chemin des Falaises par la fenêtre. Elle attendait la visite de Bertille, enfin revenue d'Amérique. Sa cousine lui avait téléphoné dès son arrivée au domaine pour l'informer de sa venue à l'heure du thé.

— Clairette, t'es sûre que Clara viendra aussi? demanda Arthur qui tremblait d'impatience. Laisse-moi monter à Ponriant!

— Non, tu attends ici, voyons! répondit-elle. Les retours après une longue absence sont toujours épuisants. Tu dérangerais. Et je connais Clara: elle accompagnera sa mère. L'heure du thé, Arthur, c'est cinq heures de l'après-midi. Bertille a pris des habitudes anglaises depuis longtemps. Nous n'avons plus que dix minutes à patienter.

Faustine se trouvait au Moulin, avec ses enfants. Elle avait la même hâte que Claire de revoir Bertille. La sérieuse altercation qui les avait opposées un an auparavant était oubliée.

— J'espère que tantine a pris beaucoup de photographies, dit la jeune femme. J'ai l'impression qu'ils ont parcouru tous les États-Unis et le Canada aussi. Dommage que papa et Matthieu ne soient pas là!

— Nous serons très bien entre femmes, protesta Claire avec un sourire radieux. Que veux-tu, ma chérie? Ces messieurs devaient absolument se rendre dans une scierie pour choisir du plancher, une occupation bien masculine. Sais-tu, Faustine, plus les années passent, plus je comprends que Bertille est une sœur pour moi, la sœur que je n'ai pas eue, hélas! Je me pose des questions comme une gosse. Ses cheveux ont-ils repoussé? Quel parfum porte-t-elle?

— A-t-elle repris des couleurs et des rondeurs? l'imita Faustine. En tout cas, je suis contente que tout le monde reprenne sa place avant les fêtes de Noël. Je n'aimais pas l'idée du domaine de Ponriant désert et silencieux. Et, d'après le docteur que j'ai consulté à Angoulême, mon bébé naîtra à cette date. Un petit Jésus, comme dit Matthieu.

— Vous seriez capable de nous faire le coup d'accoucher le soir de Noël, madame Faustine! renchérit Anita.

— Peut-être bien, mais cette fois Matthieu veut absolument me conduire à l'hôpital dès les premières douleurs.

Claire haussa les épaules. La décision de son frère la contrariait.

— Pour un troisième bébé, dit-elle, qui suit petit Pierre de près, vous n'aurez même pas le temps d'arriver en ville. Tu serais mieux ici, près de moi. Je me sens capable de t'assister dans de bonnes conditions d'hygiène. Maintenant que j'achète de l'eau de Javel, mon linge de maison et tous nos ustensiles sont parfaitement nettoyés. Je me demande même comment j'ai pu attendre si longtemps avant d'en utiliser[3].

Anita approuva gravement. Elle savait que Claire était de plus en plus sollicitée pour se rendre au chevet des mères en couches. Depuis qu'elle avait ranimé un nouveau-né jugé perdu, les femmes en espoir d'enfant, selon l'expression consacrée dans les campagnes, envoyaient leur mari ou leur grand fils au Moulin et non plus chez la sage-femme, encore moins chez le docteur Vitalin.

Claire vérifia l'ordonnancement du plateau de thé préparé par ses soins. L'eau frémissait sur le feu, les tasses en porcelaine de Chine étaient bien disposées dans leurs soucoupes.

— Le sucrier en cristal, récapitula-t-elle, les parts de cake, le pot de lait, tout y est!

---

3. C'est à la fin du XIXe siècle, en 1868, que deux ingénieurs installés rue de La Croix-Nivert, à Paris, commencent la fabrication industrielle de l'eau de Javel.

Arthur observait son reflet dans une des vitres. Il avait mis une chemise blanche et un pantalon propre. Ses mèches châtain clair étaient bien peignées.

— Tu es beau comme tout! se moqua Faustine. Clara ne te reconnaîtra pas!

— Quoi? s'écria-t-il. Ça veut dire que j'étais laid, avant?

— Mais non, Tutur! ajouta la jeune femme. Tu es notre ange musicien. Je plaisantais.

L'enfant détestait ce surnom. Il poussa un gros soupir et s'assit près de la cheminée. Moïse le jeune, qui sommeillait à l'endroit exact où se couchait Sauvageon, son père, se releva et vint quémander des caresses.

Claire eut un léger sourire attendri. Elle pensait à la naissance du bébé, à ce Noël qu'elle souhaitait célébrer entourée de toute sa famille.

« Si le Jésus en question est déjà venu au monde, nous serions encore plus heureux! » se réjouissait-elle en pensée.

Son esprit était peuplé de guirlandes scintillantes, de boules multicolores, de brassées de lierre et de houx. Soudain, elle sursauta en entendant le moteur d'une voiture. Arthur se rua vers la porte en hurlant:

— Les voilà! Les voilà!

Il sortit et dévala les marches du perron. Janine et Isabelle le suivirent en criant elles aussi à tue-tête.

— Eh bien, dit Claire, faisons comme les enfants, allons accueillir nos visiteuses.

Faustine ne demandait pas mieux. Elle prit la main de son fils et se précipita à l'extérieur. La luxueuse automobile des Giraud entrait dans la cour. Maurice, au volant, klaxonna. Le domestique semblait très heureux de reprendre du service. Bertille avait baissé la vitre arrière et agitait la main.

— Clairette, ma cousine adorée! *Darling*! s'égosilla la dame de Ponriant.

Cette exclamation affectueuse combla Claire qui marchait vers la voiture. Elle apercevait la silhouette de Clara, mais il y avait une autre personne sur la banquette. Faustine serra son bras en chuchotant:

— Maman, on dirait Angéla!

Elles n'eurent pas le loisir d'en discuter. Maurice aidait Bertille à descendre du véhicule.

— Que c'est bon d'être de retour au pays, dans notre vallée! déclara celle-ci. Ne bougez pas, surtout!

Elle avança d'un pas assuré, les mains à la taille. Vêtue d'une superbe robe en velours gris et d'une veste en fourrure noire, Bertille resplendissait. Ses bouclettes d'un blond platine dansaient sur ses épaules. Et surtout, elle ne boitait plus.

Tout allait un peu vite pour Claire et Faustine. Sans même assister aux retrouvailles entre Arthur et Clara, elles constatèrent que c'était bien Angéla, maintenant debout derrière l'automobile. Elles s'étonnèrent, déconcertées et incrédules, devant l'allure de reine de Bertille.

— Nous sommes restés plus longtemps que prévu en Amérique, car un chirurgien m'a opérée! expliqua-t-elle. Et je n'ai plus besoin de canne.

— C'est formidable, tantine!

— Un vrai miracle! ajouta Claire avec la pénible impression d'être dépassée par les événements. Alors, c'était ça, ta surprise?

— Oui et non, s'exclama la dame de Ponriant. Disons que ma surprise, ce serait plutôt mademoiselle Angéla qui ne supportait plus l'air du Canada et que nous avons ramenée... Oh! Comme Pierre a grandi! Un vrai petit garçon! J'ai un beau cadeau pour ce chérubin. J'ai des cadeaux pour tout le monde.

Bertille entreprit de couvrir de baisers Pierre, Isabelle et Janine, sans oublier de les complimenter sur leurs bonnes mines et de les chatouiller. Mais Angéla se tenait à l'écart. Faustine, renonçant à comprendre, alla l'embrasser.

— Le choc que j'ai eu en te voyant! avoua-t-elle. Je te croyais de l'autre côté de l'océan, moi.

— En effet, cela fait un choc, affirma Claire à son tour. Que s'est-il passé? Ce n'était pas prévu, ce retour.

Le ciel se couvrait; quelques gouttes s'abattirent sur les pavés. Bertille devança tout le monde et courut presque vers la maison.

— Viens donc boire le thé, Clairette! Ce n'était pas prévu

non plus que le moulin des Roy prenne feu. Mon Dieu, quand j'ai appris ça, par télégramme, j'ai pleuré des heures! Bertrand n'arrivait plus à me consoler.

Faustine avait pris Angéla par l'épaule. La jeune fille regardait autour d'elle avec un vague sourire.

— Ne te dépêche pas de venir m'embrasser! plaisanta Claire, un peu mal à l'aise. Je me doutais que tu ne te plaisais pas à l'étranger, mais tu vas me raconter comment tu as réussi à rentrer avec ma cousine.

Il se passa alors quelque chose d'étrange, qui fut uniquement perceptible à Claire. Les yeux bruns d'Angéla se durcirent, ses traits aussi. Elle parut pétrie de haine avant d'afficher un grand sourire. Cela ne dura qu'une seconde.

— Bonjour! dit-elle en déposant une bise furtive sur la joue de sa mère adoptive.

Contrariée par son attitude et troublée par l'étrange expression qu'elle avait perçue, Claire lui tourna le dos et rejoignit Bertille qui déambulait dans la cuisine, les mains jointes de ravissement.

— Rien n'a changé, Clairette chérie! s'extasia-t-elle. Quelle chance que l'incendie n'ait pas détruit la maison!

— Je ne t'ai même pas prise dans mes bras! déplora sa cousine. Ma princesse, tu m'as manqué!

Les deux cousines s'étreignirent sous l'œil ému d'Anita. Claire interrogea Bertille tout bas:

— Dis-moi vite ce qui s'est passé pour Angéla. Elle n'a pas l'air très bien! Je la reconnais à peine.

— Nous l'avons croisée par hasard à Québec, près du Château Frontenac, sur la terrasse Dufferin, où déambulent les touristes et le beau monde. Elle dessinait. Des Charentais en terre lointaine ne peuvent que se saluer et bavarder. Le soir, nous l'avons invitée à dîner, et là, elle nous a suppliés de l'aider à rentrer en France. Je t'assure, elle a réussi à apitoyer Bertrand qui a payé son billet sur le paquebot. Elle était vraiment désespérée, mais ensuite, sur le bateau, c'est à peine si elle nous adressait la parole. Enfin, elle a peint des portraits de Clara et de Félicien, de vrais petits chefs-d'œuvre. Mon cher mari, peu versé dans l'art, a eu la sottise de décréter que ces aquarelles valaient le prix de la traversée. Bref, Jean et toi n'avez pas à nous rembourser. Mais, je te l'accorde, Angie est maussade.

Au même instant, Faustine et Angéla entrèrent, assez gaies pour dissiper les angoisses de Claire. Elle mit sur le compte de l'embarras et de la fatigue la mine renfrognée de sa fille adoptive revenue au bercail.

Anita servit le thé en essayant d'avoir des manières raffinées. Cela fit pouffer Bertille, mais elle prétendit vite que seule la joie d'être de retour la faisait rire.

— Où sont Clara et Arthur? interrogea Claire.

— Partis voir les chèvres! claironna Isabelle, adorable avec ses tresses blondes. Ils ne veulent pas goûter.

— Ciel! déclara Bertille. Ces deux-là vont nous rejouer le drame de Faustine et de Matthieu. Il faudra les marier…

— Ne dis pas de sottises, tantine! se récria la jeune femme. Ils sont cousins, eux. Des cousins assez éloignés, mais des cousins quand même.

— L'amitié ne se change pas toujours en amour, fit remarquer Claire. Je crois que Clara et Arthur ont une grande affection l'un pour l'autre, comme un frère et une sœur.

Angéla écoutait distraitement sans se mêler à la conversation. Elle avait tellement espéré ce retour dans la vallée des Eaux-Claires et l'instant où elle reverrait Jean. Pendant toute la durée du voyage, elle s'était exhortée à la dureté, au reniement total de la famille qui l'avait adoptée. La jeune fille se voyait en guerrière venue réclamer son dû, mais les tendres baisers de Faustine, les sourires innocents de Janine et d'Isabelle avaient sapé sa détermination.

La douce atmosphère du Moulin l'affaiblissait. Pétrie de jalousie et de rancœur à son arrivée, elle n'avait plus qu'une envie : pleurer.

— Alors, Angéla, pourquoi as-tu quitté ton emploi à Québec? s'étonna Claire. Qu'aurais-tu fait si tu n'avais pas croisé Bertille et Bertrand? Quand même, si on pense à ce que nous a coûté ce voyage, tu as agi un peu à la légère!

— Je dérange, c'est ça? demanda aussitôt la jeune fille.

— Angie, protesta Faustine, ne répond pas sur ce ton

à maman! Surtout qu'elle n'a pas tort. Je te rappelle que l'incendie nous a tous mis dans de sérieux tracas financiers.

De nouveau, à cause de la remarque de Claire, la haine submergeait Angéla. Elle n'avait pas le choix. Il lui fallait considérer l'épouse de Jean comme son ennemie. Il fallait aussi effacer des années de tendresse réciproque, de chaleur familiale. Plus rien ne devait compter hormis la passion qui la dévorait.

— Ce n'est pas ma faute si la foudre est tombée sur les étendoirs! répliqua-t-elle sèchement. D'abord, j'étais trop malheureuse, à Québec. Mon travail ne me convenait pas et le logement non plus. J'aurais fait n'importe quoi pour me retrouver en France.

— Tu pouvais nous écrire, nous aurions avisé! soupira Claire, très ennuyée.

Elle s'était tellement réjouie de recevoir Bertille, de l'écouter évoquer leur long périple américain, que la présence d'Angéla la dérangeait vraiment. En femme charitable, elle avait honte de ce sentiment.

— Où est Jean? questionna la jeune fille.

La question, énoncée dans un parfait silence, résonna de manière insolite. Bertille écarquilla les yeux et Faustine fronça les sourcils. Claire vit là une confirmation de ses soupçons. Toujours dans le faux, elle supposa qu'Angéla redoutait la rencontre avec son mari.

— Ton père et Matthieu sont du côté de Montbron avec Léon, expliqua-t-elle calmement. Ils ont emprunté un camion pour rapporter des planches. Ils seront là ce soir.

Angéla se leva, l'air paniqué. Prête à sangloter de déception, elle dit tout bas:

— Si j'ai encore une chambre ici, je voudrais monter me reposer.

— Bien sûr! s'écria Faustine. Depuis l'incendie, maman a installé Janine dans ton ancienne chambre, mais il y a ton lit.

La jeune fille se précipita à l'étage. Une porte claqua. Bertille sursauta avant de dire tout bas:

— Quel caractère! Au moins, nous voici tranquilles.

— Je devrais peut-être aller la voir! s'alarma Claire. Cette petite nous cache quelque chose. Elle m'a paru soucieuse, plus froide qu'à l'accoutumée.

— Oh! Tu t'en soucieras plus tard! coupa sa cousine. Elle avait le mal du pays. Et mets-toi à sa place: elle est sûrement gênée, étant donné son retour imprévu. Elle sera de meilleure humeur demain.

— Mais oui, maman, renchérit Faustine. Angie a toujours été lunatique.

L'irruption de Clara et d'Arthur, main dans la main, radieux, mit fin à la discussion. Isabelle et Janine les suivaient. Comme s'il était mystérieusement prévenu, Maurice entra à son tour chargé d'une valise. Bertille procéda aussitôt à la cérémonie des cadeaux. Les fillettes reçurent chacune une poupée en caoutchouc et sa garde-robe.

— Vous pourrez les laver autant de fois que vous voudrez, précisa Clara d'un air savant. Même leurs cheveux. J'ai choisi une brune et une blonde, comme tante Claire et maman.

La demoiselle de Ponriant, comme la surnommaient les gens de la vallée, faisait preuve à dix ans d'une élocution soignée. Petite et menue comme Bertille, elle avait un visage délicat auréolé de boucles blondes qui fonçaient un peu. Son regard semblait plus vert que bleu, et ses lèvres minces lui venaient de son père. Vêtue avec élégance, coiffée d'un béret en velours, elle avait acquis pendant son séjour outre-Atlantique une assurance qui la faisait paraître hautaine. Mais Arthur, lui, savait qu'au fond elle ne demandait qu'à courir dans les champs et les bois en pantalon et gilet.

Claire se vit attribuer du parfum acheté à New York et des boucles d'oreille en argent et en turquoise, ainsi qu'un foulard en soie signé d'un grand couturier. Faustine déballa un appareil photographique bien plus perfectionné que celui offert par Matthieu cinq ans plus tôt, ainsi qu'un corsage magnifique, entièrement brodé à la main.

— Anita, je vous ai rapporté du sirop d'érable du Canada, dit Bertille en tendant à la femme de Léon un très joli flacon en verre contenant une sorte de liqueur dorée. On l'utilise comme le miel.

Les remerciements pleuvaient, de même que les exclamations ravies devant d'autres babioles typiquement étrangères. Arthur s'impatientait.

— Vous, jeune virtuose, plaisanta Bertille, votre cadeau ne logeait pas dans la valise. Maurice!

Le domestique courut jusqu'à la voiture et revint encombré d'un paquet volumineux. Clara oublia sa réserve pour aider son ami à ouvrir le carton. Arthur comprit tout de suite.

— Un électrophone et des disques! Claire, regarde un peu! L'autre jour, Matthieu en parlait, mais il disait qu'il n'y en avait pas encore en France. Je pourrai écouter de la musique dans ma chambre. Que je suis content! Oh, merci, tantine! Il faut le brancher. Je veux le brancher tout de suite. Viens, Clara!

Les deux enfants, aidés par Maurice, entreprirent de monter l'appareil. Janine et Isabelle furent de la partie, leur poupée à la main.

— Eh bien, dit Claire, tu nous as gâtés, princesse!

— Je n'ai pas oublié ces messieurs, répliqua sa cousine, mais j'ai promis à Bertrand d'être là pour le dîner. Je ne sais pas si je pourrai attendre leur retour. Tant pis, vous le leur donnerez. Le nom est inscrit sur les paquets.

— Il n'est que six heures! déclara Faustine. Tu as le temps!

Bertille baissa la tête. Elle semblait très troublée. Comme Anita sortait nourrir les poules, elle s'empressa de dire, sur le ton de la confidence:

— Je crains le pire, au sujet d'Angéla! Je peux me tromper, mais, en fait, si j'ai hâte de rentrer au domaine, c'est pour ne pas m'en mêler.

— Que crains-tu? s'étonna Claire.

— À ton avis? répliqua Bertille. Une fille si jeune, laissée seule, livrée à elle-même? Une des premières choses qu'elle nous a dites, là-bas, c'est qu'elle regrettait d'avoir quitté la vallée, qu'elle aurait dû épouser Louis de Martignac.

— Tantine, ce n'est pas ce que je crois? demanda Faustine, toute pâle.

— J'ai des doutes, répondit Bertille.

— Mais à quoi faites-vous allusion? questionna ingénument Claire. Elle serait malade? La mélancolie?

— Le fais-tu exprès, ma parole! gronda Bertille. Je pense qu'elle est enceinte, voilà!

Une chape de plomb tomba sur les épaules de Claire. Soudain, elle crut tout comprendre. Au Canada, Angéla avait dû fuir la surveillance de son père adoptif et fréquenter un garçon. Jean, depuis, redoutait précisément les conséquences de tout ça et se reprochait sa négligence.

— Mon Dieu! s'effara-t-elle. Ce n'est pas possible!

— Et s'il s'agissait de Louis de Martignac? avança Faustine d'une voix presque inaudible. Il a pu la séduire juste avant son départ. La pauvre, moi qui la trouvais bizarre! Elle doit être désespérée.

— Non! coupa Claire. Tu fais erreur, princesse! Un soir, César m'a avoué qu'il l'avait effrayée en se montrant trop entreprenant. Angéla redoutait de se marier, à cause de la réalité du mariage. Et, vis-à-vis de Louis, c'était pareil. Elle nous a implorés de la laisser partir pour ne pas être obligée de répondre à l'amour de ses prétendants. Et sur quoi fondes-tu tes soupçons?

Elle s'adressait à Bertille qui fit la moue.

— Des malaises, sur le bateau, et dans le train, hier. Elle a couru vomir dans les toilettes.

— Qui n'a pas souffert du mal de mer? s'insurgea Claire.

— Maman, dit Faustine, ne te voile pas la face. Avoue que notre Angie n'est pas dans son état normal. Je la connais si bien! Quand elle se sent en faute, elle devient arrogante et distante. Rappelle-toi le jour où tu l'as dérangée, à Torsac. Elle avait rendez-vous avec Louis et tu ne l'avais pas avertie de ta visite. Tu avais été choquée par sa dureté.

— C'est vrai, concéda Claire. Mon Dieu, si Jean apprend ça, enfin si c'est bien ça, il sera furibond. Lui qui se montrait moins grincheux, ces derniers jours. Comme si nous n'avions pas assez de problèmes…

Dans sa chambre, Angéla était loin de se douter de ce qui se disait au rez-de-chaussée. Assise au bord du lit, elle écoutait la musique que diffusait l'électrophone d'Arthur. C'était un morceau du *Lac des Cygnes*, de Tchaïkovski. La mélodie la bouleversait. Les yeux fermés, elle s'imaginait dansant au bras de Jean, très loin du Moulin du Loup.

« Je veux qu'il vienne, vite, vite! implora-t-elle. Mais j'ai peur, j'ai tellement peur. Et s'il me rejetait? »

Prise de panique, elle posa ses mains à la hauteur de son ventre. De toute son âme, la jeune fille ne souhaitait plus qu'une chose : arracher Jean au Moulin du Loup, l'avoir à elle seule. Le passé ne comptait plus. Elle reniait avec l'énergie du désespoir tous les bienfaits qu'elle avait reçus de chacun, la douce amitié qui la liait à Faustine, le respect affectueux qu'elle avait toujours eu pour sa mère adoptive.

« Moi, je lui donnerai le fils qu'il n'a pas eu, le fils dont il rêve! se dit-elle en tremblant de passion. Il me l'a répété, qu'il rêvait d'un garçon, d'un petit Lucien. Claire n'a pas été capable de combler ses attentes, elle. »

*

Jean, Matthieu et Léon furent de retour un peu avant huit heures du soir. Il y avait longtemps que Bertille était repartie en emmenant Arthur, qui était invité à dormir au domaine. Les douces habitudes reprenaient leurs droits. L'enfant avait laissé à regret son électrophone, en recommandant bien à Claire de ne pas permettre aux petits d'y toucher.

Depuis la cour, le logis du Moulin offrait aux trois hommes la même apparence qu'à leur départ. Il faisait nuit et les fenêtres resplendissaient d'une clarté jaune, voilée par les rideaux en lin.

— C'est d'un calme! déclara Jean. Bertille devait passer pour le thé. Sans doute qu'elle a épuisé tout le monde avec le récit de ses aventures américaines.

— En tout cas, j'ai une de ces faims! soupira Matthieu. Une chance que nous dînons ici; la cuisine d'Anita est tellement délicieuse! Oh! Léon, pas un mot à Faustine. Face à ses casseroles, la pauvrette ne s'en sort pas.

— T'inquiète pas, mon gars, motus et bouche cousue!

Moi, j'ai pris du lard grâce à ma femme. Pourtant, elle fait acheter de l'huile d'olive à Claire. Paraît que c'est meilleur pour la santé.

Jean souleva la bâche à l'arrière du camion et examina une dernière fois les planches de sapin, odorantes et d'un jaune pâle, qui deviendraient le parquet du bureau de l'imprimerie.

— Je suis très satisfait, dit-il. La scierie nous a fait un prix correct et c'est de la qualité.

Il se tourna vers le perron, surpris de ne pas apercevoir la silhouette de Faustine ou de Claire.

— Eh bien, ces dames sont très occupées! avança-t-il. Allez, venez trinquer à notre affaire.

Léon se roulait une cigarette, Matthieu l'imita. Jean entra le premier dans la maison. D'abord, il vit la table mise et Faustine qui faisait manger Pierre, assis dans sa chaise haute. Claire et Anita se tenaient près du fourneau, sur lequel une marmite mijotait. Enfin, il discerna une forme féminine, pelotonnée au creux du fauteuil en osier, près de l'horloge. Il se crut victime d'une hallucination. Bouche bée, il détailla la chevelure noire aux boucles souples, le corps élancé, le profil mutin au nez un peu retroussé.

— Angéla? dit-il, sidéré.

— Oui, Angéla, tu ne rêves pas! s'écria Claire qui semblait contrariée. Elle a voyagé avec les Giraud; ils l'ont ramenée. Mais je ne peux pas lui arracher un mot depuis tout à l'heure. Mademoiselle boude!

Jean eut l'impression de recevoir un coup d'assommoir sur la tête. Incapable de contrôler son émotion et sa stupeur, il dévisagea son épouse comme s'il l'appelait au secours.

— Mais, c'est de la folie! bredouilla-t-il.

La jeune fille daigna le regarder. Elle eut un sourire dépité et le salua d'un bonsoir presque inaudible.

— Pour une surprise, c'en est une! clama Matthieu qui embrassait Faustine et le petit Pierre. Et alors, Angie, tu ne te plaisais pas à Québec? Comment t'es-tu arrangée pour rentrer au bercail?

Le jeune homme n'avait pas entendu les explications de sa sœur. Il se permit de plaisanter:

— Avec toi, Angie, cela paraît simple de traverser l'océan. Tu es juste là pour le repas?

— Arrête, Matthieu, ce n'est pas si drôle que ça! coupa Claire. Je disais d'ailleurs à Angéla il y a dix minutes à peine, que ses fantaisies nous coûtaient une fortune. Résultat, elle s'est vexée et joue les muettes.

— Peut-être que tu voudras bien parler à papa? soupira Faustine en implorant la jeune fille de ses grands yeux bleus.

— Oui, je veux bien parler à Jean! répondit Angéla. Mais pas devant vous tous. Je remonte dans ma chambre.

D'un commun accord, Claire, Bertille et Faustine avaient décidé de ne pas avouer leurs soupçons à Jean au sujet d'une éventuelle grossesse. Toutes les trois redoutaient une réaction bien trop vive de sa part, car il se mettait facilement en colère. L'attitude d'Angéla leur paraissait si étrange qu'elles se confondaient en expectatives les plus diverses.

— Vas-y, Jean, bougonna Claire, que nous sachions pour de bon ce qui se passe. Je suis pleine de bonne volonté, mais là, je baisse les bras. Dire que je l'ai élevée comme ma fille pendant plus de six ans et qu'elle refuse de se confier à moi!

Plus mort que vif, il suivit Angéla à l'étage. De toute son âme, il espérait que personne n'avait remarqué le tremblement de ses mains, ni son teint blafard. Son pas se fit pesant sur les marches.

« Claire m'envoie l'interroger comme n'importe quelle mère confrontée à une enfant difficile le ferait. Elle me considère sans arrière-pensées comme le père légitime de cette gosse que j'ai séduite. Bon sang, comme je me dégoûte! »

Dès qu'il fut dans la pièce, Angéla referma la porte et tourna le verrou. Son expression boudeuse disparut aussitôt. Elle se jeta au cou de Jean et se plaqua contre lui.

— J'avais si hâte de te retrouver! chuchota-t-elle tendrement. Je n'en pouvais plus de vivre loin de toi. Jean, si tu savais combien je t'aime.

Il n'osait pas la repousser, mais se garda bien de l'embrasser sur la bouche.

— Je t'en prie, Angie! souffla-t-il. Nous ne sommes plus à Québec! Toute la famille est en bas. As-tu perdu l'esprit?

Jamais il n'a été question que tu reviennes au bout de quatre mois! Tu aurais pu m'avertir, au moins. J'ai cru que mon cœur allait lâcher en te voyant dans la cuisine, comme avant.

— Alors, tu m'aimes! avança-t-elle en riant tout bas. Je sentais que tu n'en pouvais plus, toi aussi. Quand j'ai croisé les Giraud, j'ai compris que c'était un signe du destin, que je devais voler vers toi!

De nouveau, Angéla enlaça Jean. Il redécouvrait son parfum frais, ses formes déliées, sa vivacité de petit fauve enjôleur. Par prudence, il s'écarta et lui fit signe de s'asseoir sur le lit.

— Nous devons parler le moins fort possible, commença-t-il. Oui, tu m'as manqué. Au début, une fois rentré, je ne pensais qu'à toi et j'en perdais le sommeil et l'appétit. Ensuite je me suis raisonné. En tout cas, une chose est certaine, je ne veux pas faire souffrir Claire! Elle ne doit rien savoir, tu m'entends? Rien! Jamais! Pourquoi as-tu jugé bon de bouder, de prendre cette mine ulcérée?

Glacée par ces remontrances, Angéla se mit à pleurer de dépit. Elle avait imaginé leurs retrouvailles cent fois, baignées d'un climat de folle passion et d'infini soulagement.

— En somme, décréta-t-elle, tu aurais préféré que je reste sagement au Canada où tu ne serais jamais revenu me voir. Tu mentais! Tu avais surtout envie de reprendre ta place ici, dans le lit de ta femme.

Jean l'aurait giflée. Il la secoua par les épaules, maîtrisant à grand-peine la violence qui montait en lui. Il se jugeait le seul coupable dans ce désastre, mais l'intensité même de ce sentiment de culpabilité le menait au bord de la panique. Tel un criminel épouvanté par son acte, il en voulait au monde entier.

— Je t'ai dit de parler moins fort, bon sang! Mais qu'est-ce que tu veux, à la fin? Que je détruise ma famille, que je brise le cœur de Claire?

— Il fallait y penser avant, Jean! répliqua-t-elle d'un ton froid.

Angéla le fixait d'un regard furibond. Ses yeux brillaient de rancœur, de mépris face à ce qu'elle prenait pour de la lâcheté.

— Moi, je t'aime, je t'ai tout donné! ajouta-t-elle. Tu as bien profité de ma jeunesse sans te poser trop de questions. Maintenant, c'est simple, tu vas divorcer et nous allons partir ensemble.

Il leva les bras au ciel, interloqué. L'étendue de sa faute, de son erreur, l'anéantissait. Il comprenait surtout qu'il aimait toujours Claire et qu'il était incapable de la perdre, malgré son attirance pour la jeune fille.

— Angie, nous avons très mal agi, nous deux. Enfin, je ne trouve pas de mots pour qualifier ma conduite. J'aurais dû me comporter en père, quitte à te gifler quand tu m'as supplié de t'aimer. Cependant, j'étais sincère et tu m'as rendu très heureux. Admets quand même que je ne peux pas tout avouer à Claire, à Faustine. Il faut oublier, petite. D'accord, tu es de retour! Dans ce cas je vais te chercher un poste d'institutrice et un logement. Le temps aidant, tu rencontreras quelqu'un de libre, un type de ton âge qui pourra t'aimer sans se cacher.

La jeune fille fixait un détail du parquet, l'air hébété. D'une voix tremblante, elle ajouta:

— Je ne faisais pas semblant de t'aimer, Jean! Si tu me rejettes, j'en mourrai. Je me moque de Claire!

— Elle t'a servi de mère! coupa-t-il, indigné.

— Mais ce n'est pas ma mère! Ma vraie mère est morte, écrasée sous un train. Les gens disaient qu'elle ne valait pas cher, parce qu'elle se prostituait. Voilà! Je suis comme ma mère! Je ne vaux pas cher! Je n'ai qu'à faire pareil et me supprimer!

Apitoyé, Jean s'assit près d'elle et l'entoura d'un bras protecteur. Il la trouvait bien plus jolie que dans son souvenir.

— Pardonne-moi, Angéla! dit-il, mortifié. Je suis l'unique responsable de ce gâchis. Je n'avais pas le droit de céder à ton petit jeu de coquetterie. Un homme réfléchi t'aurait remise sur le droit chemin. Mais ne dis pas que tu veux mourir. Tu es si jeune, si talentueuse! Une existence merveilleuse t'attend, j'en suis sûr et certain. J'ai de l'argent. Si ça te plaît, je peux t'installer à Paris.

— Tant que tu y es, renvoie-moi au Canada! persifla-t-elle. Vraiment, tu comptes me tenir à l'écart? Tu ne ressens plus rien pour moi?

Elle le dévisagea, pathétique. Jean se perdit dans son regard d'un brun doré.

— Tu as tellement changé! avoua-t-il. Où est la douce et gentille Angéla de l'institution Marianne, si fière de veiller sur les plus jeunes pensionnaires? Je t'ai toujours connue dévouée et généreuse. Mais là, on dirait que tu n'as que de la haine pour Claire et pour Faustine, elles qui t'ont tout appris. Tu leur dois tes bonnes manières, ton instruction. Comment peux-tu souhaiter leur faire du tort, leur causer du chagrin?

— Jean, dès que je t'ai aimé, je savais que je détruisais tout ça. Au début, j'ai eu honte bien souvent, mais à présent je ne regrette rien. Tu es le seul être important sur terre! Oh! Aie pitié, emmène-moi! Je suis mauvaise, que veux-tu? Je devrais avoir des remords. Peut-être que j'en ai tout au fond de moi. Seulement, je n'ai plus le choix.

Elle se lova contre lui, en larmes. Il ne put que lisser ses cheveux et la bercer.

— Je porte ton enfant! déclara-t-elle soudain. J'étais bien obligée de rentrer en France, n'est-ce pas? Ton enfant, Jean!

Abasourdi par la nouvelle, il la fixa avec incrédulité. Au même instant, on frappa à la porte.

— Angie, papa, tout le monde est affamé, Anita sert le repas! annonça Faustine. Maman s'impatiente. Et elle s'inquiète aussi. Papa, ne sois pas trop dur avec Angie.

— Nous arrivons! cria Jean. Tout va bien. Commencez à manger.

Beaucoup plus bas, il interrogea la jeune fille:

— Tu es enceinte?

Une tempête intérieure dévastait son cœur d'homme. Angéla avait su choisir les mots. Jean s'était souvent reconnu frustré dans son désir de paternité. Il adorait Faustine, mais il lui aurait volontiers donné des frères et des sœurs. Afin de ne pas blesser Claire, honteuse d'être stérile, il évitait depuis des années de se plaindre. Néanmoins, il avait toujours eu du mal à accepter les enfants que sa femme recueillait.

— Jean, est-ce que tu es content? questionna doucement Angéla. J'étais si fière, sais-tu?

— Pauvre petit chat! dit-il très vite. Un bébé, un fils?

— Jean, je ne veux pas les voir, tous. Dis-leur que je n'ai pas faim et que je suis couchée. Par pitié, je deviens mauvaise quand je suis avec eux. Et explique à Léon que Janine ne peut pas dormir avec moi.

— Tu as raison, mets-toi au lit, nous devons discuter. Je ne sais pas quand, mais c'est nécessaire. Repose-toi. Pour Janine, je m'en charge.

Angéla s'accrocha à lui et effleura d'un doigt sa bouche et ses joues.

— Reviens cette nuit, je t'en prie! Je ne tournerai pas le verrou. Promets-le!

— Oui, je te le promets, je reviendrai. Je suis complètement sous le choc. Laisse-moi reprendre mes esprits, hein?

La jeune fille approuva en silence. Dès que Jean fut sorti, elle s'étendit en travers de l'édredon rouge et posa ses mains sur son ventre. Elle avait conscience que, sans le bébé, elle perdait la partie.

Jean retrouva la lumière et le bruit caractéristique de la vaste cuisine au bas de l'escalier. Il contempla le spectacle familier des siens attablés sous la lampe en opaline rose. Les cheveux blonds de Faustine resplendissaient. Isabelle et Janine se disputaient une tranche de pain en riant aux éclats. Léon, sa tignasse rousse semée de fils blancs, servait du vin à Matthieu. Debout derrière Claire, Anita tenait un plat garni d'une fricassée de champignons d'où montait une odeur alléchante.

« Dieu du ciel! Qu'est-ce que j'ai fait? se disait-il, terrifié par l'ampleur du drame qui se préparait. Là-bas, à Québec, je me suis cru un autre homme. J'ai joué avec le feu. Je suis le pire salaud de la terre, une ordure! Bon sang, si j'entendais parler d'un type qui se serait conduit comme moi, je n'aurais qu'une idée, lui régler son compte. Mais là, je ne peux que m'en prendre à moi-même. Je pensais pouvoir effacer Angéla, mais ma faute me rattrape. »

— Viens donc t'asseoir, papa! s'exclama Faustine. Tu en fais, une tête! Et Angie, que fait-elle?

Tel un somnambule, Jean prit place au bout de la table. Son verre était rempli de vin; il le but d'un trait.

« Bon sang, il y a un mois, j'aurais donné n'importe quoi pour revoir Angéla et la couvrir de baisers. Et à présent je me sens perdu. Un enfant, elle porte un enfant! Mon enfant! Pas question qu'il soit privé de son père, ce petiot! Il ne grandira pas dans la misère. Je dois trouver une solution. »

— Jean, appela Claire, as-tu tiré quelque chose d'Angéla? Tu es resté là-haut plus de vingt minutes. Et je t'ai entendu te fâcher. Elle ne descend pas?

— Non, rétorqua-t-il. Avec un peu de logique, vous auriez tous compris qu'elle est très embarrassée et confuse. Elle avait le mal du pays, au point de dépérir. Mais, comme tu lui as reproché deux fois les dépenses du voyage, Claire, elle se morfond et n'ose pas se réjouir d'être ici. Je lui ai conseillé de se coucher. Demain, ça ira mieux. Tu la connais, Angie. Quand elle a honte de sa conduite, elle réagit par la froideur. Il faut la laisser tranquille.

— Je vais lui monter un plateau! décréta Faustine. Si elle est fatiguée, c'est idiot qu'elle se prive d'un bon repas.

— Je te dis qu'elle n'a pas faim! maugréa son père. Je l'ai grondée de ne pas nous avoir écrit ni télégraphié. Elle est d'autant plus vexée.

— Raison de plus pour la consoler! s'obstina la jeune femme. Peut-être qu'elle est très malheureuse!

— Faustine, ne te tracasse pas, trancha Claire. Si Angéla change d'avis et désire un plateau, Anita s'en occupera.

— Bien sûr, madame, et pour une fois Janine dormira dans notre chambre.

La fillette se montra enchantée. Claire l'était beaucoup moins. Un pressentiment l'oppressait, qu'elle niait de toutes ses forces. Les écrits du père Maraud lui revinrent en mémoire. C'était un vieux rebouteux qu'elle avait soigné durant quelques jours avant de le voir s'éteindre. Doué de prémonitions, il l'avait mise en garde contre une tragédie qui allait frapper la famille du Moulin.

« Il avait noté dans son cahier que j'étais menacée. C'est l'impression que j'ai ce soir. Mais pourquoi? Et de quoi? Cela a un rapport avec Angéla. Mon Dieu, si Bertille ne se trompait pas. Si elle était enceinte, la pauvre petite ne s'en remettrait pas. Un sale type a peut-être profité de sa candeur et sa vie sera gâchée. »

Oubliant de manger, Claire songea à une solution qu'elle méprisait. Des tisanes appropriées auraient vite fait de provoquer un avortement.

« Je ne pourrai pas m'y résigner. Si Angéla en mourait, je ne le supporterais pas. Ce doit être ça, la menace qui pèse sur moi. »

Elle fut incapable de finir son assiette. Autour d'elle, les discussions allaient bon train. Matthieu préconisait de confier une classe de l'institution Marianne à Angéla. Faustine faisait la moue.

« Si tantine a raison, notre Angie n'enseignera pas longtemps. Qui a pu réussir à la séduire? C'est impossible. Elle n'est pas enceinte », se disait-elle.

Isabelle bâilla. Ce fut le signal du départ pour le jeune couple. Matthieu percha Pierre sur ses épaules. Faustine mit vite son manteau et ses bottillons. Jean redoutait le moment où il serait seul avec Claire. Mais Léon annonça qu'il allait se coucher et Janine le suivit.

Anita débarrassa la table et empila la vaisselle sale.

— Laisse ça! dit Claire. Nous rangerons demain matin.

Jean se servit un dernier verre de vin. Puis il s'étira.

— Moi aussi, je monte, Câlinette, je suis épuisé. Rejoins-moi vite. Je vais passer voir si Angéla n'a besoin de rien.

Elle hocha la tête. Mimi, la chatte du vieux rebouteux, surgit du recoin où elle dormait et se nicha sur les genoux de Claire, comme chaque soir.

— Fais à ton idée, Jean! dit-elle avec une pointe d'irritation dans la voix. Je ne sais pas pourquoi, mais Angéla semble m'en vouloir. Dis-lui que je l'aime et que je suis heureuse qu'elle soit de retour.

*

Moulin du Loup, même soir

Claire s'attardait dans la cuisine faiblement éclairée par une bougie. La chatte qui ronronnait sur ses genoux leva soudain la tête et miaula.

— Qu'est-ce que tu as, Mimi? Tu as eu ton bol de lait et un peu de viande. Avoue que tu es mieux nourrie ici que chez ton brave maître.

Le souvenir du vieux rebouteux mort au mois de mai s'imposa à elle de nouveau. Lasse de s'interroger, elle se leva. Quand elle arriva sur le palier, un bruit ténu de conversation lui parvint. Cela provenait de la chambre d'Angéla. Claire tapota le battant et le poussa.

Jean se tenait debout près du lit. La jeune fille sanglotait, le visage enfoui au creux de son oreiller.

— Que se passe-t-il? demanda-t-elle. Ma petite chérie, pourquoi as-tu tant de chagrin?

Son mari vint droit vers elle et l'obligea à quitter la pièce.

— Viens te coucher. Elle a le cafard, rien d'autre.

— Angéla! protesta Claire. Ne pleure pas si fort, tu me brises le cœur. Je suis prête à t'aider, à te consoler!

— Va-t'en! fit une voix étouffée. Sortez, tous les deux!

Le couple se retira dans sa chambre. Jean alluma leur lampe de chevet. Il poussa un soupir exaspéré en ôtant ses chaussures et sa ceinture.

— Quand même, fit remarquer Claire, à moins d'être idiot, n'importe qui comprendrait qu'Angéla est très malheureuse. De quoi parliez-vous? Et pourquoi me rejette-t-elle?

— Câlinette, je suis épuisé! Je n'ai qu'une envie, dormir! grommela-t-il. Angéla est à bout de nerfs, c'est tout. Durant la traversée, elle s'est rendue malade en imaginant notre réaction quand nous la verrions réapparaître. Elle craignait des remontrances, des reproches. Cela se comprend, non?

Claire se déshabilla et revêtit une chemise de nuit en coton blanc. Elle renonça à brosser ses cheveux et s'allongea près de Jean.

— Vu sous cet angle, effectivement je la comprends, mais nous l'avons accueillie de notre mieux! dit-elle. Bien sûr, j'étais stupéfaite et un peu contrariée, je l'avoue. Si tu penses que ce n'est pas grave, tant mieux. Je reconnais qu'Angéla a souvent eu des réactions surprenantes dès que je lui faisais une remarque. Pourtant, je crois que c'est parfois le rôle des parents. Même Faustine m'a rabrouée quand elle était vraiment malheureuse. Enfin, je ne suis pas leur vraie mère et contre ça je ne peux rien, hélas! Et puis je suis fatiguée, tellement fatiguée! Je dois avouer que les enfants sont de plus en plus difficiles. Et Faustine, à deux mois de son terme, devrait se reposer également.

— Eh bien, dors, Câlinette! Ne t'en fais pas pour Angéla.

— Il faudrait que je sois insensible ou aveugle pour ne pas m'en faire à son sujet, Jean. Je pense qu'elle s'est entichée d'un jeune homme, au Canada, et qu'il a rompu.

Une fois encore, Claire hésita à évoquer une éventuelle grossesse. Pourtant, en songeant que son mari se posait peut-être la même question, elle se décida.

— Et si quelqu'un l'avait séduite? Si elle attendait un bébé? Bertille a des doutes. Je ne vois que cette explication pour justifier un retour en catastrophe. Je n'osais pas t'en parler. Je n'oublierai jamais comment tu as frappé Faustine à l'époque où elle jouait à embrasser des garçons.

Jean était tellement affolé qu'il s'enfonça dans le mensonge. Entendre Claire énoncer la vérité alors que c'était lui le père le plongea en pleine panique. Il s'empressa de contredire sèchement sa femme.

— Angéla enceinte! Et puis quoi, encore? De toute façon, même si c'était le cas, je me contenterais de lui faire la morale. Ce n'est pas ma fille et elle n'a pas douze ans, l'âge qu'avait Faustine à l'époque.

— Nous l'avons adoptée, insista Claire. Je la considère comme mon enfant et tu te conduis en père responsable, je le sais.

— Dors donc, Câlinette. À chaque jour suffit sa peine, disait notre cher Basile. Demain, nous verrons de quoi il s'agit. Demain! Pas ce soir.

Jean éteignit la lampe et tourna le dos à sa femme.

— Mais elle ne t'a rien dit? Tu es resté longtemps à son chevet! s'étonna-t-elle, tout bas.

— Je l'ai trouvée en larmes. Je la réconfortais. Je lui répétais que nous n'étions pas fâchés à cause de son coup de tête, qu'elle ne nous a pas ruinés non plus. Pardonne-moi, mais là, je n'arrive même plus à réfléchir.

— Tu as raison, nous sommes épuisés tous les deux.

Claire caressa les cheveux de son mari et s'endormit très vite. Jean guetta le rythme de sa respiration pendant une interminable demi-heure. Il avait passé tant de nuits à ses côtés qu'il fut bientôt rassuré. Son sommeil était profond.

« Ma pauvre Câlinette! pensa-t-il. Comment t'épargner? Si je pouvais t'éviter de souffrir! Tu ne méritais pas ça. Que faire? Je t'aime tant. J'avais repris goût à nos nuits, tous les deux, à ta tendresse, à ton beau corps. Et la petite qui me supplie de ne pas t'approcher, de ne pas t'embrasser! Je suis fichu! »

Jean se leva sans bruit et remit sa chemise et son pantalon. Il marcha à pas de loup dans le couloir et se glissa dans la chambre d'Angéla. La jeune fille était assise sur son lit, vêtue d'un pyjama rayé qui la faisait paraître enfantine.

— Alors? déclara-t-elle. Tout à l'heure, tu m'as dit que tu allais trouver une solution. Que vas-tu faire de moi?

Il s'installa près d'elle, l'air vraiment désespéré. Il se jugeait coupable de tout et la plaignait sincèrement.

— Tu ne me facilites pas les choses, en étant aussi intransigeante, avoua-t-il.

— Je ne peux pas être douce, tu ne m'as même pas embrassée! Moi qui croyais que tu serais fou de joie de me retrouver. Après ce que nous avons vécu à Québec, comment peux-tu me traiter comme une étrangère, une intruse?

— Angéla, sous ce toit, il ne se passera rien entre nous. Par respect pour Claire. Ce n'est pas l'envie qui me manque de t'embrasser, mais pas dans cette maison, comprends-tu? J'ai décidé de louer un appartement à Angoulême, où tu seras chez toi. Je viendrai te rendre visite le plus souvent possible. Ici, avec Léon, Anita, la présence quotidienne de Matthieu et de Faustine, les petits, c'est inconvenant que tu restes. Attention, je ne te blâme pas; c'est moi le seul fautif.

— Non, Jean, pas ça! Je serai trop triste, loin de toi. Et je sais bien que tu n'auras jamais de temps à me consacrer. En

déjeuner à Angéla, sous prétexte qu'elle était souffrante. Claire buvait son café, l'air mélancolique. Léon soignait les bêtes.

— Je voudrais te parler, Câlinette. Viens dehors, nous n'avons pas besoin d'oreilles indiscrètes.

Elle lui lança un regard soucieux. Ils allèrent dans l'écurie où logeaient en bons amis la jument Junon et l'âne Figaro.

— Claire, hier soir, j'ai refusé de te dire ce que je venais d'apprendre. J'étais assommé par la mauvaise nouvelle. Voilà, Bertille et toi aviez raison. Angéla est enceinte.

— Mon Dieu! gémit-elle. Quel malheur! Qu'allons-nous faire? Elle te l'a dit! Comme c'est étrange, qu'elle se confie à toi sur un sujet aussi délicat et qui me concerne en priorité.

— Mais non, c'est normal! protesta-t-il. Je lui ai fait part de tes soupçons et je l'ai forcée à avouer.

Claire en avait le souffle coupé. Elle s'appuya au mur, accablée.

— Et c'est arrivé au Canada? C'est un type de là-bas, n'est-ce pas? interrogea-t-elle d'une voix tremblante. Pourquoi est-elle rentrée? Elle aurait dû nous prévenir et tu serais retourné régler la situation. Je t'aurais accompagné.

Des larmes de détresse roulaient sur ses joues, qu'elle n'essuyait même pas.

— Je ne vais quand même pas passer mon temps à traverser l'océan! nota-t-il en se grattant la tête. Et cela ne servirait à rien; le responsable a filé. C'était sûrement un bellâtre qui a pris son plaisir et s'est empressé de disparaître. Si je le tenais en face de moi, ce fumier!

Jean avait pris un ton indigné. Il lui déplaisait profondément de jouer le rôle de l'honnête homme. Malade de honte, il vérifia si les animaux avaient de l'eau dans le seul but de ne pas montrer son visage à sa femme. Mais Claire, le devinant embarrassé, mit son trouble sur le compte d'une colère bien légitime.

— J'en étais sûre! se récria-t-elle. Elle pleurait tant, hier soir. Et son attitude, à peine arrivée, était assez explicite. Je la sentais tendue comme une corde prête à se rompre. La pauvre petite, elle doit redouter l'avenir. Fille-mère à son âge, il y a de quoi être désespérée.

— Je lui ai promis qu'elle pouvait rester chez nous, soupira Jean, mais elle a très peur que tu la juges mal.

Afin de s'occuper les mains, il décida de donner du foin à l'âne. Son cœur battait la chamade. Il avait du mal à parler, tant sa bouche était sèche.

— J'aurais dû refuser de la laisser partir au Canada, intervint Claire. Elle aimait Louis de Martignac et il était prêt à l'épouser. Edmée aussi consentait à leur mariage, le jour de l'incendie. Tu imagines, Jean, la belle existence qu'aurait eue Angéla? Louis avait tant de projets pour elle! Il comptait lui aménager un atelier pour ses peintures. J'espérais qu'elle revienne dans un an et qu'ils se marient. Tout est fini, à présent! Et si c'était lui le père? Quand Bertille nous a fait part de ses doutes, Faustine a pensé à lui. Mais non, si c'était Louis, Angéla ne serait pas aussi malheureuse.

Jean n'en pouvait plus. L'anxiété pleine de sollicitude de Claire le mettait au supplice. Il l'attira dans ses bras et la regarda bien en face.

— Câlinette, ma chérie, nous trouverons une solution. L'important, c'est de ne pas ébruiter la chose. N'en parle pas tout de suite à Anita ni à Léon.

— Ils seront forcément au courant bientôt! Et que ferons-nous du bébé? Je suis d'accord avec toi: Angéla peut se montrer discrète, surtout si elle ne quitte pas le Moulin. Mais elle ne va pas abandonner cet enfant, je ne le permettrai pas. S'il le faut, j'élèverai ce petit.

Claire fixait Jean d'un air très doux. Elle puisait de l'énergie dans son beau regard bleu, souligné de cils très noirs et très longs. Soudain, éblouie par sa séduction, elle entoura le visage de son mari de ses deux mains. C'était ainsi depuis plus de vingt-cinq ans.

— Je ne me lasserai jamais de toi, mon amour! confessa-t-elle à mi-voix. Je suis si fière d'être ta femme. Nous avons encore une épreuve à affronter, mais à nous deux ce sera moins difficile.

Il tressaillit, envahi par une souffrance insoutenable.

— Oui, Claire, oui! dit-il à mi-voix. Il n'y a qu'une femme comme toi sur cette terre.

Elle baisa ses lèvres et recula, radieuse.

— Jean, voudrais-tu seller Junon? J'ai envie de faire une promenade, juste une demi-heure. Je vais vite me changer. En rentrant, j'aurai retrouvé tout mon calme et j'irai parler à Angéla. Je ne la condamne pas. Je m'en veux, au contraire. Je ne l'ai pas assez mise en garde.

— Arrête! Tu n'es coupable de rien, protesta-t-il.

Le bruit d'une voiture coupa court à leur discussion. Claire courut vers la maison au moment où une Panhard bleue franchissait le portail.

« Le Moulin du Loup s'éveille! songea Jean. Matthieu arrive, prêt à bosser dur pour reconstruire ce qu'il a vu détruit par les flammes. Les ouvriers ne vont pas tarder. Anita leur offrira du café et des biscuits. Dès qu'il aura fini de traire les chèvres, mon brave Léon viendra nous donner un coup de main. Et Faustine sera là à midi pour déjeuner avec nous tous. Ma fille chérie! Si elle savait ce que vaut son père. Je voudrais tant avoir le cœur léger, profiter de ma famille en ayant la conscience en paix. J'étais heureux, mais je ne m'en rendais pas compte. Par ma faute, je me suis perdu. »

La gorge nouée sur des sanglots secs, il finit de préparer la jument. L'horreur de ce qu'il avait fait le submergeait.

« Et cette nuit, j'ai recommencé! C'était plus fort que moi, je ne pouvais pas m'en empêcher. Non, il ne faut pas qu'Angéla reste ici. J'ai été idiot de lui proposer ça. »

Un peu réconforté à l'idée d'éloigner sa jeune maîtresse du Moulin, Jean sortit Junon de son box et attendit Claire. Elle fit son apparition en tenue d'équitation. Le Noël précédent, Matthieu et Faustine lui avaient offert des jodhpurs et des bottes en cuir. Le buste moulé dans un chandail vert en laine, ses longs cheveux noués sur la nuque, elle avait une allure sportive et sa grâce habituelle.

« Comment ai-je pu la tromper? se demanda encore Jean. Mon Dieu, je donnerais dix ans de ma vie pour être délivré de ce poids sur mon cœur, pour pouvoir chérir Claire sans honte, sans mensonges. »

Il l'aida à se mettre en selle et flatta l'encolure de la jument.

— Sois prudente, Claire! dit-il gravement. Je rejoins Matthieu sur le chantier.

Claire promit à mi-voix. Elle avait une hâte irraisonnée d'être seule, de sentir le vent frais de l'automne sur ses joues. Bonne cavalière dès l'adolescence, elle avait repris goût aux chevauchées sur les chemins du pays. Quand Faustine lui avait confié sa jument, la superbe Junon née dans les écuries de Ponriant, elle ne prévoyait pas que sa mère adoptive la monterait aussi souvent.

«Je me revois sur Sirius, mon cher Sirius à la robe de neige. J'étais allée jusqu'à Angoulême, un jour, et à l'époque je montais en amazone. C'était pour dire à Bertille que je la rayais de ma vie. Comme quoi on pardonne toujours à ceux qu'on aime!» pensa Claire en poussant Junon au trot.

Le drame qui frappait Angéla l'ébranlait, mais elle en concevait surtout une sorte de lassitude exaspérée. Cela compliquait leur situation déjà très pénible à cause de l'incendie et des travaux. Un bon galop à l'orée d'un bois appartenant aux Giraud vint à bout de sa tension nerveuse. L'écho des sabots contre la terre, de même que l'odeur des feuilles mortes et des champignons cachés au pied des chênes avaient su la griser.

— Là, au pas, ma Junon!

La grande bête s'ébroua en secouant sa crinière brune. Claire se délecta de l'instant, refusant d'aborder le problème qui la préoccupait. Elle contempla l'alignement des hautes falaises grises et le vol d'une bande de corneilles. Passé un croisement où se dressait une croix de pierre à demi couverte de lierre, elle lança à nouveau sa monture au grand galop.

— Ce serait la meilleure solution! s'écria-t-elle soudain sans pouvoir réprimer un haut-le-cœur.

Ensuite, bien plus bas, quand la jument reprit un trot paisible, elle ajouta:

— Seigneur Dieu, vous êtes témoin de mon désarroi. Cette idée me répugne, mais que faire d'autre?

Claire envisageait un avortement, qui pourrait se dérouler sans danger grâce à sa science des plantes.

«Si personne ne le sait hormis Jean et moi, si la grossesse est récente, Angéla pourra reprendre une vie normale, pleine de promesses. Elle a tant de talent! Avec un peu de chance, Louis de Martignac l'épousera.»

Elle n'aurait jamais admis que son plan était né du malaise étrange qui l'opprimait. Claire, inconsciemment, ne souhaitait pas vraiment la présence de la jeune fille dans son foyer. Petit à petit, elle le comprit et l'admit.

«J'ai Anita qui me seconde avec efficacité, qui devient une amie comme l'était ma chère Raymonde. Jean et Matthieu vont relancer leur imprimerie et la production de cartons. Arthur ira au collège dans deux ans, Janine va à l'école. J'avais enfin le temps de me consacrer à mes malades et à mes plantes. Je ne tiens pas à veiller de nouveau sur un nourrisson. Enfin, si je n'ai pas le choix, je le ferai.»

Une heure plus tard, elle entrait dans la chambre d'Angéla. La jeune fille, toujours couchée, lisait une feuille de papier couverte de lignes manuscrites.

— Bonjour, ma chérie! dit Claire gentiment.

— Bonjour!

Le ton d'Angéla était anxieux; elle avait peur d'être démasquée. Après avoir feint de continuer à lire quelques instants, elle daigna regarder la visiteuse. Claire lui parut d'une beauté surprenante: des mèches folles auréolaient son front altier, elle affichait un teint rose et frais, son corps mince et bien proportionné épousait parfaitement sa tenue d'équitation. Elle n'avait rien d'une femme de quarante-cinq ans et arborait ce sourire tendre qui lui était si particulier. La bonté qui émanait d'elle, son aisance et sa beauté triomphante exacerbèrent la jalousie de la jeune fille. Malgré les recommandations de Jean, elle fut étranglée par la haine. Sa seule arme était la méchanceté.

— Angie, commença Claire en s'asseyant au bord du lit, je sais ce qui t'arrive. Ne crains rien, je ne vais pas te sermonner. C'est trop tard, de toute façon, et le plus coupable c'est l'individu qui a abusé de toi.

Claire se tut, intriguée par la mimique moqueuse d'Angéla. Elle ne pouvait certes pas soupçonner qui était l'individu en question, son propre mari, l'homme qu'elle adorait.

— Ne sois pas amère, ma pauvre chérie! Dès l'enfance, tu as été malmenée par la vie. Nous avons eu tort, Jean et moi, de te laisser partir au Canada. Tu étais à la merci du premier beau parleur. Le mal est fait; tu me raconteras plus tard tout ce qui s'est passé. Mais je voudrais te proposer quelque chose. C'est bien à contrecœur, et c'est aussi contraire à mes principes, mais tu as droit au bonheur. Tu es douée, travailleuse, ravissante! Je veux que tu aies une existence digne de toi.

Beaucoup plus bas, elle lui expliqua comment déclencher une fausse couche qui la libérerait.

—Je ne te brusque pas, réfléchis! S'il n'y a aucune possibilité de mariage avec le père de l'enfant, c'est la meilleure solution pour toi. Tu oublieras vite cette tragique période.

Les prunelles d'Angéla foncèrent et se durcirent encore. Elle se redressa sur un coude et considéra sa mère adoptive avec mépris.

— Ce n'est pas parce que toi, tu n'as pas pu avoir d'enfant que tu dois tuer le mien! rétorqua-t-elle. Ce bébé, je l'aime déjà. Je le garde!

Désemparée devant autant de cruauté et de véhémence, Claire se passa la main sur le front. Elle avait la pénible impression d'être confrontée à une étrangère. De se retrouver enceinte sans espoir de mariage arrivait à bien des filles. Mais dans ce cas elles éprouvaient de la gratitude vis-à-vis de ceux qui ne les condamnaient pas et elles se montraient humbles. Angéla ne faisait pas partie de ce genre de femmes, apparemment.

— D'accord, j'ai compris! articula Claire avec difficulté. Mais explique-moi ce que je t'ai fait? Tu me juges responsable de tous tes malheurs? Je veux bien admettre que tu es désespérée, mais ce n'est pas un motif suffisant pour me blesser à ce point. Ce que tu as dit est d'une méchanceté inouïe. Surtout que je t'avais confié un jour combien je souffrais d'être stérile.

La jeune fille ferma les yeux pour ne plus voir Claire. Pendant six ans, cette femme l'avait aimée, protégée, éduquée, sans jamais la gronder ni s'impatienter. Angéla n'avait reçu que des bienfaits sous le toit du Moulin, entourée d'une famille adoptive dont beaucoup d'orphelines auraient rêvé. Elle s'en voulut terriblement d'avoir été si dure. Une poignante envie de se jeter à son cou lui venait. En faisant cela, elle cesserait d'être mauvaise, ingrate. Elle implorerait son pardon en confessant sa faute, car elle était aussi coupable que Jean.

« Que je supplie Claire de m'aider ou que je l'insulte, le résultat ne changera pas. Elle va souffrir », conclut Angéla.

— Laisse-moi tranquille! s'écria-t-elle, choisissant la colère et non le repentir. Sors de ma chambre! Je sais bien ce que tu penses de moi, que je suis une traînée, comme ma mère. Mais dis-le que je te dégoûte!

La jeune fille se redressa et tira le drap vers elle. Les feuilles classées en un tas régulier se dispersèrent. Certaines glissèrent sur le plancher.

— Tu ne me dégoûtes pas! coupa Claire en ramassant quelques pages. Je suis vraiment désolée pour toi, Angéla. Je t'en prie, réfléchis bien. Je n'ai pas eu le temps de t'en parler, mais Edmée de Martignac ne s'opposerait plus à votre mariage, à Louis et toi. Il n'est peut-être pas trop tard. Tu as commis une erreur, à Québec, mais tu n'es pas obligée d'en payer le prix ta vie durant.

— Si, c'est trop tard! Je n'aime plus Louis! Je t'en prie, laisse-moi, Claire. Je veux être seule. Et ne me montez pas de plateau, je n'ai pas faim.

— Bien, je te laisse!

Claire allait reposer les feuilles sur le lit. Mais elle venait de reconnaître l'écriture de Jean. Elle lut une ou deux lignes et comprit qu'il s'agissait du deuxième ouvrage de son mari.

— Jean t'a donné son livre à lire? dit-elle d'une voix tendue.

— Oui, il avait promis, répondit sèchement la jeune fille. Il faut bien que je m'occupe l'esprit!

Cela vexa Claire. Jean avait parfois évoqué le contenu de son roman, qui relatait le naufrage du *Sans-Peur*, en lui certifiant qu'elle pourrait bientôt le lire. Elle redonna les pages à Angéla et sortit. Une angoisse sourde lui comprimait la poitrine.

« Ce n'est plus ma petite Angéla, qui est là, derrière cette porte! On dirait une furie! Mon Dieu, elle accepte mieux Jean que moi. Mais pourquoi? »

Elle descendit l'escalier sans songer à remettre une robe. Anita la guettait.

— Madame, votre cousine Bertille vient de téléphoner. Elle sera là pour le café avec Arthur et Clara.

— Tant mieux! affirma Claire. J'ai bien besoin de compagnie et de gaîté.

Anita triturait son torchon, la mine grave. Son teint mat parvenait difficilement à camoufler ses joues un peu trop rouges.

— Je vous sers un café frais, madame? proposa-t-elle avec une extrême gentillesse.

— Non, merci, Anita. Je suis déjà trop nerveuse.

— C'est à cause de mademoiselle Angéla? Dites, elle n'est pas de bonne humeur. Si vous voulez mon opinion, madame, cette gosse aime bien semer la pagaille. Quand je pense qu'un brave petit gars comme notre César a failli tomber entre ses griffes!

Claire scruta avec un air de profond étonnement celle qui lui servait de gouvernante et d'amie.

— Pourquoi dis-tu ça, Anita? Tomber entre ses griffes! Ce n'est pas une bête fauve; juste une jeune fille qui ne sait pas ce qu'elle veut. Et César n'aurait pas été heureux avec elle. Ils sont trop différents.

Anita retourna à son fourneau. Sa langue la démangeait. Mais elle aimait trop Claire et n'avait pas l'intention de lui faire de la peine.

« Ouais! songea-t-elle. Moi, je crois qu'elle sait ce qu'elle veut, cette petite dévergondée! Tiens, cette nuit, je l'ai vue de la fenêtre, qui traversait la cour en pyjama et monsieur Jean lui courait après. Même mon Léon ne m'écouterait pas si je le lui racontais. Je n'ai qu'à me taire, mais il y aura du grabuge bientôt. »

Elle se signa en cachette. Claire n'en vit rien.

3
Tempête sur le Moulin

Moulin du Loup, même jour

Jean n'était plus que l'ombre de lui-même. Il aidait Matthieu et Léon à poser des fenêtres sur le chantier, mais il se montrait si renfrogné que le domestique finit par s'en étonner.

— Bon sang, mon Jeannot, tu t'es levé du pied gauche, ma parole! Tu en tires, une tête de déterré!

— Fiche-moi la paix, Léon!

— Eh! Jean, s'écria Matthieu, tu t'es brouillé avec ma sœur? Vous paraissiez pourtant très amoureux, ces temps-ci?

— Claire n'a rien à voir avec ça! coupa Jean. J'ai le droit d'être de mauvais poil, non?

Soudain, il lâcha le marteau qu'il tenait et se roula une cigarette. D'un air égaré, il considéra les poutres neuves au-dessus d'eux, puis la cour pavée. Arthur jouait avec Moïse. Le loup faisait des bonds autour d'un ballon de baudruche. L'enfant riait.

— Je m'en vais! déclara Jean tout à coup. Débrouillez-vous sans moi!

Léon fit le geste de le retenir, mais Matthieu l'en empêcha. Ils l'observèrent tandis qu'il dégringolait l'escalier flambant neuf. Un instant plus tard, il avait disparu.

— Mais qu'est-ce qu'il a? se consterna le domestique. Je le connais depuis des années, mon Jeannot; je l'ai jamais vu comme ça!

— Un souci quelconque, Léon, ne t'en fais pas, avança le jeune homme. J'ai l'impression que le retour d'Angéla n'arrange personne. Jean a dépensé une fortune pour l'installer à Québec.

— Moi, je préfère pas dire ce que je pense de cette donzelle! pesta Léon.

Il n'avait pas vraiment pardonné à la jeune fille d'avoir rompu ses fiançailles avec son fils César parce qu'elle s'était entichée d'un châtelain.

Jean grimpait le sentier très raide serpentant entre les genévriers et les buis, surnommé le raccourci du Moulin. Ce chemin abrupt rejoignait en ligne droite le bourg de Puymoyen.

« Pourvu qu'il soit là! se répétait Jean. Moi qui me déclarais athée, je me sens tellement perdu que j'ai besoin d'un curé! »

Depuis l'aube, cela l'obsédait. L'impossible s'était produit. Il avait fait l'amour avec Angéla dans les bâtiments séculaires où Colin Roy, le père de Claire, avait œuvré des années. Jean se souvenait de cet homme trop tendre, au caractère moins trempé que sa fille. Le maître papetier portait les cheveux longs, attachés sur la nuque, des cheveux blancs comme neige. Sanglé dans son grand devantier en cuir, il avait toujours les mains maculées de pâte à papier.

« Maître Colin! Je ne serai jamais qu'un paria, un renégat, un fruit pourri. J'ai osé trahir votre Claire! »

La marche rapide qu'il s'imposait dissipa un peu la tension douloureuse de ses nerfs. Jean arriva enfin sur la place du village et, son regard bleu rivé au modeste clocher de l'église, il pressa le pas. Le père Jacques nettoyait les chandeliers en argent qui supportaient les cierges réservés aux cérémonies importantes. Son dos s'était voûté, son crâne dégarni s'ornait d'une ultime rangée de mèches grises. Il avait soixante-douze ans et aspirait à une retraite bien méritée.

— Jean! Qu'est-ce qui vous amène? dit-il aimablement. Je n'ai pas coutume de vous voir entrer dans la maison de Notre-Seigneur sans qu'il y ait un baptême à célébrer ou un enterrement.

Le vieux prêtre pratiquait volontiers une forme d'humour qui ne choquait plus personne. Très investi dans son sacerdoce, il avait cependant étudié la philosophie et lu de grands auteurs modernes.

— Mon père, pouvez-vous m'entendre en confession? répliqua Jean d'une voix altérée.

— Bien sûr!

Ils se retrouvèrent dans la pénombre du confessionnal en bois noir, de chaque côté de la grille à demi fermée par des rideaux gris.

— Je vous écoute, mon fils.

Jean respira profondément, pris d'une subite envie de s'enfuir. Très vite, il déclara:

— Vous me connaissez, père Jacques! Je ne suis guère pratiquant, mais croyant, si. Cela date d'un jour lointain où j'ai conduit une enfant dans un couvent, à Auch. Une fille de treize ans, vendue au plus offrant par sa mère et que je voulais sauver. Ce matin-là, en contemplant la statue de la Sainte Vierge, je me suis senti baigné par une pureté céleste. Je voudrais être encore cet homme jeune, plein de bonne volonté.

Le prêtre toussota, inquiet. Il percevait une douleur intense dans la voix de Jean.

— Mon fils, vous êtes aimé de tout le pays, et depuis bien longtemps vous êtes un bon père, un bon grand-père.

— Non, je ne suis plus rien de tout ceci! bredouilla Jean. Un secret m'étouffe, le poids de ma faute m'écrase le cœur. Tout à l'heure, j'ai pensé en finir, me pendre au fond des bois à la première branche, comme le font souvent les criminels incapables d'affronter leur conscience. Mon père, pendant mon voyage au Canada, j'ai séduit ma fille adoptive, Angéla. Dans certains livres, on appelle ce genre de conduite le démon de midi, l'homme mûr avide de retrouver sa jeunesse dans les bras d'une créature innocente. Ce n'est pas si simple. Angéla se prétendait amoureuse de moi, elle m'a tenté et je n'ai pas su résister. Je n'ai pas voulu résister. Je ne pensais plus qu'à elle, j'étais jaloux de tous ceux qui l'approchaient. C'est incompréhensible, n'est-ce pas? J'aime Claire de tout mon être et cela depuis plus de vingt-cinq ans. Je lui dois presque la vie, car elle m'a évité le bagne de Cayenne. Grâce à elle et à notre cher Basile, j'ai pu apprendre à lire. C'est une femme remarquable, d'une beauté inaltérée et d'une grande bonté. Et je l'ai trompée, mon père. Je l'ai bafouée cette nuit encore, comme si le diable me poussait à commettre le pire des péchés.

Jean se mit à sangloter. Le prêtre se signa, horrifié par ce qu'il venait d'entendre.

— Seigneur, quelle pitié! marmonna-t-il.

— Oh oui, quelle pitié! renchérit Jean. Angéla est revenue avec Bertille et Bertrand Giraud. Elle est enceinte, elle porte mon enfant. Si Claire connaît la vérité, elle sera brisée à jamais. Elle me chassera et je ne pourrai pas la blâmer. Mais cette jeune fille, je ne peux pas la rejeter, la condamner à la solitude et à la honte. J'en deviens fou, mon père. Je ne sais plus que faire! Mourir, quelle délivrance!

— Quelle lâcheté! tempêta le curé. Ce serait bien facile de se donner la mort et de laisser Claire se débrouiller avec Angéla et le malheureux petit qui grandit en elle. Jean, comment avez-vous pu?

— Je le regrette chaque seconde! gémit-il. Je paye cher ma faute, tant je souffre. J'ignorais que la chair est si faible, comme on dit. Mon corps exige ce que mon âme refuse. J'en viens à être dur avec Claire, avec Angéla. Je vous en supplie, aidez-moi!

Il avait presque hurlé. Le père Jacques lui ordonna d'être discret.

— Jean, ajouta-t-il, la première chose à faire est d'éloigner cette jeune personne du Moulin. Conduisez-la dans une maison maternelle[4]. Ces institutions disposent d'un service pour les filles-mères. Plus vous la gardez sous le toit de Claire, plus vous offensez votre épouse. Je honnis le mensonge, mais dans ce cas, mon Dieu, préservez votre famille.

Le vieux prêtre laissait exploser sa colère et son dégoût. Il avait toujours eu du tempérament et ne craignait pas de secouer ses ouailles.

— Puisque vous n'êtes guère pratiquant, selon vos propres mots, n'attendez pas que je vous accorde l'absolution. L'air doit être malsain dans la vallée des Eaux-Claires, pour que les

---

4. Ces établissements hospitaliers accueillaient les filles-mères qui, le plus souvent, abandonnaient ensuite leurs enfants à l'âge de deux ans.

passions s'y déchaînent depuis des lustres. Faites au mieux. Je devrais me montrer enclin au pardon, mais j'ai vu grandir Claire et c'est une sainte femme qui se dévoue pour son prochain et à qui Notre-Seigneur a offert le don de guérison. Je prierai pour elle et pour vous.

Il y eut un long temps de silence. Jean quitta le confessionnal et sortit de l'église. D'avouer son crime ne l'avait pas du tout apaisé.

«Je n'ai plus qu'à rentrer au Moulin et à préparer Angéla au départ. Si je dois sacrifier quelqu'un, ce sera elle, décida-t-il. Mais l'enfant?»

Il erra sur le plateau venteux jusqu'à midi. Plusieurs fois, il cogna sur un tronc d'arbre rabougri, à grands coups de pied. Enfin, il reprit le chemin de la vallée.

«Donner le change! se répétait-il. Personne ne doit savoir, personne. Angéla a intérêt à filer doux! Je ne la toucherai plus, ça non. Je l'éviterai comme la peste. Et pour l'enfant, j'aviserai en temps voulu. Je veux que Claire puisse fêter Noël en paix. Elle aime tant décorer la maison, nous gâter avec de bons petits plats. Claire, pardonne-moi.»

Jean fut bien obligé de rentrer chez lui. Au repas, il but un peu trop de vin, sous l'œil réprobateur d'Anita. Léon et Matthieu ne lui posèrent aucune question. Claire, après le dessert, déclara bien haut:

— Angéla a de la chance, Jean, tu lui as confié les épreuves de ton nouveau livre! Je pensais que je serais toujours la première sur ta liste de lecteurs.

— Elle est censée les corriger, en tant qu'institutrice. Je ne voulais pas demander ça à Faustine, qui doit se reposer. Tu liras la version imprimée, Câlinette, imprimée chez nous, par ton frère et ton mari.

Claire eut un sourire rêveur. La réponse lui convenait. Elle avait repris courage, sachant que Bertille ne tarderait pas.

— Bon, je te pardonne pour cette fois. Notre Angie n'a pas de chance; il lui faut bien une consolation. Tomber malade à peine de retour!

Un silence étrange suivit ces paroles. Claire devina alors

que chacun au Moulin devait s'interroger sur ce qui se passait réellement. Elle se demanda combien de jours encore Jean et elle parviendraient à cacher la vérité.

L'arrivée de la dame de Ponriant ramena une joyeuse atmosphère. Arthur et Clara, ravis de ce jeudi après-midi qu'ils pourraient passer ensemble, montèrent aussitôt écouter un disque. La petite Janine qui se languissait d'Isabelle eut la permission d'aller seule chez Faustine, à condition d'être escortée par le loup Moïse, tenu en laisse.

Les trois hommes retournèrent assister l'équipe d'ouvriers qui, ce jour-là, plâtraient les murs du logement situé au-dessus de la salle des piles.

— Ma Clairette, susurra Bertille en prenant place à la table en partie débarrassée, tu as une drôle de mine! Angéla?

— Angéla garde la chambre. Veux-tu du lait dans ton café?

Claire ne voulait pas en dire plus en présence d'Anita qui, le comprenant, annonça qu'elle avait du linge à étendre sous le hangar. Dès qu'elle fut sortie, sa panière calée contre la hanche, la discussion reprit.

— Tu étais dans le vrai, princesse. Elle est enceinte. Jean a pu lui arracher cet aveu. Sur le coup, j'ai cru que j'allais m'évanouir. Maintenant, plus rien ne m'étonne. La pauvre gosse se retranche derrière une méchanceté exagérée, tellement elle a honte. Je t'assure, elle peut se montrer odieuse. Ce matin, je l'aurais giflée, mais je n'ai jamais frappé un des enfants, hormis quelques fessées auxquelles les garçons m'ont contrainte.

— Claire, tu oublies un détail important: Angéla n'est pas ta fille, même si un papier le précise. Faustine, oui, car tu l'as élevée depuis son plus jeune âge. Je suppose que la réaction d'animosité de cette demoiselle est normale. Dans le cas présent, elle doit en vouloir au monde entier parce qu'elle est orpheline. Et, franchement, elle se plaît à tirer les ficelles. Pendant ma liaison avec Louis, je t'assure qu'elle cherchait à nous séparer. Ce sera une femme possessive et jalouse.

— Mais c'est déjà une femme! soupira Claire. Si tu l'avais vue me déclarer qu'elle aimait son bébé et qu'elle le garderait! Une chatte prête à bondir sur des ennemis qui menaceraient sa portée.

— Et le père? Qui est-ce? demanda Bertille d'un air gourmand. Voici une énigme à découvrir.

Les deux cousines échangèrent un regard complice. Elles avaient souvent affronté l'adversité en faisant appel à leur univers imaginaire, celui qu'elles avaient créé adolescentes à force de lire des romans d'aventures où l'amour se parait de mystère.

— Sommes-nous sottes! fit remarquer Claire, qui se reprochait sa pointe de gaîté. Angéla est bien à plaindre. Aucun homme ne voudra l'épouser. Notre société juge sévèrement les filles-mères.

Bertille s'étira. À l'approche de la cinquantaine, elle demeurait l'image même de la grâce radieuse. Ses cheveux de fée moussaient autour d'un mince visage délicat. Elle les avait fait teindre en blond platine à New York afin de cacher la mèche argentée que lui avait value sa plus grande peur, celle d'avoir failli causer la mort du petit Pierre.

— Il faut lui arracher le nom du coupable! décréta-t-elle. Clairette, si c'est nécessaire, je vous prêterai l'argent pour un autre voyage au Canada. Le mieux, ce serait que cet abruti l'épouse et reconnaisse l'enfant.

Claire ne répondit pas tout de suite. Elle étudiait la toilette de la dame de Ponriant, vêtue d'un pantalon en jersey noir et d'un gilet en cachemire gris. C'était d'une sobriété absolue, cependant compensée par un collier de perles et un foulard en soie blanche.

— Si j'osais m'habiller comme toi! avoua-t-elle. Aujourd'hui, j'ai quitté à regret ma culotte d'équitation. Mais les femmes en pantalon font scandale.

— Je m'en moque, rétorqua Bertille. Aux États-Unis, cela ne choque plus personne. Revenons à nos moutons. Faustine, elle, réussirait à faire parler Angéla.

— Peut-être, mais Matthieu n'apprécierait pas. Il craint la contagion, le pauvre, puisqu'il pense Angéla malade. Et Faustine, même si elle avait tes soupçons, ne sait rien non plus. Je n'ose pas lui apprendre la nouvelle.

— Qu'attendez-vous, Jean et toi, pour leur dire la vérité? S'il sait qu'il s'agit d'une grossesse, ton frère n'aura plus peur.

Claire promit à voix basse. Anita revenait. Il ne fut plus question de la jeune fille. Bertille vanta le talent de musicien d'Arthur et décrivit les prouesses de Clara au cours de danse. Elle sortit quatre pochettes de photographies.

— Cette fois, je ne les ai pas oubliées, Clairette! Tu vas admirer les clichés de notre périple.

Elles rirent beaucoup. De sa chambre, Angéla guettait les échos de leurs bavardages et de leur joie. Privée de ces habituelles réunions féminines dont elle n'avait pas oublié la gaîté, elle se sentait terriblement isolée. Une bouffée de haine et de désespoir total la fit gémir.

« Ah, ces dames se paient du bon temps! Elles jacassent et ricanent, comme toujours, et elles se fichent bien de moi. Comme Jean! Il n'est pas venu me voir. Je suis sûre qu'il ne viendra pas ce soir, ou seulement deux minutes pour se donner bonne conscience. Jean, je t'en prie, viens. Je les déteste tous, Claire, Bertille, et même toi, Jean! Oh, je voudrais leur faire du mal, les griffer, les voir pleurer et souffrir, comme je souffre, moi. »

Ivre de rage et de chagrin, elle sanglota longtemps, le visage enfoui au creux de son oreiller.

*

Moulin du Loup, 15 octobre 1925

Claire pétrissait de la pâte à pain d'où montait une odeur un peu acide, celle du levain. Léon avait réparé le vieux four situé sous l'appentis et qui avait cuit des fournées et des fournées, du temps de Colin Roy et de son épouse Hortense.

« Le pain sera meilleur que celui du nouveau boulanger du village! » se disait-elle, les mains blanches de farine.

Elle malaxait à pleines mains l'énorme boule élastique d'une couleur laiteuse. Exceptionnellement, Anita et Léon s'étaient rendus à Angoulême pour déjeuner avec César. Le jeune homme désirait leur présenter sa future fiancée, une jolie brunette qui travaillait comme serveuse dans un restaurant de la place du Champ de Foire.

« Maintenant, toute la famille est au courant, pour Angéla! songea Claire. Apparemment, personne n'a été vraiment surpris. »

La veille, elle s'était chargée d'expliquer la situation à Matthieu et à Faustine. La jeune femme avait tenu à rendre visite immédiatement à celle qu'elle considérait comme sa sœur. Mais elle était vite revenue, très désappointée.

— Angie refuse de me regarder et de me parler, avait-elle soupiré. Je lui ai dit toutes les gentillesses du monde, je l'ai réconfortée. Elle ne faisait que pleurer et me montrer la porte.

— Je n'ai pas eu plus de succès, avait précisé Claire. Laissons-la se calmer. Je crois que c'est un choc épouvantable pour elle.

Léon, lui, s'était contenté de siffloter, presque satisfait. Il avait toujours senti que l'orpheline était une fille à histoires. Anita, elle, s'était signée; depuis, elle évitait le sujet.

« Les enfants n'ont pas encore compris, pensa Claire en roulant sa boule de pâte dans un chiffon immaculé et en la mettant à lever sur le manteau de la cheminée. Dommage que Thérèse ne puisse pas venir ces temps-ci. Angéla et elle s'entendaient bien. Mon Dieu, Arthur sera trempé en rentrant de l'école, il a oublié de prendre son ciré. »

Il pleuvait dru depuis le matin. Jean et Matthieu s'étaient réjouis de voir tous les bâtiments du moulin, étendoirs compris, de nouveau couverts de belles tuiles rousses.

Claire jeta un regard satisfait autour d'elle. La grosse cuisinière en fonte ronronnait. Le loup Moïse était couché devant l'âtre. Les cuivres resplendissaient, des rideaux neufs en dentelles ornaient les deux hautes fenêtres.

« Je vais aller chercher Arthur et Janine à l'école. Cela me fera du bien de marcher. »

Vite, elle s'équipa de bottillons imperméables et d'un manteau en drap noir. En se postant en bas de l'escalier, son parapluie sous le bras, elle cria:

— Angéla, je monte au bourg. Tu n'as besoin de rien?

Il y eut un léger bruit de pas. La jeune fille ouvrit sa porte.

— Je voudrais bien des gommes à la réglisse, fit une voix étouffée. Et des pastilles de menthe.

— Je te rapporte tout ça, Angie.

— Merci, Claire!

« Eh bien! pensa-t-elle. Il y a un net progrès aujourd'hui, et ça me réchauffe au cœur. »

Elle partit réconfortée, certaine qu'en donnant de l'amour et de la gentillesse à la jeune fille, elle changerait de comportement. Moïse la suivit. Comme Jean quelques jours plus tôt, Claire emprunta le raccourci. Elle aimait la senteur de la terre gorgée d'eau et de la végétation agonisante qui, pourtant, renaîtrait au printemps. Des cailloux roulaient sous ses pieds et cela l'amusait, lui rappelant les innombrables fois où elle avait parcouru la campagne, un loup apprivoisé en guise d'escorte. Une délicieuse sensation de liberté, de bonheur presque enfantin, la transportait.

« Tant que je vivrai ici, dans ma vallée, je me sentirai jeune et l'âme aventureuse. J'ai beaucoup souffert par le passé, mais le pire est derrière moi », se rassura-t-elle en silence.

Au Moulin, Angéla profitait de la maison déserte. Elle avait pris une douche, s'était coiffée d'un chignon et maquillée, une de ses manies qui n'avait plu ni à Claire ni à Faustine. La jeune fille visitait les autres chambres de l'étage, par simple curiosité et pour se distraire, car elle s'ennuyait beaucoup. C'était aussi une manière d'être confrontée à des souvenirs très doux.

« Avant, je faisais le ménage dans le couloir, je cirais l'armoire à linge… Avant, j'étais si heureuse de revenir ici, où je me sentais mieux qu'à l'institution Marianne », songeait-elle, émue.

En dernier lieu, elle entrebâilla la porte de la chambre de Jean et de Claire. Tout de suite, une bouffée de colère chassa regrets et nostalgie.

« Ils dorment là chaque soir, ensemble! Ce n'est pas juste! »

S'enhardissant, elle explora les lieux. Un ordre parfait

y régnait. Le grand lit couvert d'une courtepointe en boutis rouge la fascina. Elle examina une des tables de chevet où trônait une lampe à abat-jour rose. Se souvenant que c'était la couleur préférée de Claire, elle eut l'envie subite de fracasser l'objet, de le piétiner.

— Qu'est-ce que tu fais là? demanda Jean qui venait d'entrer lui aussi.

Angéla se retourna, livide. Elle commençait à redouter la froideur de son amant. Depuis leur brève étreinte dans la salle des piles, il ne l'avait même pas embrassée.

— Je ne fais rien de mal, Jean, je cherchais des comprimés d'aspirine. Et toi, qu'est-ce que tu fais là? Tu travaillais avec Matthieu, dans les étendoirs. Je n'espère même plus une visite de toi! Dis, tu venais me voir parce que ta femme est partie au village?

Il eut un geste d'agacement et sortit. Elle le suivit dans le couloir, chagrinée par son masque impassible et distant.

— Jean, si j'avais su que tu viendrais, je serais restée dans ma chambre. Jean, dis quelque chose! Quand partons-nous? Maintenant, je veux bien habiter en ville! Au moins, si tu me rends visite, nous serons tranquilles.

— Angéla, j'ai eu une autre idée et je venais en discuter avec toi.

Il la poussa dans sa chambre et referma la porte sans tourner le verrou. La jeune fille comprit qu'il ne l'approcherait pas.

— Eh bien, je t'écoute! répliqua-t-elle tristement en retenant ses larmes.

— Tu pourrais t'installer dans le pavillon de chasse de Ponriant, là où logeait Corentine à une certaine époque, et Greta aussi.

— Greta, cette pauvre bonne qui a dû se résigner à laisser son fils à l'institution! Tu veux m'éloigner de toi? protesta-t-elle, mais sans hargne ni force. Je n'aurai droit qu'au logement d'une ancienne domestique. Bravo, Jean, de mieux en mieux! Mais fous-moi dehors, ce sera plus rapide et moins hypocrite!

— Ne sois pas grossière ni sotte! Si Bertille accepte, tu seras très bien. Le pavillon est agréable et très bien aménagé.

Comprends donc qu'il faut cacher ta grossesse, sinon les gens du pays n'en finiront pas de te juger.

Angéla pleurait doucement. Elle se frotta les yeux et le nez d'une façon si puérile que Jean en eut mal au cœur.

— Tu ne m'aimes pas du tout! gémit-elle. Tu ne m'as jamais aimée. Tant pis, je préfère rester ici, au Moulin. Je suis bien cachée, personne ne sait que je suis rentrée, à part les Giraud. Jean, je vais redevenir agréable avec tout le monde. Je ne ferai pas de scandale, je te le promets, mais laisse-moi habiter là, dans ma chambre. Je ne te vois pas souvent, mais j'entends ta voix et ton pas dans le couloir. Je m'en contenterai.

— Non, je ne peux pas faire ça à Claire, te garder plus longtemps dans sa maison! trancha-t-il.

Jean n'osait pas confesser qu'il essayait de suivre les conseils du curé.

— Mais Claire, elle se demandera pourquoi tu as décidé ça! implora la jeune fille. Je la connais, moi aussi, elle ne voudra pas que tu m'emmènes ailleurs.

Fébrile, suffoquée par un infini chagrin, Angéla quitta ses vêtements. En chemisette et culotte de soie, elle se réfugia entre les draps de son lit.

— Je vais être malade pour de bon! déclara-t-elle d'un ton péremptoire. Je suis si triste que je voudrais mourir. Je ne mangerai plus, je ne boirai plus! Le bébé mourra en même temps que moi. Ton enfant!

En fait, Jean ne parvenait pas à croire à sa prochaine paternité. Il avait cependant calculé que la naissance aurait lieu au mois d'avril. Encore une fois, il céda à une vague de tendresse pour la jeune fille. De toute façon, à son égard aussi il se sentait coupable.

— Je t'en prie, pardonne-moi! implora-t-il. Je deviens fou, sais-tu, entre toi et Claire. Elle, je veux la protéger; toi, j'aimerais réparer le tort que je t'ai causé.

— Bref, tu regrettes! avança Angéla d'une voix brisée. Le bel amour que nous vivions à Québec, c'était de la comédie, pour toi? Tu prenais juste du bon temps, sachant que tu retournerais ensuite en France et que je ne serais plus un problème. Sur le quai, avant que tu embarques, tu m'as serrée tellement fort contre toi que cela m'a donné du courage. Je me disais que tu m'aimais. Mais non, c'était faux. Je parie qu'à peine de retour dans le lit de ta femme tu m'as oubliée. Je ferais mieux d'accepter la proposition de Claire. Demain, non, ce soir même, je lui dirai de me préparer ses tisanes qui font avorter.

Jean s'assit au bord du lit, stupéfait. Il n'était pas au courant.

— Elle t'a proposé ça? Ne mens pas. Claire a toujours refusé de secourir les filles en détresse, enfin, celles qui voulaient faire passer leur fruit. Ce sont ses mots.

Jean en conçut une colère aussi forte qu'inattendue. Révulsé, il s'aperçut qu'au fond de lui cet enfant avait de l'importance. Plusieurs fois, sur le chantier, il avait pensé à un fils, le fils qui lui manquait tant, qu'il baptiserait Lucien comme son jeune frère mort tragiquement. De plus, il jugeait que Claire aurait dû le prévenir.

— Je t'interdis d'avaler quoi que ce soit! déclara-t-il, horrifié. Bon sang, ce petit, c'est aussi le mien! Je t'ai promis de l'élever et de le chérir. Je tiendrai parole, quoi qu'il m'en coûte. La seule chose que je te demande, c'est du temps. Je te défends d'avorter! Je tiens à ce bébé.

Après avoir rabattu le drap qui couvrait en partie son visage, Angéla pointa son nez retroussé.

— Je te le promets, Jean! balbutia-t-elle. Alors, embrasse-moi, rien qu'un peu. Je suis tellement malheureuse.

Oubliant Claire et sa famille, il se pencha et baisa ses lèvres. Sa main droite se glissa dans le lit et caressa le ventre à peine bombé de la jeune fille. Tout de suite le désir le submergea. Effrayé, Jean se releva et recula vers la porte.

— Ne sois pas triste, Angie, ne sois pas triste! Je reviendrai.

*

Claire avait fait quelques courses à l'épicerie Rigordin et se dirigeait vers l'école en s'abritant sous son large parapluie noir. Elle se heurta presque au père Jacques qui traversait la place du village.

— Bonsoir, mon père! dit-elle avec un sourire radieux.

— Bonsoir, Claire! Je ne vous vois plus à la messe, mais, puisque vous soulagez les souffrances de tout le pays, je ne vous en tiens pas trop rigueur.

— Oh, je chôme en ce moment! Malgré l'automne et le climat humide, je n'ai eu aucun patient depuis le retour de ma cousine. Bertille vient presque chaque après-midi me raconter son séjour d'un an aux États-Unis. C'est passionnant! Et je suis tellement contente de la retrouver!

— Et cette jeune fille que vous avez adoptée, Jean et vous, Angéla? Il paraît qu'elle est rentrée du Canada récemment, elle aussi. A-t-elle repris un poste d'institutrice dans la région?

Il y avait dans les yeux bleu-gris du vieux prêtre une expression de sagacité qui n'échappa pas à Claire.

— Vous êtes bien renseigné, mon père! En effet, Angéla est chez nous, mais elle est très malade. Elle garde le lit. C'est plus prudent par ce temps pluvieux.

Le curé hocha la tête. Il jeta un coup d'œil sur Moïse, debout près de Claire.

— Et vous continuez, ma chère enfant, à laisser les loups entrer dans la bergerie, selon un dicton populaire.

Elle fit la moue, étonnée.

— Si vous parlez de Moïse, c'est un loup doux comme un mouton. Arthur sera content de le trouver à la sortie de la classe. Ce sont de bons amis.

— Je ne parlais pas vraiment de cette bête! rétorqua le vieux prêtre d'un ton soucieux.

Il salua Claire et poursuivit son chemin. Elle s'interrogea.

« Le père Jacques radoterait-il? Pourquoi m'a-t-il dit ça? »

Contrariée, elle se hâta vers l'école, espérant que ce ne fût pas Anita ou Léon qui avaient révélé la présence d'Angéla au Moulin.

— Non, ce doit être Bertrand. Il ne rate pas une messe, lui! maugréa-t-elle à mi-voix.

Les enfants se ruaient hors de la cour. Janine trottina vers elle, bien emmitouflée dans un chaud manteau de laine. Arthur lui emboîtait le pas, en veste et sans casquette.

— Mes chéris, s'écria-t-elle, vous ne rentrerez pas seuls, ce soir. Tiens, Arthur, je t'ai apporté ton ciré. Mets-le vite.

Le garçon se lança dans le récit de la leçon de géographie. Janine chantonna la comptine apprise avant que la cloche sonne. Claire, avide d'un bonheur simple et des rites quotidiens, oublia sa rencontre avec le curé pour annoncer ce qu'il y aurait de bon au goûter.

— J'ai prévu de faire griller du millas à la poêle, arrosé de miel.

— Hum, quel délice! déclara Arthur en prenant un ton pointu.

Il imitait Bertille. Janine pouffa; Claire rit de bon cœur. La pluie redoubla de violence. Trempé et joyeux, le trio entra dans la cuisine du Moulin. Le loup se secoua. Matthieu se réchauffait devant le fourneau. Il considéra sa sœur avec tendresse.

— Les joies de l'automne! plaisanta-t-il.

— Oui, petit frère. Et, en fin de compte, c'est un bel automne, répliqua Claire.

Elle se souviendrait bientôt de ces paroles et n'en serait que plus désespérée.

Le lendemain, Faustine vint déjeuner. Elle arborait un ventre bien rond et se plaignit de souffrir du dos.

— Maman, je n'en peux plus! Je crois que ce bébé est plus gros que l'étaient Pierre et Isabelle. Je ne tiendrai jamais jusqu'à Noël.

— Tu as pu te tromper de date, nota Claire. Et le médecin que tu as consulté prévoit la naissance en décembre. Il peut s'agir du début du mois. Courage, ma chérie! Je te rappelle aussi qu'Isabelle est venue au monde trois bonnes semaines avant le terme.

La jeune femme s'étira. Elle espaçait ses visites au Moulin, appréciant de plus en plus sa propre maison. Avec délectation, elle s'accordait de longues siestes, prenant avec elle ses enfants dans le lit.

— Il pleut encore, remarqua Claire. Tu n'aurais pas dû sortir. Je serais venue, moi. Il faudra faire un grand ménage avant l'arrivée de ce petit.

Faustine secoua la masse souple de ses magnifiques cheveux blonds. Elle avait l'air grave.

— Maman, j'ai décidé de parler à Angéla. Cette fois, elle n'y échappera pas. Nous étions si proches, avant son départ! Je veux savoir la vérité. Elle me dira le nom du père de l'enfant, son adresse, et j'écrirai à cet individu.

— Mais il vit à des milliers de kilomètres! Franchement, ma chérie, je crois que cela n'en vaut pas la peine. En plus, Angéla s'adoucit; elle se remet de ses émotions, mais à son rythme. Tu ne ferais que retourner le couteau dans la plaie!

— Moi, j'espérais qu'elle était enceinte de Louis de Martignac, ajouta la jeune femme. Mais j'ai bien réfléchi et ce n'est pas son genre de brûler les étapes. Il souhaitait l'épouser et je crois qu'il aurait attendu le mariage pour... Enfin, tu me comprends...

— Ce n'est pas un modèle de vertu, ce jeune homme! fit remarquer Claire. Il a quand même été l'amant de Bertille pendant trois ans.

— Peut-être, mais tu m'as dit toi-même que tu le pensais sincère vis-à-vis d'Angéla. Garde Isabelle et Pierre, je monte la voir avant le repas.

Elle trouva Angéla assise à son bureau. La jeune fille dessinait. Elle semblait entièrement absorbée par son travail et portait une large blouse grise. Ses cheveux noirs étaient retenus en arrière par un bandeau.

— Angie chérie, au moins, tu n'es plus couchée!

— Bonjour, Faustine! J'avais envie de reprendre mes crayons et mes gouaches. Tu aurais dû m'appeler, je serais descendue. Il paraît que tu es fatiguée.

Surprise par l'attitude affectueuse de sa sœur adoptive, la jeune femme ne sut plus que penser. Claire avait raison. Il ne fallait pas brusquer les choses. Angéla était sur la bonne voie.

— Je peux t'embrasser, cette fois? demanda-t-elle. Angie, je t'aime tant. Je voudrais te consoler. Maman m'a dit ce qui te rendait malade.

Angéla hésita un court instant et se leva, offrant sa chaise à Faustine. Au passage, celle-ci déposa un léger baiser sur sa joue. Elle jeta un œil curieux sur le carnet de croquis.

— Que dessinais-tu? Mais c'est papa, s'étonna-t-elle.

— Oui, Jean a un beau visage. Ne le dis pas, c'est une

surprise pour Noël. Je compte offrir son portrait à chacun des membres de la famille, au fusain. Là, je ne fais que m'entraîner. Des esquisses, si tu veux.

— Quelle merveilleuse idée! Oh! Angéla, je suis tellement désolée pour toi. Je t'ai toujours confié mes secrets. Raconte-moi un peu les tiens. Ça soulage, de partager ses peines.

— Il n'y a rien à raconter, Faustine! assura la jeune fille. J'ai rencontré un homme, à Québec, je l'adorais. Je voulais le rendre heureux. Je croyais qu'il m'épouserait, mais il a disparu dès que j'ai su, pour le bébé.

Faustine avait envie de la serrer dans ses bras, mais elle n'osait pas, de peur de déclencher une crise de larmes.

— Que vas-tu faire de cet enfant, Angie? Tu avais toutes tes chances de réussir et maintenant ta situation est compromise.

— Je m'arrangerai! Quand il sera né, au mois de mars, je chercherai un emploi et je l'élèverai. Ce n'est pas si difficile. Je me fiche de l'opinion des gens. Je n'ai pas honte. C'est un enfant de l'amour.

— Un amour à sens unique! répliqua Faustine sans se douter de la cruauté de ces mots. Angie, il y a toujours moyen de fléchir un homme que la paternité rebute. Nous lui écrirons; il reviendra sur sa décision et il t'épousera.

Angéla se mit à trembler de tout son corps. Elle avait un tel besoin de crier la vérité que cela exacerbait sa nervosité.

— Je n'ai pas son adresse! soupira-t-elle. Et je ne veux plus en parler, plus jamais. Cet homme-là n'est qu'un lâche! Aie pitié, Faustine, ne me harcèle pas. Je suis mauvaise, souvent, c'est pour ça que j'ai supplié tout le monde de me laisser en paix.

Impressionnée par les traits ravagés de la jeune fille, Faustine s'en alla. En refermant la porte, elle lui adressa un sourire plein de compassion.

— Alors? questionna Claire à voix basse quelques minutes plus tard.

— Alors, rien! dit Faustine. Elle s'est remise à dessiner, c'est un progrès. Tu as raison, maman, laissons-la se remettre de son chagrin. Elle a été abusée, la pauvre. Au fond, je la trouve très courageuse de vouloir élever seule cet enfant. Nous la soutiendrons, n'est-ce pas?

— Bien sûr, ma chérie, bien sûr! répondit sa mère avec douceur.

*

À dater de ce jour, une paix relative régna au Moulin du Loup. La vie quotidienne reprit ses droits et Angéla y participait timidement. La jeune fille mangeait de nouveau à la table familiale, matin, midi et soir. Comme elle le faisait avant son départ, elle aidait Anita et Claire à mettre le couvert et à desservir après le repas.

Tranquillisé par sa docilité et sa discrétion, Jean s'accoutuma à la voir assise entre Arthur et Léon, sur un des bancs. Il avait renoncé à son idée du pavillon de Ponriant, certain que sa femme et sa fille s'y opposeraient. Il évitait de se rendre au village, craignant de croiser le curé.

Deux semaines s'écoulèrent dans le plus grand calme. Les travaux de réfection du moulin avançaient. Une nouvelle machine à papier électrique trônait dans la salle des piles. Le local réservé à l'imprimerie, flambant neuf, abritait tout le matériel nécessaire.

Personne n'osait évoquer l'état d'Angéla, qui ne se devinait pas encore. Bertille ne s'en serait pas gênée, mais elle était clouée au lit par une bronchite. Cela donna l'occasion à Claire de monter au domaine pour la soigner, et toutes deux s'en réjouirent.

Il pleuvait sans discontinuer. La rivière grossissait, grise et frangée d'écume, poussant entre ses berges des flots rapides. Les champs labourés en prévision des semis d'hiver, gorgés d'eau, laissaient voir de vastes flaques boueuses. Les chemins et les routes étaient jonchés d'un épais tapis de feuilles mordorées.

Claire se désolait. Elle ne pouvait plus monter Junon. Quand un malade avait besoin de ses services, Léon ou Jean la conduisait en voiture. Faustine restait confinée chez elle avec ses enfants. Matthieu la rejoignait pour déjeuner et rentrait tôt le soir, anxieux de la savoir seule, même s'il avait fait installer le téléphone.

La jeune femme songeait souvent au portrait de son père dessiné par Angéla. Elle en avait parlé à Matthieu.

— Je te le dis en secret, puisque c'est une surprise qu'elle nous fait pour Noël, mais ce dessin de papa m'obsède. C'est lui et ce n'est pas lui, comme si moi, je ne l'avais jamais vu ainsi. Je l'ai reconnu tout de suite. Pourtant, il était différent.

— C'est dû au coup de crayon de notre artiste en jupons! avait répondu le jeune homme. Angéla a dessiné sa vision de Jean, qui n'est pas la tienne ni la mienne. Enfin, j'ai hâte de voir mon portrait et surtout le tien, ma beauté!

Toutes les conversations du couple se terminaient par des mots doux, de tendres compliments. Leur amour était de ceux qui se fortifient sans cesse et que rien ne peut vraiment atteindre.

La moins encline à tolérer la présence d'Angéla était Anita. L'épouse de Léon ressassait de sombres pensées au sujet de la jeune fille. Elle épiait le moindre de ses gestes et de ses regards. Le soir, elle tentait de ne pas s'endormir trop vite afin de mieux percevoir les bruits de la maison.

— Mais qu'est-ce que tu as, ma Nini, à t'agiter dès qu'on se couche? lui démanda enfin Léon. Tu trimes assez la journée, la nuit, repose-toi.

— C'est à cause de l'autre! ronchonna-t-elle.

— Quelle autre?

— La petite peste, Angéla! Je me retiens de t'en causer, depuis plus de trois semaines qu'elle a débarqué au Moulin, avec ses mines de martyre. Moi, ça me rend malade de la voir ici, en face de madame Claire qui est si bonne.

— Bah! maugréa Léon. C'est leur fille adoptive. Ils ne vont pas la jeter dehors parce qu'elle a fauté. Je suis soulagé, en tout cas. Si mon César l'avait épousée, il aurait porté des cornes bien souvent.

— Il y a autre chose, avoua enfin Anita. Figure-toi que le lendemain soir de son arrivée, je m'étais levée pour aller aux commodités et, par la fenêtre du couloir, j'ai vu Angéla courir dehors et monsieur Jean qui la suivait de très près, si tu vois ce que je veux dire...

Du coup, Léon ralluma la lampe de chevet. Il fixa sa femme d'un air halluciné, puis il tempêta, rouge de colère :

— Qu'est-ce que tu me chantes, ma Nini? Tu n'as pas honte, de dire ça de Jeannot, le meilleur homme de la terre? Pardi, s'il la suivait, c'est sûrement qu'elle faisait des histoires et qu'il voulait la raisonner! C'est son père! Tu as l'esprit tordu, parfois. Ne t'avise plus de dire des cochonneries sur mon ami Jean!

— Vous êtes tous aveugles, ma parole! se défendit Anita. Moi, j'ai vu comment Angéla le regarde, monsieur Jean. On dirait soit qu'elle admire le bon Dieu en personne, soit qu'elle voit le diable. Déjà, ça ne me plaisait pas qu'ils partent tous les deux au Canada.

— Tu vois le mal partout! protesta Léon. Et ce ne sont pas tes affaires. Si je t'écoutais, le gosse qu'elle attend, l'Angéla, il serait du patron, peut-être! Et quoi, encore? Où vas-tu chercher des âneries pareilles? Dors donc, ça vaudra mieux.

Il éteignit la lampe et tourna le dos à sa femme. C'était leur première querelle. Anita se mit à pleurer sans bruit.

« Je tiendrai ma langue, à l'avenir, se promit-elle. Mais, si j'étais à la place de madame Claire, je me débarrasserais de cette chipie. »

Angéla avait perçu l'animosité d'Anita et s'en moquait. Cela ferait bientôt un mois qu'elle vivait à nouveau au Moulin du Loup, à espérer une marque de tendresse de la part de Jean.

« Il ne m'embrasse même plus le matin, ce qu'il faisait avant. Hier, Claire m'a dit qu'il devait être fâché à cause de ma conduite à Québec, mais qu'il finirait par me pardonner. Si elle savait la vérité! » songeait-elle en dessinant le portrait de Faustine.

La jeune fille n'avait plus le cœur d'être dure et arrogante. Les rires et les baisers de la petite Janine l'attendrissaient, comme les menues attentions d'Arthur, qui lui offrait une de ses billes ou lui rapportait des bonbons de l'épicerie, achetés avec son argent de poche.

La chaude atmosphère de la vieille maison trois fois

centenaire venait insidieusement à bout des récriminations d'Angéla, rongeant peu à peu la passion qu'elle avait pour Jean. Leur amour s'éteignait, tel un brasier sur lequel plus personne ne souffle pour l'attiser. Ils ne s'endormaient plus dans les bras l'un de l'autre, ne se réveillaient plus étroitement enlacés. Séparés, leurs corps oubliaient cette fièvre folle qui les avait réunis, mêlés, grisés d'un plaisir violent.

Désormais, Angéla tricotait de la layette au coin de la cheminée, quand elle ne brodait pas des brassières en coton blanc. Claire veillait à lui servir du bon lait, des œufs à la coque, du bouillon de poule. Mais elles ne bavardaient pas, toutes deux silencieuses. Anita elle-même avait fini par chasser les soupçons qui l'avaient tant tourmentée.

Un après-midi de la mi-novembre, Bertille refit son apparition. Maurice gara l'automobile en bas du perron. La dame de Ponriant, armée d'un parapluie et emmitouflée dans une cape, entra sans frapper dans la grande cuisine.

— Clairette, je ne fais que passer. Maurice me conduit à Angoulême. Je me disais que tu aurais peut-être besoin de quelque chose?

— Embrasse-moi, d'abord, princesse! Tu ne tousses plus du tout?

— Non, ton sirop de baies de sureau a fait merveille. Bonjour, Anita, bonjour Angéla!

La jeune fille répondit tout bas, comme absorbée par son ouvrage. Bertille adressa un regard entendu à sa cousine.

— Dites-moi, vous deux, ajouta-t-elle, avez-vous tout ce qu'il faut pour le bébé? Inutile de jouer les conspiratrices! Le mal est fait, autant l'enjoliver. Angéla, le berceau de Clara que j'avais donné à Raymonde pour la naissance de Janine est dans un piteux état. Je tiens à t'en offrir un neuf. J'ai vu un modèle ravissant l'autre jour, dans une vitrine de la rue Marengo.

— Ce n'est pas la peine! répondit la jeune fille, soudain livide. Je vous remercie, mais je n'ai besoin de rien.

Elle se leva brusquement et monta se réfugier dans sa chambre en prenant soin de tourner le verrou. Revoir Bertille lui avait fait penser à Louis de Martignac. Elle ne savait plus très bien ce qu'elle éprouvait pour le châtelain, mais elle regrettait soudain l'existence dorée qu'il lui aurait assurée.

« Il était doux, galant, toujours rieur, affectueux et tendre, se disait-elle, en larmes. Claire avait raison : j'aurais dû boire ses tisanes. Je n'aurais plus cet enfant dans le ventre, un pauvre môme dont le père se fiche éperdument. Jean ne fait plus attention à moi. Ce matin, il sifflait en buvant son café. Sans ce bébé, j'aurais pu avoir un poste dans une école, j'aurais peut-être rencontré Louis. Il ignore que je suis rentrée du Canada. Et Claire prétend que sa mère voulait bien qu'on se marie. Quel gâchis! Qu'est-ce que je vais devenir, moi? Bientôt, Jean prétendra que je l'ai piégé, que j'ai fait exprès de tomber enceinte. Il ne pense qu'à sa Claire, qu'à sa Faustine! Et moi je ne compte pas! »

Angéla sanglota longtemps, sourde aux prières de Claire qui tambourinait à sa porte.

— Ma chérie, ouvre! Angie, qu'est-ce que tu as? Bertille est navrée, si elle t'a blessée! Ouvre, je t'en supplie.

Mais Claire n'obtint aucune réponse, hormis l'écho des hoquets et des gémissements de la jeune fille. Elle redescendit, très inquiète. Bertille, navrée, l'interrogea d'un signe de tête.

— Princesse, puisque tu disposes de la voiture, envoie donc Maurice chercher Faustine. Elle parviendra peut-être à la calmer. Je crois qu'Angéla a une crise de nerfs. Et toi, Anita, va chercher Jean. On ne peut pas la laisser dans cet état! Imaginez un peu si elle tentait de mettre fin à ses jours!

Tout se passa très vite, tellement vite que chacun des témoins, plus tard, se remémorerait ces instants-là avec une horreur sacrée. Matthieu, en blouse grise et casquette, apparut le premier sur le palier. Il découvrit Claire et Bertille dans le couloir.

— Il n'y a plus un bruit, déclara sa sœur. Elle a dû s'évanouir!

Jean arriva à son tour. Il était blafard et ses cheveux luisaient de pluie.

— Qu'est-ce qui se passe? dit-il d'une voix paniquée.

Anita nous a fait une de ces peurs. Elle criait qu'Angéla était devenue folle.

— L'andouille! pesta Bertille. La pauvre petite a eu un accès de chagrin, de désespoir même. Et tout ça à cause de moi, qui proposais de lui offrir un berceau…

Comme son mari donnait un coup d'épaule dans la porte, Claire l'arrêta.

— Faustine sera là dans deux minutes. Attends un peu.

— Quoi? Tu as dérangé Faustine! maugréa Matthieu en foudroyant sa sœur d'un regard noir. Par ce temps pourri! Claire, ce n'était pas indispensable, tu veux qu'elle accouche avant la date?

La jeune femme commençait à monter l'escalier, soutenue par Léon, échevelé et essoufflé. Anita suivait, portant le petit Pierre, tandis qu'Isabelle s'accrochait à la rampe en riant, ravie de venir au Moulin.

— Ne faites pas tant de chahut! supplia Faustine, ses beaux yeux bleus dilatés par l'angoisse. Angéla a pu se tailler les veines. Il fallait ôter ce verrou, qu'elle ne puisse plus s'enfermer. Laissez-moi passer! Angie! Angie! Ouvre!

Elle frappait et frappait encore sans résultat. Jean, livide, obligea sa fille à s'écarter. Il se rua contre la porte qui s'ébranla sans céder. Matthieu lui prêta main-forte. Le chambranle craqua, la serrure et le verrou sautèrent.

— Angéla! hurla Claire en se précipitant dans la chambre.

La jeune fille était assise sur son lit. Elle les dévisageait tous avec une expression démente. Les paupières meurtries, le nez rougi par les pleurs convulsifs qui la faisaient encore tressaillir, elle se protégeait de son édredon.

— Allez-vous-en! dit-elle d'une voix chevrotante. J'ai bien le droit d'être triste! Je ne suis jamais tranquille! Allez-vous-en ou je me jette par la fenêtre!

Aucun d'eux n'osait avancer. Claire fit un pas en avant.

— Ma chérie, ne dis pas de sottises! implora-t-elle. Nous ne te laisserons pas faire.

— Mais oui, Angie chérie, nous t'aimons tous! Aie confiance, un jour, tu seras heureuse à nouveau! affirma Faustine.

Isabelle se cacha dans le tablier d'Anita. La petite prenait peur. Jean s'était campé entre le lit et la fenêtre. Il tremblait de tout son corps, mais personne ne s'en apercevait, tous les regards, y compris le sien, étant rivés sur Angéla. Il avait eu une peur horrible, croyant que la jeune fille avait tenté de se suicider. Soulagé de la voir bien vivante, il pressentait cependant que la tragédie ne faisait que commencer.

— Et toi, papa Jean, s'écria Angéla en le montrant du doigt, tu ne dis rien? Tu ne me réconfortes pas comme tu savais si bien le faire?

Elle avait insisté sur les mots «papa Jean» avec une intonation insultante. Jean la devina prête à tout détruire. Il leva la main comme pour l'arrêter, mais il fut incapable d'articuler un seul mot.

— Mais parle! s'égosilla Angéla. Dis-leur donc ce que j'ai! Raconte-leur pourquoi je pleure du matin au soir! Tu ne t'occupes plus de moi, tu dors sur tes deux oreilles, tu manges, tu fumes, tu siffles pendant que je meurs de chagrin! Ah, ça t'arrangerait de me trouver morte, un matin! Tu ne serais plus obligé de tenir tes promesses!

Ces clameurs rauques avaient quelque chose de malsain, d'insolite. Pourtant, l'incompréhension régnait encore. Claire tentait de réfléchir, mais elle était tellement affolée qu'elle ne pouvait pas. Tout au plus croyait-elle qu'Angéla réclamait plus d'affection, d'attentions de la part de son père adoptif. Cela ne dura pas.

— Dis-leur qui m'a mise enceinte! ajouta Angéla d'un ton suraigu. Espèce d'ordure, salaud! Dis-leur! Tu avais juré que tu m'aimais, tu avais promis qu'on s'en irait tous les deux, mais je ne te crois plus! Tu m'as abandonnée! Tu m'as laissée toute seule avec eux! Et moi, je voudrais bien redevenir l'Angéla d'avant, toute gentille, qui avait la vie devant elle, une belle vie! Mais je ne peux pas! Oh! Je te hais, Jean!

Hébétée, stupéfaite d'avoir enfin révélé la vérité, Angéla saisit la carafe d'eau qui était sur sa table de chevet et la lança de toutes ses forces sur Jean. Il esquiva par réflexe. Le récipient se brisa contre l'angle de la cheminée. Comme si les débris épars représentaient son propre corps, la jeune fille s'abattit en travers du lit et mordit l'édredon en poussant des plaintes affreuses.

De tout son être, Jean souhaita mourir dans la seconde. Il restait figé, les bras ballants, le regard vide. Des gouttelettes de sueur perlaient à son front. Il avait l'impression d'être au bord d'un abîme insondable. C'était le pire moment de sa vie. Il n'osait plus regarder Claire, trop conscient des dégâts irrémédiables que venaient de causer les paroles de la jeune fille.

Angéla sanglotait et gémissait, à plat ventre, le visage caché dans ses bras repliés.

— Qu'est-ce qu'elle a osé dire? s'écria Claire, le teint crayeux. Jean, regarde-moi! Qu'est-ce qu'elle a osé dire? Défends-toi! Allons, défends-toi!

Jean se demandait pourquoi, dans certains cas, on tenait encore debout. On respirait, alors que chaque fibre de son être était vide de substance, aux prises avec une douleur intolérable. Mais il ne répondit pas.

Le temps ordinaire venait de s'arrêter pour Claire. Comme désincarnée, elle croyait flotter au-dessus des toits du Moulin, témoin invisible de tous les drames et de tous les beaux jours qu'elle y avait vécus. Les images défilaient à toute vitesse dans son esprit et, pour chacune, elle se souvenait avec une précision hallucinante de ce qu'elle éprouvait pendant ces instants enfuis.

Une fois, elle pleurait au bord de l'eau prise par le gel, agenouillée sur un tapis d'herbes givrées. Le corps de son père, Colin, prisonnier d'une gangue de glace, bloquait l'éternelle ronde des roues à aubes. Ensuite, elle se revit en robe de mariée, du satin ivoire brodé de perles. Les demoiselles d'honneur, en toilette bleu ciel, riaient et se chamaillaient. Mais elle, Claire, tenait la main de Jean, si beau dans son costume gris. Tout de suite, une autre vision lui venait. Elle courait la nuit vers la Grotte aux fées, nue sous sa jupe et son corsage, un panier garni de provisions. Jean l'attendait. Jean la coucherait sur le sable froid de la caverne et ils feraient l'amour jusqu'à l'aube. Enfin, elle crut voir les draps ensanglantés sur lesquels gisait sa mère, Hortense, morte en couches. Et il fallait élever le bébé, Matthieu, seule, toujours seule. Même Jean l'avait laissée seule souvent pendant la longue guerre dont il était revenu froid, morose, indifférent et presque brutal. Et plus tard, lorsqu'il s'était découvert riche héritier, il avait parcouru la Belgique, mené la belle vie à Paris pour briguer une carrière de journaliste.

« Et moi je l'attendais! Je travaillais pour garder le Moulin en état. Je m'occupais de Faustine, de tous les enfants que le destin me confiait. »

Ce tourbillon de pensées avait vrillé son cœur quelques secondes seulement. Elle reprit contact avec le présent: ils étaient tous réunis dans la chambre d'Angéla, tous pétrifiés, silencieux, en état de choc, et le meilleur de son existence venait de voler en éclats. Jean hochait la tête, le regard absent fixé sur le plancher. Il percevait avec une souffrance aiguë la présence de tous ceux qu'il aimait, qu'il affectionnait. Mais à quoi bon lever les yeux sur Faustine, sur Matthieu ou Léon? Il imaginait trop bien leur expression horrifiée.

— Jean, vas-tu m'expliquer? hurla enfin Claire. Qu'est-ce qu'elle raconte, Angéla? Parle, dis quelque chose! Ne reste pas là comme un abruti! Elle invente tout ça pour me faire du mal! Tu es d'accord, cette sale gamine perd l'esprit!

Mortifiée, Bertille prit le bras de sa cousine. Claire haletait, paupières mi-closes. Malgré ses dernières paroles, elle ne doutait pas. Les ignobles déclarations d'Angéla s'accordaient trop bien à ce malaise indéfinissable dont elle refusait de tenir compte.

« À son retour du Canada, Jean était de mauvaise humeur, irascible, froid. Il ne me touchait plus. Il m'a même lancé des piques vexantes. Et elle, cette petite vipère, comme elle m'en voulait! J'aurais dû comprendre! Ces coups d'œil pleins de haine qu'elle me jetait, ces répliques excédées! Mais quelle imbécile j'ai été! »

La voix de Faustine résonna dans ce terrible silence que personne n'osait rompre.

— Je crois que les nerfs d'Angie ont lâché! Maman, papa, sortez, je vais m'en occuper.

— Non, ne la touche pas! s'égosilla Claire. Ma pauvre

chérie, c'est toi qui dois sortir de cette pièce. Cette fille te doit tout et elle te prend ton père! Tu te souviens combien tu t'es donné du mal pour la sortir de l'orphelinat, pour la faire étudier? Et voilà la récompense! Emmène les petits, Anita! Qu'est-ce que tu attends? La suite du spectacle?

Bertille pleurait sans bruit. Jamais encore elle n'avait vu sa cousine dans un tel état de fureur et d'égarement. Elle concevait la douleur sans nom qui devait la déchirer et elle n'eut plus qu'une idée, l'éloigner.

— Clairette, par pitié, viens, laisse-les! Ces deux-là ne méritent pas que tu te rendes malade comme ça! Regarde, Isabelle est terrorisée. Anita, on vous a dit d'emmener les enfants! Dépêchez-vous!

Matthieu, lui, fixait Jean d'un air incrédule, empreint d'un mépris infini. Il aurait voulu douter de ce qu'il venait d'entendre, mais, comme sa sœur, il répertoriait de menus détails qui lui prouvaient la sincérité d'Angéla.

«Jean, Jean capable d'une telle bassesse! se disait le jeune homme. Moi qui l'admirais tant! Oh, je l'ai détesté, gamin, et il me le rendait bien, mais depuis j'étais vraiment revenu à de meilleurs sentiments. C'était un grand frère, un père aussi, et j'étais fier de travailler avec lui. Tout ce temps, il nous a menti, bernés! Je comprends mieux ses sautes d'humeur, à présent, et pourquoi il buvait autant le soir. Il ne savait pas comment se dépêtrer de tout ça!»

Brusquement, il se précipita sur Jean et le secoua par les épaules.

— Mais réponds à Claire, bon sang! Réponds, à la fin! Dis, tu n'as pas fait une chose pareille? Si je me souviens bien, tu as adopté Angéla. Elle avait quatorze ans. Bon sang, réagis, explique-toi, on dirait un pantin!

La goutte au nez, Léon triturait son bonnet en laine. Il sanglotait en répétant:

— T'as pas fait ça, Jeannot, t'as pas fait ça!

Les vociférations de Matthieu avaient réussi à rompre la vive stupéfaction qui les paralysait tous. Angéla se redressa et observa ce qui se passait. Faustine pleurait également, choquée de voir son mari ainsi déchaîné.

Jean finit par repousser le jeune homme qui le menaçait, le poing levé. En prenant Claire et elle seule à témoin, il avoua d'un ton grave, malhabile :

— Je ne sais pas ce qui m'a pris. Câlinette, tu dois me croire, je regrette de toute mon âme!

C'était un aveu sans équivoque. Claire marcha droit sur son mari. Elle faisait peur à voir, les yeux exorbités, les bras levés, les poings serrés. De crayeux, son teint avait viré à une couleur cireuse.

— Tu ne nies même pas! Tu as couché avec Angéla! Depuis quand, combien de fois? Où? Là-bas, dans votre fichu Canada? Ou bien avant? Vas-y! Plus rien ne m'étonnera! Tu as osé? Toi! Toi!

Elle hurlait tant qu'elle toussa plusieurs fois, la gorge en feu. Tout en criant, elle frappait Jean au hasard. Il ne parait aucun coup, lui-même livide, défiguré par un chagrin affreux.

— Et ne m'appelle plus jamais Câlinette! vociféra-t-elle encore. Plus jamais! Tu me dégoûtes, Jean, je te maudis! C'était ta fille, elle te disait « papa »! Oh, pas ces derniers temps, ça non! Mademoiselle répétait « Jean » avec délices, et moi, j'étais sourde, aveugle! Comment avez-vous osé? Comment? Me faire ça!

Claire, à bout de souffle, arrêta net de gifler Jean pour courir jusqu'au lit. D'un geste violent, elle attrapa Angéla par les poignets et l'obligea à se lever. La jeune fille claquait des dents, épouvantée.

— Fiche le camp de chez moi, petite putain, traînée! Qu'on ne raconte pas que Jean t'a forcée, que tu n'étais pas d'accord! J'ai enfin ouvert les yeux! Tu es venue me le voler! Je comprends pourquoi tu tenais tant à garder ton bébé. C'était pour mieux plaire à ce vieux satyre, à ce bouc puant! Tu le veux? Eh bien, prends-le! Mais si je te revois, je t'arrache les yeux!

Angéla essaya de se dégager, mais Claire tenait bon.

— Maman, calme-toi, par pitié! supplia Faustine, les joues en feu. Lâche-la, je t'en prie.

Les insultes crachées par Claire, toujours si posée et

polie, lui faisaient honte. Matthieu parvint à ceinturer sa sœur. Il tenta de la raisonner:

— Ma Clairette, viens! Ils n'en valent pas la peine! Viens avec moi, je vais te conduire chez nous.

— Non! gémit-elle. C'est ma maison, je n'irai nulle part! Mais Jean, lui, va décamper! Sinon je le tue! Et qu'il emmène sa putain! Tout de suite! Qu'ils s'en aillent!

Léon se signa. Partagé entre son amitié pour Jean et son respect affectueux pour Claire, il ne pouvait que trépigner et marmonner des jurons. Dans l'escalier, Anita écoutait, incapable de s'éloigner. Assise sur une marche, Isabelle pleurait toutes les larmes de son petit corps en serrant Pierre contre elle.

Bertille quitta la chambre la première. Elle avait envie de vomir et marcha d'un pas mal assuré vers la salle de bains.

« Mon Dieu, mon Dieu, ma Claire chérie! se lamentait-elle. Jamais je n'aurais cru ça de Jean! Jamais! »

Elle n'était pas la seule à penser ainsi. Faustine observait son père en secouant la tête, comme s'il s'agissait d'un étranger aux mœurs dépravées. La jeune femme suivit Matthieu qui entraînait Claire de force vers sa chambre.

— Sœurette, dit-il une fois dans la pièce, fais un effort! Ce qui arrive est abominable, mais nous devons tous trouver une solution rapide. Bon sang, Jean me répugne! Il nous a menti, il nous a trahis. Excuse-moi de t'avoir rudoyée, mais je n'en pouvais plus de te voir dans cet état. On aurait dit une folle!

Mais Claire lui échappa et alla ouvrir sa fenêtre. Faustine hurla de terreur, croyant qu'elle allait sauter.

— Maman, par pitié!

— Je ne suis pas ta mère! riposta Claire en secouant la tête. Je n'ai pas été capable de porter un enfant, moi! Je t'ai élevée, mais c'est une autre femme qui t'a mise au monde. Mon ventre est stérile, une terre ingrate où rien ne germe! C'est à cause de ça, voilà! Jean a pris une fille bien jeune qui va lui donner le fils dont il rêvait.

Elle poussa une plainte rauque. Prêt à intervenir, Matthieu la vit virevolter, puis cogner contre l'armoire et écarter les battants avec des gestes saccadés. Prise d'une rage démente, elle décrocha des cintres tous les vêtements de son mari et les empila sur son bras. Vite, elle les jeta dehors. Ce fut ensuite le tour des chemises repassées et amidonnées, des chapeaux, du linge de corps. Les habits voletaient, dérisoires, avant de se poser un par un sur les pavés humides.

— Maman, implorait Faustine, ma pauvre maman!

Claire acheva son œuvre en expédiant dans la cour deux cadres qui contenaient des photographies de son mariage. Le verre se brisa sur les pavés.

— Je veux qu'il parte! bredouilla-t-elle. Matthieu, fiche-le dehors! Elle aussi, chasse-la! Je ne pourrai plus respirer à mon aise tant qu'ils seront sous mon toit.

— D'accord, sœurette, d'accord! Ne bouge pas d'ici. Faustine, surveille-la.

Mais Jean entra dans la pièce au même instant. Il dévisagea sa femme d'un air pitoyable.

— Claire, je m'en vais!

— Eh bien, pars! Toutes tes affaires sont déjà dans la cour! décréta-t-elle d'un ton haineux.

— Je voudrais que tu saches une chose, et je te jure que c'est vrai! déclara Jean, des sanglots dans la voix. Je n'ai jamais cessé de t'aimer, pas un instant, pas une seconde. Et maintenant encore, je t'aime à en crever. J'ai agi comme un salaud, oui, comme le pire des abrutis. J'ai oublié tout ce que je vénérais, ici. Ce n'était pas prémédité, mon crime, car c'est une sorte de crime. Tu te souviens, quand je m'étais évadé du bagne de la Couronne, je t'avais raconté qu'un surveillant avait violé mon petit frère. Et je l'ai tué, ce type, je l'ai tué sans le vouloir vraiment. Un seul coup de pelle a suffi. Eh bien, j'estime que j'ai abusé de notre fille adoptive. J'ai profité de sa faiblesse. Je mériterais qu'un jeune gars vienne réclamer justice et me fende le crâne.

Faustine et Matthieu écoutaient, bouche bée. Claire agita les mains, hagarde.

— Tais-toi, Jean! Je ne veux rien entendre, rien savoir! Angéla n'est plus une enfant. Ne me fais pas croire que tu l'as séduite! Au fond de moi, je sais que c'est elle qui a mis le feu aux poudres. Comme une chatte en chaleur, voilà! Et tu t'es laissé piéger, parce que tu n'attendais que ça, une fille plus jeune que moi qui pouvait te donner un fils! Maintenant, disparais! Tu m'entends? Disparais de ma vue! Si tu es juste venu la défendre, tu me fais encore plus de mal.

— Je te demande pardon, Claire, ajouta Jean. Je n'avais qu'une idée, depuis son retour, c'était de t'épargner.

Claire se boucha les oreilles et ferma les yeux. Matthieu désigna la porte à Jean.

— Papa, sanglota Faustine, pourquoi as-tu fait ça? Nous étions si heureux, tous ensemble. Et tes petits-enfants, tu t'en moquais? Tu n'as pas pensé à eux?

— Pardon, ma chérie! balbutia Jean. Là-bas, à Québec, je me sentais si loin de vous tous. C'était un retour en arrière, comme si j'avais vingt ans et que j'étais à l'aube de ma vie. J'ai fait une terrible connerie, il n'y a pas d'autre mot!

Il sortit et longea le couloir, endossant de nouveau, à chaque pas, son statut de paria, de renégat, dont il s'était débarrassé des années auparavant, dans cette même vallée, au bord de la rivière.

Angéla avait préparé sa valise en toute hâte. Dès que Matthieu avait emmené Claire, Léon était descendu à la cuisine après avoir craché en direction de la jeune fille.

— Es-tu prête? lui demanda Jean sur le seuil de sa chambre. Dépêchons-nous, Arthur et Janine vont rentrer de l'école. Moins ils en verront, mieux ce sera.

Elle approuva humblement en chaussant ses bottines. Vêtue d'un manteau de pluie et d'un petit chapeau de feutre, elle rangeait en catastrophe son matériel de dessin et de peinture dans une mallette.

— J'arrive, Jean, excuse-moi, je tremble tellement que tout m'échappe des doigts.

Lèvres pincées, traits figés, il patienta. Il leur fallait encore traverser la cuisine et démarrer la voiture. Tous deux terrassés par le sentiment de leur faute, ils passèrent devant Anita, statue vivante de la réprobation.

— J'ai ramassé vos affaires que madame avait jetées par sa fenêtre, expliqua la domestique. Comme vos sacs de voyage avaient suivi, vos bagages sont prêts, en bas du perron, et Léon a lancé le moteur de votre voiture.

Jean voulut embrasser Isabelle, blottie dans le fauteuil en osier, mais elle se cacha le visage, encore secouée par la scène à laquelle elle venait d'assister. Déçu, il recula et aperçut Bertille, exsangue, qui s'était assise au coin de l'âtre et fumait une cigarette américaine.

— Tu diras à Claire qu'elle peut retirer de l'argent sur mon compte en banque. Elle a une procuration. Je te la confie, princesse! Vois-tu, je me suis débrouillé pour être la bête noire de la famille! Et ne me regarde pas comme ça, j'ai l'habitude du banc des accusés, mais le Moulin n'est pas un tribunal.

Bertille ne daigna pas répondre. Pourtant, elle était la seule à comprendre ce qui avait précipité Jean dans un adultère odieux et, dans son for intérieur, elle le plaignait. Il avait l'air très malheureux, épuisé par la violence de ce qui venait de se passer. La dame de Ponriant, pour avoir été elle aussi un objet de la vindicte familiale, savait comme on pouvait vite se retrouver en plein cauchemar.

« Si Bertrand avait su que je le trompais avec Louis de Martignac et qu'il l'avait appris en public, nous aurions divorcé. Et j'aurais souffert le martyre! » songeait-elle.

— Partez donc, monsieur! dit froidement Anita. Je n'étais pas aveugle, moi!

Angéla se rua à l'extérieur. Elle se sentait glacée et très faible. Elle appréhendait surtout de se retrouver seule en tête-à-tête avec Jean. Il ne lui pardonnerait jamais ses gestes et cette certitude lui ôtait toutes ses forces. Tant de fois elle avait imaginé leur départ, émerveillés d'être enfin libres de s'aimer. Mais là, c'était une fuite au goût de fiel.

Léon, campé à côté de l'automobile, les bras croisés sur la poitrine, ne fit pas un geste pour aider son ami qui portait la valise de la jeune fille et qui avait empoigné un des sacs. Angéla s'installa à l'avant, frissonnante, terriblement gênée.

— Mon brave Léon, commença Jean, toi aussi, tu me jettes la pierre? Je ne t'ai pas jugé, moi, quand tu as ramené Greta et votre fils, Thomas.

— C'était la guerre, pesta le domestique. Je ne savais même pas si je reviendrais un jour à la maison. Moi, Jeannot, j'aurais juré devant le bon Dieu que tu étais le meilleur homme de la terre. Je me serais même fait tuer pour toi! Mais là, non, tu me dégoûtes! Ne me demande pas ma bénédiction!

— Qu'est-ce que j'en ferais? rétorqua Jean, la gorge nouée par l'émotion. Au revoir, Léon. Veille bien sur la famille.

— C'est ça, fiche le camp! T'entends? Barre-toi avant que je te casse la gueule!

Léon pleurait. Jean se mit au volant et claqua la portière.

4
Jours de douleur

Depuis sa chambre, Claire perçut le ronronnement du moteur suivi du crissement des roues sur le chemin des Falaises. Jean était parti. Du rez-de-chaussée monta le timbre cristallin du carillon de la grande horloge.

— Quatre heures! dit-elle à Matthieu. Il n'est que quatre heures de l'après-midi. Tout s'est passé si vite! En une heure et quart. Nous étions tranquilles dans la cuisine et Bertille est arrivée. Heureusement, hein? Sinon, ils auraient continué à se moquer de moi. Maintenant, je voudrais dormir. Dormir des jours, des années.

Faustine et Matthieu échangèrent un regard angoissé. Claire était méconnaissable. Les traits affaissés, la lèvre inférieure tremblante, elle respirait avec difficulté, les mains appuyées à l'emplacement de son cœur.

— Je vais téléphoner au docteur, déclara le jeune homme qui redoutait une crise cardiaque ou une attaque. Le choc a été trop rude.

— Non, haleta Claire, tu ne vas pas faire venir cet imbécile de Vitalin chez moi. Je sais me soigner, je n'ai pas besoin d'un médecin. Prends-moi le bras, Matthieu, je voudrais préparer une tisane.

— Maman, dit Faustine, anxieuse, je n'ai pas confiance. Tu peux très bien t'empoisonner sous nos yeux, puisque nous ignorons tout des plantes que tu prendras.

Bertille fit irruption dans la chambre. Elle prit sa cousine par l'épaule et la conduisit jusqu'au lit.

— J'ai envoyé Maurice chercher Arthur et Janine à l'école. Il les conduira à Ponriant pour le goûter, dit-elle à

Faustine et à Matthieu. Bien sûr, Maurice a compris en gros ce qui se passait, mais je lui ai ordonné de ne pas ébruiter la chose. Et j'ai téléphoné à Bertrand pour lui dire que je dormais ici. Je lui ai résumé la situation; il a promis de bien s'occuper des enfants.

Claire recula précipitamment. Cramponnée à Bertille, elle balbutia:

— Je ne veux pas me coucher dans ce lit-là! Il y a l'odeur de Jean sur l'oreiller et sur les draps. Je vous en prie, pas ce lit!

— Où as-tu envie de te reposer? demanda son frère avec douceur. Nous ferons ce que tu désires!

— Dans la chambre d'Arthur, répondit-elle. Tu te souviens, princesse, c'était notre chambre, avant? Et c'est notre ancien lit.

La gorge nouée, Bertille approuva en souriant. Elle refusait cette vision de Claire, celle d'une femme blessée à mort, au regard vide, aux gestes hésitants.

— Je m'occupe de tout, promit Matthieu. Léon me donnera un coup de main. Je vais déménager les affaires d'Arthur. Et je t'ai assez vue trier tes herbes, sœurette. Dis-moi ce qu'il faut mettre à infuser. Tu as bien étiqueté tes sachets?

— De la passiflore, de la valériane, du tilleul, énuméra Claire, le plus posément possible. Et monte aussi la bouteille d'eau-de-vie.

— Maman, tu ne vas pas te saouler! protesta Faustine.

— Mais non, c'est pour mon cœur. Il me joue des tours. L'alcool évitera le pire.

Bertille aida sa cousine à se déchausser. Elle défit son chignon et dégrafa sa ceinture.

— Tu seras mieux allongée, Clairette, au moins jusqu'à ce soir. Et je dormirai près de toi, comme avant.

Ils auraient décroché la lune s'ils avaient cru que cela apaiserait la douleur qui terrassait Claire. Faustine, cependant, s'inquiéta pour ses enfants. Elle descendit prudemment l'escalier. Anita avait installé Isabelle et Pierre devant une montagne de tartines. Du chocolat chaud fumait dans une cruche.

— Ils ont débarrassé le plancher! dit-elle à la jeune femme.

— Je sais, j'ai entendu la voiture.

Faustine prit le temps de s'asseoir en face des deux petits. Pierre ne paraissait pas troublé, mais Isabelle lança des œillades anxieuses à sa mère.

— Je veux rentrer à la maison, maman! gémit-elle.

— Tout à l'heure, ma chérie. Grand-mère a besoin de nous. C'était effrayant, ce que tu as vu là-haut, mais les grandes personnes se fâchent parfois. Toi aussi, souvent, tu te chamailles avec Janine. N'aie plus peur, tout va bien, maintenant.

— Et Janine, elle arrive bientôt?

— Oui, bientôt!

— Ne vous inquiétez pas, madame Faustine, la tranquillisa Anita. Je vais les emmener nourrir la basse-cour et donner du foin aux chèvres. Ils ne s'ennuieront pas, ces mignons. Buvez donc du chocolat, vous aussi. On est tous secoués, dites!

— Je vous en prie, Anita, parlons d'autre chose devant les petits. Mais je veux bien goûter.

Matthieu dévala les marches. Il se mit en quête des plantes que lui avait indiquées sa sœur.

— Il me faudrait de l'eau bouillante, Anita. Faustine, ma chérie, comment te sens-tu? Quel malheur! Et les travaux du moulin! Nous avions presque terminé.

Le jeune homme caressa les cheveux de sa femme, l'embrassa au coin des lèvres et il alla fumer une cigarette sur le perron. Il n'arrivait pas à croire que Jean était parti avec Angéla.

« Quel salaud! se disait-il. Claire ne s'en remettra pas. Et moi, je me retrouve seul avec l'imprimerie à gérer. Je n'ai pourtant pas les moyens d'embaucher un ouvrier qualifié. Jean s'en contrefiche. Il fait un gamin à sa fille adoptive et il se tire! »

Après l'incendie responsable de tant de dégâts, la désertion de Jean et sa conduite scandaleuse décourageaient Matthieu en lui ôtant toute envie de lutter.

« Trop c'est trop! » pensa-t-il.

Un mégot au coin des lèvres, Léon gravit le perron. Il tapa gentiment dans le dos du jeune homme.

— Hé! mon gars, tu broies du noir, je parie! Ne te bile pas, la vie va continuer au Moulin, sans Jean. Je suis prêt à bosser dur. On a des commandes, on les honorera.

— Merci, Léon! Tu as raison, je ne peux pas baisser les bras. Faustine et les petits sont plus importants que tout. Et je dois gagner ma vie.

— Comment va Claire? s'inquiéta Léon.

— Bertille ne la quitte pas, c'est plus prudent. J'ai cru que ma sœur allait en mourir. Je vais lui monter une tisane et de la gnôle. Avant, nous en boirons un verre, nous deux.

Ils soupirèrent, envahis par le même désarroi, et entrèrent dans la cuisine. Anita avait préparé tout ce que désirait Claire. Bertille apparut en bas de l'escalier.

— Rien de grave? demanda Matthieu, alarmé.

— Non, elle se calme tout doucement. Mais elle m'envoie vous dire, à Faustine et à toi, que vous feriez mieux d'aller chez vous. Clairette insiste. Elle répète que, dans son état, Faustine doit se reposer et que les petits ont eu assez d'émotions comme ça. Je pense qu'elle a raison. De toute façon, je me mets au lit dès maintenant et je reste avec elle. Ne vous inquiétez pas. Rien ne lui arrivera si je suis à ses côtés.

— Dans ce cas, tantine, conclut le jeune homme, je monte le plateau et je lui dis au revoir.

Faustine pleurait, trop écœurée pour dire quoi que ce soit. C'était son propre père qui avait commis un acte ignominieux. Elle avait toujours adoré Jean et à son dégoût se mêlait le chagrin de le perdre.

«Je ne le verrai plus frapper à mes carreaux en revenant de ses vignes. J'étais si heureuse de lui offrir du thé ou un verre de vin! Il m'apportait des pommes choisies avec soin ou un bouquet de fleurs des champs. Papa! Mon petit papa! J'ai l'impression qu'il vient de mourir. Mais non, il a trompé Claire, il a couché avec Angie.»

Pour l'instant, la jeune femme évitait de penser à Angéla pour ne pas souffrir davantage. Ce fut un soulagement pour elle de retrouver sa maison décorée avec goût. Matthieu prit sur lui pour paraître gai devant Pierre et Isabelle.

— Notre bonheur, ma chérie, affirma-t-il à sa femme, personne ne le brisera. Nous avons deux beaux enfants, bientôt un troisième! Ne pleure plus, Faustine.

Mais elle songeait que Jean ne serait pas là pour son accouchement, ni pour la fête de Noël. Alors, elle sanglota de plus belle.

*

Angoulême, même jour

Jean s'était garé place du Champ de Foire. Pendant le court trajet entre le Moulin et Angoulême, il n'avait pas desserré les lèvres, et Angéla s'était bien gardée de lui parler. La jeune fille préférait encore le silence à des reproches.

— Je vais te louer une chambre à l'hôtel *Trois Piliers*, déclara-t-il en allumant une cigarette. En pension complète.

Il faisait sombre. Le ciel était encombré d'un épais manteau de nuages. Angéla observa Jean qui portait un chapeau de feutre noir.

— D'accord! souffla-t-elle. Mais tu restes avec moi?

— Sûrement pas! lança-t-il. Tu as fait précisément ce que je t'avais implorée d'éviter. Je suppose que tu es contente! Crois-tu que je peux oublier les cris de frayeur d'Isabelle et le regard de Claire? Le regard de Faustine? Et Matthieu qui avait tellement envie de me frapper! Ces instants resteront gravés en moi jusqu'à ma mort. Tu m'as traîné dans la boue devant toute ma famille, Angéla. C'était ton droit, mais ne te plains pas si tu le paies cher. Je n'ai plus aucun sentiment pour toi. Rien! Tu me dégoûtes et je me dégoûte encore plus!

Elle eut du mal à répondre, tant elle avait la gorge serrée.

— Jean, ce n'est pas possible! Tu m'aimes encore un peu, dis? Je te jure que je n'ai pas pu me maîtriser. J'étais si malheureuse, parce que tu m'abandonnais! Tu n'es pas venu me voir une seule fois dans ma chambre, cette semaine. Et puis c'est à cause de Bertille! Toute joyeuse et élégante, elle parlait de m'offrir un berceau, et je me suis sentie la plus misérable fille de la terre.

— Ce n'était pas une raison pour tout révéler! coupa-t-il. Claire ne me pardonnera jamais.

— Claire, toujours Claire! s'écria Angéla. Tu t'en fichais

un peu, de ta femme, au Canada. Tu te plaignais d'être obligé de rentrer en France. Tu disais que j'avais fait de toi un autre homme, plus jeune et libre de ses choix. C'était du baratin!

Jean descendit de la voiture et claqua la portière. Il ouvrit la malle arrière et en sortit la valise de la jeune fille. Elle se résigna à le suivre vers l'hôtel. Cédant à une cruauté vengeresse, il précisa bien à la réception qu'il souhaitait une chambre pour une personne.

— Ma fille va séjourner quelques jours en ville, précisa-t-il à l'employé.

Angéla prit la clef d'une main tremblante. Jean dut néanmoins l'accompagner jusqu'à la chambre, située au second étage, pour jouer les pères exemplaires. Il inspecta la pièce, spacieuse, équipée d'une table et d'une salle de bains.

— Qu'est-ce que je vais faire ici, toute la journée? gémit-elle. Je n'ai même pas de livres. Je ne connais personne.

— Eh bien, tu n'auras qu'à dessiner ou peindre! ironisa Jean. Dans l'état où je suis, Angéla, je suis incapable de passer une heure avec toi. Encore moins dîner ou dormir dans ton lit. Je ne suis qu'un salaud, comprends-tu? Je viens de perdre tous ceux que j'aimais, mon honneur, l'essence même de ma vie. Tu peux en crever de jalousie, mais en ce moment je ne pense qu'à Claire. Oui! Je voudrais rentrer au Moulin, réussir à la consoler. Tiens, si elle m'accordait une paillasse dans l'écurie, j'en chialerais de joie.

Jean avait débité tout ceci en examinant une gravure ancienne qui représentait les fortifications médiévales de la ville. Il ne put s'empêcher de regarder Angéla, étrangement silencieuse. Elle était assise au bord du lit, les mains jointes sur ses genoux. Vêtue d'une robe en velours marron et d'un gilet de laine beige, elle fixait un détail des doubles rideaux sans même pleurer. Un béret assorti retenait en arrière ses cheveux d'un brun chaud. Elle ressemblait à une pensionnaire qui, sagement, attendrait un improbable départ en vacances. Il remarqua l'arrondi de son ventre sous le tissu. Un masque tragique lui conférait une innocence douloureuse, la faisant paraître plus jeune dans son désespoir absolu. Des hommes plus endurcis que Jean auraient eu pitié d'elle.

— Je n'aurais jamais dû te dire ça, marmonna-t-il. Mais tu l'as bien cherché!

Pressé de partir, il hésitait. Angéla pouvait mettre fin à ses jours, et Claire également.

« Bravo, Jean Dumont! se dit-il. Voilà un sale boulot bien mené. Tu as détruit ta femme et cette gosse qui avait besoin d'amour. »

— Angie, ajouta-t-il, ne t'inquiète pas, je reviendrai demain. Par pitié, ne fais pas de sottises pendant mon absence. Je ne pourrai pas payer l'hôtel pendant des mois. Il faut que je trouve une solution. Ce soir, je vais dîner chez ma sœur Blanche. Je pense qu'elle acceptera de m'héberger. Toi, je n'en sais rien. Elle habite près de la cathédrale, au 12, rue de l'Évêché. Le téléphone est au nom de son mari, Victor Nadaud. Si tu as le moindre souci, préviens-moi. Je te demande pardon, à toi aussi.

Elle hocha la tête, muette de saisissement. Sous la lumière trop vive du plafonnier, un lustre en cristal, Jean lui parut vieilli. Il se tenait un peu voûté et avait les traits tirés. Ces secondes fulgurantes où elle s'aperçut que son rêve d'amour n'était qu'un rêve, et que parfois même il tenait du cauchemar, constituèrent le coup de grâce pour Angéla. Elle ne comprenait plus rien à ce qui lui était arrivé, à ce qui lui arrivait.

— Moi aussi, je regrette tout ça, Jean! parvint-elle à articuler. Je me demande pourquoi je voulais tant te plaire, sur le bateau. Pourquoi j'ai fait autant de mal à Claire. Tu crois qu'au fond de moi-même je n'ai pas honte? Je voudrais tant revenir en arrière! Mais il y a cet enfant, notre enfant!

Jean la dévisagea. Il avait perçu un changement dans sa voix et sa façon de parler. Elle était exténuée.

— Allons, couche-toi, petite! Je dirai à la réception de te monter un repas. Je ne t'en veux plus, va. C'est vrai que je t'ai poussée à bout ces derniers temps.

La jeune fille approuva distraitement. Dans sa hâte d'être seule, enfermée à clef, elle ne chercha pas à le retenir. La chambre lui plaisait. Deux fenêtres s'ouvraient sur des jardins en terrasse, situés en contrebas d'un interminable alignement de belles maisons bourgeoises. Plus loin s'étendaient les toitures ocre du quartier Saint-Gelais, dominé par le clocher aérien de l'église d'Obazine. Toute cette architecture harmonieuse, sous la course des nuages dans le ciel crépusculaire, lui fit songer au vieux château de Torsac. De son modeste logement d'institutrice, Angéla contemplait souvent les tours couronnées de mâchicoulis ou les sculptures ornant le fronton du porche.

— J'ai gâché ma vie, déclara-t-elle tout bas. Plus personne ne m'aime. Même pas Jean. Et Louis? Il ignore que je suis en France. Peut-être qu'il m'attend? Mon Dieu, faites que je ne le revoie jamais. Je serais trop triste et lui aussi le serait en apprenant ce que j'ai fait.

Elle s'allongea, tremblante, sous le luxueux couvre-lit. Un mouvement insolite à la hauteur de son nombril la surprit. Le bébé avait bougé.

*

Angoulême, rue de l'Évêché, même soir

Jean était assis en face de sa sœur jumelle dans le salon décoré avec sobriété et originalité de la belle demeure bourgeoise où elle vivait depuis plusieurs années. Son mari, Victor Nadaud, étant archéologue et préhistorien, le couple possédait une superbe collection d'objets rares présentés dans des vitrines.

— Mon Dieu! répéta Blanche pour la dixième fois au moins. Si tu n'étais pas mon frère, je te mettrais dehors sur-le-champ. J'ai du mal à te croire.

Il lui avait tout raconté, sans donner de détails. En s'écoutant résumer l'histoire de sa liaison avec Angéla, Jean avait éprouvé une émotion douloureuse.

— C'est pourtant la vérité, hélas! affirma-t-il. Et plus j'y réfléchis, moins je comprends ce qui m'a pris. Je ne sais plus quoi faire, Blanche, je me sens perdu. J'ai détruit Claire avec mes bêtises.

Blanche Dehedin n'avait jamais vraiment apprécié sa belle-sœur. Cela datait de leur première rencontre, à l'automne 1907, quand elle s'était présentée au Moulin du Loup pour annoncer à Jean qu'il était son jumeau, de surcroît héritier de la moitié de sa fortune.

— Bien des hommes, à ton âge, cherchent une maîtresse plus jeune que leur épouse légitime, déclara-t-elle. Et ce n'était pas une brillante idée d'adopter une adolescente née dans le ruisseau. Moi, j'ai souvent trouvé Angéla prétentieuse et sournoise. Claire n'a qu'à s'en mordre les doigts.

Jean eut un geste excédé. Il espérait de la compassion de la part de sa sœur et ne recevait que des remarques déplaisantes.

— Je te rappelle que le père d'Angéla est mort au début de la guerre. C'était un ouvrier sérieux et travailleur. Comme notre père, qui a séduit une fille de la haute bourgeoisie. Par pitié, ne juge pas les gens en fonction de leur milieu!

— Désolée, Jean, tu m'as dit tout à l'heure que cette fille t'avait provoqué et que tu avais cédé à ses avances. Il faudrait savoir, à la fin! Une jeune fille comme il faut ne se conduit pas ainsi.

— Peu importe! coupa-t-il. Blanche, je suis venu te demander de l'aide. Je ne sais pas où aller ni ce que je dois faire. J'ai la somme que tu m'as prêtée en banque, mais je ne veux pas priver Claire. En plus, les travaux ne sont pas tout à fait terminés, au moulin. Dans les biens que nous possédons encore, en Normandie, il n'y a rien que tu pourrais vendre?

Sa sœur leva les yeux au ciel, les mêmes yeux d'azur que ceux de Jean, soulignés des mêmes cils drus, noirs et recourbés. Blanche avait pris de l'embonpoint au fil des ans, mais elle demeurait une belle femme aux manières soignées, à la distinction raffinée.

— Peut-être une ferme et quelques hectares… J'écrirai au notaire de Guerville. Maintenant, Jean, il faut être sensé. Tu dois divorcer et épouser Angéla. Un mariage civil et discret, bien sûr. Je n'ai pas eu le bonheur d'avoir des enfants avec Victor. Aussi, j'estime que le bébé est plus important que tout. Il portera ton nom et je voudrais que tu l'élèves dans la bienséance. Peut-être que vous pourriez vous installer en Normandie! Cela éviterait des commérages. Personne ne vous connaît, là-bas.

Jean secoua la tête. Sa sœur lui proposait exactement ce qu'il refusait d'envisager.

— Je ne divorcerai pas de Claire! Cela peut te sembler insensé, mais je l'aime. Je l'aime encore davantage parce que je lui ai causé un tort irréparable. Je ne peux pas renoncer à elle.

Dès l'arrivée de Jean, Blanche avait congédié sa bonne. Elle avait tout de suite compris, à son air tragique, qu'il se passait quelque chose de grave. Elle lui servit elle-même un verre de cognac.

— Ton discours m'exaspère! reprit-elle. Tu n'as pas le choix. Ou bien il fallait t'arranger autrement. Si Angéla avait perdu l'enfant, tu serais libre de tes actes. Mais tu te doutes que je suis contre l'avortement, qui est un crime odieux.

— Je n'y ai pas songé une seule seconde, assura-t-il. J'étais bouleversé à l'idée d'être père. Je le suis encore. Est-ce que tu te rends bien compte, Blanche, de ma situation? Il y a de quoi devenir fou!

— En tout cas, je suis soulagée que Victor ne soit pas là ce soir. Je n'oserai même pas lui avouer ce qui t'arrive.

— Il le faudra bien! s'exclama Jean. Je voulais te demander de me loger quelques mois.

Blanche se raidit tout entière. Elle se pencha un peu pour répondre tout bas:

— Te loger, toi, ou vous loger, elle et toi? Il n'est pas question, Jean, que cette fille mette un pied dans ma maison. Tu peux t'installer dans la chambre d'amis, mais seul! Du moins tant que vous n'êtes pas mariés. Et vu le temps que prendra un divorce, et l'argent aussi, d'ailleurs, tu devrais placer Angéla dans un établissement approprié à son état.

Jean se leva et remit son chapeau.

— J'ai eu tort de venir! déclara-t-il. Tu es peut-être ma sœur, mais on se connaît mal. Je croyais naïvement que tu m'accueillerais à bras ouverts, que tu me consolerais.

— Mais enfin, protesta Blanche en oubliant sa retenue habituelle, tu n'es plus un gamin! Que veux-tu donc? Tu aimes Claire, il n'est pas question de divorcer, mais tu tiens à l'enfant! Cet enfant sera là au printemps, Jean! Il doit être légitimé. Je suis vraiment désolée, mais je ne tiens pas à me faire complice d'un adultère odieux. As-tu pensé que c'est presque de l'inceste? Au regard de la loi, je ne sais même pas si tu pourras épouser ta fille adoptive. Tu es son tuteur. Seigneur, nous n'avons pas pensé à ça!

Cette fois, Blanche s'affola. Elle retint son frère par le poignet.

— Jean, quelle folie as-tu faite? Effectivement, il est inutile de divorcer. Je t'en prie, ne t'en va pas. Nous allons dîner tous les deux et discuter dans le calme. Je t'aiderai, fais-moi confiance.

Elle lui caressa la joue. Il se souvint d'une époque tumultueuse où cette femme, alors en pleine jeunesse, lui avait crié son amour.

« C'était en Normandie, quand Faustine s'était enfuie dans le bocage. Blanche cherchait à me séparer de Claire. Ma propre sœur était amoureuse de moi, parce qu'elle m'avait connu déjà homme et imaginait que nous étions faits l'un pour l'autre. Quelle étrange famille nous formons… »

Blanche eut-elle la même pensée? Son teint pâle s'empourpra et elle tourna les talons.

— Je vais inspecter le garde-manger. Quand Victor s'absente, je grignote du fromage et du pain, mais il y a de quoi te préparer un bon repas.

Jean se rassit et alluma une cigarette. Les jours et les semaines à venir lui paraissaient dépourvus d'intérêt.

« Que faire en ville, du matin au soir? Je vais crever d'ennui. Ma vie est là-bas, dans la vallée des Eaux-Claires. Et mes vignes, mon verger, l'imprimerie? Comme ils doivent tous me haïr! »

Il aurait donné cher pour savoir ce qui se passait au Moulin du Loup, qui prenait à présent des airs de paradis perdu.

*

Bertille brossait les longs cheveux de Claire. Les deux femmes étaient assises dans le lit qu'elles partageaient adolescentes. Anita avait exaucé tous leurs souhaits. Un chandelier à trois branches garni de bougies remplaçait la lumière électrique. Un plateau posé sur la table de chevet mettait à leur disposition une cruche de tisane, deux tasses, des biscuits et une bouteille d'eau-de-vie.

— Princesse, gémit Claire, tu es bien gentille de me tenir compagnie. Sans toi, je ne sais pas ce que j'aurais fait.

Elle pleurait encore, mais doucement, sans cris ni sanglots. Bertille déposa un baiser sur son front.

— Ma Clairette chérie, tu m'as fait une telle peur! Tu ne nous as pas accoutumés à de tels excès. Et promets-moi de consulter un médecin d'Angoulême pour ton cœur.

— Il est juste brisé en mille morceaux. Mon Dieu, chaque fois que je revois la scène, j'ai envie de mourir. Mais sais-tu le pire? Je regrette d'avoir chassé Jean. Je n'ai pas pu assez le frapper ni assez l'insulter. Il s'en est tiré à bon compte en prenant la fuite avec cette petite...

Bertille lui ferma la bouche du plat de la main.

— Non, je t'en prie, pas toi! Ne dis plus ces mots horribles! Et souviens-toi: tu ne supportais plus de voir Jean. Seulement, le fait est là, tu préférerais le savoir ici, à portée de ta colère.

— Oui, je deviens folle en les imaginant ensemble! J'ai trop mal, et contre cette douleur-là il n'y a aucun remède. J'en ai eu, des chagrins et des deuils, pourtant! Quand j'ai cru Jean mort dans le naufrage du morutier, j'étais désespérée, mais je pouvais continuer à le chérir, à adorer son souvenir. Là, je dois le rayer de ma vie, accepter de ne plus jamais l'approcher, de ne plus le voir, alors qu'il est vivant. C'est si grave, ce qu'il a fait! Et impardonnable! Angéla était comme sa fille. Il a osé en faire sa maîtresse!

Claire, reprise de tremblements nerveux, se tut un instant. Bertille savait combien cela aiderait sa cousine de pouvoir parler à son aise, d'analyser en détail le drame qui les frappait tous.

— Si encore il avait connu une femme sur le bateau ou à Québec et qu'il avait couché avec elle sans l'aimer, ajouta Claire, j'aurais été malheureuse, mais j'aurais pu l'admettre, pardonner.

— En somme, plaisanta Bertille, tu rêves de pouvoir lui pardonner, à ton Jean!

— Je n'étais pas prête à le perdre! Je me disais même que nous avions de belles années devant nous pour profiter de notre amour, de notre famille. Et en quelques minutes tout a volé en éclats. C'est un cauchemar! Si je pouvais me réveiller et que rien ne soit arrivé… Jean m'a trompée, et pas qu'une fois, pendant plus d'un mois. Peut-être même depuis le retour de cette garce! Et, bien sûr, elle est tombée enceinte! J'aurais tellement voulu donner un fils à Jean!

C'était ce qui la torturait le plus. Claire tourna le dos à sa cousine et mordit le drap pour ne pas hurler de chagrin.

— Bois donc un coup de gnôle! conseilla Bertille en imitant l'accent rocailleux de Léon.

— Non, j'ai assez bu!

— Clairette, écoute-moi! Il n'y a pas de solution. Je voudrais te rassurer, te promettre un miracle, mais je ne le peux pas. Nous devons réfléchir toutes les deux. Que comptes-tu faire?

— Eh bien, je n'ai pas le choix, je veux divorcer. Comme ça, Jean épousera cette petite pu… cette vipère!

— Voyons, ne sois pas sotte, il ne peut pas se marier avec sa fille. Elle porte le nom d'Angéla Dumont. Si la justice était au courant de leur liaison, Jean risquerait gros. C'est à cause de ça que je te dis qu'il n'y a pas de solution. Enfin si! Ils peuvent habiter à l'autre bout de la France en racontant qu'ils sont un couple légitime.

Claire se redressa brusquement et but de l'eau-de-vie à la bouteille. L'alcool l'apaisait.

— Qu'ils fassent ce qu'ils veulent! balbutia-t-elle. La seule chose que je demande, c'est de ne pas y penser. Bertille, je les vois partout. Jean embrasse Angéla sur la bouche, ils sont nus sur un lit, ils font l'amour. Mon mari avec une enfant que je considérais comme ma fille. C'est insoutenable, ces visions! Je voudrais les tuer!

Elle s'abattit sur l'épaule de Bertille et sanglota tout haut. Cela lui parut inconcevable, tout à coup.

— Dis, Jean n'a pas pu faire ça! implora-t-elle. Il aurait déshabillé Angéla, il aurait couvert son corps de baisers comme il le faisait avec moi? Et elle, pendant ce temps, elle ne pensait pas à moi? En ce moment, ils recommencent, ils sont libres de s'aimer. Oh! non, non!

— Clairette, arrête de te torturer! soupira Bertille. Je ne crois pas qu'ils sont heureux et qu'ils batifolent. Jean avait une mine affreuse en sortant de la cuisine. Il s'inquiétait pour toi. Faustine m'a confié qu'il était venu te demander pardon et qu'il t'avait répété qu'il t'aimait. D'un autre homme, on aurait pu en douter, mais je sais qu'il était sincère. On peut aimer quelqu'un de tout son être et le tromper. Souvent, cela vient des circonstances.

— S'il appelle ça de l'amour, faire un enfant à notre fille! gémit Claire.

— Ne joue pas sur les mots, protesta Bertille. D'accord, vous aviez adopté Angéla, mais à ta demande. Jean n'était pas enchanté. Ce n'est pas votre fille par le sang, que vous auriez élevée ensemble. Tu ne pourrais pas brandir cet argument s'il s'agissait juste d'une gamine que vous hébergiez. Cependant, la même chose aurait pu se produire. Claire, sois sincère. Si William Lancester, ton unique amant, avait tout révélé à Jean dans une crise de fureur jalouse, qu'aurais-tu juré à ton mari? Allons, ne triche pas! Réponds-moi!

— Mon amant! Je n'ai couché avec lui qu'une fois, dans un champ.

— Peu importe, vous étiez toujours ensemble, parce que Jean ne se décidait pas à rentrer au bercail. Lancester te faisait la cour et tu étais flattée, ravie de lui plaire. Alors, qu'aurais-tu dit à Jean?

Claire garda le silence un long moment avant de répliquer, bien à contrecœur:

— Que je n'aimais que lui! Que lui seul avait de l'importance! Je l'ai compris à son retour. William ne faisait pas le poids. Oh, princesse, j'avais complètement oublié cette histoire.

Paupières closes, Claire se replongea dans le passé. Elle se revit, attentive à ses toilettes, à son teint, à sa coiffure, toujours à attendre impatiemment le passage du papetier anglais sur le chemin des Falaises. Il l'avait invitée à dîner dans une auberge au bord de la Charente et, après le repas, un peu ivres, ils s'étaient embrassés avec exaltation.

— Ce n'est pas du tout pareil, fit-elle remarquer. Et puis tu m'agaces, on dirait que tu défends Jean.

— Je ne le défends pas! Je considère l'affaire objectivement, ce dont tu es incapable. Si Angéla n'était pas tombée enceinte, si elle avait rencontré un beau Québécois après le départ de Jean, tu n'aurais rien su de l'infidélité de ton mari et ce serait sans doute mieux, conclut sa cousine avant de bâiller. En tout cas, après la tragédie que nous avons vécue cet après-midi, cela m'étonnerait que tout se passe bien pour Jean. D'abord, il doit en vouloir à Angéla. Ensuite, elle se rend sûrement compte des dégâts qu'elle a causés.

— C'est trop tard, princesse! Même s'ils ne sont pas très joyeux, ils sont ensemble je ne sais où, et je ne supporte pas cette idée. Alors, tu vas demander à Bertrand comment procéder pour le divorce. Et s'il est possible d'annuler l'adoption.

— Le divorce, il pourra te répondre, mais annuler l'adoption, je ne pense pas qu'il existe une procédure pour ça. Ma Clairette, je peux t'assurer qu'après le désir la chair est souvent triste. Moi, quand Louis s'en allait et que je quittais le pavillon pour rentrer au domaine, j'avais une terrible envie de mourir. Je me sentais coupable, sale. Il vaut mieux être du côté des victimes que du côté du bourreau. Et c'est pour cette raison que Jean souffre autant que toi.

Toutes deux épuisées, elles s'allongèrent. Bertille souffla les bougies et prit sa cousine dans ses bras.

— Je connais le goût du malheur, de l'humiliation, Clairette! Souviens-toi, quand tu courais rejoindre Jean dans la Grotte aux fées. Moi, je restais au lit, prisonnière de mes jambes inertes, et je pleurais sous les draps. Parfois, je tailladais mes cuisses avec un canif ou les ciseaux, tellement j'avais de la haine en moi. Pas contre, toi, non, contre le destin qui me privait de ma jeunesse. Et par la suite je t'ai fait du mal, beaucoup de mal. Mais tu m'as pardonné. Des années se sont écoulées et nous sommes comme avant, blotties l'une contre l'autre dans la même pièce, dans le même lit. Il manque les pas lourds du grand-duc sur le plancher du grenier, ce gros hibou qui s'envolait par la lucarne, toujours à la même heure.

Tu avais pitié d'Étiennette, une petite servante à l'époque que ta mère faisait coucher sous les combles.

— Et ils sont tous morts! reprit Claire. Mon père, ma mère, le hibou sans doute, Étiennette, Raymonde... Le Follet, ce brave ouvrier qui avait sauvé Nicolas de la noyade. Il y a eu tant de deuils. Frédéric, il aurait l'âge de Jean environ, s'il ne s'était pas suicidé. Crois-tu que je serais encore sa femme? J'ai été la dame de Ponriant avant toi!

La voix de Claire, en disant cela, avait retrouvé un peu de fermeté et un zeste de malice. Bertille en éprouva un immense soulagement.

— Le destin tire les ficelles, ajouta-t-elle en embrassant Claire. Tout s'ordonne et suit le cours voulu par des puissances mystérieuses, peut-être Dieu et ses anges. Je ne suis guère croyante. Une pécheresse comme moi va à la messe en reculant. Je n'ai jamais confessé au père Jacques ma relation avec Louis de Martignac. Si Frédéric Giraud avait survécu, je n'aurais peut-être pas épousé Bertrand. Enfin, nous pourrions jouer à ça des heures. Demain soir, promis; là, je n'en peux plus.

Bertille luttait contre le sommeil. Elles discutèrent encore quelques minutes et s'endormirent.

*

À la même heure, Jean observait le Moulin du Loup depuis le plateau dominant la vallée. Il avait quitté sa sœur après un dîner médiocre et une discussion houleuse. Blanche lui avait confié un double des clefs de la maison.

— Je suppose que tu vas rejoindre Angéla! avait-elle dit d'un ton glacial.

— Non, j'ai besoin de m'aérer! avait-il répondu.

Une fois au volant de sa vieille voiture, il s'était retrouvé sur la route de Puymoyen sans avoir vraiment pris garde à la direction qu'il suivait.

«Je suis comme les chevaux; je rentre d'instinct à l'écurie!» avait-il songé, désabusé, rempli d'amertume.

Submergé par une foule de souvenirs, il s'était garé près

de l'école du village. Combien de fois avait-il guetté la sortie des classes, pressé de voir accourir Faustine, avec sa frimousse angélique et ses épaisses nattes blondes? Chaque façade de maison lui était familière, un détail des volets, un rosier aventureux tendant ses fleurs entre la grille d'un jardin. Jamais Jean n'avait compris avec autant de force désespérée qu'il appartenait à ce coin de pays, à ce village, à la vallée des Eaux-Claires.

Assis sur un pan de roche, il alluma une cigarette. La terre maigre qui recouvrait le plateau exhalait une douce odeur minérale, parfumée d'une senteur de champignons, de mousses humides.

«Le premier soir de mon arrivée dans cette vallée, je venais de m'enfuir de la colonie pénitentiaire de la Couronne. C'était le mois de mai, il pleuvait un peu, et il y avait déjà cette odeur. Je m'étais même dit qu'il devait faire bon vivre là, au bord de la rivière, à l'abri des falaises. Je me suis caché dans la grange de Basile, mais à l'époque je ne le connaissais pas, ce cher vieil ami! Et Claire est entrée, elle appelait son loup... Je l'ai attrapée dans le noir, j'ai plaqué une main sur sa bouche, je l'ai menacée de mon couteau!»

La suite, Jean l'avait racontée à toute sa famille de nombreuses fois. Leur rencontre insolite et magique ainsi que la belle histoire d'amour qui en avait découlé étaient le sujet de bien des veillées, les longs soirs d'hiver.

«Dieu du ciel, pria-t-il, qu'est-ce que j'ai fait? Pourquoi l'ai-je fait? Je me pose ces questions sans arrêt et je n'aurai jamais la réponse. J'ai l'impression de devenir fou, complètement fou! Je n'aime que toi, Claire, que toi!»

En pensant cela, il contemplait d'un air pitoyable les bâtiments de son foyer perdu, le Moulin du Loup.

«Je suis parti dans la journée. Pourtant, j'ai l'impression d'avoir été absent des années!»

Pendant plus d'un mois, Jean viendrait là chaque nuit, sans se soucier de la pluie ou de la neige. Ce serait sa façon à lui d'expier son crime, de rester proche de la femme qu'il adorait.

*

Angoulême, le lendemain

Le jour suivant, en milieu d'après-midi, Jean frappa à la porte 28 de l'hôtel *Trois Piliers.* Angéla ouvrit sans hâte. Elle recula pour le laisser entrer. Elle portait sa large blouse bleue et avait les doigts maculés de peinture.

— Bonjour, dit-elle laconiquement en retournant s'asseoir à la table sur laquelle était disposé son matériel.

— Eh bien, tu t'es installée! dit-il un peu sottement. As-tu déjeuné? Il paraît que la cuisine est excellente.

— Ne te fatigue pas, Jean! coupa-t-elle. C'est d'un ridicule!

Angéla était pâle et ses cheveux étaient dissimulés sous un foulard. Il vit qu'elle n'avait pas maquillé ses yeux ni sa bouche. On lui aurait donné quinze ans à peine.

— Je voudrais te parler, ajouta-t-il, mais pas ici. Nous pourrions marcher un peu, jusqu'au jardin vert.

— Pourquoi, pas ici? J'ai commencé une aquarelle. Ce matin, je suis sortie très tôt. Les magasins ouvraient leurs devantures. Rue Marengo, j'ai acheté des pinceaux, et le patron de la boutique m'a posé beaucoup de questions. Quand il a su que je peignais des paysages, il m'a dit de lui en présenter quelques-uns et qu'il les mettrait en vente. Il tient aussi une petite galerie. Je pourrai peut-être gagner ma vie et élever mon enfant sans l'aide de personne.

Décontenancé, Jean s'assit au bord du lit encore défait. Angéla ne le regardait même pas.

— Dis donc, fit-il, la tempête d'hier nous a secoués, tous les deux! Tu t'en fiches, de moi, à présent? Pour quelqu'un qui prétendait m'aimer, tu changes vite d'avis!

Au fond de lui, il éprouvait une sorte de vexation bien masculine.

— Faustine répétait que mon plus grave défaut, c'était l'orgueil, expliqua la jeune fille. J'ai compris que tu ne m'aimais pas et, même si j'avais eu des doutes, tu as suffisamment clamé ton amour pour Claire. Je ne t'aime plus, je n'y peux rien. Dès que possible, je louerai une chambre en ville. J'ai lu les tarifs de l'hôtel; tu vas te ruiner.

Jean, mortifié, passa plusieurs fois ses mains sur son visage. Il se sentait humilié, rejeté de tous les côtés.

— Bon, écoute, Angie, ma famille ne veut plus de moi, je vais être obligé d'habiter un bon bout de temps chez ma sœur. Tu attends un enfant de moi! Autant essayer de trouver un arrangement. Si tu ne m'aimes plus, comme ça, d'un coup, explique-moi ton attitude d'hier? Ce n'était pas la peine de tout foutre en l'air! De briser ma vie et celle de Claire!

La jeune fille maîtrisait mal le tremblement de ses doigts, crispés sur le pinceau. Si Jean continuait, elle le haïrait.

— Tu as raison, j'ai fait du scandale pour rien! balbutia-t-elle. J'aurais dû être raisonnable, me taire. Je n'ai pas pu, à cause de ça!

Elle prit une enveloppe qui était dans la poche de sa blouse et la jeta vers Jean.

— C'est une lettre de Louis qui m'a été réexpédiée du Canada. Arthur me l'avait donnée avant-hier, mais, comme les autres lettres de Louis, je ne l'avais pas lue, parce que je croyais t'aimer. J'espérais encore que nous partirions tous les deux, que nous élèverions ensemble le bébé que je porte.

Il ramassa la lettre et la posa sur la table de chevet.

— Je n'ai pas à la lire!

— J'aurais dû éviter de le faire! reprit Angéla. Louis me raconte comment il aménage la belle maison de Villebois en pensant à moi, aux couleurs que j'appréciais. Il me dit que dans le parc il a installé une volière en fer forgé blanc, avec des colombes à l'intérieur. J'en rêvais. Il m'avait promis que j'aurais tout ce que je voulais. Louis me confie ses projets. Il m'annonce, visiblement comblé, que sa mère consent à notre mariage, que nous irons en lune de miel à Venise! Tu imagines ça, Jean, la petite Angéla, fille d'ouvrier, qui ferait une balade en gondole, à Venise!

De grosses larmes roulèrent sur les joues de la jeune fille. Elle se leva et alla regarder par la fenêtre grande ouverte.

— Quand j'ai lu tout ça, alors que toi tu ne daignais même plus m'accorder un clin d'œil ni un baiser, j'ai pris la mesure de mon erreur. Je ne savais pas du tout de quoi serait fait mon avenir avec cet enfant qui t'importunait, à vrai dire, mais je comprenais que j'avais perdu toute chance d'épouser Louis. J'ai eu envie de mourir et la voix de Bertille montait de la cuisine, de même que le rire de Claire. Alors, oui, je devais tout détruire, surtout toi.

Jean hocha la tête, encore plus malheureux. Il reprenait pied violemment sur terre, confronté à cette très jeune femme qui venait d'analyser avec lucidité l'absurdité de leur situation. Il sut aussi qu'il n'éprouverait plus jamais de désir pour elle.

— Je veux bien me promener, avoua-t-elle. Allons au jardin vert, puisque tu avais à me parler.

Ils se retrouvèrent place du Champ de Foire et remontèrent en silence la rue de Périgueux, puis la rue Marengo. Jean cherchait comment présenter au mieux la requête de sa sœur.

— Viens t'asseoir sur un banc, dit-il, une fois sous les arbres du vaste jardin public.

Angéla prit place près de lui. Ils étaient à côté d'un bassin où nageaient des cygnes. Des paons lançaient leur cri monotone en déambulant sur les pelouses.

— Hier soir, j'ai discuté longuement avec Blanche. Son mari était à Bordeaux, cela a facilité les choses. Je lui ai tout raconté, sans fioritures. Bien sûr, elle était scandalisée. Ma sœur a des principes et vire bigote! De plus, selon elle, je risque gros sur le plan juridique. Tu es ma fille adoptive, mineure de surcroît. De fil en aiguille, Blanche a mis le doigt sur un sérieux problème. Je peux reconnaître l'enfant, mais dans ce cas je révèle ma faute. Mais si tu déclares le bébé, sans mentionner le père, il portera quand même mon nom: Dumont, comme toi.

La jeune fille soupira d'exaspération. Elle ne voyait pas où Jean voulait en venir.

— Enfin, Blanche a cru trouver la meilleure solution. Tu dois savoir qu'elle n'a pas eu d'enfant? Aucune de ses grossesses n'a pu être menée à terme. Elle en a beaucoup souffert. Elle m'a proposé d'adopter le bébé dès sa naissance. Officiellement, je serai son oncle et je le verrai souvent. Il reste à convaincre Victor Nadaud, son mari, mais elle le mène par le bout du nez.

Jean s'attendait à une explosion de colère, à des reproches cinglants. Angéla dit simplement:

— Et cela te conviendrait?

— Il faut que je réfléchisse encore. Le plus important, c'est que je sois proche de cet enfant. Blanche l'éduquera bien. Il grandira choyé, dans un milieu aisé. Si tu acceptes, et seulement à cette condition, tu pourras t'installer chez ma sœur, dans l'ancienne chambre de Faustine. Tu ne manqueras de rien et pour tes couches tu seras soignée par un bon médecin. Après, tu seras libre.

Elle souriait en l'écoutant. Jean, surpris, la dévisagea avec insistance.

— Qu'en penses-tu?

— Je pense que si Claire pouvait t'entendre, tu la dégoûterais encore plus que tu me dégoûtes. Franchement, Jean, toi qui as écrit un livre sur la condition enfantine, sur les colonies pénitentiaires, tu me pousses à vendre mon bébé! Car il s'agit bien de ça! Bientôt, ta sœur m'offrira une belle somme pour que je disparaisse le lendemain de la naissance.

Angéla partit en courant. Jean la rattrapa. Il la saisit par le coude.

— Mais, bon sang, je ne te dis pas d'abandonner ce petit dans un orphelinat! Il sera élevé par sa propre tante. Pendant les vacances, il ira dans le manoir de Pranzac. Ce sera une revanche sur mon enfance, comprends-tu?

— D'abord, arrête de parler de lui au masculin; c'est peut-être une fille! Je refuse, Jean! C'est non et non! Je préfère encore aller dans une maison maternelle. Je n'ai pas honte d'être fille-mère, mais j'ai honte que tu sois le père de cet enfant! Lâche-moi!

Il n'osa pas insister, un couple âgé les observant avec un regard intrigué.

— Angie, prends le temps d'y penser! chuchota-t-il encore, tandis qu'elle s'éloignait. Je viendrai te voir demain.

Elle ne se retourna même pas.

*

Moulin du Loup, même jour

À peine réveillée, Claire avait gémi de chagrin. Elle avait toujours aimé le petit matin, ces moments où l'on reprend contact avec la vie quotidienne dans ce qu'elle a de doux, de bon. D'habitude, elle restait quelques minutes au lit, attentive au chant du coq, aux cris des canards, au chuchotis discret de la rivière. L'odeur du café chaud l'enchantait et, dans sa hâte de participer au petit-déjeuner des enfants et de faire l'inventaire de ses occupations du jour, elle s'habillait vite.

Mais, subitement, elle s'était souvenue de la tempête qui avait tout balayé, tout saccagé. Jean l'avait trahie, trompée, reniée. Elle avait sangloté sans bruit pour ne pas déranger Bertille qui dormait à ses côtés.

«Je suis seule, maintenant, toute seule, se désolait-elle. J'avais encore droit au bonheur, aux caresses. Si on m'avait dit que Jean ferait une chose pareille, jamais je ne l'aurais cru. Jamais!»

En proie à une douleur sans nom, elle avait cependant pensé au père Maraud. Le vieux rebouteux savait ce qui allait se passer, elle en était convaincue.

— Je comprends mieux ce qu'il a écrit! avait-elle murmuré. «Mais si je lui dis ce qui la menace, elle me prendra pour un vieux fada, ce que je suis peut-être.»

— Que dis-tu? avait demandé Bertille, somnolente.

— Je me répète les mots du père Maraud. J'ai lu ça dans son cahier, où il notait ses visions et ses pressentiments. «Mais si je lui dis ce qui la menace», il parlait de moi, princesse, «elle me prendra pour un vieux fada!» Mon Dieu, il a eu tort. Si j'avais su que Jean aimerait Angéla à ce point, j'aurais refusé ce voyage au Canada.

— Peut-être qu'il n'a rien dit parce qu'il savait qu'on ne peut pas lutter contre le destin, répliqua la dame de Ponriant en s'étirant. Moi, j'y crois, au destin. Nos joies et nos peines sont inévitables. C'est à nous d'en tirer une leçon.

Cette conversation avait eu lieu à l'aube et, en début d'après-midi, les deux cousines y songeaient encore. Claire avait refusé de se lever, confiant la gestion de la maisonnée à Anita, qui aurait marché sur les mains pour lui faire plaisir.

—Je n'ai jamais gardé le lit, comme on dit, fit-elle remarquer à Bertille. Ce n'est pas déplaisant. Si seulement j'étais atteinte d'une maladie bénigne! Mais je suis morte, princesse, morte! Je n'ai plus faim ni soif. Je n'ai de l'intérêt pour rien. Janine est venue m'embrasser et j'avais hâte qu'elle sorte de la chambre.

— Il y a de quoi foudroyer la personne la plus solide! Moi-même, je n'arrête pas d'y penser. Je voudrais savoir comment c'est arrivé. Qui a commencé, Angéla ou Jean?

— Pitié! hurla Claire, ne prononce pas leur nom! Je me fais peur, princesse. Je me vois prendre le fusil de chasse et les chercher pour les abattre comme des bêtes nuisibles. Le pire, c'est qu'ils sont ensemble, et à chaque instant je souffre! Jean qui la couvre de baisers, qui la…

— Chut! coupa Bertille. Tu ne t'en remettras pas, si tu joues à ça! De toute façon, l'infidélité est abominable. Si Jean avait pu t'imaginer dans les bras de Lancester, il aurait eu une attaque. Les hommes sont plus mauvais que nous, dans ces cas-là.

— S'il entrait, mon ordure de mari, je me ferais un plaisir de lui raconter en détail ce que j'ai fait avec Lancester! affirma Claire avant de se remettre à pleurer.

Bertrand Giraud se présenta au Moulin à l'heure du thé. Il avait téléphoné auparavant pour avertir de son arrivée. Bertille conduisit son époux dans la chambre. Juste avant d'entrer, elle se blottit contre lui et quémanda un baiser.

— Tu me manquais, mon chéri! lui dit-elle tendrement. Je te préviens, Clairette est dans un état pitoyable: les paupières gonflées, le nez rouge, le teint cireux. Ménage-la et ne l'encourage pas à divorcer.

— Pourquoi donc, ma petite fée? s'étonna l'avocat.

—Jean a commis la plus grosse sottise de sa vie, mais il reviendra, repentant. Il aime Claire. Il n'aime qu'elle!

— Et l'enfant? Qu'en fais-tu, de ce pauvre innocent?

Elle leva les bras au ciel avec un soupir exagéré.

— Angéla n'a qu'à s'en occuper, le monde est vaste…

Bertrand poussa la porte, déconcerté. Il osait à peine regarder Claire, mais il l'embrassa affectueusement. Elle pleura à nouveau, confuse.

— Ma chère amie! déclara-t-il, je suis consterné! Vraiment, je n'aurais pas cru Jean capable d'une telle perversité. Il m'a déçu à un point que vous ne concevez pas.

— Bertrand! coupa Bertille. Tu veux achever ma cousine? La plus déçue, dans cette affaire, c'est quand même elle!

— J'ai toujours été maladroit dans le privé, Claire. Je suis là en ami, mais je demeure un homme de loi. En tant qu'avocat, je tiens à vous donner des conseils. Déjà, vous devez porter plainte contre Jean pour détournement de mineure sur la personne de sa fille adoptive. Vous obtiendrez des dommages et intérêts. De toute façon, le Moulin vous appartient ainsi que les terres. Jean n'aura rien. Il risque la prison, surtout si je m'en mêle.

Claire ferma les yeux. Tout ce jargon juridique la dépassait. Elle luttait contre des pulsions meurtrières, mais n'avait pas envie d'en référer à la justice.

— Franchement, Bertrand, si vous tenez à me rendre service, faites savoir à Jean qu'il devrait quitter la France et refaire sa vie à l'étranger. Je ne vais pas l'envoyer en prison, puisqu'il aura un enfant à élever. Il y a de fortes chances qu'il ait demandé à sa sœur de l'héberger. Blanche protestera, poussera de grands cris offensés, mais elle ne le lâchera plus. Elle devra s'accommoder d'Angéla. Angéla! Quel prénom pour une créature de son espèce! Oh! Je vous en prie, évitons le sujet, sinon je vais devenir folle! Autre chose, je vous supplie, Bertrand, de ne pas ébruiter tout ceci. Matthieu est bouleversé, mais il ne renoncera pas à faire tourner l'imprimerie, même sans Jean. Si la réputation de notre famille est salie, cela nuira aussi à mon frère. Personne dans le pays ne doit savoir la vérité. Cela me tuerait pour de bon. Léon et Anita ont juré de garder le secret. Faites de même.

— Mais cela coule de source, ma chère Claire! s'écria l'avocat. Et nous sommes parents par alliance. Je ne prise guère le scandale, moi non plus.

Claire parut rassurée. Elle effleura la main de sa cousine.

— Bertille, tu peux rentrer au domaine. La seule chose que je veux, c'est dormir.

Elle se laissa convaincre en promettant de revenir le lendemain matin.

— Je peux garder Arthur quelques jours. Il sera mieux chez moi, avec Clara! ajouta-t-elle.

— C'est l'ange gardien de Félicien, qui est de plus en plus terrible! renchérit Bertrand. Et j'ai beau être un grand-père patient, ce bout de chou de cinq ans me fait tourner en bourrique.

Claire les écoutait tous les deux avec l'étrange sensation d'être dans un autre monde qu'eux. Malgré toute leur compassion, le couple serait sûrement soulagé de passer une soirée en tête-à-tête, entre les enfants, la vieille gouvernante Mireille et la nurse.

— Tu ne feras pas de bêtises? s'inquiéta Bertille.

— Je te le promets.

— Bon! Je passerai donner de tes nouvelles à Faustine, puisque Matthieu lui interdit de courir à droite et à gauche.

Il s'écoula encore une trentaine de minutes avant leur départ. Dès qu'elle fut seule, Claire se leva et descendit. Anita se précipita vers elle.

— Madame, que vous êtes pâle! Il ne fallait pas vous déranger, je comptais vous monter un goûter.

— Ne te tourmente pas, ma pauvre Anita, je voulais juste téléphoner à un médecin. Pas le docteur Vitalin, mais celui de Villebois ou de Dignac. Quand il sera passé, tu enverras Léon à la pharmacie.

Le soir même, Claire était en possession d'un tube en fer rempli de comprimés barbituriques. Le médecin avait insisté sur sa prescription d'un air préoccupé.

— Respectez la dose, madame! L'insomnie est handicapante, mais ce genre de médicament comporte des risques sévères. Un seul comprimé avant de vous coucher et vous passerez une bonne nuit.

Elle en avala deux, avec la tentation d'en prendre bien davantage.

— Je ne peux abandonner ni Arthur, ni Faustine, ni les petits. Au moins, pendant que je dormirai, je n'aurai plus mal.

La semaine qui suivit, Claire continua à consommer des somnifères. Elle se réveillait vers midi et, toute la journée, guettait le crépuscule pour vite pouvoir replonger dans un profond sommeil. Matthieu venait déjeuner à son chevet. Il montait un plateau et tentait de faire manger sa sœur. Mais elle refusait, se contentant de tisanes. Bertille se faisait conduire par Maurice et restait une demi-heure avec elle.

— Parlons de la pluie et du beau temps, soupirait la dame de Ponriant, puisque le mot d'ordre est d'éviter le sujet brûlant.

En fait, elle n'osait pas dire à Claire ce que Bertrand avait appris. Blanche logeait Jean et Angéla. Faustine, elle, était au courant. La jeune femme se confinait chez elle, incapable de cacher son propre chagrin, puisant dans la compagnie innocente de ses enfants un peu de réconfort.

— Je n'ai plus de père! répétait-elle à Matthieu. Et si je croise Angéla, je lui cracherai au visage.

Quant à Léon, il travaillait tant qu'il tombait de fatigue et se mettait au lit avec les poules, comme s'en plaignait Anita. Elle-même avait fort à faire, Claire assumant d'ordinaire une large part des travaux ménagers.

Personne ne soupçonnait que Jean venait tous les soirs sur le plateau venteux, d'où il s'entêtait à contempler le Moulin. Il n'aurait renoncé à son pèlerinage nocturne pour rien au monde. Une fois, il s'aventura jusqu'à la Grotte aux fées. Là, le souvenir des étreintes passionnées qui les unissaient, Claire et lui, fut encore plus vif et douloureux. Il songea au souterrain qui partait du fond de la cavité naturelle et rejoignait leur chambre.

— Quand j'aurai trop besoin de la revoir, je passerai par là, dit-il tout bas. La porte est condamnée, mais je frapperai si fort que ma femme sera forcée de m'ouvrir.

Cela le consola. Il ignorait que Claire avait fermé la pièce à clef et n'y entrerait plus avant longtemps.

*

Angoulême, rue de l'Évêché, une semaine plus tard

Angéla se tenait dans le couloir du rez-de-chaussée, derrière la porte du salon où Blanche et Victor Nadaud se querellaient. La jeune fille était descendue de sa chambre, prête à sortir comme chaque fin d'après-midi. Des éclats de voix l'avaient arrêtée. Le préhistorien venait de rentrer de son séjour bordelais. Prévenu par courrier de la situation, il donnait son avis, et de façon péremptoire.

— Non, Blanche, non! Je ne cautionnerai pas la conduite immorale de ton frère. Il a foulé aux pieds toutes les valeurs que respecte un honnête homme en trompant une épouse admirable et en séduisant sa fille adoptive. J'étais si furieux en lisant ta lettre que j'ai préféré ne pas te téléphoner, car la communication aurait duré des heures. Je reviens en catastrophe pour te raisonner, mais j'arrive trop tard. Je dois tolérer Jean et sa maîtresse sous mon toit!

— Ils font chambre à part, elle au second, lui au premier, et je peux t'assurer que j'ai mis les points sur les i. Pas question d'adultère chez nous! De toute façon, mon frère m'a confié qu'il avait eu un coup de folie qu'il ne s'explique plus. Tu pourras lui en parler, il est bourrelé de remords et cette fille ne l'intéresse plus. Seulement, il a des responsabilités vis-à-vis d'elle. Et de l'enfant! Victor, comprends-moi. Je n'ai qu'un but, élever mon neveu ou ma nièce. Tu ne peux pas me l'interdire. Tu rêvais d'être père, toi aussi. J'ai mis ma santé en danger à chaque grossesse et je perdais toujours le bébé. Tu sais combien j'ai pleuré!

Il y eut un silence. Angéla patienta. Elle avait accepté la proposition de Blanche pour gagner du temps et par curiosité. De plus, née dans un milieu pauvre, la jeune fille redoutait de façon presque maladive de se retrouver dans une situation incertaine. Investir quelques semaines la belle demeure bourgeoise des Nadaud lui permettait de profiter d'un cadre qu'elle jugeait luxueux. Angéla s'était créé des rêves en côtoyant au sortir de l'orphelinat le superbe domaine de Ponriant, puis le château des Martignac. Or, elle avait perdu toute chance d'épouser Louis et cela la rendait amère. Avec l'énergie du désespoir, elle voulait profiter au maximum des agréments que procure la richesse: des meubles cossus, des objets précieux, de la bonne cuisine. En cela, elle était proche de Jean qui, après avoir connu la misère et la violence des colonies pénitentiaires, supportait mal de ne pas avoir de l'argent à volonté.

Blanche, quant à elle, avait grandi dans l'opulence et jugeait normal d'évoluer dans la bourgeoisie angoumoisine. D'un ton pointu, elle déclara à son mari:

— Victor, je ne suis pas si âgée! Songe à la joie que j'aurai de tenir un tout petit contre moi. J'assumerai tous les frais sur ma fortune personnelle, la nourrice, les études.

— Dans ce cas, ma chérie, nous aurions pu adopter un enfant bien avant! Tu refusais, si ma mémoire est bonne!

— Oui, je te l'accorde. Mais là c'est différent. Ce bébé est de mon sang, de ma famille! Jean est mon frère jumeau!

— Peut-être, et de l'autre côté? J'ai entendu dire que cette fille venait d'un orphelinat. Que sais-tu de ses parents? Il peut s'agir d'une lignée d'ivrognes!

Dans le couloir, Angéla serra les poings, au bord des larmes. Elle allait partir quand Blanche ajouta:

— Victor, nous en discuterons plus longuement ce soir, mais je t'assure que cette fille n'aura jamais l'occasion d'approcher l'enfant. De toute façon, qu'en ferait-elle? Je crois même que ma proposition lui ôte une belle épine du pied.

«Pauvre imbécile!» se dit Angéla qui, à bout de nerfs, se décida à quitter la maison.

Le vent frais qui s'engouffrait dans la rue lui fit du bien. Elle marcha jusqu'à la cathédrale, mortifiée par ce qu'elle venait d'entendre. Elle évoquait rarement ses véritables parents. Pourtant, elle se souvenait très bien d'eux. Ce jour-là, le cœur lourd, elle revit le visage émacié de sa mère, une jolie femme aux boucles noires qui faisait des ménages chez les commerçants aisés du quartier Saint-Cybard où la famille logeait. Son père était de taille moyenne, blagueur, avec des yeux bruns pleins de bonté. Quand il rentrait de l'usine, il soulevait Angéla et l'embrassait sur le front. Ensuite, il sortait un sachet de bonbons de sa poche, acheté à l'épicerie du coin.

« Maman et papa valaient autant que monsieur et madame Nadaud! Nous étions heureux, mais il y a eu la guerre. »

Elle alla s'asseoir sur le mur du rempart du Midi et ouvrit son carnet de croquis. Le patron des *Fines Couleurs* lui avait commandé des aquarelles représentant les monuments de la ville. Dessiner et peindre lui apportaient un peu de paix intérieure.

Quelqu'un lui effleura l'épaule.

— Angie? Qu'est-ce que tu fais là? Depuis quand es-tu revenue du Canada?

C'était Thérèse. Elle portait un manteau rouge, et sa chevelure d'un blond-roux était coupée à hauteur de la nuque. La fille de Léon prenait goût à la vie citadine. Apprentie coiffeuse, elle avait de dures semaines, et, le dimanche, elle gardait les enfants de sa patronne. Il lui fallait économiser pour atteindre son rêve de posséder son propre salon de coiffure.

Les deux filles avaient été amies, souvent complices, mais Thérèse avait pris ses distances depuis. Angéla avait rendu son frère malheureux en rompant leurs fiançailles.

— C'est singulier. Papa et Anita sont venus déjeuner avec moi samedi et ils ne m'ont pas dit que tu étais en France. On s'embrasse, quand même!

Angéla se leva et échangea trois petites bises avec Thérèse qui la regardait d'un air intrigué.

— Tu as obtenu un poste à Angoulême? Moi, je faisais une commission pour ma patronne. Des épingles à chapeaux qu'elle a commandées dans une boutique de la rue des Postes.

— En tout cas, tu es très jolie et élégante! répliqua Angéla, qui ne savait pas quoi dire.

— Il paraît que Claire est malade, ajouta Thérèse d'un ton radouci. Papa m'a raconté ça. J'ai promis que je viendrais au Moulin en coup de vent, lundi. Maman Anita ne voulait pas que je me dérange, mais ça me fera plaisir. Je n'ai pas vu ma petite sœur depuis deux mois, je crois. Et puis, Faustine est proche de son terme; je lui rendrai une petite visite.

Le silence embarrassé d'Angéla finit par lasser Thérèse. Elle regarda sa montre.

— On se verra lundi au Moulin, sans doute?

— Non, j'habite en ville, maintenant. Et je n'irai plus jamais là-bas. Mais ce serait gentil de ta part, Thété, si tu pouvais dire à Claire qu'il n'y a plus rien entre mon amant et moi, qu'il ne s'est rien passé depuis le séjour au Canada. Et que je lui demande pardon. Je t'en prie, n'oublie pas.

— Ton amant, carrément? Mais quel amant?

— Tu le sauras bien assez tôt!

Angéla s'éloigna le plus vite possible. Médusée, Thérèse partit de son côté. Elle se promit d'apprendre ce qui s'était passé.

« Papa est au courant, j'en suis sûre! se disait-elle. J'ai bien vu qu'il fait une drôle de mine ces temps-ci. Ce doit être une sale histoire, puisqu'on ne me dit rien, comme si j'étais encore une gamine. »

Elle ne se trompait pas. Léon et Anita faisaient de leur mieux pour la laisser dans l'ignorance. Angéla l'avait compris et cela ne l'étonnait pas.

« Thérèse me croyait au Canada! Louis aussi doit m'imaginer à Québec. Et si je le croisais? Il vient souvent en ville! Il serait très déçu, parce que je ne l'aurais pas averti de mon retour et il s'apercevrait vite que je suis enceinte. Grâce à mon manteau, Thété n'a rien vu! Mais Louis, qui appréciait ma minceur, verrait tout de suite que j'ai un peu de ventre. Oh non! J'en mourrais s'il savait la vérité. »

Angéla renonça à ses sorties et à ses promenades. Elle s'enferma dans sa chambre et se mit à lire. Jean n'apparaissait qu'aux repas. Ils se parlaient à peine, n'échangeant que des formules de politesse. Entre chaque bouchée, Victor Nadaud ne desserrait pas les lèvres. Seule Blanche faisait des efforts pour détendre l'atmosphère. Elle cherchait à voix haute le menu du réveillon de Noël, un mois à l'avance.

— Pour une fois que je t'aurai à table un soir de fête! répétait-elle à Jean. Et vous aussi, Angéla, il faudra me dire ce que vous aimeriez manger.

La jeune fille acquiesça d'un signe de tête.

« Cette grosse bonne femme est l'hypocrisie incarnée! songeait-elle, écœurée. Et dès que j'aurai quitté la salle à manger, Victor se mettra à discuter politique ou préhistoire avec Jean. Malgré tout le mal qu'il pense de lui, il lui offrira un cigare et lui sourira. Ce sont tous des hypocrites! »

Elle incluait Jean dans son verdict, pendant qu'il se morfondait en compagnie de sa sœur et de Nadaud. Mais leur hospitalité lui évitait de dépenser de l'argent et il croyait un peu naïvement qu'Angéla était décidée à confier le bébé à Blanche.

5
Les ombres de la vallée

Moulin du Loup, 2 décembre 1925

Bertille se tenait les bras croisés au bout du lit de Claire. La dame de Ponriant en avait assez. Elle guettait le réveil de sa cousine pour lui signifier son exaspération. Anita l'avait mise en garde: «Madame dort de plus en plus, parfois jusqu'à deux heures de l'après-midi.»

— Clairette! appela-t-elle. Oh! Clairette!

Elle s'approcha de la forme blottie sous les draps et la secoua par l'épaule. Une protestation marmonnée s'éleva.

— Clairette, il est plus de midi. Je suis venue déjeuner avec toi. Anita va nous monter un plateau. As-tu décidé d'hiberner?

Claire se redressa sur un coude. Bertille avait ouvert les volets et tiré les rideaux. La lumière grise d'un jour de pluie la fit cligner des yeux.

— Qu'est-ce que tu veux? Je n'ai besoin de personne! Je vais très bien, je me repose. Je devais me reposer. Depuis des années que je trime du matin au soir.

— Si tu te voyais, s'indigna sa cousine, avec tes cheveux sales, ton visage fripé, un vrai épouvantail! Tiens, bois du café, j'en ai monté une tasse.

— Je n'aime plus le café, bredouilla Claire en s'asseyant, le dos calé contre ses oreillers.

— Tant pis! Tu vas m'écouter bien attentivement, reprit Bertille en reprenant place au bout du lit, les doigts crispés sur la barre en cuivre. Cela fait presque trois semaines que tu vis cloîtrée dans cette pièce et tu te moques de ce qui se passe à l'extérieur. Je te signale qu'Arthur existe toujours; il habite chez moi depuis tout ce temps. Léon et Anita ne savent plus quoi faire. L'épicier a laissé une liste de malades qui attendent ta venue. Dans toute la vallée, on réclame les soins de Claire Roy et ses remèdes. Thérèse est venue un lundi, mais tu n'as pas voulu la voir. Du coup, Faustine a inventé une fable et lui a dit que tu avais une maladie contagieuse. La pauvre gosse est repartie en ville, certaine que tu étais à l'agonie. Et Matthieu! À cause de toi, ton frère que tu prétendais adorer se ronge les sangs. Il m'a dit tout à l'heure : « Ma sœur est perdue! Je vais buter Jean! » Ce sont ses mots. Clairette, réagis! Arthur s'inquiète, Moïse lui manque et je ne peux pas l'emmener au domaine; Lilas a ses chaleurs. Tous les chiens du coin rôdent près de l'écurie où je l'ai enfermée. Tu te souviens, Lilas? La louve que tu m'as donnée, la fille de Sauvageon et de Loupiote? D'accord, ton grand amour t'a trahie, trompée, mais cela arrive à des milliers de femmes sur terre. Moi, je te préviens, je ne supporte plus de te voir dans cet état! Comment fais-tu, en plus, pour dormir autant?

Claire avait écouté sagement, d'un air taciturne, en fixant la fenêtre. Seul le prénom de Jean, prononcé bien haut, avait réussi à la faire tressaillir. Elle lança un regard éteint à sa cousine.

— Je peux raconter n'importe quoi, tu t'en fiches! hurla Bertille. Bon sang, il n'y a pas que Jean sur terre! Nous sommes tous là à nous lamenter, à espérer un signe d'amélioration. Tu ne fais aucun effort, Claire! On peut souffrir debout, continuer à vivre même le cœur brisé.

— Vous m'avez tous interdit de faire des bêtises. Je n'ai pas le droit de mourir, laissez-moi au moins dormir en paix! Quand je dors, princesse, je ne pense à rien, ou bien je rêve. Souvent, dans mes rêves, c'est comme avant, au temps du bonheur. Jean m'aime, nous sommes tous les deux.

— Mais tu n'as pas eu que du bonheur! protesta sa cousine. Et pendant la guerre? Raymonde a dû enterrer ses jumeaux mort-nés, et dix ans plus tard un camion l'a tuée. Colin, ton père, s'est suicidé. Sans cesse, tu as eu à te battre contre des deuils et des chagrins.

— Eh oui, admit Claire. À force, je n'ai plus de courage, plus de résistance. Je voulais tellement vieillir avec Jean.

Bertille en aurait pleuré. Elle se tut un instant avant d'ajouter:

— Au fait, Edmée de Martignac est rentrée il y a une semaine de son séjour sur la Riviera[5]. Ta demi-tante a repris son titre de baronne et mène la belle vie. Elle a quand même pensé à toi et t'inonde de lettres, te croyant malade. Nous servons cette version à tous les visiteurs et aux clients du moulin, encore bien rares, dont certains te connaissent et souhaitent te saluer.

— Tu me fatigues à parler si fort! soupira Claire. Tu peux renvoyer Arthur ici; Anita s'en occupera, puisqu'il te gêne!

— Je n'ai jamais dit qu'il me dérangeait. Je lui fais donner des leçons de piano, et le professeur affirme que c'est un jeune virtuose. Mais, ce gamin, il te considère comme sa mère. Il a envie de te voir. Et Faustine, elle peut accoucher d'un jour à l'autre!

— Matthieu compte l'emmener à l'hôpital. Ils n'ont pas besoin de moi. Et puis j'en ai assez que toutes les femmes soient enceintes, sauf moi, qu'elles accouchent, sauf moi! L'autre petite putain va donner un fils à Jean et j'espère être morte à cette date!

Cette fois, Bertille sortit de ses gonds. Elle se rua dans le cabinet de toilette et remplit d'eau un verre à dents. De retour près du lit, elle en jeta, en pleine figure, le contenu à Claire.

— Je m'en vais! décréta la dame de Ponriant, furibonde. Tu n'es plus ma Claire! On dirait une loque! Ah! J'oubliais... Quand Thérèse est venue, elle a transmis un message pour toi à Anita de la part d'Angéla. La petite putain, comme tu dis, et cela t'enlaidit encore, te demande pardon et t'informe qu'il ne s'est rien passé avec son amant depuis le Canada et qu'il ne se passe plus rien. Bertrand avait raison: le couple maudit loge chez Blanche et Victor. Seulement, ils font chambre à part. De plus, mon avocat de mari a pu parler à ton bagnard de mari, et Jean, lui aussi, refuse l'idée du divorce et prétend qu'il se consume de honte. Voilà des nouvelles fraîches, adieu!

---

5. Ancien surnom touristique de la côte méditerranéenne, lieu de villégiature très prisé.

Bertille sortit en claquant la porte si fortement qu'un petit cadre se détacha du mur. Claire essuya ses joues et son front à l'aide de son mouchoir. Elle se rallongea, ébranlée par le discours véhément de sa cousine. Cela ne l'empêcha pas, quelques heures plus tard, de reprendre deux comprimés de somnifère.

Il faisait déjà nuit noire quand Anita la secoua à son tour par l'épaule, mais timidement.

— Madame! Madame! Je vous en prie, réveillez-vous!

Elle n'obtint que des protestations inarticulées. Claire se coucha à plat ventre.

— Madame, par pitié, c'est Faustine! Le bébé arrive! Voyons, madame, ne faites pas semblant de dormir! Votre fille va accoucher. Léon vient de ramener Isabelle et Pierre. Les pauvres chéris sont inquiets et le petit pleure à chaudes larmes.

Anita avait beau crier et la secouer, elle ne réagissait pas.

— Ce n'est pas normal, ça! dit-elle tout haut. Je suis sûre que ce sont ces comprimés qu'elle prend.

— Madame! hurla-t-elle. Votre frère vous supplie de venir. Faustine souffre beaucoup.

Léon entendit crier. Il confia Pierre à Isabelle en leur ordonnant de ne pas bouger. Il monta quatre à quatre les marches de l'escalier et entra dans la chambre.

— Quand même, Anita! C'est pas possible que madame Claire ne se réveille pas avec le tintouin que tu fais!

— Je crois que les cachets qu'elle avale, c'est pour dormir! Madame Bertille m'a posé la question à midi. Moi, je n'ai pas osé dire qu'un médecin de Dignac était venu deux fois faire des ordonnances et que toi, tu allais à la pharmacie aussitôt.

Anxieux, Léon ouvrit le tiroir de la table de chevet. Il trouva tout de suite les tubes contenant les médicaments. Il épela:

— Barbituriques! Fichtre, c'est quoi ça!

— La pharmacienne ne t'a pas expliqué?

— Mais non, elle met ça dans un sachet en papier et moi, je ne vais pas l'interroger. Faut la réveiller, ma Nini! Et vite fait! Aux grands maux les grands remèdes, disait monsieur Basile, que t'as pas connu.

Comme Bertille en fin de matinée, Léon entreprit de remplir d'eau froide la carafe ayant contenu de la tisane. Il n'osa pas asperger Claire, mais il humidifia son cou, ses mains, son front et ses joues. Enfin, elle s'agita.

— Madame, implora Anita, je ne sais pas combien de temps je vous ai appelée, et mon Léon a dû vous arroser! Réveillez-vous, c'est Faustine qui accouche.

Claire souleva péniblement les paupières et les regarda tous les deux. Léon avait allumé le plafonnier.

— Quoi? Faustine!

— Le bébé, madame!

— Matthieu l'a conduite en ville? balbutia-t-elle, mal réveillée. Mais où sont les petits, Isabelle, Pierre?

— Ici, dans la cuisine! répondit Léon, affolé. Mon pauvre Matthieu m'a dit de les amener au Moulin. Mais Faustine est dans les douleurs depuis une bonne heure et elle ne veut plus entendre parler d'aller à l'hôpital. Elle a peur de mettre l'enfant au monde pendant le trajet. Moi, je dois vous déposer chez eux et ensuite trouver la nouvelle sage-femme, celle qui habite près de Vœuil.

Claire se leva, inconsciente de sa tenue débraillée. Sa chemise de nuit déboutonnée dévoilait la moitié d'un sein et une épaule. Anita s'empressa de lui tendre un châle, tandis que Léon se détournait.

— Je dois m'habiller, alors! dit Claire, interloquée. Anita, où sont mes habits? N'importe quoi, une vieille robe, des bas, un gilet.

Elle voulut marcher jusqu'à l'armoire et tituba, comme prise de boisson. Ses jambes lui semblaient en coton et tout son corps était d'une grande faiblesse. Échevelée, elle avança les mains tendues en avant. Léon eut pitié de sa patronne et grommela tout bas:

— Si j'avais cru que je verrais ça un jour!

— Qu'est-ce que tu dis? demanda Anita à mi-voix.

— Je me disais que j'aurais jamais cru que je verrais la belle Claire Roy changée en vieille pocharde! rétorqua le domestique avec un sanglot sec.

Plus que les discours de Bertille, que les supplications

tendres de son frère, l'exclamation désolée de Léon, l'ami de toujours, piqua l'orgueil en sommeil de Claire. Elle crut entendre le père Maraud lui intimer de garder la tête haute.

— Tu oses me traiter de vieille pocharde! s'écria-t-elle en faisant un effort désespéré pour retrouver sa lucidité et se réveiller tout à fait. Va donc me préparer du café bien noir! Du café de marin, hein, mon cher Léon.

Anita retenait son souffle. Léon, ragaillardi, dévala l'escalier. Isabelle chantait une comptine à Pierre, mais elle ouvrait de grands yeux bleus effarés. Moïse s'était couché près des enfants. Le loup semblait les surveiller.

— Chante encore, Isabelle! dit Léon. Ta grand-mère s'est levée et elle va soigner ta maman. Demain matin, tu auras un petit frère ou une petite sœur. Qu'est-ce qui te plairait?

— Une petite sœur!

— On verra ça.

Quand Claire descendit à son tour, la petite fille poussa un cri de joie. Anita suivait de près et empêcha vite l'enfant de tomber du banc.

— Sois sage, madame est encore fatiguée!

— Laisse, Anita, elle voulait m'embrasser.

Léon lui tendit une tasse de café très sucré. Isabelle sur ses genoux, Claire examinait sa cuisine d'un œil plus vif. Du bout du nez, Moïse quémanda une caresse.

— Oui, je suis là, mon beau!

Ses doigts éprouvaient le poil soyeux de l'animal, dont les yeux dorés paraissaient scruter son âme dolente. La chatte apparut, sortant du cellier entrouvert.

— Tiens, voilà la Mimi! s'esclaffa Anita. Sans blague, madame, on ne l'avait pas vue depuis que vous êtes alitée.

Doucement, Claire reprenait pied dans ce qui constituait la trame de son existence. Des bras d'enfant autour de son cou, la rude affection des loups, la présence hiératique de la chatte.

— Bon, il ne faut pas traîner! dit-elle d'une voix plus ferme. Quand même, j'aurais préféré savoir Faustine à l'hôpital. Je ne me sens pas vraiment capable de l'aider. Anita, tu coucheras les petits dans ma chambre. Fais un peu de rangement. Surtout, qu'ils ne touchent pas à mon tiroir de table de chevet. Léon, allons-y!

Elle se dirigea, d'un pas assuré cette fois, vers le buffet où étaient rangées son herboristerie et certaines de ses préparations. Léon lui tendit son sac en cuir.

Dehors, le ciel d'un bleu profond était tapissé d'étoiles scintillantes. Un froid sec avait succédé à des semaines de pluie. Une chouette lançait sa plainte modulée dans le vieux chêne. Claire respira à pleins poumons les parfums de la nuit d'automne. Quand Léon la déposa devant la maison de Matthieu et de Faustine, elle eut une ébauche de sourire:

— Ne t'inquiète pas, la vieille pocharde se sent mieux!

— Je vous demande pardon! dit-il. On est tous à bout, vous comprenez?

— Tu as bien fait, Léon, répliqua-t-elle. Je ne t'en veux pas.

Matthieu était déjà sur le pas de la porte. Il regarda sa sœur avancer vers lui. Elle avait beaucoup maigri et était d'une pâleur effrayante.

— Désolé, Claire, mais Faustine te réclamait. C'était à fendre le cœur. Entre vite. J'ai mis de l'eau à chauffer, j'ai préparé la layette et le berceau.

Il prit le temps de l'attirer dans ses bras, de la câliner et de déposer de légers baisers sur son front.

— Ma Clairette, je te remercie d'être là. Sans toi, la vallée n'a plus aucun charme.

— Flatteur! répliqua-t-elle avec tendresse.

Claire se lava soigneusement les mains. De l'étage, Faustine appela.

— Rejoins-la et dis-lui que je monte tout de suite, petit frère.

Matthieu s'empressa d'obéir. Restée seule, elle se passa de l'eau sur le visage. Un petit miroir, accroché au-dessus de l'évier, lui renvoya l'image d'une femme éprouvée par le chagrin, des poches sous les yeux, un pli amer au coin des lèvres, le regard absent.

« Qui est-ce? se demanda-t-elle. Une vision? »

Très vite, elle comprit que c'était son reflet. Incrédule,

puis consternée, Claire eut envie de s'enfuir et de se jeter dans la rivière grossie par deux mois de pluie.

— Claire, hurla Matthieu, viens vite!

« Plus tard, je réfléchirai à ce que j'ai vu dans le miroir, plus tard! » se dit-elle.

Faustine, couchée de tout son long, haletait sur son lit. Matthieu lui tenait la main, l'air affolé.

— Maman, enfin! gémit la jeune femme. Je crois qu'il n'y en a plus pour longtemps. Les contractions sont très rapprochées.

— Cela ne te gêne pas que je t'examine? demanda Claire affectueusement. J'ai l'habitude maintenant.

— Mais non, maman! Je n'ai confiance qu'en toi! Matthieu a voulu téléphoner à cette sage-femme de Vœuil que Léon doit ramener. J'espère que le bébé sera là avant.

Claire procéda selon l'usage dans les campagnes et les hôpitaux. Elle couvrit Faustine d'un drap et fit l'examen à l'abri du tissu, ce qui ménageait la pudeur de la future mère vis-à-vis du père.

— En effet, il n'y en a plus pour longtemps. Si tu as envie de pousser, vas-y, ma chérie, dit-elle en se relevant. Matthieu, tu ferais mieux de descendre et de me faire du café. J'ai l'impression de n'avoir pas bu de café depuis des siècles.

Elles œuvrèrent ensemble à mettre l'enfant au monde. Faustine, rassurée, plus détendue, se concentra sur le dur travail qui écartelait le bas de son corps. Au fil des interminables minutes de la naissance, Claire tissait des liens tout neufs avec elle-même, surprise de l'agilité de ses doigts, de la douceur persuasive de sa voix, de cette bonne chaleur qui courait dans ses veines.

— Oui, oui! Tiens bon, ma petite chérie, il arrive!

Enfin, elle reçut entre ses mains un poupon rose qui lança un cri vigoureux en agitant ses bras de lutin.

— C'est une fille, Faustine! Une magnifique petite fille!

Matthieu accourut. Il se mit à pleurer, submergé par un amour immédiat pour la nouvelle venue. Suivant les conseils de sa sœur, il coupa le cordon et enveloppa le bébé dans un linge tiède.

Faustine riait de soulagement, ses prunelles bleues élargies par l'épreuve et une joie infinie.

— Elle s'appelle Gabrielle. Est-ce que cela te plaît, maman?

— Gabrielle, c'est ravissant! avoua Claire. Déjà une beauté! Tous ces cheveux qu'elle a, bruns comme ceux de son papa.

Il s'écoula encore une heure. Faustine somnolait, sa fille près d'elle. Au rez-de-chaussée, Matthieu préparait une sorte de souper fin. Il était affamé, et Claire lui avait suggéré de préparer un bon repas pour la jeune femme.

« C'est si simple, une mère et son bébé! songeait-elle, assise sur le lit. On s'aime, on rêve d'avoir un enfant, et le miracle se produit. Plusieurs fois souvent. Pourquoi m'a-t-on privée de ce bonheur-là? »

Elle contemplait Gabrielle, émerveillée de sa perfection. Soudain, contre son gré, elle pensa au petit être qui grandissait dans le corps d'Angéla, conçu avec Jean. La douleur revint, affreuse, intolérable.

« Je dois me raisonner, se dit-elle. Je dois oublier! »

Des portières claquèrent. On discutait sur le chemin. Claire reconnut la voix de Léon. La sage-femme ne tarda pas à entrer dans la chambre sur la pointe des pieds, escortée par Matthieu.

— Je suis navrée! affirma-t-elle. Ce monsieur qui est venu me chercher a eu un souci mécanique. Le bébé est déjà arrivé!

Elle tendit la main à Claire en souriant.

— Je me présente, Odile Bernard, et je n'ai plus qu'à repartir, si vous êtes bien Claire Roy, la fille de maître Colin. J'entends parler de vous partout où je vais. Les vieilles personnes se souviennent de votre père et de votre mère, et ceux de ma génération ne jurent que par vos tisanes et vos baumes.

Cet hommage inattendu émut Claire. Elle dévisagea la sage-femme. Âgée d'une trentaine d'années, elle était ronde et alerte. Des cheveux courts encadraient son visage énergique.

— Vous allez boire quelque chose de chaud avec nous, madame! proposa Matthieu. Ensuite, je vous raccompagnerai. Léon n'en peut plus et ce n'est pas un brillant conducteur.

Ils passèrent un agréable moment. Claire se surprit à évoquer les soins qu'elle prodiguait, sa manière d'ausculter, les paumes bien à plat sur l'endroit douloureux. Léon bâillait, mais Matthieu, fier de sa sœur et de sa seconde fille, se montrait lui aussi très bavard.

Il était deux heures du matin quand le jeune homme revint de Vœuil. Claire l'avait attendu assise près du poêle.

— Tu tiens le coup, sœurette? Cette femme est très sympathique. Figure-toi que j'ai décroché une commande. Son mari ouvre un cabinet d'assurances et il a besoin de cartes de visite.

— Je suis heureuse pour toi, dit-elle. Papa serait ravi de voir tous les efforts que tu fais pour relancer le moulin. Et je te promets, en l'honneur de ta petite Gabrielle, de faire des efforts, moi aussi. J'ai eu peur de mon reflet dans le miroir, ce soir. Ce n'est pas Claire Roy que j'ai vue. Cela va changer. Mais, dis-moi, pourquoi Faustine a-t-elle refusé d'aller à l'hôpital?

Son frère se servit un verre d'eau-de-vie et le sirota. Il avait une expression malicieuse.

— Tu veux vraiment le savoir? demanda-t-il. Faustine pensait que c'était le seul moyen de te sortir de ton lit, de ce sommeil persistant. Elle s'inquiétait pour toi, Clairette. Et au fond, je crois qu'elle a plus confiance en tes dons qu'en tous les docteurs de la terre. Elle n'arrêtait pas de me le répéter, que tu viendrais l'assister. Elle avait raison. Elle t'aime!

Bouleversée par ce magnifique témoignage d'amour, Claire avait envie de pleurer. Matthieu lui caressa la joue.

— Tu es sa mère. Les liens du sang ne sont-ils pas les plus importants, sœurette?

— C'est vrai, avoua-t-elle. J'ai bien réfléchi, en t'attendant. Si je n'avais pas eu l'idée d'adopter Angéla, je ne serais pas aussi malheureuse aujourd'hui. C'était insensé, mon entêtement à jouer les mamans à tout prix. Jean a dû accepter la présence d'Arthur, de Janine et d'Angéla. J'ai eu tort, mon Dieu, comme j'ai eu tort!

Matthieu soupira.

— Je ne parviens pas à avaler cette histoire, Clairette!

Franchement, j'espère ne jamais revoir Jean de toute ma vie. Qu'il aille au diable! Il faut divorcer.

— Moi non plus, je ne comprends pas, même si Bertille me répète que les hommes de l'âge de Jean sont souvent infidèles. Crois-tu que tu tromperas Faustine un jour?

— Non, bien sûr! affirma Matthieu. En tout cas, si jamais je suis tenté, je lutterai de toutes mes forces. Je sais que je ne pouvais pas résister à Corentine quand elle me provoquait. Pourtant, déjà, à l'époque, je n'aimais que Faustine.

— Angéla est un fruit vert, comme on dit, concéda-t-elle. Elle a dû essayer ses armes sur Jean qui ne demandait que ça. Tant de détails me sont revenus. Il était toujours gai quand elle était à la maison, il la chatouillait, la complimentait sans cesse pour un rien. Et moi, pauvre sotte, je trouvais qu'il faisait un bon père!

— N'empêche, coupa le jeune homme, même si elle l'a cherché, c'était à lui de la remettre à sa place, quitte à lui flanquer une bonne claque.

Claire approuva d'un air profondément triste. Elle fixa son frère avec appréhension.

— Matthieu, si c'était toi qui avais accompagné Angéla au Canada, la même chose aurait pu se produire.

— Impossible! trancha-t-il. Je lui ne plaisais pas, à cette demoiselle. Et elle ne me plaît pas. Ne parlons plus de ça... Tu pleures?

— Ce n'est pas grave! J'ai l'impression que bientôt je pourrai en discuter sans trop souffrir, assura Claire. Va vite te coucher, je rentre au Moulin.

— Dors chez nous, sur le divan.

— Non, j'ai envie de marcher dans la nuit, de respirer les parfums de ma vallée.

— Pas de bêtises, hein, sœurette? Tu reviens demain matin avec Isabelle et Pierre. Promis?

Ils s'embrassèrent avec une profonde tendresse. Claire suivit le chemin des Falaises. Elle n'éprouvait aucune fatigue. L'air froid et le souffle de la rivière l'enivraient.

— Peut-être que tous mes chers fantômes me servent d'escorte! dit-elle à mi-voix.

Elle s'imagina entourée de silhouettes translucides et laiteuses.

— Il y aurait maman, l'austère Hortense, si fière de sa cuisinière en fonte noire, et Basile, fumant sa pipe, ma brave Roquette, qui secouerait sa crinière brune et trotterait à côté de Sirius, mon beau cheval blanc. Et aussi mon cher papa, maître Colin. Sauvageon gambaderait avec Loupiote et Tristan. Ma Raymonde ronchonnerait, jalouse d'Anita. Mon Dieu, je suis folle!

Mais les compagnons invisibles qu'elle se prêtait lui redonnaient envie de vivre, afin de perpétuer leur mémoire, de les évoquer à la veillée pour Isabelle, Pierre, Gabrielle, Arthur et d'autres encore.

— Même si j'ai passé les quarante ans, je redeviendrai la belle Claire Roy! J'ai perdu Jean, mais il me reste les enfants, Moïse, la chatte du père Maraud, l'âne Figaro et Junon, qui n'a pas pu galoper depuis trois semaines. Il me reste le parfum des giroflées au mois de mai, sur la pierre tiède des falaises, et toutes les plantes, les fleurs de ma campagne.

Comme elle approchait du portail, Claire ajouta:

— Et il me reste le Moulin, le Moulin du Loup, ma chère maison!

*

Dès le lendemain matin, Anita et Léon purent constater que Claire avait signé un nouveau pacte avec la vie, même s'il s'agissait d'une vie sans Jean. Elle se leva tôt et prit un petit-déjeuner avec eux et les enfants.

Isabelle n'arrêtait pas de chantonner qu'elle avait une petite sœur et Pierre, dans son langage encore malhabile, l'imitait.

— Ils vont la baptiser Gabrielle, dit Léon, ravi de revoir la patronne, comme il la surnommait souvent, attablée devant un bol de café.

Claire avait les traits tirés, les yeux cernés et elle avait beaucoup maigri, mais son regard sombre brillait de vivacité et d'énergie.

— Je vais emmener les petits voir le bébé, déclara-t-elle après avoir mangé deux tranches de pain beurré. Dès mon retour, j'aurai besoin de votre aide à tous les deux. J'ai décidé de quelques changements. Pour commencer, Léon, je voudrais que tu attelles Junon au cabriolet. Toi, Anita, si tu as le temps, tu pourrais transporter tes affaires dans mon ancienne chambre, celle que j'ai partagée avec Jean pendant des années. C'est dommage qu'elle ne serve plus.

D'un ton de confidence, elle ajouta:

— Si cela ne vous ennuie pas! Moi, je n'y mettrai plus les pieds. Il y a encore la machine à écrire de Jean. Il faudra la monter dans le grenier. Je garde la chambre d'Arthur, et lui, je compte l'installer à votre place.

Léon et sa femme approuvèrent sans bien comprendre l'utilité de tout ce chambardement. Claire reprit:

— Arthur et sa musique chasseront les mauvais souvenirs de cette pièce.

Elle baissa la tête et fit une boulette de mie de pain du bout des doigts.

«J'y ai vu ma mère vidée de son sang. Basile s'est éteint dans le même lit. Enfin, Raymonde gisait là-haut, après l'accident. Ma chère Raymonde. Elle me manque toujours.»

— Quant à Janine, conclut-elle, elle sera très bien dans la chambre des filles.

Claire se refusait à prononcer le nom d'Angéla. Léon se leva et enfonça sa casquette sur sa tignasse rousse.

— Je m'occupe de la jument, madame. On fera comme vous voulez, y a pas de souci. Du moment que je peux dormir, je coucherais à l'écurie s'il le fallait.

Anita était gênée à l'idée de prendre possession de la chambre où Jean et Claire avaient été un couple heureux.

— Quand même, madame, confessa-t-elle, je ne serai pas très à l'aise. C'est trop beau pour moi. Vous aviez refait les tapisseries et acheté de nouveaux rideaux l'an dernier! Et vos meubles?

— Je m'en moque, coupa Claire. Ce qui me plairait vraiment, ce serait un lit de camp ici, dans la cuisine. Moïse et la chatte me tiendraient compagnie.

Sur ces mots, elle quitta la table et emmena Isabelle et

Pierre à l'étage pour faire leur toilette. Le couloir lui parut bien triste avec ses boiseries grises et les plâtres peints en blanc. Elle décida de remédier à cela très vite.

« Avant Noël! » songea-t-elle.

Son cœur se serra, tandis que le désespoir revenait, foudroyant.

« Noël! Un Noël sans Jean! Je n'aurai pas la force, ça non! Cette année, je ne décorerai pas la maison, pas question. Il n'y aura pas de sapin. »

Elle fut tentée de renoncer à la promenade qu'elle avait prévue. Cela lui avait paru amusant de conduire les deux petits chez leurs parents en cabriolet et de monter ensuite au domaine de Ponriant pour ramener Arthur. Bertille aurait une belle surprise. Claire songea aux comprimés miraculeux, dans le tiroir de sa table de chevet. Elle se vit en avaler deux et se réfugier au fond de son lit.

« C'est si bon de ne pas penser, de ne pas se battre contre toutes les idées affreuses qui me trottent dans la tête! »

Mais Isabelle expliquait à son frère qu'ils allaient faire un tour en voiture à cheval.

« Du courage! se dit-elle. Jean ne réussira pas à me détruire. »

*

Une heure plus tard, après avoir de nouveau contemplé Gabrielle Roy, une petite poupée potelée et très sage, Claire prenait la direction de Ponriant. Elle s'était habillée d'une de ses anciennes robes de deuil, qui datait du début du siècle et était fort démodée. Ses cheveux, lavés et soigneusement démêlés, étaient relevés en chignon haut d'où descendait une natte luisante.

Cela ressemblait à un défi lancé au modernisme, à la mode parisienne qui, après avoir aboli le corset, continuait de raccourcir les jupes et les chevelures. Il en allait de même pour l'attelage. Si les fiacres fonctionnaient encore à Angoulême et dans bien des villes, les automobiles se multipliaient à une allure phénoménale.

Le nez à l'une des vitres du salon, Bertille écoutait Arthur jouer du piano. L'enfant exécutait à la perfection un nocturne de Chopin.

« Pourquoi cet adorable garçon, né des amours de mon oncle Colin et de la terrible Étiennette, possède-t-il un tel don? se demandait-elle. J'aurais tellement aimé pouvoir en dire autant de Clara, qui est de plus en plus capricieuse et ne s'intéresse qu'à son poney! »

Étiennette avait laissé de très mauvais souvenirs à toute la famille. D'abord servante au Moulin dès l'âge de treize ans, elle avait réussi à séduire le maître papetier, veuf depuis peu. Il l'avait épousée malgré les objections de Claire. Le couple avait quand même connu un certain bonheur, même si la jeune femme, sans beauté ni grande intelligence, trompait allégrement son vieux mari. Arthur était né pendant la guerre et il avait beaucoup souffert. Une fois veuve, acoquinée avec Gontran, une vraie brute, Étiennette battait le garçonnet, privé des soins essentiels.

« Et Arthur a trouvé son chemin de lumière, la musique! » pensait Bertille.

Soudain, elle vit un cabriolet remonter l'allée de gravillons blancs. Elle reconnut la jument à son trot élégant et à sa robe d'un brun doré, mais il lui fallut quelques minutes pour identifier celle qui menait Junon.

— Mais c'est Claire! s'étonna-t-elle. Arthur, viens voir! Mon Dieu, qu'elle est menue, tout en noir!

— Claire! Elle n'est plus malade! s'écria-t-il, ravi.

Il sortit en courant et dévala les larges marches de l'escalier d'honneur. Bertille le suivait de près, n'osant croire au miracle. Jamais en panne d'imagination, elle songea au pire. Claire venait d'assassiner Jean et Angéla, et Bertrand devrait la livrer à la police.

« Non, je délire! J'aurais été prévenue! » se rassura-t-elle.

Claire arrêta la jument au milieu de la vaste cour pavée. Elle souriait en agitant la main, les yeux rivés sur sa cousine. Celle-ci, soulagée, balaya l'hypothèse d'une tragédie. Arthur, lui, avait grimpé sur le siège et embrassait sa demi-sœur, qu'il chérissait autant qu'une mère.

— Je me pince! plaisanta Bertille en caressant Junon, mais ce n'est pas un rêve. Hier, Clairette, tu avais tout d'une belle au bois dormant, un peu renfrognée, et là, tu me rends visite, fraîche comme une rose.

— Le bébé de Faustine est né cette nuit, répliqua Claire. Une fille!

— Je sais, Matthieu nous a téléphoné ce matin. Que je suis heureuse! Tu restes déjeuner.

— Je veux bien. Et toi, Arthur, que fais-tu ici à cette heure? Et l'école? dit Claire d'un ton soupçonneux.

— Mais c'est jeudi! répliqua-t-il, étonné.

— Dans ce cas, excusez-moi. J'ai perdu l'habitude de regarder le calendrier, ces jours-ci.

Maurice accourait. Il ne cacha pas sa joie de s'occuper de Junon qu'il commença à dételer. Les écuries de Ponriant s'étaient vidées depuis le décès de Denis Giraud, le premier mari de Faustine. Le jeune homme souhaitait relancer l'élevage de purs-sangs, mais un étalon l'avait tué, alors que le jeune homme souffrait déjà d'une blessure qui lui avait été infligée avec un couteau. Il ne restait au domaine que le poney de Clara et une très vieille jument.

— Au moins, claironna le domestique, les chevaux n'ont pas besoin d'essence ni de manivelle pour démarrer. Ravi de vous revoir, madame Claire!

Au courant du drame qui frappait le Moulin du Loup, Mireille se démena pour servir un repas raffiné. Chaque fois qu'elle servait un plat, la vieille gouvernante lançait des coups d'œil pleins de compassion à Claire. Très heureux lui aussi, Bertrand orienta la conversation sur tous les sujets possibles et agréables. On discuta cinéma, littérature, théâtre. Enfin, les deux cousines se retrouvèrent seules au salon. Chacune avait une requête à présenter.

— Sais-tu, commença Claire, que Faustine a refusé d'aller accoucher à l'hôpital uniquement pour me tirer de mon lit? Je dois te l'avouer, princesse, j'ai usé et abusé de somnifères.

— Je m'en doutais! Anita prétendait le contraire! soupira Bertille.

— Elle l'ignorait. J'avais consulté le docteur de Vœuil et

je racontais qu'il me prescrivait des cachets pour la migraine. Mais cette nuit j'ai eu honte de me laisser aller ainsi. Je me suis vue dans un petit miroir et j'ai eu peur. Jean ne me détruira pas. Qu'il en aime une plus jeune, peu m'importe, je dois garder la tête haute, comme disait le vieux père Maraud.

— Dieu merci! déclara sa cousine d'un ton satisfait. Je n'en pouvais plus de te retrouver au lit, hagarde et déboussolée.

— Je compte transformer un peu la maison, ajouta Claire. L'ordre des chambres, les peintures du couloir. J'en ai besoin pour effacer une partie de mes souvenirs. Mais je serai incapable de fêter Noël au Moulin. Si tu voulais bien m'inviter?

— Mais avec plaisir! Et avec un bonheur infini! se réjouit Bertille.

— Matthieu et Faustine rêvent depuis longtemps de passer Noël chez eux. Comme ça, ils en auront l'occasion, affirma Claire. Léon parlait de réveillonner dans la famille d'Anita. Ils voulaient y renoncer, tu devines pourquoi, mais je leur dirai que ça m'arrange.

Aux anges, Bertille avait joint les mains et observait le salon comme si elle le parait déjà des plus belles décorations.

— Ce sera merveilleux! assura-t-elle. Moi, de mon côté, j'ai eu une idée, mais j'ai peur de te blesser, ma Clairette.

— Me blesser? Je suis écorchée vive; tu auras du mal à trouver un point sensible avec une simple idée!

— Rien n'est moins sûr. Voilà! J'aimerais garder Arthur. Non, ne fais pas ces yeux! Clara s'assagit en sa compagnie. Ils étudient leurs leçons le soir, ils s'amusent dans le parc avec le petit Félicien. Et le professeur de piano prévoit déjà des concours au Conservatoire et un récital l'année prochaine. Ici, Arthur dispose d'un excellent instrument et je lui fais donner trois leçons par semaine. En plus, tu vas mieux, il pourra te rendre visite tous les jours en sortant de l'école, et toi, tu le sais, tu es la bienvenue au domaine. Si tu désirais habiter avec nous, ce serait une grande joie.

Claire ne s'attendait pas à ça. Elle contempla le luxueux décor qui servait d'écrin à son éblouissante cousine.

— Peut-être! soupira-t-elle. Je voudrais y réfléchir. Sans Arthur, je me sentirais très seule. Thérèse ne vient presque plus au Moulin; César encore moins. Janine a trouvé une mère en Anita et elle me prête peu attention. Que faire de mes journées? Si encore…

Elle allait dire: «Si encore Jean était là, avec moi!» Bertille le devina et abattit sa dernière carte.

— Claire, Matthieu a besoin d'aide! Maurice s'est proposé, mais il n'entend rien à la typographie. Seconde ton frère, aide-le à sauver l'imprimerie. Tu es instruite et habile de tes mains. Remplace Jean, puisqu'il faut bien prononcer son nom, à ce gredin!

Le terme arracha un pauvre sourire à Claire.

— Et tes malades? renchérit Bertille. Tu les oublies? Tu aimais tant parcourir la campagne à cheval! Tu avais décidé de ne pas gaspiller tes dons de guérisseuse.

— C'est vrai! Mais je n'aurai plus une minute à moi si je travaille avec Matthieu en continuant à soigner les gens de la région.

— Cela t'évitera de te ronger le cœur! trancha sa cousine.

— Et Arthur, lui en as-tu parlé?

— En fait, Clairette, c'est un peu son idée! Hier soir, quand je suis montée l'embrasser dans son lit, il m'a dit qu'il se plaisait bien au domaine, que Clara était devenue sa sœur. Ne pleure pas, tu le verras tous les jours, s'il le faut.

— Je pleure parce que tout est détruit par la faute de Jean, hoqueta Claire entre deux sanglots. J'aurais dû mieux résister à la tempête. Je n'avais pas à me droguer, à dormir des semaines. Arthur m'en veut, j'en suis sûre.

Bertille abandonna son fauteuil et vint se mettre à genoux devant sa cousine. Elle l'enlaça et posa sa tête blonde contre son épaule.

— Personne ne t'en veut, Clairette! affirma-t-elle. Tu te souviens, quand tu me portais sur ton dos, que tu me promenais dans la brouette en osier à cause de mes jambes paralysées? Tu te dévouais corps et âme pour moi et pour tes parents. Pendant des années, tu nous as tous portés ainsi, sans jamais te plaindre ni songer à toi. Après la guerre, quand

Jean était d'une humeur de chien, tu l'as consolé et apaisé. Même si tu décidais de partir à l'autre bout du monde pour vivre enfin tranquille, personne ne t'en voudrait. Arthur t'adore et moi aussi, je t'adore.

La dame de Ponriant pleurait, et Claire continuait à sangloter. Mais c'était des larmes bienfaisantes qui emportaient l'épine cruelle fichée dans son cœur.

— Merci, princesse! Si tu savais combien je t'aime, moi aussi. Tu viens de me redonner tout le courage dont j'avais besoin.

Elles se séparèrent deux heures plus tard. Après avoir embrassé Claire tout son soûl, Arthur agita la main pour lui dire au revoir. Clara se tenait à ses côtés, l'air comblé. Elle était pour beaucoup dans la décision du jeune garçon. La fillette avait hérité du charme et de la volonté de fer de Bertille.

*

Le dimanche suivant, Thérèse arriva par surprise au Moulin du Loup. Elle avait emprunté la bicyclette de sa patronne. À cause du froid et des efforts fournis, la jeune fille avait les joues très rouges.

Janine se jeta dans ses bras. Léon et Anita, qui terminaient leur dessert poussèrent des cris de surprise. Coiffée d'une casquette, Claire repeignait la cage d'escalier en pantalon de toile.

— Tiens, Thété! dit-elle en posant son pinceau. C'est gentil de passer! Tu aurais dû nous prévenir. Je parie que tu as reçu la lettre de Faustine, qui t'annonçait la naissance du bébé.

— Oui, et j'irai tout à l'heure, répliqua Thérèse. Moi, je voudrais bien savoir ce que vous me cachez tous. Depuis hier après-midi, je ne tiens plus en place; je vous jure que j'ai pédalé comme une folle.

Claire échangea un regard angoissé avec Léon. Il se gratta la moustache et se leva.

— Voyons, ma Thérèse, qu'est-ce que tu as? On ne te cache rien, bon sang! C'est que tu es une demoiselle de la ville, maintenant. Ça me fait tout drôle de te voir ici.

— Ah! Vous ne me cachez rien? Pourquoi Jean est-il entré hier dans le salon de coiffure avec une mine de chien battu? Devant tout le monde, la patronne, les clientes, il m'a donné ce paquet.

La jeune fille brandit une grosse enveloppe qui était dans son sac. Elle ajouta, d'une voix tendue:

— Et il a dit: «Je t'en prie, porte ça au Moulin, pour Claire! Moi, je ne peux plus y mettre les pieds. Ne me juge pas, Thété!» Je suis devenue toute rouge et, dès qu'il est sorti, j'ai eu droit à un interrogatoire. Ma patronne, ma collègue et certaines clientes voulaient savoir ce qui se passait. Je ne savais pas quoi répondre et j'avais bien honte. Pourquoi il a dit ça? Vous êtes fâchés?

— Léon, explique-lui, ce n'est plus la peine de la préserver, notre grande. Elle est en âge de comprendre.

Sur ces mots, Claire prit l'enveloppe et monta dans sa chambre. Assise au bord du lit, elle décacheta ce courrier inattendu. Il y avait à l'intérieur six petites cartes postales, couvertes au dos de l'écriture dense et fine de Jean.

«Si je les lis, je vais encore souffrir! Je reprends goût à la vie toute simple. Ce n'est pas le moment de raviver ma peine.»

Le poêle ronflait. Claire hésita. Un seul geste suffisait, ouvrir la porte pourvue d'une lucarne en mica, jeter enveloppe et cartes dans les flammes. Elle secoua la tête et dissimula le tout dans l'armoire, entre des piles de serviettes de toilette.

— Un jour, peut-être, je les lirai. Quand je n'aurai plus une bribe d'amour pour Jean. Plus rien! Quand je pourrai entendre son prénom sans frémir, que je ne le verrai plus en rêve, la nuit.

On frappa à sa porte. C'était Thérèse, en larmes. Claire la prit dans ses bras et lui caressa les cheveux.

— Ce n'est pas juste, balbutia la jeune fille. Je déteste Angéla, et Jean aussi, je le méprise. Ils n'avaient pas le droit de te faire ça! Et moi qui lui parlais gentiment, à cette vicieuse, quand je l'ai rencontrée sur le rempart, en face de la cathédrale. Tu es d'accord, Claire, elle a le vice dans la peau, comme dit Anita. Tu te souviens, elle menait César par le bout du nez en fricotant avec le châtelain. Si je la revois, celle-là, je lui arrache les yeux!

«Raymonde aurait réagi de la même façon, pensait Claire, émue. Comme ma Thété ressemble à sa mère!»

— Je vais mieux! assura-t-elle. Ne sois pas triste, Thérèse, ça n'en vaut pas la peine. J'ai une bonne nouvelle: Mimi a déniché un matou et attend des petits. Faustine en prendra un. Va vite voir Gabrielle, c'est une merveille. Je lui tricote un bonnet. Il fait très froid et elle aura bien chaud avec ça!

— Mais tu dois être si malheureuse! Moi, à ta place, je me remarierais le plus vite possible. Jean serait bien attrapé. Si tu l'avais vu, Claire, il n'est pas fier de lui.

— Je n'ai pas envie d'en parler! coupa-t-elle. J'ai de la peinture à terminer. Avoue que ce jaune est plus gai que le gris d'avant.

— Je n'ai pas fait attention.

Elles descendirent, et Thérèse s'extasia sur la couleur choisie. Léon proposa d'accompagner sa fille chez Faustine et Matthieu.

— Je leur porterai les deux pots de rillettes de canard, madame, ajouta-t-il. Elles sont succulentes, vos rillettes. Même ma Nini n'en ferait pas de meilleures.

Claire eut un sourire flatté. Malgré la bonne chaleur de la maison, malgré la gentillesse de ceux qui l'entouraient, elle se sentait glacée.

— Vivement le mois de mai, le printemps! se dit-elle en reprenant son pinceau.

*

Angoulême, 24 décembre 1925

Blanche et Victor Nadaud avaient assisté à la vigile de Noël, cette messe moins tardive que celle célébrée à minuit. Ils avaient préféré l'église Saint-André, située près du palais de justice, à la cathédrale trop fréquentée. Ils venaient de rentrer et, affamés, discutaient gaiement.

Jean, lui, était allé au *Café de la Paix*, où il avait rencontré un journaliste de ses connaissances. Mais sa sœur lui ayant demandé d'être à l'heure pour le repas, il fumait un cigare dans le salon. Quant à Angéla, elle travaillait encore à un tableau dans l'atelier du préhistorien. Ce local vitré, qui était en fait une ancienne serre, se trouvait au fond de la belle cour pavée dépendante de la maison. Victor y nettoyait ses trouvailles ou y réparait des poteries. Séduit et surpris par le talent de la jeune fille, il lui avait suggéré de l'utiliser. Équipé de l'électricité, l'atelier était devenu le refuge d'Angéla.

— Il est temps de passer à table, déclara Blanche, ses formes généreuses moulées dans une robe de velours bleu nuit. Jean, éteins ce cigare, l'odeur en est écœurante. J'espère que ce soir tu ne t'enfuiras pas après le dessert. Ne me dis pas que tu joues au billard le soir de Noël.

C'était la seule excuse qu'il avait trouvée pour se rendre à Puymoyen et contempler son paradis perdu.

— Je n'en sais rien! maugréa-t-il. Si je m'écoutais, j'irais frapper à la porte de Faustine. Je suis sans aucun doute un salaud, mais j'ai le droit de voir ma petite-fille. Si je ne lisais pas le journal, je n'aurais pas su qu'elle est née et qu'elle s'appelle Gabrielle.

— Ah ça, mon vieux, il fallait penser avant aux conséquences de vos actes! pesta Victor. Ne nous gâchez pas le réveillon avec des récriminations qui n'ont pas lieu d'être.

La bonne engagée récemment apportait du champagne. Le silence se fit. Blanche avait été formelle: rien de l'affaire ne devait filtrer. Dès qu'ils furent seuls de nouveau, Jean reprit comme pour lui-même:

— De toute façon, la famille a dû se rassembler au Moulin. Et je briserais l'ambiance en me présentant sur le perron.

— Je ne vous le fais pas dire! persifla encore le préhistorien. Bon, puisque notre jeune artiste tarde à nous rejoindre, je me charge de la ramener.

Blanche tiqua. D'une voix dure, elle répliqua:

— Et dis-lui de monter se changer. Elle ne va pas dîner dans son affreuse blouse grise!

Son mari haussa les épaules et sortit de la pièce. Jean se leva et se planta devant sa sœur.

— Sois moins hargneuse avec Angéla. Elle n'est pas vraiment responsable de tout ce gâchis.

— Ah oui! répondit sa sœur tout bas. Comment expliques-tu que Victor me casse les oreilles avec la beauté de ses toiles et de ses aquarelles, qu'il l'encourage à entrer aux Beaux-Arts de Paris? Il veut même la recommander à un de ses amis, professeur là-bas. Elle l'a embobiné, lui aussi. Cette fille est le diable en personne. Cela ne m'étonne plus que tu sois tombé dans ses filets!

— N'exagère pas! soupira Jean en se servant une coupe de champagne.

Blanche ne supportait pas la jeune fille et il commençait à regretter leur accord. Il était convenu qu'après la naissance de l'enfant les Nadaud s'installeraient à l'année dans leur manoir de Pranzac. Jean pourrait exploiter les terres dont une partie était des vignobles à l'abandon. Sa sœur avait déjà trouvé une nourrice et acheté un berceau, de même que de la layette de qualité.

— Mon Dieu, comme il me tarde de choyer ce bébé! gémit-elle sous le regard narquois de son frère jumeau. J'ai agi au mieux, Jean, avoue-le. Tu verras grandir ton fils ou ta fille.

Le retour de Victor la fit taire. Il tenait Angéla par le bras. Elle pleurait en silence.

— Qu'est-ce qui se passe? s'écria Jean.

— Je suis le seul coupable! voulut plaisanter le préhistorien. J'ai fait trop de compliments à cette demoiselle et, quand je l'ai comparée à Rosa Bonheur[6], elle a fondu en larmes. J'ignorais que c'était son idole. Je t'assure, Blanche. Si tu voyais ce tableau qu'elle vient de peindre! Un petit trésor, une merveille! Une amazone montée sur un cheval blanc, sur un fond de forêt ensoleillée. C'est à la fois réaliste et poétique…

— Victor, assez d'emphase! fulmina Blanche, irritée. Tu es ridicule de t'enflammer pour quelques couleurs sur une toile! Et vous, Angéla, ôtez ce torchon qui vous sert de blouse! Nous sommes la veille de Noël, dans un foyer respectueux des traditions et des convenances. Allez vite mettre une

---

6. Marie-Rosalie Bonheur, dite Rosa Bonheur, peintre française (1822-1899) qui connut une gloire internationale avec ses peintures animalières.

tenue correcte. Déjà, à cause de votre présence, je n'ai pas pu inviter les cousins de mon mari, alors faites un effort!

La jeune fille parut se réveiller en plein rêve. Elle reprit conscience de la réalité, en l'occurrence le visage hautain de Blanche, la table dressée, l'argenterie, les fleurs en soie argentée, les bougies assorties, tout ce luxe qu'on lui prêtait seulement le temps de sa grossesse. Elle fixa Jean, confus et blême, qui n'osait même pas la défendre. Le bébé eut un brusque sursaut dans son ventre.

— Je n'ai pas faim du tout, dit-elle d'une voix frêle. Vous serez mieux sans moi, de toute façon. Au fait, madame, Noël, c'est aussi la naissance de Jésus-Christ. Il prêchait le pardon et l'amour de son prochain. Bon appétit!

Sur ces mots, Angéla disparut dans le couloir. Ils l'entendirent monter à l'étage.

— Là, ma chère épouse, elle t'a mouchée! ricana Victor. Que celui qui n'a jamais péché lui jette la première pierre! Mon Dieu, mais qui a dit ça, déjà?

Suffoquée, Blanche éclata en sanglots. Elle s'affala dans un fauteuil en prenant Jean à témoin.

— Je ne tiendrai pas jusqu'au mois de mars, bredouilla-t-elle. Tu as entendu? Mon propre mari en qui j'avais toute confiance se range du côté de cette fille!

— Tu n'avais qu'à te montrer moins dure avec elle, aussi! protesta Jean. Depuis qu'elle habite ici, tu lui parles du repas de Noël. Tu as commandé des huîtres de Marennes parce qu'elle n'en a jamais goûté et le soir venu tu la traites de haut.

— Il n'y a pas de quoi en faire tout un plat! décréta Victor. Blanche, je défendais l'artiste et non la femme. Tu ne peux pas nier que ma passion pour l'art t'avait séduite, jadis. Désolé, mais devant quelqu'un d'aussi doué, j'oublie le reste. Je suis même content à l'idée d'élever son enfant. J'espère qu'il héritera de sa mère.

— Ce ne sera jamais sa mère! hurla Blanche.

Jean remit son veston et son chapeau. Deux minutes plus tard, il était au volant de sa voiture et prenait la route de Puymoyen.

*

Domaine de Ponriant, même soir

Claire ne se lassait pas de contempler le grand salon de Ponriant dont la magnificence presque féerique comblait tous ses désirs de beauté et d'harmonie. Le sapin de Noël la fascinait, gigantesque, d'une majesté éblouissante sous sa parure de neige artificielle et ses guirlandes savamment disposées. De minuscules lampes électriques, pareilles à un semis d'étoiles, illuminaient les branches sombres, comme veloutées. Chaque fenêtre s'ornait d'une végétation fantasque en papier doré et des dizaines de bougies ivoirines resplendissaient.

— Bertille, c'est féerique! dit-elle à sa cousine en lui prenant la main. Je me crois dans une gravure de livre.

Trois grosses bûches de chêne brûlaient dans la haute cheminée en marbre blanc. Les flammes orangées jetaient des reflets dansants sur les cheveux bouclés de Clara, assise sur le superbe tapis d'Orient chamarré de rouge et d'or. La fillette, en robe blanche, jouait aux dominos avec le petit Félicien, vêtu d'un costume en velours vert. Le garçonnet de cinq ans riait aux éclats. Arthur étudiait la partition du morceau de musique qu'il allait interpréter avant le repas. Claire le trouvait très beau, avec ses mèches soyeuses, d'un châtain presque blond. Il portait un nœud papillon et une chemise en soie beige.

— C'est notre petit prince du piano, chuchota Bertille qui avait suivi le regard de Claire.

Radieuse, Mireille vérifiait la disposition des couverts. Exceptionnellement, la table était mise dans le salon. La gouvernante faisait partie de la famille. Ce soir-là, elle dînerait en leur compagnie. Cela la bouleversait et elle jetait des regards méfiants à la jeune bonne chargée de la remplacer pour le service.

— Tu t'es donné beaucoup de mal! dit Claire.

— En votre honneur, mon amie! affirma Bertrand. Ce Noël 1925 sera inoubliable, parce que vous nous accordez votre précieuse présence.

— C'est trop gentil! avoua-t-elle.

— Et toi, tu es trop belle! répliqua Bertille. N'est-ce pas, Bertrand?

— Une véritable apparition! se récria l'avocat. Quand je pense que vous êtes venue en cabriolet, sans même une lanterne.

— Heureusement que vous avez pris une photographie, monsieur! se permit de dire Mireille. J'ai été saisie au cœur en voyant madame Claire arriver dans la cour. Avec sa toque, son manteau de fourrure et ses bijoux qui brillaient... Ensuite, elle descend du siège et je vois sa robe longue, si jolie. Et la jument qui tapait du pied!

— Arrêtez, Mireille, vous me gênez, coupa Claire. Moi qui avais l'impression de m'être déguisée! La nuit est glaciale, mais grâce à la pleine lune je n'avais pas besoin de lanterne. Le givre scintillait, c'était une promenade magique. Cela dit, je ne suis pas mécontente de dormir au domaine, le froid est épouvantable. J'aurais préféré de la neige.

Bertille se leva et rapporta des coupes de champagne. Elle virevolta, presque malade de joie.

« Claire est si belle, on la dirait lavée de tout chagrin, neuve, pure, apaisée. Et cette robe, je l'avais oubliée. Elle la portait jeune fille. Des métrages de mousseline rose. Bien sûr, elle a tellement maigri qu'elle peut enfiler ses toilettes d'adolescente. Le collier de perles et les boucles d'oreilles, je crois bien que c'était un cadeau de Frédéric. Par respect pour Jean, elle ne les mettait jamais. »

— Trinquons à ce doux réveillon! dit Bertrand.

Claire leva son verre et but avec délices. Elle eut une pensée mélancolique pour le Moulin du Loup, dont c'était le premier Noël sans âme qui vive.

« Enfin, si, j'ai laissé seul mon pauvre Moïse, qui me faisait des yeux pitoyables, couché sous la table. Et Mimi boudait elle aussi, perchée sur le buffet. »

Elle se revit assistant au départ de Léon et de sa petite famille, en fin d'après-midi. Son domestique et ami avait tenu à traire les chèvres et à donner le foin aux lapins et à l'âne Figaro. Anita, en sabots et robe du dimanche, s'était chargée de nourrir la basse-cour. Une fois seule, Claire avait pris le temps de se doucher à l'eau bien chaude et d'élaborer une coiffure digne d'une reine antique. Elle avait fouillé les malles remisées au grenier pour en sortir la robe en mousseline, très longue et très décolletée, ainsi que l'écrin en cuir où reposait la parure de perles. Bertille ne se trompait pas: c'était un des derniers cadeaux de Frédéric Giraud. Son premier mari lui avait offert ce collier et ces boucles d'oreilles, car ils commençaient à nouer des liens d'affection.

Avant de partir pour Ponriant, chaque geste lui paraissait singulier. Garnir la cuisinière de bois, éteindre les lampes, fermer les volets. La vieille maison, accoutumée à tant de Noëls éblouissants, bruyants et parfumés, semblait lui reprocher son abandon.

« Où est le sapin, où sont les branches de houx, les boules de gui, les rubans rouges? Et les enfants? » avait cru entendre Claire en tournant la clef dans la serrure.

Atteler Junon et mener le cabriolet sur le chemin des Falaises l'avaient sauvée d'une nostalgie dangereuse. Les mains gantées de mitaines fourrées, Claire avait contemplé les falaises blanchies par la lune. Elle s'était arrêtée quelques instants chez Faustine et Matthieu. Ils l'avaient trouvée ravissante. Leur sapin penchait un peu. Isabelle avait un corsage maculé de confiture; le petit Pierre venait de casser un des santons de la crèche. Gabrielle pleurait, affamée, mais le jeune couple rayonnait d'un bonheur éclatant. Leurs enfants endormis, ils dîneraient en tête-à-tête. Si Faustine n'oubliait pas les canetons farcis dans le four…

— Tu rêves! souffla Bertille à l'oreille de sa cousine. Le dîner est prêt. À table, ma Clairette!

— Mais non, tantine! cria Arthur. Je n'ai pas joué mon morceau! C'est une surprise.

Vite, il se rua vers le piano et prit place sur le tabouret. Les doigts en suspens, il attendit un peu, comme s'il guettait un signal connu de lui seul. Enfin, les notes s'élevèrent, légères, graves ou cristallines. Claire ferma les yeux, envoûtée par la musique, prête à pleurer.

— C'était l'*Ave Maria* de Schubert! déclara Arthur en saluant.

Tout le monde l'applaudit. Mireille versait sa larme. La vieille gouvernante ne se lassait pas d'écouter jouer le jeune virtuose de onze ans.

— Maintenant, tous à table! insista Bertille. Je suis affamée.

*

Pendant ce temps, Jean grelottait, transi. Il était descendu jusqu'à la Grotte aux fées et se tenait debout sur un replat rocheux. La vallée paraissait figée par le gel, tout argentée par le double effet du givre et de la pleine lune. C'était un paysage d'une beauté céleste, mais d'une froideur désespérante.

«Il n'y a personne au Moulin, s'effara-t-il. Un soir de Noël! Je ne vois pas une lumière, pas une chandelle posée sur le rebord des fenêtres.»

Pour lui, c'était inconcevable, ahurissant. Il se sentait comme un homme parti des années de chez lui et qui, à son retour, trouve une maison fermée, obscure, déserte.

«Mais où sont-ils tous? Léon, Anita, les petits? Arthur, Janine? Et Faustine, ma fille!»

S'il avait raisonné un instant, Jean aurait conclu à un repas de fête organisé au domaine de Ponriant, assez vaste pour accueillir toute la famille. Mais, frappé de stupeur, d'une terreur mystique, il dévala la pente et s'aventura dans la cour du Moulin. Les chèvres se mirent à bêler dans la bergerie, Moïse poussa un hurlement grondeur.

— Les bêtes sont toujours là, dit-il à mi-voix. La cheminée fume, celle de la cuisine, mais pas celle des chambres.

Il ne pouvait pas imaginer que Claire devait dormir chez Bertille, ni que Léon avait emprunté la Panhard de Matthieu pour aller dîner chez les parents d'Anita, épiciers dans le faubourg Saint-Martin, sous les remparts d'Angoulême.

La rage s'empara de lui. Il entra dans l'écurie et actionna l'interrupteur. L'âne cligna des yeux en tendant sa lourde tête vers lui.

— La jument n'est pas là, ni le cabriolet! Claire est folle, si elle est sortie par un froid pareil.

Jean réchauffa ses mains dans le poil épais de Figaro. Il retrouvait sa lucidité et finit par admettre que sa femme ne fêtait pas Noël au Moulin.

« Edmée de Martignac les aura tous invités, supposa-t-il. Ou Bertille. Évidemment, c'est Bertille. »

Jamais il n'avait éprouvé un tel sentiment de solitude. Le cœur serré, affamé, glacé, il eut soin d'éteindre la lampe de l'écurie et de mettre le loquet. Avant de reprendre le sentier qui grimpait jusqu'à la Grotte aux fées, il déposa sur le perron un petit paquet enrubanné de rouge. Avec son stylo, il écrivit « pour Claire » sur le papier bleu pastel. Puis il s'en alla, plus malheureux encore.

*

Le lendemain, Claire rentra du domaine en fin de matinée. Léon et Anita étaient déjà arrivés depuis une bonne heure. Le couple s'était empressé de ranimer les feux et d'ouvrir les volets. Il faisait un soleil éblouissant, qui rendait féerique le paysage pétrifié par le gel.

Moïse furetait sur le chemin des Falaises. Il s'élança vers le cabriolet en évitant soigneusement d'approcher la jument, excitée par le froid et qui trottait à vive allure. Claire avait très bien dormi à Ponriant. Pour le retour, même si le trajet était court, elle avait pris la précaution d'emporter la veille une tenue plus chaude et plus pratique. Léon accourut pour dételer Junon.

— Rentrez vite au chaud, madame Claire. Je vais donner du foin aux bêtes et de l'eau tiède.

— Cette soirée chez tes beaux-parents, ça s'est bien passé? demanda-t-elle

— Oui, et j'étais content d'avoir mes trois enfants. César et sa future, Thérèse et Janine. Mais cela ne valait pas un Noël ici, chez vous.

— Chez nous, Léon! le reprit-elle. Je t'ai dit assez souvent que tu faisais partie de la famille.

Ils se regardèrent en silence, soudain étonnés de se connaître si bien et depuis si longtemps. Émue, Claire revoyait le grand jeune homme dégingandé, à la tignasse ébouriffée, qui s'était présenté comme un ami de Jean dans cette même cour, vingt-cinq ans plus tôt.

— Tu ne te plains pas, ajouta-t-elle doucement, mais tu dois être triste, toi aussi. Tu idolâtrais Jean. Ton sauveur, ton camarade!

— Mon seul ami sur cette terre, oui! avoua-t-il. Sûr, je suis bien malheureux, mais quelque chose me dit qu'il l'est encore plus que moi. Celui qui commet une vilaine action, il en devient malade de honte. Je sais ce que c'est! Je ne faisais pas le fier, quand Greta m'a rejoint en France, après la guerre. Avec un petiot en plus.

Claire lui tapota l'épaule.

— Tu avais des excuses, au moins! conclut-elle.

Il approuva, mal à l'aise, avant de marmonner:

— Je vous préviens… Ce matin, Anita et moi, on a trouvé un paquet sur le perron. Avec votre nom dessus! Ma femme l'a mis sur le buffet.

Sans répondre, Claire se dirigea vers la maison. Elle embrassa Anita et se chauffa les mains au-dessus de la cuisinière en fonte. Le paquet bleu enrubanné de rouge la narguait.

«Je suis persuadée que c'est un cadeau de Jean! songea-t-elle. Cela signifie qu'il a osé rôder autour du Moulin, qu'il aurait peut-être frappé si nous avions tous été réunis. Je ne sais pas ce qui me retient de jeter tout de suite ce paquet dans le feu! Quelle audace! Comment peut-il penser une seconde que je vais l'ouvrir?»

Faustine et Matthieu l'avaient invitée pour le déjeuner. Claire monta se changer et s'en alla aussitôt.

«Ce soir, je le brûlerai, son paquet, ce soir, oui!»

Mais le soir, dans sa chambre, elle le regarda longuement et le rangea dans l'armoire, près de la grosse enveloppe en papier beige.

«Que veut-il, à la fin? s'interrogea-t-elle jusque tard dans la nuit. Il vit chez sa sœur avec Angéla. Si aucun de nous deux n'a encore exigé le divorce, cela ne tardera pas. Quand même, Jean a fait le trajet le soir de Noël, par ce froid glacial. Il a trouvé la maison déserte. Sans doute avait-il préparé un prétexte, voir Gabrielle, par exemple. Mais Faustine refuse de lui téléphoner. Elle prétend que ses enfants n'ont plus de grand-père. Pourtant, je sens bien que cela la fait souffrir. »

Claire s'endormit le cœur plein d'amertume. Elle appréhendait tout à coup le retour du printemps, qui verrait naître l'enfant de l'adultère et de la trahison.

6
Chassés-croisés

Institution Marianne, 10 janvier 1926

Simone Moreau venait de fermer tous les volets de l'institution Marianne, installée dans un ancien logis à l'architecture classique. C'était Faustine qui avait eu l'idée d'y créer un pensionnat pour orphelines, quelques années auparavant. Tout en enseignant, la jeune femme avait dirigé l'établissement, mais, devenue l'épouse de Matthieu et mère de famille, elle avait abandonné son poste. Le principal bienfaiteur de l'établissement était Bertrand Giraud, l'homme le plus riche et le plus influent de la région.

— Quel sale temps! pesta la cuisinière, qui était en fonction depuis l'ouverture de l'école. Un vent à vous coucher par terre, et des trombes d'eau.

La vieille femme vérifiait le verrou de la porte quand elle crut entendre un moteur de voiture. Il était dix heures du soir et cela l'étonna.

— Qui est-ce? Si tard?

Elle ouvrit un des battants et vit un taxi qui se garait le plus près possible du logis. Les phares l'éblouirent un peu, mais Simone discerna une silhouette féminine. Le chauffeur descendit et sortit de la malle arrière deux valises et de grands paquets emballés.

— En voilà, une histoire! se dit-elle tout bas. On ne m'a pas annoncé de visite, pourtant!

La visiteuse, encombrée de tous ses bagages, se précipita vers elle. Le visage dissimulé sous une capuche déjà ruisselante de pluie, elle trébucha et se rua dans le hall, si bien que la cuisinière dut reculer pour la laisser passer.

— Simone? Tu ne me reconnais pas? fit une voix tremblante. Mais c'est moi, Angéla!

— Angéla! Si tu ôtais ton capuchon, peut-être que je verrais ton visage!

La jeune fille posa son chargement à ses pieds et enleva son imperméable. Simone constata que c'était bien Angéla, enceinte de surcroît, et elle porta une main à son cœur. Toutes deux se connaissaient depuis longtemps, plus de sept ans. Ancienne pensionnaire et brillante élève, l'orpheline avait de plus été adoptée par la famille du Moulin du Loup.

— Que se passe-t-il donc? Je te croyais au Canada. Serais-tu mariée?

Simone calcula rapidement la date du départ d'Angéla et espéra de tout son cœur entendre un oui sérieux qui mettrait fin à une situation très embarrassante.

— Je t'en supplie, répondit-elle, ne me pose pas de questions! Je suis venue ici parce que je ne sais pas où me cacher! Aie pitié de moi, Simone! Personne ne me verra, il est tard. J'ai pensé m'installer dans la petite pièce cloisonnée du grenier.

Angéla paraissait extrêmement agitée. Elle chuchotait en jetant des regards anxieux autour d'elle.

— Calme-toi donc! gronda Simone. Si tu m'expliquais d'abord ce qui t'arrive. Mademoiselle Irène est couchée et la directrice a pris un congé de deux jours pour un deuil dans sa famille. Viens boire quelque chose de chaud.

— Non, non! répliqua la jeune fille d'un air effarouché. Je dois me cacher, maintenant! Et si on t'interroge tout à l'heure ou demain, ne dis pas que je suis là. Fais comme si tu ne m'avais pas vue. On veut me voler mon bébé, Simone!

La vieille femme retint un cri de consternation. Grâce à Angéla, elle avait rencontré Faustine au chevet de sa petite-fille Christine, morte de la tuberculose après avoir subi de mauvais traitements de la part d'une religieuse. Depuis la fin de la guerre, elle élevait le petit Thomas, le fils handicapé mental de Léon. Dès qu'il s'agissait d'enfants, Simone n'écoutait plus que son cœur.

— Je n'y comprends rien, nota-t-elle avec une mine de

conspiratrice, mais je veux bien te cacher ce soir dans le grenier, à condition que tu me racontes ce qui t'arrive. Enlève tes chaussures et monte. Je t'apporte tes affaires. Quand tu seras à ton aise, je te donnerai à manger.

— Je n'ai pas faim, Simone, sanglota Angéla. Je voudrais juste m'allonger. Il y a toujours un matelas là-haut?

— Oui, mais sûrement poussiéreux. J'ai des draps.

La jeune fille s'empressa de disparaître en direction des combles sans faire le moindre bruit. Elle connaissait par cœur l'institution et surtout le grenier où elle étendait du linge pendant l'hiver. Une lampe rivée sur une poutre l'éclairait quand c'était nécessaire. Angéla avait monté ses toiles empaquetées et les disposa contre la cloison de la pièce exiguë qui devait être jadis une chambre de bonne.

— Je serai bien, ici! remarqua-t-elle, épuisée.

Simone la rejoignit, essoufflée d'avoir porté les deux valises. Elle lança un coup d'œil affligé sur le vieux matelas, la chaise au dossier cassé et les caisses entassées dans un angle.

— Tu auras bien trop froid, ma pauvre petite! Nous sommes en janvier! J'aurai honte de moi si tu attrapes du mal, dans ton état en plus. Tu vas te mettre au lit dans ma chambre. Il y fait bon et Thomas dort comme une bûche.

— Non, Simone, je t'en supplie, je veux rester là, dans le grenier. Si tu as une couverture à me prêter, je serai à mon aise.

Angéla n'attendit pas la réponse et s'allongea sur le matelas. Elle était si pâle que la vieille femme prit peur.

— Bon, bon, je reviens vite avec de quoi te couvrir et une bouillotte aussi. Qui veut voler ton bébé? On dirait que tu as le diable à tes trousses!

— C'est peut-être le cas, bredouilla la jeune fille en claquant des dents. Mais j'ai moins peur, déjà. Je ne t'embarrasserai pas longtemps, Simone. Je n'avais aucun autre endroit où me réfugier.

— Ah! Et au Moulin, chez tes parents adoptifs? Chez notre chère Faustine qui t'aime tant? Je vois, tu as fait une bêtise et tu n'oses plus te présenter à eux tous!

— Oui, c'est ça, Simone. Demain ou après-demain, je m'en irai.

La cuisinière s'affola dès qu'elle fut au premier étage. Elle alla dans la lingerie pour prendre un édredon et une épaisse couverture en laine qu'elle remonta aussitôt. Angéla dormait déjà.

« Quel dommage! songea Simone. Une jeune fille sérieuse comme elle, qui était institutrice et tellement douée. Je parie qu'un beau parleur l'a déshonorée et qu'elle ne sait plus quoi faire. »

Une fois au rez-de-chaussée, elle tourna en rond, trop préoccupée pour se coucher. Dans le couloir, son regard se posa sur l'appareil téléphonique en bakélite noire qu'elle utilisait très rarement. Cela lui donna une idée.

«Je ne peux pas prévenir madame Claire ou madame Faustine, la petite m'en voudrait! »

Simone savait que Bertille Giraud aimait veiller et se couchait donc plus tard que bien des gens. Impressionnée par son audace, très intimidée, elle composa le numéro du domaine. La dame de Ponriant répondit aussitôt de sa voix flûtée. Elle s'avoua très surprise.

— Mais qu'est-ce qui se passe, ma brave Simone? Un ennui avec une des pensionnaires? Je ne vais pas réveiller mon mari; il souffre d'une légère indigestion.

La vieille femme lui confia dans un murmure la raison de son appel.

— Angéla, dis-tu? Seule? Quoi, on veut lui voler son bébé? Mais il n'est pas né, je crois. Oui, j'étais au courant. Bien, ne la réveille surtout pas. Je viens immédiatement.

Ce n'était pas vraiment par bonté d'âme que Bertille se dérangeait. Elle cédait à une curiosité toute naturelle et, surtout, elle voulait protéger Claire. Il lui paraissait préférable de savoir de quoi il retournait pour éviter tout désagrément à sa cousine. Elle chaussa des bottines et mit un manteau de fourrure, des gants et un bonnet.

Le plus problématique aurait été de démarrer seule une des deux automobiles. Voyant de la lumière derrière les volets du logement de fonction de Maurice, elle frappa. Le domestique ouvrit aussitôt.

— Madame, qu'est-ce qui se passe?

— Il faudrait que tu me conduises tout de suite à l'institution.

— Rien de grave?

— Je le saurai à mon retour. Dépêche-toi, Maurice! Nous n'en aurons pas pour très longtemps. Tu m'attendras, bien sûr. Je ne vais pas remonter à pied.

En pestant intérieurement contre les caprices de sa patronne, le jeune homme s'empressa d'obéir. Le trajet était assez court, à peine deux kilomètres. Simone guettait l'arrivée de Bertille en se répétant qu'elle avait agi au mieux.

« Il fallait trouver une solution rapide. Nous ne pouvons pas garder ici une jeune fille enceinte! Quel exemple pour nos protégées! Monsieur Giraud m'aurait sonné les cloches, si je lui avais joué un tour pareil », se rassurait-elle.

Bertille entra dans le hall avec une prudente discrétion. Simone l'accompagna jusqu'au grenier et redescendit. Elle se sentait gênée d'avoir trahi la confiance d'Angéla, mais cela la soulageait de ne plus en être responsable.

« Qu'est-ce qui l'a poussée à fuir Angoulême, si tard le soir? » s'interrogea la dame de Ponriant devant le tableau pathétique que représentait la jeune fille endormie. Elle considéra les valises et les grands paquets dressés contre la cloison. Malgré son aversion pour la rivale de Claire, elle éprouva une sorte de pitié instinctive.

— Angie! Oh! Angie! appela-t-elle le plus bas possible.

Angéla se réveilla presque aussitôt. En reconnaissant Bertille, elle poussa une plainte de déception.

— Simone vous a téléphoné! dit-elle, une fois assise sur le matelas. Personne ne m'aidera donc? Je demandais juste l'hospitalité pour une nuit ou deux.

— Et qu'as-tu fait de Jean? Maintenant que ma cousine est brisée par le chagrin, tu as rompu? Il ne te convient plus, comme César avant lui, et Louis? Ma chère, les femmes de ton espèce, on les appelle des croqueuses d'hommes, mais en principe elles savent éviter les grossesses. Ce n'est pas ton cas.

Bertille se tut, prête à attaquer de nouveau selon la réponse d'Angéla. Mais la jeune fille se contenta de baisser la tête, tandis que des larmes inondaient ses joues.

— Je me doute que vous avez une mauvaise opinion de moi, madame, et je le mérite. Seulement, depuis notre départ du Moulin, c'est fini entre Jean et moi. Il m'adresse à peine la parole. Ils ont fait un marché, sa sœur Blanche et lui. Je devais accepter, sinon j'étais à la rue ou expédiée dans une maison maternelle près de Paris.

— Qu'est-ce que tu racontes? chuchota Bertille. Parle moins fort, tout le monde dort, ici. Quel marché?

— Je pouvais habiter chez les Nadaud jusqu'à la naissance de mon bébé. Ensuite je disparaissais, grassement payée. Blanche comptait élever l'enfant dans son château de Pranzac avec son mari et Jean.

— Un château! persifla Bertille. Un modeste petit manoir très laid! Passons! Vraiment, tu veux me faire croire que Jean s'est plié à ce marché odieux?

Suffoquée, elle prit place sur le matelas et examina mieux le fin visage de la jeune fille.

— Oui. Blanche l'accablait de sermons et de reproches. Il ne la contredisait jamais, enfin très peu. Comme ça, il voyait grandir son enfant, qui l'aurait pris pour son oncle. Au début, j'ai fait celle qui acceptait pour ne pas coûter trop d'argent à Jean, mais j'avais décidé de m'enfuir avant d'accoucher.

Un profond dégoût envahissait Bertille. Elle poussa un soupir exaspéré.

— Jean, tu l'aimes toujours autant? dit-elle sèchement.

— S'il avait été gentil avec moi, j'aurais pu continuer à l'aimer! Mais il ne pense qu'à Claire. Quand il consent à me parler, c'est pour se lamenter d'avoir perdu son foyer, son épouse, à cause de sa faiblesse… et de moi, évidemment.

— Tout ce gâchis débouche sur du malheur, de la douleur, fit remarquer la dame de Ponriant dont la décision était déjà prise. Tu ne peux pas rester à l'institution. Si encore il y avait une chambre de libre! Je t'emmène!

— Où? demanda Angéla d'une voix d'où débordait l'anxiété. Pas chez Blanche! Je suis peut-être une putain, une traînée, comme dit Claire, mais je veux garder mon bébé! C'est le mien. Je n'ai plus que lui sur terre.

— Je vais te loger dans le pavillon de chasse au fond du

prétendit que Maurice avait répandu un désherbant très nocif et qu'il valait mieux se cantonner à l'intérieur.

La nouvelle bonne avait reçu l'ordre de porter petits-déjeuners et repas jusqu'au pavillon, sans ébruiter la chose. En fait, Bertille reculait le moment d'apprendre la nouvelle à Claire.

Quant à Angéla, elle ne sortait jamais de son repaire, renonçant même à ouvrir les volets. L'atmosphère douillette de la maisonnette la rassurait. Les rideaux étaient toujours tirés et les lampes, allumées. Elle se sentait à l'abri, loin de tout ce qui l'effrayait.

Souvent, après avoir vérifié que les verrous étaient bien mis, la jeune fille ouvrait une de ses valises et étalait sur le lit les minuscules vêtements destinés au bébé. Ce n'était pas la layette de luxe achetée par Blanche, mais celle cousue et tricotée au Moulin du Loup.

*

Vallée des Eaux-Claires, 15 janvier 1926

Après une semaine de pluie, un froid épouvantable régnait de nouveau sur la vallée des Eaux-Claires, comme dans tout le département de la Charente. Le gel sévissait chaque nuit. La rivière s'ornait de plaques de glace dans les criques où le courant était moins rapide. La végétation, noire, racornie, conférait au paysage une tonalité sinistre. Le soleil ne parvenait pas à percer l'épaisse couche de nuages qui semblait peser sur les falaises.

Cela n'empêchait pas Claire de visiter ses malades. C'était toujours le fils de l'épicière du bourg, madame Rigordin, qui lui transmettait les adresses où elle devait se rendre. Il faisait une longue tournée dans les hameaux, les fermes et les métairies isolées. Cela ne lui coûtait donc rien de communiquer les renseignements nécessaires. Au Moulin du Loup, on était habitué à voir sa camionnette entrer dans la cour, annoncée par une série de coups de klaxon. Si Claire était absente, Anita achetait toujours quelque chose et prenait note des personnes souffrantes.

Chaudement vêtue, Claire partait dès le matin à cheval, faisant la sourde oreille aux recommandations de Léon et de Matthieu. Ces expéditions d'un bout à l'autre de la région l'aidaient à oublier cette douleur lancinante dont elle ne pouvait se débarrasser et qui se concentrait autour d'un homme : Jean.

Quand on l'accueillait avec des cris de soulagement et des sourires pleins d'espoir, elle se sentait utile, en accord avec elle-même. En cet hiver rigoureux, elle soignait le plus souvent des vieillards rhumatisants ou épuisés par une toux persistante. Parfois, elle recommandait à la famille de consulter le médecin.

Ce jour-là, ce fut le cas. Confrontée à un garçon de douze ans qui avait fait une mauvaise chute, elle craignait une fracture.

— C'est promis, madame Vigier, vous le conduirez chez le docteur? insista-t-elle en remettant son manteau.

— Si vous le dites, le père l'emmènera tantôt! affirma la mère.

L'horloge sonnait midi.

— Restez donc casser la croûte avec nous, madame Claire! proposa le père du garçon. Du civet de lièvre et une fricassée de navets. Si ça vous dit!

— C'est gentil, mais je n'ai pas le temps. Je repasserai demain prendre des nouvelles.

L'homme la raccompagna jusqu'à l'étable où Junon avait patienté en compagnie de six vaches laitières.

— C'est une belle bête, hein, que vous avez là? dit le fermier.

— Oui! Fidèle, généreuse, jamais fatiguée, avoua Claire en se mettant en selle. Je compte sur vous, monsieur Vigier? Il ne faudrait pas que le genou de votre fils s'infecte.

Il approuva d'un marmonnement. Elle s'éloigna, attentive aux plaques de verglas qui parsemaient la cour boueuse.

« Mon Dieu! Je voudrais bien leur éviter des frais de docteur, mais cet enfant a quelque chose de cassé, songeait-elle. Pauvres gens, ils habitent à quatre dans une seule pièce. »

Claire avait le cœur serré. Dans les campagnes, bien des foyers vivaient encore dans des conditions d'hygiène et de promiscuité déplorables. Elle prodiguait quelques conseils, offrait du miel, des sirops pour la gorge, mais, comme le lui répétait Léon, elle ne pouvait pas guérir toute la misère du monde.

«Je peux au moins apporter des sourires, de la compassion!» se dit-elle en lançant la jument au galop.

Des corbeaux s'envolèrent au détour du chemin menant à Ponriant. Leurs cris rauques s'accordaient à la grisaille des bois dénudés, à l'âpreté du vent. Claire décida de s'arrêter au domaine, car elle n'avait pas vu sa cousine depuis cinq jours.

« Nous avons un peu bavardé au téléphone, mais je n'aime pas trop cette machine-là. On discute mieux face à face, se dit-elle. Enfin, Arthur tient parole. Il passe chaque soir en sortant de l'école. Je vais faire une surprise à Bertille; elle me reproche souvent de passer devant chez elle sans m'arrêter. »

Au cœur de ce monde glacé aux couleurs sombres, le domaine de Ponriant prenait l'allure d'une demeure enchantée. Les pierres blanches de la façade semblaient avoir gardé l'éclat des jours d'été; les larges fenêtres étaient illuminées. Claire franchit la grille, toujours grande ouverte, et remonta l'allée au petit trot. Elle remarqua que la cheminée du pavillon de chasse fumait. Cela ne la surprit pas.

«Avec cette humidité et le gel, Bertrand a dû décider de chauffer pour éviter des dégâts», songea-t-elle en posant pied à terre devant l'écurie.

Claire attacha Junon dans une des stalles et lui donna du foin. Le poney de Clara poussa un long hennissement amical, vite imité par la vieille jument grise. Maurice surgit de la sellerie et vint lui serrer la main. Elle trouva que le domestique avait un air préoccupé, le même air qu'eut Mireille en la faisant entrer avec un sourire tremblant. La vieille gouvernante la guida vers le salon.

— Ma chère madame, j'aurai bientôt besoin de vous, dit-elle. Mon Dieu, je souffre du dos à ne plus fermer l'œil de la nuit. Mais je ne veux pas vous faire perdre votre temps si précieux.

— Voyons, Mireille, il fallait me le dire la semaine dernière. Dès que j'aurai vu ma cousine, je viendrai à la cuisine vous examiner.

— Comme c'est gentil, madame! Je vous apporte le thé.

Bertille sursauta en découvrant Claire près de son fauteuil. Tout en examinant une pile de minuscules vêtements, elle écoutait un disque d'opéra sur l'électrophone rapporté des États-Unis.

— Coucou, princesse! Mais que fais-tu avec toute cette layette? D'où la sors-tu? Tu as donné celle de Clara pour Janine, il y a cinq ans!

— Clairette! Quelle bonne surprise! s'étonna la dame de Ponriant en se levant. Dis-moi, tu es aussi silencieuse que les loups! Embrasse-moi vite! Oh! Tu as les joues glacées.

Claire était un peu gênée de fouler le magnifique tapis d'Orient avec ses bottes.

— Désolée, dit-elle, je suis en tenue de campagne, mais je revenais de Ronsenac et j'ai eu envie de boire un thé brûlant en ta compagnie.

— Tu as bien fait, installe-toi!

Bertille rangea précipitamment la layette dans la malle en osier posée près de son fauteuil. Elle se sentait prise en flagrant délit et hésitait à profiter de l'occasion pour avouer à sa cousine la présence de la jeune fille. Bertrand la pressait de lui dire la vérité au sujet d'Angéla.

— Alors, cette layette? C'est pour Gabrielle? reprit Claire. On dirait des pièces de linge neuves!

Un pas rapide annonça l'arrivée de l'avocat. Il jeta un regard significatif à sa femme.

— Bonjour, Claire! Alors, rien ne vous empêcherait de courir où le devoir vous appelle? Même pas ce froid sibérien! J'ai abandonné un dossier pour vous saluer et boire le thé avec vous deux. Je me sentais seul dans mon bureau.

« Quel toupet! pesta Bertille intérieurement. Il est venu exprès pour me surveiller! »

Bertrand lui en donna la preuve aussitôt. Il alluma un cigare et se campa devant la cheminée.

— Cela tombe bien que vous nous rendiez visite. Notre princesse désirait vous parler depuis cinq jours au moins.

— Ah! fit Claire. À quel propos? Arthur ne vous cause pas d'ennuis?

— Mais non, déclara Bertille, pâle d'appréhension. C'est

un problème que j'ai dû régler et que je ne peux pas te cacher davantage.

Mireille apporta le plateau du thé. Une assiette de petites brioches chaudes embauma la pièce d'une délicieuse odeur boulangère. Ce fut un court répit pour la dame de Ponriant, mais suffisant pour lui faire retrouver sa contenance. Dès que la gouvernante referma la porte double, elle se lança dans un étrange récit.

— Ma Clairette, je vais t'exposer l'affaire sous forme d'une parabole, ou d'une fable, commença-t-elle. Voilà, imagine que Sauvageon, ton cher Sauvageon, ait séduit une jeune louve, guidé par les lois de la nature, l'instinct de domination. Quand cette écervelée porte des petits, Sauvageon, lui, ne s'y intéresse plus du tout et il fait les yeux doux à sa compagne de toujours, sa louve bien-aimée.

Bertrand se mit à tousser, effaré par le ton malicieux de Bertille. Claire, qui mangeait une brioche, aurait dû trouver un rapprochement avec sa propre histoire, mais, se représentant une famille de loups, elle écoutait avec un sourire perplexe.

— Et la jeune louve se voit repoussée par toute la meute, par Sauvageon lui-même! poursuivit Bertille, de plus en plus mal à l'aise. On la mord, on la chasse de la tanière. Elle ne sait plus où se réfugier! Claire, que ferais-tu si tu la trouvais grelottante, terrifiée, sur le pas de ta porte?

— Moi? avança Claire. Je tenterais de la rassurer, je lui offrirais de la nourriture et un coin de paille, bien au chaud dans l'appentis, pour qu'elle puisse faire ses petits loin de Sauvageon et de la meute. Mais franchement, princesse, je n'y comprends rien! Ne me dis pas que tu as recueilli une louve sauvage?

— En quelque sorte! trancha sa cousine. Disons aussi que j'ai agi comme si j'étais la merveilleuse Claire Roy, charitable, pleine de compassion pour ceux qui souffrent, les parias, les réprouvés.

Bertille fixait les flammes de ses larges prunelles grises. Elle avait l'expression inquiète d'une enfant ayant commis une énorme bêtise.

— Oh non! souffla Claire qui entrevoyait enfin la signification de la fameuse parabole. Tu n'as pas fait une chose pareille, toi?

Elle se leva brusquement et reposa sa tasse. Son regard noir de colère s'attacha à celui de l'avocat qui était rouge de confusion.

— Bertrand, ne me dites pas qu'Angéla est ici? Comment avez-vous pu cautionner ça?

— Je t'en prie, Claire, ne t'en va pas! s'écria Bertille. Laisse-moi t'expliquer. Je t'en supplie! Si tu dois encore me rejeter pendant des années, ce sera affreux.

— C'est pourtant ce qui va se passer! rétorqua la femme en enfilant sa veste.

— Angéla s'est réfugiée à l'institution, lundi soir, très tard, dit très rapidement Bertille. Elle prétendait que Blanche voulait lui voler son enfant. D'après Simone, elle était dans un état de panique extrême. Elle a consenti à la cacher dans le grenier, mais ensuite la pauvre femme m'a téléphoné. J'y suis allée aussitôt. Et, je ne sais pas pourquoi, j'ai eu l'idée d'installer Angéla dans le pavillon de chasse. Dans ce grenier glacial, elle s'était couchée sur un vieux matelas hideux. Elle paraissait traquée, affolée. J'ai eu pitié, et en même temps je voulais la surveiller, l'empêcher d'aller au Moulin.

Claire, troublée, secoua la tête. Elle percevait la totale sincérité de sa cousine.

— Et Jean dans tout ça? Où est-il? Tu l'héberges, lui aussi?

— Non, je vous l'assure, affirma Bertrand. J'ai vertement reproché sa conduite à mon épouse, mais Jean n'est pas ici. Je ne l'aurais pas toléré.

— Angéla s'est un peu confiée, ajouta Bertille. Depuis l'horrible scène qui a précédé leur départ du Moulin, Jean ne se soucie plus d'elle. Il courbe l'échine devant Blanche, qui aurait prévu d'élever le bébé comme le sien. Enfin, ils se sont arrangés entre eux. Autant être directe, Claire, cela m'a révoltée. Ne sachant où aller, Angéla avait fait semblant d'accepter leur marché. Mais elle était trop malheureuse et elle s'est enfuie. Depuis, elle s'enferme nuit et jour, de crainte de les voir arriver! Claire, je te jure que c'est la vérité.

Je voulais te prévenir dès le lendemain, mais j'avais trop peur de ta réaction.

Cette fois, Claire dut se rasseoir. Elle avait mal au cœur et ses jambes tremblaient.

— Jean n'a pas pu tomber aussi bas! dit-elle, d'un air abasourdi. Tu ne me parles pas de l'homme que j'ai chéri, que j'ai épousé! Jamais le Jean que j'adorais ne se conduirait ainsi. Je m'étais résignée, j'avais cédé la place à cette fille. Je pensais qu'ils quitteraient la France avec l'enfant. Bertrand, soyez honnête! Vous avez croisé Jean en ville. Vous a-t-il paru sain d'esprit? Peut-être qu'il a le cerveau dérangé? Ce serait la seule explication.

— Hélas, ma chère Claire, Jean raisonnait parfaitement. Il était à peu près semblable à lui-même, bien que taciturne, vieilli. Je dois vous préciser, comme je l'ai fait avec Bertille, que la proposition de Blanche était la meilleure solution. Cela libérait Angéla d'un enfant illégitime, qui plus est, difficile à légitimer, tandis que Jean pouvait voir grandir son rejeton sous la férule de sa sœur. Les Nadaud ont tous les atouts pour eux: leur maison d'Angoulême, le manoir de Pranzac, l'argent, l'instruction. C'était offrir un avenir stable et aisé à ce petit être qui n'a pas à pâtir des turpitudes de ses parents. Mais le plan a échoué; Angéla refuse d'abandonner son bébé.

Prête à pleurer, Bertille se tordait les mains. Claire l'observa en soupirant.

— Ne te rends pas malade, princesse! déclara-t-elle. Je suppose que tu as cédé à un élan de bonté, de pitié. Si je ne la vois pas, Angéla peut bien rester dans le pavillon. Apparemment, c'est son tour de souffrir! Ce n'est pas moi qui vais la plaindre! Elle a joué avec le feu et elle s'est brûlée. Mais je suis encore plus malheureuse qu'avant, parce que j'ai honte pour Jean. Cette chère Blanche doit se réjouir d'avoir récupéré son frère, de le manipuler à sa guise. Mon Dieu, si j'avais pu imaginer qu'un jour mon mari, celui que j'aimais tant, deviendrait un objet de répulsion pour moi. Je le méprise à un point tel que je n'ose l'exprimer! Surtout, je ne veux plus en entendre parler; ni de l'un ni de l'autre. J'ai pu reprendre goût à la vie, mais je suis encore fragile. Il faut me tenir à l'écart de tout ceci.

Claire s'était exprimée avec peine, en respirant fort. Elle

était blême. Bertille se jeta à ses pieds et posa sa tête blonde sur ses genoux.

— Pardonne-moi! Si j'étais vraiment une fée, je voudrais effacer ces derniers mois d'un coup de baguette magique et te redonner ton bonheur, ta famille intacte. Clairette, pardonne-moi!

Bertrand s'éclipsa discrètement, embarrassé par l'attitude de sa femme.

— Il y a quelque chose de singulier dans cette histoire, insista Bertille. Je haïssais Angéla de t'avoir fait autant souffrir, mais de la voir si effrayée, si vulnérable... J'ai ressenti le besoin de la protéger, sans doute parce que personne d'autre ne pouvait le faire.

— Chut! fit Claire. Plus un mot! Je te pardonne, princesse. Dans la même situation, j'aurais sûrement agi comme toi. À présent, je préfère m'en aller. Je ne viendrai plus au domaine, bien sûr. Ce n'est pas pour te punir, mais ce serait au-dessus de mes forces. Le père Maraud avait dû voir tout ce gâchis, ce drame ignoble. J'en viens à croire que c'est le destin et que nous sommes impuissants face à ça. Ne pleure pas, cousine.

— Cousine? s'étonna Bertille. Tu ne m'appelles jamais cousine!

— Et toi, tu ne m'as pas habituée à te voir suivre les enseignements du Christ, à recueillir les brebis égarées! Nous sommes quittes!

Claire se releva. Elle jeta un œil désespéré sur le salon, le feu, la table du thé.

— Dommage! nota-t-elle. Je m'accoutumais à passer de bons moments chez toi.

— Mais tu reviendras, plus tard? Quand elle sera partie? implora Bertille. Me permets-tu de venir au Moulin?

— Oui, à condition de ne pas prononcer leurs noms, à tous les deux!

— Je te le promets, Clairette!

Mireille n'eut pas droit à sa consultation. Claire sortit sans passer aux cuisines. Elle dévala l'escalier d'honneur et se précipita dans l'écurie. Maurice distribuait de l'eau tiède aux trois chevaux.

— Je n'ai pas dessellé Junon, madame, je ne savais pas si vous restiez longtemps.

— Tu devais deviner que je repartirais bien vite, n'est-ce pas, mon pauvre Maurice? déclara-t-elle, la gorge nouée.

Il approuva d'un signe de tête en l'aidant à se mettre en selle. Vite, Claire poussa sa jument au grand trot. Elle avait besoin d'air, d'espace pour ordonner le chaos de ses pensées. Le trajet jusqu'au Moulin lui paraissant trop court, elle suivit le chemin de Chamoulard qui menait aux vignes et au verger de Jean.

«Je lui avais offert ces terrains en cadeau de mariage! se dit-elle, l'âme en déroute. Il était tellement heureux! Nous avons passé des heures exquises dans la cabane, à manger tous les deux, à travailler ensemble. Parfois, après le repas, il me poussait vers la couchette. Il l'avait construite en songeant à nos siestes coquines, comme il disait! C'était étroit, un peu sommaire, mais nous nous en moquions.»

Les souvenirs resurgissaient et la torturaient. Elle crut mourir de chagrin et, une main sur la poitrine, laissa échapper une plainte rauque de bête à l'agonie.

«Jean! Je t'ai aimé au-delà de tout. Même aujourd'hui, si je ferme les yeux une seconde, je retrouve ton odeur, le dessin de tes lèvres, la chaleur de ta peau. Jean!»

Claire arrêta Junon et glissa au sol. Elle avait la nausée et se sentait anormalement faible.

— Ne bouge pas, ma belle! dit-elle laconiquement à la jument. Il faut que je m'allonge.

Elle s'étendit dans l'herbe rase, rabougrie par le gel. Le froid extrême de la terre pénétra son corps peu à peu, tandis qu'elle s'abandonnait à un paroxysme d'amertume.

«Angéla s'est enfuie, il ne l'aime plus! Je devrais me réjouir, parce qu'ils sont séparés, mais je ne peux pas. J'ai perdu Jean, mon Jean. Celui qu'il est devenu, je n'en voudrais à aucun prix. Et Angéla, je la hais! Je n'aurais pas dû l'adopter, cette garce! Elle ne m'a jamais aimée ni respectée. Qu'elle aille au diable avec son enfant dans le ventre! Maintenant, à cause d'elle, je n'irai plus au domaine!»

Un coup de klaxon la tira de l'étourdissement dans

lequel elle sombrait. La jument s'agita. Claire releva la tête et vit un homme accourir.

— Vous êtes tombée de cheval? fit une voix familière.

C'était Louis de Martignac. Le jeune châtelain se pencha, l'air préoccupé.

— Fichez-moi la paix, vous! gémit Claire.

— Enfin, il n'y a pas de quoi avoir honte, chère amie! coupa-t-il en riant. Il paraît que ce sont les bons cavaliers qui tombent. Allons, laissez-moi vous secourir!

Désolée d'avoir été impolie, elle dut accepter son soutien et se retrouva debout près de lui.

— Que faites-vous dans la vallée, sur ce chemin? demanda-t-elle.

— Mais enfin, Claire, je vous ai vue passer sur le pont et filer au galop vers les vignes de votre mari. Je tenais à vous parler. Je vous ai suivie en roulant doucement, de peur de déraper.

Dans un long manteau en lainage beige, le cou enveloppé d'une chaude écharpe blanche, Louis était très distingué. Il se dégageait de toute sa personne une aura de superbe innée, d'aisance aussi, qui eut le don d'exaspérer Claire. Elle se sentit pitoyable, gelée, le visage meurtri par les larmes. Cela l'exaspéra et, pour une des premières fois de sa vie, elle éprouva l'envie de faire du mal.

— Chère cousine, par un temps pareil, vous devriez rester au coin du feu.

— Vous aussi! rétorqua-t-elle. Ou bien vous êtes venu exprès pour me narguer!

— Mais enfin, pas du tout! Vous êtes d'une humeur, Claire! Le froid ne me dérange pas, car j'ai fait largement provision de soleil sur la Riviera où j'avais rejoint ma mère et nos amis de Nice. Figurez-vous que nous avons reçu le faire-part annonçant la naissance de la petite Gabrielle. Je venais donc féliciter Faustine, lui présenter mes vœux pour cette année qui commence et j'apportais un cadeau, bien sûr. Des fleurs de serre également, des merveilles, un parfum!

Claire tenait Junon par les rênes. Des idées défilaient dans son esprit à une vitesse fulgurante. Ce séduisant jeune homme, futur notable et riche héritier, voulait absolument épouser Angéla. Elle regretta avec rage ce mariage qui aurait sans doute sauvé son couple.

— Très bien, dit-elle, dépêchez-vous dans ce cas, Faustine sera ravie de votre visite. Moi, j'ai encore un malade à voir au hameau de Chamoulard.

Elle mentait. Louis n'avait aucune raison de le deviner. Il la considéra cependant d'un air inquiet.

— Vous ne vous êtes pas blessée, au moins? insista-t-il.

— Non! Si j'ai envie de me coucher par terre en plein hiver, cela ne vous regarde pas! Maintenant, au revoir, Louis! Vous n'avez pas éteint le moteur de votre voiture, cela rend Junon nerveuse. Et moi, je gèle à rester immobile.

Le châtelain parut gêné. D'une voix nerveuse, il s'empressa de lui demander:

— Accordez-moi encore un instant, Claire! Vous êtes la plus qualifiée pour me répondre et me rassurer, enfin vous ou Jean, puisque vous êtes les parents adoptifs d'Angéla. Je lui ai écrit plusieurs lettres au Canada sans rien recevoir en retour. Les semaines passent, je suis fou d'inquiétude. Peut-être les courriers mettent-ils longtemps à franchir l'océan, mais quand même! J'ai patienté tant que j'ai pu, et là, comme je venais dans la vallée, je m'étais promis d'obtenir des nouvelles.

Elle leva la tête et le fixa avec une sorte de colère qui ne demandait qu'à exploser. Louis n'y comprenait plus rien.

— Des nouvelles d'Angéla? dit-elle d'un ton sec. Oh! Avec joie! N'ayez pas peur, elle est vivante! Je peux même vous dire qu'elle est rentrée en France depuis septembre et qu'elle attend un enfant! Eh oui! De qui? D'un homme marié, un individu abject qui ne veut ni d'elle ni du bébé. Je n'en sais pas plus, mon cher Louis! Si vous avez envie de lui courir après, bon courage! Moi, je ne veux plus la voir ni y penser! Je ne la considère plus comme ma fille, loin de là. Elle m'a trop déçue. J'espère que mademoiselle Angéla est partie au bout du monde semer le malheur. Croyez-moi, elle ne mérite pas que vous versiez une larme pour elle!

Sur ces mots, Claire se mit en selle et prit la direction du Moulin au grand galop, laissant le jeune homme abasourdi et bien davantage. Il était anéanti, en état de choc. Son beau rêve romantique s'effondrait. Toute l'existence dorée, pleine d'harmonie et de bonheur qu'il prévoyait, s'écroulait. Louis marcha d'un pas hésitant vers sa voiture et s'assit au volant. Il coupa le moteur et jeta des regards larmoyants sur le paysage figé, aussi mort et glacé que son cœur.

Au bout d'une heure, pendant laquelle ses ultimes illusions volèrent en éclats, il fit jouer ses doigts engourdis dans ses gants en cuir fin. Il eut de la difficulté à redémarrer, mais, dès qu'il put rouler, il effectua un demi-tour périlleux dans le champ le plus proche et avança au ralenti jusqu'au pont.

«Je vais quand même rendre visite à Faustine, se dit-il. J'en saurai peut-être plus sur cette ignoble histoire. Claire s'est montrée si désagréable! Cruelle même, dirais-je!»

La jeune femme le reçut avec affection, à sa manière simple et chaleureuse. Elle éprouvait pour Louis de Martignac une amitié pleine de tendresse.

— Entrez vite! dit-elle. Vous avez de la chance, la maison est impeccable. J'ai préparé du millas à la poêle pour les enfants.

Une légère odeur de vanille et de sucre chaud flottait dans l'air. Nichée dans un gros fauteuil en cuir, Isabelle jouait à la poupée. Le petit Pierre faisait rouler un train miniature en fer en imitant le bruit de la locomotive.

— Gabrielle vient de s'endormir; nous aurons un peu le temps de bavarder! déclara Faustine.

Louis avait oublié le bouquet de lys et de roses blanches dans son automobile. Il bredouilla des excuses, ressortit et revint en brandissant les fleurs.

— Qu'elles sont splendides! s'écria-t-elle. Et ce parfum! Louis, c'est de la folie. Je vous embrasse!

Elle se dressa sur la pointe des pieds et déposa un baiser aérien sur la joue du châtelain. Il la trouva ravissante dans sa robe bleue en tricot, ses cheveux relevés en chignon.

— La maternité vous embellit, Faustine! confessa-t-il. Mais qu'est-ce qui ne vous embellirait pas?

Louis ôta son manteau et prit place à la table. Il semblait si triste que la jeune femme s'alarma.

— Il n'y a rien de grave chez vous? Votre maman n'est pas malade ou votre sœur! Comment va Marie?

— Tout le monde se porte à merveille, soupira-t-il. Et j'ai fait la route jusqu'ici ravi de faire la connaissance de votre fille et de vous revoir. Je comptais ensuite aller au Moulin du Loup saluer Matthieu et Claire.

— Et que s'est-il passé? questionna Faustine, sur le qui-vive.

— J'ai rencontré votre mère. Disons que j'ai volé à son secours, car elle gisait face contre terre, aux pieds de sa jument. Elle avait dû tomber.

— Oh! non, maman n'a rien de grave?

— Rien du tout! répliqua-t-il en hochant la tête. Mais elle m'a brisé le cœur en quelques paroles. Faustine, je parle bas à cause de vos deux petits. Dites-moi la vérité au sujet d'Angéla. Je vous en prie! Claire m'a jeté des horreurs au visage. Qu'elle est enceinte d'un homme marié qui l'a abandonnée, qu'elle sème le malheur! Ce qui est ma foi vrai, vu l'état dans lequel je suis.

La jeune femme courut dans la cuisine adjacente et prépara du thé. Elle avait la bouche sèche d'émotion et les joues en feu.

« Pourquoi maman a-t-elle dit ça? Évidemment, elle n'a pas cité le nom de Jean! Toujours la loi du silence, pas de scandale! » songeait-elle en retenant des larmes de nervosité. Elle ignorait encore qu'Angéla logeait au pavillon de chasse.

Louis la rejoignit. Il l'obligea à se retourner.

— Faustine, regardez-moi! J'ai besoin de savoir de quoi il s'agit. Quel choc j'ai eu! J'espérais le retour anticipé d'Angéla, car je lui avais écrit que ma mère consentait à notre mariage. Dieu m'est témoin que je vivais dans l'attente de la revoir. J'ai aménagé la maison de Villebois, celle du notaire dont je reprends l'étude, en cherchant le détail, la note raffinée qui lui plairait. Et l'atelier, elle disposait d'un atelier attenant au salon. Une sorte de jardin d'hiver, frais en été. Quand Claire a prononcé ces mots ignobles, j'ai cru sombrer dans le pire cauchemar de ma vie. Votre attitude affolée me confirme que c'est réel. Je n'étais pas prêt à encaisser un tel chagrin aujourd'hui, mais au fond on n'est jamais prêt à souffrir, n'est-ce pas?

Le jeune châtelain ferma les yeux. Il avait souvent tendance à exagérer la moindre manifestation de chagrin ou de joie, mais là, ce n'était pas de l'affectation.

— Je suis désolée, Louis! répondit Faustine. Nous avons tous été très surpris par la conduite d'Angéla. Elle a gâché toutes ses chances. Je lui en veux beaucoup, moi aussi.

— Et personne n'a cru bon de m'en avertir! Je ne compte pas, je n'étais pas concerné, peut-être?

— Mais c'était à elle de vous le dire! Je vous assure, Louis, que je croyais que vous étiez au courant.

Un cri aigu d'Isabelle les ramena dans la salle à manger. La fillette essayait d'arracher sa poupée des mains de son frère.

— Ne faites pas tant de bruit, Gabrielle dort! les réprimanda Faustine. Je vais vous donner à goûter.

Le calme revint. Louis faisait les cent pas, le front plissé, la bouche pincée. Faustine le fit asseoir.

— J'aimais Angéla comme une sœur. Je l'ai connue à treize ans, sur les bancs de l'orphelinat Saint-Martial. C'était une enfant entêtée, rebelle, mais vulnérable. Mais nous lui avions offert une existence honorable et un métier. Elle a tout piétiné. Que voulez-vous, quand une personne met autant de mauvaise volonté à suivre un chemin respectable, on la laisse assumer ses choix!

Le jeune homme serra les poings sur la table. Il fixa Faustine avec une expression presque hallucinée.

— Je n'imagine pas la jeune fille que j'adorais aussi perverse, aussi corrompue, dit-il sur un ton enflammé. Il s'est passé quelque chose qui l'a égarée, bouleversée au point d'en oublier tout ce qui lui était précieux! Savez-vous ce que m'inspire le destin d'Angéla? Ce n'était qu'une frêle chrysalide, tout de suite broyée par la cruauté des hommes, mais capable de survivre et de devenir un gracieux papillon. Hélas, à peine ses ailes déployées, enfin libre de voler vers un ciel serein, le papillon s'est brûlé à une flamme trop vive. Mon ange a chuté en enfer.

Bien qu'habituée au verbiage précieux du châtelain, Faustine ne put s'empêcher de hausser les épaules, furieuse.

— Ma parole, vous lui pardonneriez? Enfin, Louis! C'est beaucoup plus méprisable. Angéla se moquait de nous aussi bien que de vous! Elle ne respectait rien, même pas votre amour. S'acoquiner avec un homme marié, plus âgé qu'elle, cela prouve son peu de moralité.

— J'en veux surtout à l'ignoble personnage qui a abusé d'elle, de sa jeunesse, de sa sensibilité d'artiste! répliqua-t-il. Ce type, elle a dû le rencontrer au Canada. Une brute, une crapule que je voudrais bien arranger à ma façon!

« Mon père! C'est de mon père qu'il parle! » se répétait Faustine.

— Et si cet infâme individu l'avait violée? reprit Louis. Si elle n'avait pas osé vous le dire? Je vous trouve bien expéditives, votre mère et vous! Et d'une sévérité incroyable! C'était votre devoir de protéger Angéla. Maintenant, la malheureuse doit errer on ne sait où. Dans un de ces sinistres établissements réservés aux filles perdues.

— Mais non, affirma Faustine. Quelqu'un de la famille a consenti à l'héberger. Pour votre tranquillité d'esprit, je préfère ne pas vous donner son adresse, mon pauvre Louis!

— Je n'en voudrais pas, de cette adresse, coupa-t-il. J'ai de la pitié pour Angéla, mais je ne tiens pas du tout à la revoir. Si elle était victime, dans cette affaire, je crois qu'elle aurait eu le courage de m'écrire. Je suis foudroyé, Faustine. Je ne vais pas m'épancher sur votre épaule, mais j'ai l'impression d'être un homme à qui on vient de retirer le seul être important au monde.

Louis cacha son visage entre ses mains. Il était livide, sincèrement affligé.

— Faisons en sorte que cette histoire ne parvienne pas aux oreilles de ma mère! ajouta-t-il. Malgré les bonnes dispositions dont elle faisait preuve, cela la conforterait dans ses préjugés et principes d'un autre siècle.

— N'ayez crainte! affirma Faustine, nous ne tenons pas à ébruiter tout ceci. Soyez discret, vous aussi!

Louis de Martignac se leva. Il n'avait pas bu de thé ni

mangé de millas. Il remit gants, manteau et écharpe avant de saluer son hôtesse.

— Vous partez? dit-elle. Vous n'avez même pas vu Gabrielle! Elle va bientôt se réveiller. La chambre est juste au-dessus. Je crois qu'elle pleure.

— Ne m'en veuillez pas, mon amie. Je n'ai pas envie d'admirer un nouveau-né, même le vôtre! Cela me ferait penser aux enfants que je voulais avoir avec celle que j'aimais. Transmettez mes amitiés à Matthieu et à votre père. Mon Dieu, quand j'y pense! Ça a dû être un sacré coup pour Jean, qui avait accompagné Angéla à Québec, de n'avoir pas pu éviter ce désastre!

— Oui, balbutia Faustine, à bout de résistance. Excusez-moi, je monte vite chercher ma fille. Au revoir, Louis.

Elle referma la porte précipitamment et éclata en sanglots.

« Papa, je te hais! Je ne te pardonnerai jamais! Jamais! En plus, tu t'en tires bien, puisque peu de gens savent que tu es responsable de notre malheur! » se disait la jeune femme en courant à l'étage. Là, elle prit son bébé dans ses bras et couvrit de baisers son front bombé, à la peau de satin. C'était le plus tendre et le plus doux viatique contre le chagrin.

*

Moulin du Loup, même jour

Claire était assise à même le parquet devant le poêle de sa chambre, dont elle avait ouvert la lucarne. Elle était transie et la seule vue des braises ardentes, d'un bel orange lumineux, contribuait à la réchauffer. La jeune femme était montée sans prendre la peine de répondre à Anita qui l'interrogeait sur le déroulement de sa journée, toujours prête à écouter le récit de ses pérégrinations de guérisseuse.

« À cause de Jean, je deviens mauvaise, se reprochait-elle, honteuse d'avoir asséné à Louis une telle nouvelle sans aucun ménagement. Je n'oublierai jamais comment son visage s'est décomposé, s'est affaissé, lui si jeune! C'est comme si je l'avais poignardé. Quelle expression de douleur intense! »

Elle avait décidé de brûler tout ce qui lui avait fait penser à Jean: la grosse enveloppe en papier brun et le paquet contenant le cadeau de Noël. Plusieurs fois, déjà, elle avait fait le geste de jeter le tout aux flammes, mais elle hésitait encore.

«Je ferais mieux de lire ce qu'il a écrit! songea-t-elle. J'aurai peut-être la preuve qu'il devient fou.»

Avec brusquerie, Claire vida le contenu de l'enveloppe et saisit une carte postale au hasard. La seule vue des lignes tracées par son mari la fit trembler. Elle lut.

Pour ma bien-aimée que j'ai bafouée, Claire, je veux que tu saches combien je me dégoûte de t'avoir imposé de telles souffrances. La vie sans toi ne m'intéresse plus. Depuis que je suis installé chez ma sœur, c'est une lutte quotidienne contre l'envie d'en finir. Moi qui jugeais sévèrement ceux qui mettaient fin à leurs jours, je comprends maintenant pourquoi on peut se supprimer. Cela équivaut à rayer de la surface de la terre un individu malfaisant, néfaste. Je tiens bon en me raccrochant à l'enfant que j'ai conçu sans le vouloir, qui sera élevé par Blanche et Victor. Je me dis que j'ai le devoir d'être à ses côtés, en qualité d'oncle. Je me doute que chaque mot te blesse. Pardonne-moi.

Jean

Elle déchira la carte en deux et la confia au feu.

— Eh bien, vas-y! s'écria-t-elle. Suicide-toi, sale lâche!

Mais de grosses larmes coulaient sur ses joues. Elle regretta de ne pas avoir fait attention à la date. Une seconde carte, représentant les remparts de la ville, ne comportait que peu de lignes.

Claire, j'erre dans les rues, complètement perdu. Chaque nuit, je prends la voiture et je me gare sur la place de Puymoyen. Je marche jusqu'au plateau et j'observe le Moulin du Loup, ton Moulin. Ainsi font les damnés qui gardent le souvenir du paradis perdu.

Jean

— Ah! soupira-t-elle. Il vient par ici, la nuit! Jean! Jean! Pourquoi? Si tu m'aimais, il ne fallait pas coucher avec Angéla!

Secouée par d'affreux sanglots, Claire garda la carte entre les mains quelques secondes. Puis elle la brûla, elle aussi. Il en restait trois. Elle s'aperçut qu'elles étaient numérotées. Cela composait une lettre plus longue.

Claire chérie, mon bel amour,

Je bois trop, je fume trop. Si on me proposait de l'opium, j'en prendrais pour oublier ma faute, mon crime. Je tiens à te dire que je n'entretiens plus aucune relation amoureuse avec Angéla. Ce sinistre soir où nous sommes arrivés à Angoulême, chassés du Moulin, tout était terminé déjà. Tant pis si je te fais encore du mal, mais ce qui m'a jeté dans le lit d'une jeune fille que j'aurais dû respecter et protéger, c'est ce désir animal de l'homme, ce désir brutal de la conquête. Les sentiments n'en faisaient guère partie.

Angéla a un caractère particulier. Orgueilleuse, lucide, elle a compris son erreur et pleure sur Louis de Martignac et l'existence sûrement heureuse qu'il lui aurait offerte.

Cette histoire tragique n'est qu'une suite de gâchis, d'actes inutiles qui ont précipité la ruine d'une famille qui m'était précieuse, même plus, je dirais indispensable. Je donnerais mon sang, mes jambes, mes mains pour passer une seule journée près de toi, dans notre cuisine, avec les bavardages de Léon et d'Anita, les jappements de Moïse, et toi, ma belle épouse, ma parfaite, mon irréprochable épouse.

Comment pourrais-tu admettre que la chair est faible, que l'on peut désirer sans aimer vraiment? Tu m'aimais et j'ai trahi cet amour.

Pourtant, je ne regrette pas que la vérité dans toute son horreur ait éclaté. Si Angéla n'avait pas été enceinte, tu aurais continué à chérir, à choyer un homme qui ne le méritait aucunement.

J'aurais dû crever sur l'île d'Hyères, après la mort de mon frère. J'ai sali la mémoire de Lucien, cet enfant que je devais protéger. Je ne suis qu'une ordure et j'ai honte de respirer le même air que toi.

Jean

Devant ces lignes, Claire avait le souffle court. Certains mots étaient à demi effacés, comme si des gouttes d'eau étaient tombées sur la carte et avaient séché.

— Il pleurait en écrivant! balbutia-t-elle. Mon Dieu, il n'est pas fou, il a vraiment honte. Mais moi, je ne peux rien faire pour l'aider!

Un chapelet d'insultes lui échappa. Jean eut droit à

toutes les injures qu'elle connaissait sans avoir jamais osé les prononcer. Vite, elle acheva de détruire ces messages qui ébranlaient sa haine. En dernier, elle ouvrit le paquet. Dans un petit carton bourré de papier de soie, il y avait une figurine de loup en plomb peinturluré de gris et de roux.

— Pas ça! s'écria-t-elle. Pas ça!

Elle allait le jeter dans les flammes pour le regarder fondre lentement quand on frappa à sa porte.

— Maman! Ouvre!

Affolée, Claire cacha la figurine sous son matelas et tourna le verrou. Chaudement emmitouflée, Faustine trépignait dans le couloir.

— J'ai confié les enfants à Matthieu, qui est rentré plus tôt. Maman, Louis m'a rendu visite. Il était désespéré! Tu n'avais pas besoin de lui faire du mal! Tu aurais pu le ménager, quand même! Et moi, j'avais l'air de quoi, à ne rien pouvoir expliquer? J'ai dû mentir encore une fois. Si tu savais à quel point j'avais envie de lui crier qui était le type responsable de l'état d'Angéla!

— Entre, ma chérie! souffla Claire. Ne crie pas. J'ai eu tort, va, j'en suis bien consciente. Mais Louis m'a surprise en pleine crise de nerfs. Je voulais me laisser mourir de froid près des vignes de Jean. Je me suis vengée sottement sur ce pauvre garçon qui n'y est pour rien.

— Mais, maman, tu allais mieux ces derniers jours! s'étonna la jeune femme. Je ne pourrai plus être tranquille, à présent, si tu parles de mourir.

— J'étais passée à Ponriant, expliqua Claire. Et là-bas, j'ai appris une chose qui m'a bouleversée. J'étais comme folle, pas vraiment de chagrin, mais d'incompréhension. Bertille a recueilli Angéla.

D'une voix basse, vibrante, elle raconta pourquoi la jeune fille s'était enfuie de chez Blanche. Faustine écouta, éberluée.

— C'en était trop pour moi! conclut Claire. Le rôle de ton père dans cette odieuse machination, et savoir Angéla si proche de nous! Non, c'était insupportable.

— N'appelle plus cet homme mon père! déclara Faustine. Je n'ai plus de père.

Elles s'étreignirent, en larmes. Dehors, le vent qui se levait sifflait et grondait. Une rafale secoua les volets. La chatte sortit de l'armoire où elle dormait derrière une pile de linge et s'étira. L'animal scruta la fenêtre d'un air inquiet. Il sauta sur le lit et observa les deux femmes de ses prunelles vertes.

— Mimi, gémit Faustine entre deux sanglots, qu'est-ce que tu as?

L'ancienne petite compagne du vieux rebouteux poussa un miaulement plaintif. Claire la caressa. Elle eut l'impression furtive que le père Maraud la regardait par les yeux de la chatte et lui annonçait d'autres malheurs, d'autres épreuves.

*

Domaine de Ponriant, le lendemain

Bertille s'apprêtait à rendre visite à Angéla, qui était souffrante, d'après la jeune bonne qui portait les repas au pavillon de chasse.

— Je vous l'assure, madame, votre invitée n'a rien voulu manger. Ni la soupe de légumes ni le rôti de bœuf. Je lui ai laissé un ramequin de compote de poires, mais je crois qu'elle n'avalera rien.

Cela avait décidé la dame de Ponriant à prendre les choses en main. Arthur était à l'école, ainsi que Clara. La fillette ne voulait plus de précepteur et avait fait un vrai scandale pour aller en classe au bourg de Puymoyen. Bertille se retrouvait plus libre, puisque Félicien était sous la surveillance de la nurse.

« Je vais raisonner cette demoiselle! se promit-elle. Quitte à mettre un enfant au monde, autant qu'il soit en bonne santé. Déjà qu'elle n'a plus que la peau sur les os! »

Mais, alors qu'elle descendait l'escalier d'honneur, une grosse automobile noire remonta l'allée et se gara au milieu de la cour dans un crissement de pneus. Blanche et Victor Nadaud en sortirent. Ils paraissaient avoir doublé de volume tellement ils étaient couverts: manteaux épais, écharpes, chapeaux.

« Et zut! se dit Bertille. Voici les corbeaux de la haute ville! »

Tout en ironisant en son for intérieur, elle s'approcha et les salua avec un aimable sourire. Mais Blanche n'y répondit pas. Elle examinait d'un œil suspicieux la vaste cour pavée et le bassin où l'eau de la fontaine avait gelé en créant un fabuleux décor de cristallisations argentées. Victor semblait très mal à l'aise.

— Eh bien, déclara Bertille, je crois que vous n'aviez pas mis les pieds à Ponriant depuis le premier mariage de Faustine.

— En effet! admit le préhistorien en s'inclinant galamment. Quel froid!

— Qu'est-ce qui vous amène? interrogea la dame du domaine sans les inviter à entrer. Je partais rendre visite à Claire. J'ai tant de plaisir à marcher depuis que je n'ai plus besoin de canne.

Blanche s'approcha et lui tendit sa main droite, gantée de cuir noir. Bertille fit celle qui n'avait rien vu et ajouta:

— Je pense que vous êtes les mieux placés pour savoir combien ma cousine est affectée, ces derniers temps, désespérée serait même plus exact. Je suppose que vous n'êtes pas allés au Moulin du Loup?

— Non, coupa Blanche. Nous cherchons Angéla! Ce n'est pas la peine de feindre ni de se faire des politesses. Nous avions eu la bonté d'héberger cette fille chez nous, mais elle a disparu en emportant une grosse somme d'argent.

— Votre argent? demanda Bertille, surprise.

— Non, de l'argent qui appartenait à mon frère. Jean a eu la sottise de laisser traîner son portefeuille. Angéla s'est servie largement. Ce n'est pas pour cela que nous la cherchons, cependant. Nous sommes très anxieux. Il peut lui arriver n'importe quoi!

— Peut-être qu'elle avait ses raisons! nota Bertille. Si vous voulez mon avis, Angéla a dû fuir la région grâce à cet argent. Et je m'en réjouis, vu le mal qu'elle a fait à Claire et à notre famille.

Victor observait le pavillon de chasse dont la cheminée fumait. Son regard erra ensuite du côté des écuries, des logements réservés aux domestiques, dont un seul était occupé, celui de Maurice.

— Jean pense qu'Angéla a pu se réfugier à l'institution ou chez vous, chère madame! avança-t-il. Nous avons préféré vérifier.

— Vérifier! répéta Bertille, franchement agacée. Vous souhaitez fouiller le domaine? Mais vous perdez tous la tête! Jamais je ne tolérerai Angéla sur mes terres, ni Jean, d'ailleurs. Claire est comme ma sœur. Je l'aime de toute mon âme, et elle a failli mourir de chagrin. Ne vous avisez plus de venir ici! Mon mari serait scandalisé de votre démarche.

Bertille les toisait, la tête haute, ravissante sous sa toque de fourrure dorée. Des talons compensaient sa petite taille. Très pâle, ses cheveux d'un blond lunaire auréolant son front gracieux, elle se dirigea vers la grille du parc et emprunta le chemin.

« J'espère qu'ils vont vite repartir et me distancer! songeait-elle. Je n'ai pas envie de battre la campagne par ce froid polaire! »

Victor poussa sa femme vers la voiture, en maugréant qu'ils s'étaient déplacés pour rien, ce qu'il avait dit et redit pendant tout le trajet.

— Angéla doit être à Paris! nota-t-il. Avec quelques billets de banque et à deux mois de son terme, Dieu sait ce qu'elle va devenir.

Le visage crispé par la fureur, Blanche répondit d'un haussement d'épaules. L'enfant tant désiré lui échappait. Le préhistorien roula assez vite pour dépasser Bertille sur la route étroite qui serpentait sur le plateau avant de plonger dans la vallée.

« Je vais continuer comme si de rien n'était! Ils me verront encore dans le rétroviseur. »

Sa ruse fonctionna à merveille, mais, quand elle put enfin remonter vers le domaine, elle était épuisée. Le vent du nord l'avait transie. Ce fut presque divin d'entrer dans le pavillon surchauffé.

— Angéla, ils sont venus! s'écria-t-elle en se précipitant vers le poêle.

La jeune fille était au lit, mais assise, calée contre ses oreillers. Elle lança un coup d'œil tourmenté vers la porte.

— Je les ai congédiés! reprit Bertille, et le verrou est mis. Ne t'en fais pas. Blanche Nadaud avait tout d'un bouledogue. J'aurais pu la gifler.

— Merci, madame, de me protéger, nota chaleureusement Angéla. J'avais entendu un bruit de moteur et je n'étais pas tranquille.

— Tu pouvais l'être, protesta la dame de Ponriant. Je n'ai qu'une parole. Dis-moi, pourquoi as-tu volé de l'argent à Jean? Je m'en contrefiche, mais j'aimerais savoir où tu comptais aller.

— Je n'en sais rien, soupira Angéla. Je pensais avoir suffisamment pour m'installer dans une pension de famille, vers Montmoreau ou Libourne. Après, je pensais demander asile dans un couvent. Les sœurs ne peuvent pas refuser d'accueillir quelqu'un en détresse...

Bertille ôta son manteau et sa toque. Elle avait envie de rester un peu près de la jeune fille dont la résignation non dénuée de douceur l'émouvait.

— Sais-tu, Angéla, que tu n'as plus rien de commun avec la jeune furie qui a semé la panique au Moulin? Je te revois dans cette chambre, hagarde, proche de l'hystérie, en pleine souffrance! J'étais horrifiée. Depuis que tu es chez moi, à l'abri, tu as beaucoup changé. Seulement, il paraît que tu ne manges pas du tout. Pourquoi?

— Je n'ai pas faim, madame! avoua Angéla. Tout ce que je prends me donne la nausée et j'ai des crampes. J'ai aussi le dos très douloureux. Je reste dans mon lit et je me repose.

— Il faut qu'un médecin t'ausculte dès demain! affirma Bertille. Tu es maigre à faire peur.

Elle se tut et plongea ses prunelles grises dans les yeux bruns de la jeune fille. Toutes deux se regardèrent longuement en silence.

— Tu n'essaies pas de te laisser mourir? insinua la dame de Ponriant d'un ton presque maternel. Sais-tu, Angie, que j'ai passé mon adolescence à souhaiter la mort? Ma vie me paraissait finie avant de commencer. Infirme, à la charge de mon oncle et de Claire, je me croyais condamnée au célibat et au couvent à brève échéance. Mais je n'étais pas pieuse du tout; j'insultais Dieu parfois, le soir. Et tu dois te souvenir de cet affreux jour des vendanges, quand le petit Pierre a failli s'étouffer dans son landau à cause de ma négligence. Bien sûr que tu t'en souviens! Tu étais amoureuse de Louis de Martignac, auquel je m'accrochais bêtement. Après le drame, j'étais un objet de répulsion pour tous. Je me suis enfuie dans les bois, j'ai tenté de me pendre. Ce n'était pas si simple. Bref, je sais ce que c'est, l'envie de mourir parce qu'on a mal agi, parce qu'en agissant mal on a perdu l'estime de ceux qu'on aimait et, pire encore, l'estime de soi. Vois-tu, les mois et les années s'écoulent et tout peut être réparé, effacé. Mes jambes ont daigné se réveiller et j'ai demandé pardon à Dieu de l'avoir détesté. Faustine m'appelle de nouveau tantine et m'embrasse, le petit Pierre gazouille et se jette dans mes bras. Tu n'as pas le droit de mourir à dix-neuf ans, Angéla. Peut-être que l'avenir qui t'attend sera merveilleux!

Angéla fit non de la tête en pleurant.

— Vous, on vous adore, on vous traite de fée, de magicienne! Moi, j'ai toujours été mauvaise.

— Faux! déclara Bertille. Je t'ai vue souvent depuis tes treize ans, et tu as prouvé ton courage, ton dévouement, ta volonté d'apprendre. Sans parler de ton extraordinaire talent pour le dessin et la peinture! Tu n'es pas plus mauvaise que moi! Ton bébé ne mérite pas de mourir, pas plus que toi. Ce soir, je dînerai ici, au pavillon. Et tu seras obligée d'avaler bouchée après bouchée.

La jeune fille la considéra d'un air profondément étonné.

— Je ne comprendrai jamais pourquoi vous êtes si gentille avec moi! dit-elle tout bas. Je vous remercie, mais c'est vrai, je n'ai plus aucun espoir.

— D'accord, coupa Bertille, mais à quel sujet? Jean? Ton art? Ton métier d'institutrice?

— J'ai tellement honte! répliqua Angéla en sanglotant. Et j'ai tout détruit entre Louis et moi. J'aurais pu l'épouser, et cela n'arrivera pas, plus jamais. Chaque fois que j'y pense, j'ai envie de mourir!

— Calme-toi, ce n'est pas le seul homme sur terre. Tu rencontreras sûrement quelqu'un de bien qui sera heureux d'élever ton enfant.

Bertille s'assit au bord du lit et lui caressa la joue. C'était plus fort que la logique, plus fort que son ressentiment, cette compassion qui l'envahissait. Elle ne put s'empêcher de penser au viol odieux qu'avait subi Angéla fillette, à l'âge de Clara.

— Promets-moi de vivre! insista-t-elle. Et mon portrait? Quand feras-tu mon portrait?

— Bientôt! assura la jeune fille. Vous pourrez même venir poser. Je me sens mieux quand vous êtes là. Tenez, prenez ce tableau sur le buffet, celui qui est emballé d'un papier vert. S'il m'arrivait malheur, je voudrais que vous le donniez à Claire.

— Est-ce que je peux le regarder?

— Oui.

Intriguée, Bertille découvrit une peinture à l'huile qui lui arracha un cri d'admiration. La toile était magnifique, d'une délicatesse inouïe. Le thème la sidéra. Il n'y avait aucun doute possible: Angéla avait peint Claire jeune fille, en tenue d'amazone, montant un cheval blanc, sur fond de sous-bois. Le soleil irradiait de lumière les feuillages verts, les faisant paraître dorés.

— Mais comment as-tu fait? s'extasia-t-elle. Je reconnais Sirius. Mon Dieu, quelle superbe allure il a! On le croirait vivant, et Claire a cet air grave et doux qui la caractérise.

Heureuse de l'effet produit, Angéla retrouva un peu d'énergie.

— Je l'ai peint avant Noël, dans l'atelier de Victor Nadaud. Un soir, à la veillée, Claire nous avait raconté qu'un jour d'été elle était partie pour Angoulême sur Sirius, dans sa toilette d'amazone en velours brun. L'idée m'est venue de mettre la scène en image, pour rendre hommage à une personne à qui j'ai fait beaucoup de tort. Une femme qui est la bonté même et que j'ai bafouée. Pourtant, je l'aimais!

Une émotion intense fit trembler Bertille, la même qu'il y avait bien longtemps. C'était sans conteste le jour où Claire avait appris que Jean était vivant, qu'il avait survécu au naufrage du morutier le *Sans-Peur*.

— Encore un de mes crimes! précisa-t-elle à la jeune artiste. J'avais brûlé une lettre de Jean dans laquelle il annonçait à Claire qu'il n'était pas mort noyé et qu'il l'attendait en Normandie. Je voulais que ma cousine épouse Frédéric Giraud, qu'elle soit riche pour m'en faire profiter. J'étais vraiment sans scrupules. Claire avait galopé jusqu'à Angoulême et elle était entrée chez moi. Si elle avait pu m'écharper vive, ce fameux jour… Il faut dire que j'avais brisé ses rêves. Jean avait épousé Germaine Chabin, là-bas, en pays d'Auge, et ils avaient eu Faustine. Mais tu dois connaître un peu l'histoire[7].

— Un peu, mais Claire ne nous a jamais dit que vous aviez brûlé la lettre.

— Bien sûr, c'est une sainte! Il a fallu ce que tu sais pour que je la voie se changer en une furie prête à tuer.

Angéla s'allongea et cacha son visage sous le drap. Bertille faisait allusion à l'horrible scène qui avait eu lieu au Moulin, par sa faute à elle.

— Je voudrais dormir! supplia-t-elle de son illusoire refuge, d'une voix étouffée.

— Dors, Angie, je reviens vite! répondit Bertille.

À regret, elle emballa de son mieux le tableau, s'équipa de nouveau chaudement et sortit.

---

7. Voir livre 1, *Le Moulin du loup.*

7
Sacrifices

Vallée des Eaux-Claires, 5 février 1926

Le froid avait enfin battu en retraite. Il avait suffi de deux belles journées de soleil, d'un vent doux presque printanier pour détruire les savantes architectures du gel le long de la rivière, et prodiguer ainsi un peu de couleur au paysage. Faustine en profitait et promenait le bébé sur le chemin des Falaises. Isabelle et Pierre la suivaient sagement, ravis de pouvoir gambader.

La jeune femme poussait la voiture d'enfant dans laquelle Gabrielle dormait à poings fermés. En approchant du pont sur les Eaux-Claires, Faustine jeta un coup d'œil songeur du côté du domaine de Ponriant. Bertille était venue lui raconter la visite des Nadaud, deux semaines auparavant, en parlant également du tableau qui représentait Claire en amazone.

Malgré la loi du silence en vigueur dans la famille, Matthieu savait désormais qu'Angéla habitait le pavillon. Le jeune homme n'avait pas pu tenir sa langue et, tandis que Claire et lui travaillaient dans l'imprimerie, il avait parlé de la démarche du couple Nadaud.

— Quand même, ils ont un de ces culots! avait-il conclu.

— Cela ne m'intéresse pas! avait répondu Claire. Qu'ils aillent tous au diable! Par pitié, je ne veux rien savoir.

Mais Faustine, elle, commençait à éprouver un début de pitié pour Angéla. La jeune fille, enceinte, vivait en recluse dans le pavillon de chasse, entourée de solitude.

« Cela doit être très triste d'attendre une naissance sans le futur père pour vous dorloter et vous choyer, pensa-t-elle en détournant les yeux des toitures du domaine. Et se dire, en plus, qu'on sera toujours l'unique personne à chérir le bébé. Qu'on choisira seule son prénom.»

Elle se pencha et remonta la couverture en laine rose jusqu'au menton de Gabrielle. Soudain, Isabelle lança une exclamation de joie.

— Grand-père! Maman, grand-père est là!

La jeune femme releva la tête, alarmée, et aperçut son père qui approchait d'un pas rapide. Elle ne pouvait pas l'éviter, d'autant moins que la fillette courait vers Jean. Il la souleva et la serra dans ses bras. Pierre, beaucoup plus timide, se réfugia contre sa mère.

— Ma petite Isabelle! s'exclama-t-il. Je suis si content de te voir! Et ce bébé, alors? Est-ce que tu aides maman à le langer?

Faustine fut incapable de maîtriser son dégoût et sa fureur. Elle s'empressa de reprendre sa fille et lui ordonna de rester près du landau.

— Tu ferais mieux de t'en aller, et vite! intima-t-elle tout bas à son père. Ne m'oblige pas à hurler devant les petits. Qu'est-ce que tu viens faire ici?

Elle le dévisageait avec mépris, tout en remarquant à quel point il avait mauvaise mine, à quel point ses traits étaient tirés. Ses cheveux avaient grisonné à la hauteur de ses tempes.

— Faustine! s'écria-t-il. Je voulais faire la connaissance de Gabrielle. N'importe quel passant te croiserait et tu lui permettrais de regarder ton enfant. C'est ma petite-fille! J'ai laissé ma voiture près de ma cabane. J'étais allé jeter un coup d'œil sur mes vignes. Comme il y avait du soleil, j'étais sûr que tu promènerais la petite.

— Ah vraiment! Tu nous épies, tu rôdes dans la vallée! rétorqua-t-elle à mi-voix. Désolée, je n'ai pas envie que tu voies Gabrielle. Cela servirait à quoi? Elle n'aura pas de grand-père, de toute façon. Jamais tu ne la feras sauter sur tes genoux, jamais tu ne lui tiendras la main! Et, qui sait, tu es peut-être dangereux pour mes filles! Qu'est-ce qui me prouve que tu ne les trouveras pas à ton goût, dans quelques années?

Jean ne put se maîtriser. La gifle partit contre sa volonté. L'injure était trop grave.

— Si on m'avait dit qu'un jour, tu oserais me traiter ainsi… dit-il dans un souffle.

Elle se tenait la joue et le fixait avec stupeur. Isabelle, inquiète, se mit à pleurer en bredouillant que grand-père était vilain.

— Tu te crois tout permis! déclara enfin Faustine. Quand j'avais douze ans, tu m'aurais presque assommée parce que j'embrassais des garçons à la sortie de l'école. Tu jouais les justiciers pour te conduire en salaud à la première occasion. Fiche le camp! J'espère ne plus jamais te revoir de toute ma vie. Si tu voulais m'amadouer, tu t'y prends mal.

Faustine percha le petit Pierre sur son bras gauche et, de la main droite, fit pivoter le landau pour rentrer chez elle.

— Viens vite, Isabelle! dit-elle.

Son père la rattrapa et, d'autorité, immobilisa la voiture d'enfant. Gabrielle s'était réveillée et s'agitait. Jean rabaissa la couverture et observa le nourrisson.

— Une beauté, conclut-il. Rien d'étonnant, avec les parents qu'elle a.

La jeune femme, excédée, voulut le pousser en arrière. Elle vit qu'il pleurait. De grosses larmes coulaient le long de son nez, sur ses joues. Il les essuya du revers de sa manche, haletant.

— Je n'aurais pas dû dire ça, tout à l'heure! avoua-t-elle. J'ai exagéré, mais si tu savais comme je souffre, papa!

Le mot familier lui était venu aux lèvres spontanément. Jean en frémit tout entier.

— Je n'aurais pas dû te gifler! dit-il. Mais tu peux comprendre à quel point tes mots m'ont blessé. Je ne ferais jamais de mal à un enfant, bon sang! J'ai tué le type qui avait fait subir un calvaire à mon petit frère, tu n'as pas oublié ça! Tu as lu mon livre?

Il hurlait en gesticulant. Faustine n'avait jamais vu son père dans un tel état de nervosité et de désespoir. Pierre et Isabelle se mirent à crier de frayeur.

— Mon Dieu! dit la jeune femme, ce n'est pas possible. Calme-toi, papa! Les petits sont terrifiés. Viens à la maison. Puisque tu es là, autant discuter de tout ce fatras!

Elle avait la gorge nouée en prenant conscience que la position de Jean n'était pas facile et qu'il était à bout. Elle rassura ses enfants et leur permit de courir jusqu'à la porte, sans l'attendre. Avec la promptitude de leur âge à changer d'humeur, ils avancèrent en se tenant par la main.

— Décidément, déclara Faustine, Claire et toi supportez mal votre séparation. Tu avais l'air d'un fou, à l'instant, et maman est méconnaissable, elle aussi, parfois. Elle devient hargneuse, boudeuse ou, d'un coup, trop gaie, fébrile.

— Comment va-t-elle, pour le reste? interrogea-t-il d'un ton vraiment anxieux.

— Bien, en apparence! Toujours sur les chemins, à cheval, pour soigner ceux qui font appel à ses services. Et au besoin elle seconde Matthieu à l'imprimerie.

— Ah! fit Jean. Il y a des commandes, au moins?

— Quelques-unes, pour les cartons fins aussi, précisa Faustine.

Ils entrèrent dans la maison. Jean regarda autour de lui, très ému de retrouver le cadre familier où, si souvent, il avait goûté avec sa fille ou bu un café en vitesse, le matin. Gabrielle lança un vagissement plaintif. La jeune femme la sortit du landau et la prit contre son cœur.

— Tiens-la un peu, dit-elle à son père qui continuait à pleurer sans bruit.

Cet homme accablé, morose, larmoyant, lui faisait de la peine. Même son beau regard bleu semblait éteint.

— Non, ça me suffit de pouvoir vous contempler toutes les deux. Je crois qu'elle sera brune, comme Matthieu.

Jean aurait aimé dire à sa fille combien il la trouvait jolie, épanouie par la maternité. Il se contentait de la dévorer des yeux.

« Quel beau teint elle a! Mat et doré, une carnation de pêche mûre. Et ses cheveux, qu'ils sont épais, souples, moins blonds que jadis, mais on dirait de l'or », songeait-il.

Faustine posa le bébé dans une bercelonnette en osier disposée près de la fenêtre. Elle installa Isabelle et Pierre à table devant un verre de lait et des biscuits. Elle s'affairait avec dextérité, troublée par la présence de son père. Le son de sa voix ainsi que l'odeur tenace de tabac blond que dégageait sa veste en tweed l'avaient bouleversée. Depuis sa petite enfance, cet homme avait représenté pour elle la sécurité, la tendresse, la force et la bonté. Bien que déchu, tombé de son piédestal, il demeurait son père.

— Je suppose que tu es au courant, pour Angéla? dit-il brusquement.

— Au courant de quoi?

— Elle a disparu depuis plus de quinze jours! Je suis très inquiet. Cela ajoute à ma faute. Pauvre gosse! J'étais incapable de lui adresser la parole, et elle se tenait à l'écart de moi. Ce séjour chez ma sœur virait au cauchemar. Il faut dire que Blanche la traitait comme un chien.

Faustine faisait réchauffer du café. Elle avança prudemment :

— Bertille m'a juste raconté que les Nadaud sont venus à Ponriant, parce qu'ils la cherchaient. Et qu'elle t'avait volé une grosse somme.

— Mais non! soupira-t-il. Je n'appelle pas ça du vol. J'avais bien dit à Angéla qu'elle pouvait me prendre de l'argent si nécessaire. Hélas, elle n'ira pas loin avec ce qu'elle a emporté.

— Quand même, papa, coupa la jeune femme, je trouve toute cette histoire pitoyable. Tu te comportes comme si Angéla ne comptait plus du tout pour toi. Dans ce cas, pourquoi as-tu trompé Claire?

— Si je te disais que je n'en sais rien! murmura-t-il, profondément affecté. Et puis, à quoi bon? Mon coup de folie a provoqué une vraie tragédie. Si je ne me suis pas fichu en l'air, c'est pour l'enfant, ce petit être innocent que j'avais envie de connaître. Ta tante Blanche avait proposé de l'élever; il n'aurait manqué de rien. Au début, Angéla était d'accord, mais peu à peu elle a dû changer d'avis. Je pensais que c'était préférable, moi aussi. Elle se serait retrouvée libre, libre de travailler, d'aimer quelqu'un d'autre. Victor lui avait même promis assez d'argent pour qu'elle puisse s'établir à Paris et suivre les cours des Beaux-Arts.

Faustine savait tout ça grâce à Bertille. Exaspérée d'être

obligée de mentir ou de se taire, elle fixa son père droit dans les yeux.

— De quel droit Blanche recherchait-elle Angéla? Elle avait si peur de ne pas pouvoir lui arracher le nouveau-né sitôt l'accouchement terminé? Je l'ai rayée de mon cœur, mon ancienne protégée, ma petite sœur adoptive, mais je lui accorde le droit de garder son bébé. Les Nadaud devraient avoir honte! Un enfant, ça ne s'achète pas! Et toi, mon propre père, tu les as soutenus!

— Il fallait bien que je me raccroche à quelque chose! s'écria Jean. Cela me donnait un but, de voir grandir mon fils ou ma fille. Tout était organisé, sais-tu? Je devais habiter le manoir de Pranzac avec ma sœur et son mari.

Faustine berçait Gabrielle. Elle tentait de réfléchir sans céder à la colère. Cela lui paraissait aberrant de discuter avec son père.

«Je m'étais promis de ne plus le revoir, de le renier, qu'il ne m'approcherait plus, et il est là, dans ma maison», constata-t-elle, désemparée.

— Je reviens de Paris, ajouta Jean. J'ai passé trois jours abominables à interroger les pensions de famille, les couvents, les propriétaires de garnis. Cela me rend malade d'imaginer Angéla seule, privée de toute protection. Tu n'es pas forcée de me croire, mais en ce moment j'éprouve pour elle l'angoisse qu'éprouverait un père.

— Tais-toi! gémit la jeune femme.

— Pourquoi je me tairais? Je voudrais juste être présent après la naissance du bébé, m'assurer qu'il est en bonne santé et, si Angéla tient à le garder, je lui donnerai tout ce que je possède à la banque afin qu'ils vivent tous les deux dans des conditions décentes.

— Et Blanche? Elle a renoncé à son sinistre marché? s'enquit Faustine d'un ton outré.

— Bien sûr! Ma sœur n'est pas un monstre, quand même! Elle ne peut pas contraindre Angéla à lui remettre l'enfant. Mais moi, j'aurais voulu l'embrasser, ce petit. Je n'ai eu que toi, Faustine, et le souvenir de ta venue au monde ne me quittera jamais. Quel bonheur j'ai ressenti, quelle fierté! Je sanglotais tout haut, je riais! Ce n'est pas la faute de Claire si elle n'a pas pu me rendre père. Cependant j'en ai beaucoup souffert... Je voudrais au moins être sûr qu'Angie va bien, qu'elle est en sécurité.

Très émue par ce qu'elle venait d'entendre, Faustine dit encore:

— Il paraît que c'est toi qui as envoyé Victor et Blanche au domaine? Comment as-tu pu imaginer que les Giraud avaient recueilli Angéla, après ce qui s'était passé?

— Là encore, je n'en sais rien! reconnut Jean. Moi, à sa place, je serais revenu dans la vallée, près du Moulin du Loup. Ce lieu nous a peut-être tous ensorcelés. Je ne peux pas m'en éloigner, ni toi ni Matthieu, encore moins Claire. Angéla pouvait se réfugier par ici. Je reviens chaque nuit et je rôde, comme tu l'as dit tout à l'heure. Je vais souvent jusqu'à la Grotte aux fées et je regarde la maison où j'ai vécu les plus belles années de ma vie. Je pense à Claire, je me demande si elle dort, si elle pleure. Parfois, il me vient des accès de colère, et là j'ai envie de défoncer les portes, de la voir, de la toucher. Il a fallu cette tragédie pour que je comprenne que j'aime Claire au-delà de tout. Je ne peux pas admettre que je ne la reverrai plus.

Sur ces mots, Jean finit par s'asseoir sur l'appui de la fenêtre. La lumière oblique du soleil déclinant souligna les plis amers de chaque côté de sa bouche, les rides au coin des yeux, la tension des mâchoires. Faustine devina qu'il avait envie de pleurer et se contenait.

— Mon pauvre papa! soupira-t-elle. Je te plains, en fait! Tu as perdu Claire et ta famille, mais aussi Angéla. Et cela m'étonnerait que tu revoies ton enfant, vu ce que tu m'as confié.

— Je devrais rouler jusqu'aux berges de la Charente, ce soir, et me foutre à l'eau! dit Jean laconiquement. Le fleuve est profond, près des îles de Bourgines. On dit qu'il y a de hautes herbes qui vous emprisonnent et précipitent la noyade. Personne ne me regrettera. Si... Blanche, sans doute...

La jeune femme secoua la tête. Elle voulait bien haïr son père, le mépriser, mais le savoir mort, non.

— Rien n'est jamais définitif, avança-t-elle. La preuve, je t'ai servi un café comme avant et je t'ai écouté sans te mettre dehors. Je suis furieuse après toi, et ce n'est pas près de s'arrêter. Seulement, je n'ai pas envie de te perdre tout à fait. Papa, tu as vu juste : Angéla est à Ponriant. Je te fais confiance, ne me trahis pas. Après l'avoir trouvée dans le grenier de l'institution, Bertille l'a logée dans le pavillon de chasse. Simone était affolée. Elle a vite téléphoné au domaine. Je te le dis uniquement pour te rassurer. Si tu préviens Blanche, cette fois je te haïrai pour de bon jusqu'à la fin de mes jours.

Le soulagement extrême de Jean fut perceptible. Il eut un vague sourire et se frotta le visage à pleines mains. Il parvint même à plaisanter sur un ton triste.

— Si je comprends bien, tu ne me haïssais pas pour de bon! Ma Faustine, ma chérie, comme tu m'as manqué! dit-il tout bas.

Il la regardait avec une telle expression d'amour qu'elle eut peur de s'attendrir.

— Maintenant, va-t'en vite! déclara-t-elle. Matthieu rentre plus tôt depuis la naissance de Gabrielle, et parfois Claire l'accompagne. Je ne veux pas qu'ils te voient ici. Et jure-moi de ne pas révéler à ta sœur où est Angie!

Jean remit son chapeau. Il caressa du bout de l'index la joue de sa fille.

— Je te le jure, mais, de ton côté, si tu avais la bonté de me téléphoner quand elle accouchera... Tu peux me joindre chez Blanche ou au *Café de la Paix*. Ne t'inquiète pas, je serai discret quand je t'aurai au bout du fil. Veille bien sur tes petits, Faustine, et merci, merci. Tu m'as ôté un gros poids du cœur. J'ai fait assez de dégâts depuis l'été dernier.

Il se hâta de sortir avec un air soumis. La jeune femme referma la porte derrière lui. Pendant quelques secondes, elle resta appuyée contre le mur, les yeux fermés.

« Mon Dieu, pourquoi en sommes-nous arrivés là? se désola-t-elle. Je déteste mon père, mais c'est une pitié de le voir comme ça. Il n'est plus que l'ombre de lui-même. »

Pendant le dîner, elle raconta à Matthieu la visite de Jean dans la vallée. Le jeune homme, épuisé par une longue journée de travail, se montra perplexe. Faustine craignait une réaction de colère et des reproches; ce ne fut pas le cas.

— Après tout, c'est ton père! Si tu penses avoir bien agi, je n'ai rien à te dire. Mais n'en parle pas à Claire, surtout pas. Elle s'intéresse à la marche de l'imprimerie. Elle se réjouit déjà de récolter ses plantes, au printemps. La seule chose qui l'aide, c'est d'oublier. Alors, pas un mot.

— Ne t'en fais pas, Matthieu. Je n'ai qu'une envie: c'est qu'elle soit apaisée, joyeuse.

Les enfants étaient couchés. Gabrielle était un bébé d'une sagesse surprenante. Elle tétait puis dormait à un rythme régulier; elle pleurait rarement. Faustine embrassa son mari au coin des lèvres.

— Tu es fatigué. Allons au lit.

Ils savouraient l'instant où, dans la pénombre tiède de la chambre, ils pouvaient s'allonger, étroitement enlacés. C'était l'heure bénie des baisers, des chuchotis et des caresses, mais sans aller au-delà, la sage-femme ayant recommandé au jeune couple la chasteté absolue pendant encore un mois. Cela ne les gênait pas. Ils tenaient essentiellement à être ensemble, à l'abri des rideaux de lin du baldaquin. L'amour qui les unissait était de ceux que rien ne pouvait plus atteindre.

*

Deux jours plus tard, le beau temps persistant, Faustine décida de monter au domaine de Ponriant, sous prétexte de promener ses trois petits. Elle les habilla et les coiffa avec soin, même le bébé qui étrenna un bonnet en coton brodé de fleurs.

Bertille se déclara enchantée de son initiative. Mireille et la nurse anglaise s'extasièrent autour du landau de Gabrielle. Félicien, qui avait le même âge qu'Isabelle, l'entraîna tout de suite dans le petit salon où il jouait aux billes.

— Je vais préparer un bon goûter pour tous ces chérubins, annonça la gouvernante, ravie, et pour ma chère Faustine à qui je dois tant.

C'était la façon de la vieille femme de rappeler ces lointains jours de l'hiver 1915 où, adolescente, Faustine lui avait appris à lire. Depuis, Mireille avait toujours un roman sous le bras, et Bertrand se piquait au jeu de discuter de tel ou tel ouvrage avec elle. La veille encore, l'avocat et son employée avaient commenté un passage de *Raboliot*, le prix Goncourt de l'année précédente, décerné à Maurice Genevoix.

— Tu ne viens pas assez souvent nous voir, affirma Bertille en tenant les mains de la jeune femme. Vous êtes tous chez vous, au domaine, ne l'oubliez jamais!

— Merci, tantine! répondit Faustine en souriant.

Une fois confortablement installées dans le salon, elles discutèrent de la terrible période de froid enfin terminée et des progrès du petit Pierre. Puis la conversation revint à ce qui les préoccupait toutes les deux.

— Hier, j'ai revu mon père! déclara la visiteuse. Il m'a surprise près du pont. J'étais tellement en colère que j'ai dit n'importe quoi et il m'a giflée.

— Comment ça! s'offusqua Bertille. Giflée! Quel culot, lui qui mériterait d'être traîné en justice.

— Il a l'air si malheureux, tantine! Ce n'est plus le même. Il fait de grands gestes, il pleure. J'ai eu pitié de lui. Je crois qu'il donnerait cher pour revenir en arrière.

— Hélas, ce genre de miracle ne se produit jamais! coupa la dame de Ponriant. Moi aussi, j'estimais Jean, je l'admirais même, mais il a commis une erreur si grave que je lui en voudrai le temps qu'il me reste à vivre. Il a détruit Claire, et aussi Angéla. Je ne peux en parler qu'à toi: elle m'inquiète beaucoup. Un docteur est venu deux fois, quelqu'un de qualifié, pas l'ignoble Vitalin du bourg.

— Et alors?

— Il l'a trouvée très faible, bien trop maigre! Ce serait de la neurasthénie, un trouble mental. Tu t'en doutes, je n'ai pas exposé la situation, et ce médecin manquait d'éléments pour poser un diagnostic. Je pense pour ma part, et Bertrand est d'accord, qu'Angéla se punit elle-même de ce qui s'est passé. Je la conjure de s'alimenter, mais j'arrive juste à lui faire avaler des bouillons et de la compote. Nous sommes devenues assez proches et j'ai compris une chose: elle est rongée de remords.

De regrets aussi, à propos de Louis de Martignac. Maintenant qu'elle a perdu toutes ses chances de ce côté, il devient le prince charmant, le seul homme qu'elle ait aimé.

Bertille poussa un bref soupir. Faustine lui avait parlé de la visite du jeune châtelain et de la manière dont Claire avait annoncé la grossesse d'Angéla.

— C'est bien triste, tout ceci! dit la jeune femme. Tantine, j'aimerais voir Angie. Je lui en veux encore. Mais je ne suis pas une sainte, pour pouvoir la juger. Et je garde le souvenir de ma petite élève de l'orphelinat Saint-Martial qui m'a confié son terrible secret, un soir, en tremblant de honte. Elle s'estimait coupable des violences que lui avait fait endurer ce sale type qui vivait avec sa mère. Mon Dieu, comme l'existence commence mal pour certains!

— Je t'accompagne, Faustine, observa Bertille d'un air préoccupé. Angie sait que je suis la seule à avoir la clef des verrous. Je t'annoncerai.

Elles prévinrent la nurse qui promit de veiller sur Gabrielle et les enfants. Quelques instants plus tard, elles entraient dans le pavillon de chasse où régnaient un silence insolite ainsi qu'une pénombre sinistre, à cause des volets fermés.

— Je crois qu'elle dort! dit Bertille à voix basse. Je vais allumer une des lampes.

Faustine s'approcha du lit et retint un cri effaré. Angéla avait tout d'une morte. Son teint cireux, ses paupières closes et son visage anguleux étaient là pour en témoigner.

— Tantine, je la reconnais à peine! dit-elle. Il faudrait l'hospitaliser! Comment a-t-elle pu changer autant en quelques semaines?

— Le soir où je l'ai recueillie, elle avait déjà maigri, mais elle semblait en bonne santé. Le docteur a conseillé du repos et du calme. Je lui donne du fortifiant, rien n'y fait. Bon, je te laisse. Réveille-la en douceur. Je suis sûre que ta visite lui fera du bien.

Bertille s'éclipsa sur la pointe des pieds. Faustine tira une chaise près de la table de chevet et scruta les traits émaciés de la jeune fille. Elle n'éprouvait plus aucun mépris, aucune haine.

— Angéla, est-ce que tu dors vraiment ou tu n'as pas envie de me voir? dit-elle d'une voix anxieuse. Ne crains rien, j'ai toujours été capable de faire la part des choses. Tu dois être tellement malheureuse pour te laisser dépérir ainsi...

Angéla ouvrit les yeux et sursauta en voyant la jeune femme. Elle eut une sorte de mouvement affolé.

— Faustine! Qu'est-ce que tu fais là? balbutia-t-elle.

— Tu dormais vraiment?

— Oui, quand je dors, je ne pense à rien.

— Claire dit la même chose! fit remarquer Faustine. Hier, j'ai revu mon père. Vous êtes tous les trois de vraies âmes en peine et moi, je ne sais plus quoi faire. Je suis incapable de maudire bien longtemps ceux que j'ai aimés. Papa, toi! Angie, tu as très mal agi et je t'en veux encore, mais tu dois t'accrocher à la vie, malgré tout. Je croyais t'avoir appris à bien faire tes devoirs, par le passé. Tu étais une excellente élève. Prouve-le-moi une fois encore!

— Je ne comprends rien! protesta Angéla en s'asseyant.

— Tu n'as plus qu'un seul devoir, reprit Faustine, mettre ton enfant au monde. Bertille m'a expliqué que tu ne mangeais plus, que tu ne sortais jamais te promener. C'est très mauvais pour le bébé. Il faudrait au moins aérer le pavillon.

— Je suis très bien comme ça! répondit la jeune fille, la tête basse. Et je n'ai pas besoin de ta fausse pitié. Qu'est-ce que ça peut te faire, que je sois malade ou que je meure? Je ne mérite rien d'autre, va!

Elle éclata en sanglots. Elle pleurait sans se cacher, les mains jointes sur son ventre proéminent qui contrastait avec ses épaules osseuses et la fragilité de ses poignets.

— Plus personne ne m'aime! bredouilla-t-elle. Blanche, la sœur de Jean, elle n'arrêtait pas de m'humilier, de me traiter comme une moins que rien. Et ton père, ton père... Il ne me défendait même pas. Je le dégoûtais, il me l'a assez dit. Bertille, elle est gentille, mais je me demande pourquoi. Je n'aurai plus jamais le droit de voir ni Arthur, ni Thérèse, ni Janine. Ni ton bébé. Ton bébé, il a un père, lui, un bon père. Bertille me l'a dit, c'est une petite fille, Gabrielle.

La jeune fille débitait tout ceci à travers ses larmes, sur un ton plaintif. Faustine jugea ce spectacle encore plus lamentable que l'affreuse scène qui avait eu lieu au Moulin en novembre.

— Je n'ai plus de courage, dit encore Angéla. Tu n'aurais pas dû venir ici, ça me fait trop de chagrin. Je t'aime, tu sais, je t'aime comme avant, mais devant toi j'ai trop honte.

Il aurait fallu un cœur de pierre, ce qui n'était pas le cas de Faustine, pour résister à la vision de ce désespoir presque enfantin. Elle tendit la main et caressa la joue de sa sœur adoptive.

— Ma pauvre petite fille! s'attendrit-elle. Je t'en prie, sois franche, j'ai besoin de savoir la vérité. Est-ce que mon père a profité de toi? S'il a osé te séduire, te forcer, je le dénonce à la justice. Réponds, Angie!

— Non, il n'a rien fait de tel! gémit Angéla. C'est ma faute, ma faute à moi! César me faisait peur; il voulait toujours me peloter, mais avec Louis je me sentais bien, heureuse. Dès qu'il me prenait dans ses bras, je me croyais au paradis. Mais tu t'en souviens, sa mère, Edmée, ne voulait pas entendre parler de moi, d'un mariage. Dans mon esprit, cela prenait des proportions tragiques. Pendant le voyage avec Jean, dans le train, à Paris, et surtout à bord du paquebot, je voulais m'amuser, me prouver que j'étais belle, jeune, libre. Jamais je n'avais été seule avec ton père; je le découvrais sous un autre jour. Comment te dire? Je l'ai vu vraiment et il m'a plu. Je n'ai aucune excuse, Faustine! J'avais envie de savoir des choses, enfin, tu comprends, ces choses de l'amour qui me faisaient peur, précisément.

— Mais pourquoi avec mon père? s'effara la jeune femme. Tu savais que tu trahissais Claire, moi et Louis de Martignac!

Angéla ouvrit grand les yeux, d'un air halluciné. Comme Jean la veille, elle déclara en pleurant à nouveau:

— Je ne sais pas pourquoi, Faustine. Je me moquais de tout, c'était étrange, comme si j'étais ivre.

— Tu n'as jamais été ivre, que je sache!

— Là-bas, au milieu de l'océan, et à Québec, je n'étais plus la même. Voilà, je ne peux pas mieux t'expliquer. Excuse-moi, je suis exténuée.

La jeune fille se mit à claquer des dents, tandis que des gouttes de sueur perlaient à son front.

— Tu as une mine affreuse, et sûrement une forte fièvre! s'écria Faustine. Calme-toi, Angie, je vais dire à Bertille de rappeler le médecin. Je reviendrai te voir bientôt. Le mal est fait, de toute façon. Inutile d'en mourir!

*

Moulin du Loup, 8 février 1926

Claire et Anita veillaient près de la cuisinière en fonte, toutes deux occupées à tricoter. Le cliquetis de leurs aiguilles faisait écho à la chanson douce du balancier de la grande horloge. Léon était monté se coucher après le dîner, à la même heure que la petite Janine.

La chatte Mimi ronronnait, assise sur la pierre de l'âtre, non loin de Moïse étendu de tout son long.

— Quelle tranquillité! constata Claire en regardant autour d'elle avec satisfaction.

Devenue un peu frileuse, elle avait protégé ses épaules d'un châle en laine et portait une longue robe grise très démodée. Ses beaux cheveux bruns étaient relevés en chignon.

— Pourvu que le froid ne revienne pas! répondit Anita. Vos semis seraient fichus, madame. Déjà, ce gel a causé bien du tort au potager.

— Ne t'inquiète pas, je sens le printemps approcher. Il sera précoce, les narcisses pointent sous la fenêtre. Demain, nous décrocherons les rideaux et je les remplacerai par ceux que j'ai retrouvés dans le grenier. Ils datent de l'époque où ma mère régentait cette maison d'une poigne de fer.

Anita approuva en comptant ses mailles. Elle ne contrariait jamais Claire, qui ne cessait de repeindre les murs, de lessiver les boiseries, de déplacer les meubles.

— Nous ferons à votre idée, madame.

Témoin de la fièvre de changement de sa sœur, Matthieu pensait qu'elle essayait d'effacer le décor où elle avait vécu des années près de Jean. Mais lui aussi l'encourageait, soulagé de la voir active et pleine d'énergie.

— J'avais oublié de te dire une bonne nouvelle, reprit Claire. Arthur est le premier de sa classe, ce mois-ci. Je suis fière de mon jeune frère; il travaille bien à l'école et brille en musique.

— Quand même, soupira Anita, vous devriez le reprendre ici, au Moulin, votre frère. C'était un caprice de gosse, de vouloir habiter chez votre cousine. Arthur prendra des manières d'enfant gâté, au domaine.

— Je t'assure que non! Et il est en joyeuse compagnie, là-bas. Je fais ce qui me semble le mieux pour lui.

Elle regarda l'horloge. Il était presque minuit. Une pensée la traversa et ce n'était pas la première fois.

« Est-ce que Jean vient toujours sur le plateau pour observer le Moulin? Peut-être qu'il descend jusqu'à la Grotte aux fées? »

Elle ferma les yeux quelques secondes et imagina son mari marchant entre les buissons de genévriers, silhouette sombre parmi les ombres de la nuit. Les visions qu'elle créait atteignaient une précision étrange. Claire habillait Jean d'un certain costume en tweed marron, le coiffait de son chapeau de feutrine beige, nouait une écharpe autour de son cou. Il fumait et le bout incandescent de sa cigarette dissipait l'obscurité.

« Je suis folle! Cela me rappelle ce temps béni où je courais le rejoindre dans les falaises. Mon cœur battait la chamade, j'avais une telle hâte de me serrer contre lui, de sentir sa bouche sur la mienne. C'était une sensation inouïe, de le retrouver, de le toucher enfin après une interminable journée d'impatience. »

Elle alla plus loin dans ses souvenirs. Elle était tellement avide de revivre le meilleur de son amour perdu qu'elle retrouva, presque intacts, l'intensité des caresses qu'ils échangeaient, le goût de leurs baisers et des images entre ombre et lumière de leurs corps nus, chauds et ardents.

— Madame, chuchota Anita, on toque à la porte! Qui est-ce, à une heure pareille? Je me disais aussi, j'avais cru entendre un bruit de moteur.

« Et si c'était Jean? » pensa Claire, tout de suite partagée entre l'espoir et la colère.

Elle ne l'avait pas revu depuis trois mois. La seule idée d'être en face de lui la bouleversa, même si elle l'aurait frappé et insulté. Vite, elle se leva et alla ouvrir. Maurice se tenait sur le perron, l'air très gêné et visiblement en proie à la plus grande anxiété. Le domestique des Giraud souleva sa casquette en s'inclinant.

— Qu'est-ce qui se passe, Maurice? Personne n'est malade, au domaine? interrogea-t-elle.

Claire venait à peine de dire ces mots qu'elle devina ce qui se passait. Oppressée, elle n'eut qu'une envie: voir disparaître le jeune homme. Cependant, elle referma la porte derrière elle, ce qui empêcherait Anita d'entendre la conversation. Seul Matthieu était au courant de la présence d'Angéla à Ponriant.

— Madame Bertille m'a envoyé, parce que vous ne répondiez pas au téléphone, expliqua Maurice. Elle voudrait que vous veniez, et je dois vous conduire. C'est rapport à la personne que vous savez. La jeune demoiselle est dans les douleurs depuis la fin de l'après-midi.

— Tu t'es dérangé pour rien, Maurice! dit Claire très bas. Ma cousine aurait-elle perdu la tête? Comment a-t-elle pu croire un instant que je viendrais? Cela ne me concerne pas. Tu connais un peu l'histoire, puisque nous n'avons pas pu la cacher à tout le monde. Je ne comprends même pas pourquoi Bertille fait appel à moi! Quant au téléphone, en effet, depuis deux jours, il ne marche plus. Tant mieux!

De plus en plus embarrassé, le domestique murmura:

— Il y a une sage-femme à son chevet, et le docteur est passé deux fois, mais il paraît que mademoiselle Angéla vous réclame, que c'est à fendre le cœur. Si tout se passait bien, madame Bertille ne serait pas si affolée.

Claire lui tapota le bras. Elle ne voulait pas accabler le malheureux commissionnaire.

— Attends-moi une minute, je vais écrire à ma cousine une lettre que tu lui remettras.

Elle rentra dans la cuisine, bien décidée à rédiger un message sans équivoque. Anita, devant sa mine défaite, s'alarma:

— Dites-moi donc ce qui ne va pas au domaine? interrogea-t-elle.

— Rien de grave! Monte te coucher, il est tard.

Mais l'apparition de Léon dans l'escalier, en pyjama et avec sa tignasse hirsute, compliqua les choses.

— Vous avez besoin d'aide, madame Claire? s'écria-t-il. J'ai entendu le moteur d'une voiture et des bruits de voix. Je suis vite descendu à la rescousse.

— Fichez-moi la paix, tous les deux! décréta-t-elle, les nerfs à vif. C'est un problème entre ma cousine et moi.

Ils la regardèrent avec inquiétude, pendant qu'elle traçait deux lignes hâtives sur une page de cahier, d'une large écriture. Ils la virent ressortir.

— Tiens, Maurice, avec ça, j'espère que tu n'auras pas à refaire le trajet. Je n'ai pas mis d'enveloppe; tu peux lire. J'ai écrit exactement le fond de ma pensée: «Bertille, tu exagères. Je ne pourrai pas toujours te pardonner tes prises de position. Je ne mettrai plus les pieds à Ponriant. Claire.» Et ne fais pas cette tête-là, une sage-femme, un médecin, c'est suffisant pour un accouchement!

— On ne dirait pas, plaida-t-il. Rien ne va comme il faudrait. Votre mari est arrivé vers neuf heures, ce soir. Il attend dans sa voiture. C'est votre fille qui l'a prévenu. Madame Faustine est là-bas, elle aussi.

Claire se figea, incrédule. Elle eut la désagréable impression d'être trahie encore une fois.

— Faustine? Décidément, je ne compte plus, moi! soupira-t-elle en retenant ses larmes. Va-t'en, Maurice, va-t'en vite.

Elle se précipita à nouveau dans la cuisine. Léon et Anita n'avaient pas bougé d'un pouce. Ils la fixaient du même regard soucieux.

— Je n'ai pas besoin de vous! s'écria-t-elle, exaspérée. Vous êtes plus curieux que des fouines.

— Mais, patronne… bafouilla Léon.

— Quoi, quoi? aboya-t-elle. Vous voulez savoir ce que fichait Maurice sur le perron à plus de minuit? Eh bien, je vais vous le dire, comme ça vous irez enfin au lit! Bertille, ma chère cousine, a eu la bonté d'héberger Angéla dans le pavillon de chasse. Et Angéla accouche, bien sûr! Et qui devrait voler à son secours, la soulager de ses douleurs? Moi, Claire! Moi qui ai tout perdu à cause de cette fille! Vous êtes contents? Laissez-moi, maintenant, par pitié, laissez-moi!

Claire s'affala sur un des bancs et s'appuya à la table, le visage caché entre ses mains.

— Ah! ça non, on va pas vous laisser, patronne! déclara Léon. Je remets du bois dans le feu et je vous sers une goutte de fine! Bon sang, si je me doutais…

Anita se signa. À pas prudents, elle s'approcha de Claire et lui caressa le dos.

— Pleurez, madame, pleurez, il y a de quoi, c'est sûr! Vous êtes bien à plaindre, le bon Dieu en est témoin.

Cela ne consola pas Claire. Faustine complotait avec Bertille, Jean s'apprêtait à tenir dans ses bras son fils ou sa fille, né de son sang et de celui d'Angéla. Soudain, elle se redressa et se tourna vers Anita.

— J'ai peur, gémit-elle. Oh, j'ai si peur!

— Mais peur de quoi, madame? s'étonna Léon.

— Peur de perdre mon âme! expliqua-t-elle. Je n'ai plus que de la haine en moi. C'est abominable.

Elle se remit à sangloter. L'alcool et les pauvres paroles de réconfort du couple ne servirent à rien. Un quart d'heure plus tard, on frappa de nouveau à la porte. Les coups se faisaient insistants contre le lourd panneau de chêne clouté. Ils résonnaient dans l'esprit et le cœur de Claire qui observait la porte avec une expression de véritable panique. Léon et Anita n'osaient pas intervenir.

— N'ouvrez surtout pas! leur intima-t-elle. Ne répondez pas! J'ai bien fait de fermer à clef!

Mais la voix de Faustine s'éleva, vibrante d'angoisse. La jeune femme secouait le loquet, un geste dérisoire qui prouvait son affolement.

— Maman, je sais que tu es là! Il y a de la lumière! Maman, je dois te parler! Ouvre!

— Madame, vous ne pouvez pas laisser votre fille dehors! dit Anita. Elle peut bien entrer, au moins!

— Non, non! hurla Claire, comme folle.

— Maman, s'égosilla la jeune femme en tambourinant de plus belle, maman, je suis venue seule, en bicyclette! Je t'en prie, ouvre-moi, Angéla est en train de mourir! Elle te réclame, elle veut te demander pardon!

Un cri de désespoir s'éleva, dehors. Léon n'y tint plus et alla tourner la clef. Faustine entra, échevelée, les joues en feu. Elle était en gilet de laine et en jupe, sans manteau. Claire se leva du banc et se réfugia en bas de l'escalier, comme pour signifier qu'elle pouvait monter dans sa chambre et s'y enfermer.

— Maman, tu peux au moins m'écouter! insista la jeune femme, les bras tendus dans un geste de supplication. Angéla est trop faible pour expulser le bébé, elle est mourante. Si tu la voyais! Elle n'a pas arrêté de t'appeler « maman Claire, maman Claire ». Et nous étions là, impuissants, à pleurer devant son pauvre corps décharné. Le docteur dit qu'elle est perdue, la sage-femme aussi. Ils ne veulent pas sortir l'enfant, ils prétendent qu'il est déjà mort, que ce n'est pas la peine. Maman, elle n'a aucune famille, rien que nous.

Anita se signa plusieurs fois en récitant une prière. Elle n'aimait pas Angéla, mais, très croyante, elle estimait que chaque mourant avait droit à de la compassion.

— Je pense que Bertille a les moyens de l'expédier à l'hôpital! rétorqua Claire d'un ton dur. Cela aurait dû être fait bien avant, cet après-midi. Moi, je ne suis pas le bon Dieu, je ne fais pas de miracle.

Faustine écarquilla ses grands yeux bleus noyés de larmes. Elle s'approcha encore de sa mère adoptive.

— Ce n'est pas la question, maman! Comment peux-tu refuser de l'écouter? Une gamine de dix-neuf ans à l'agonie! On ne te demande pas de la soigner ni de l'aider. C'est trop tard pour ça!

Claire secoua la tête, paupières closes. Elle s'accrochait à la rampe de l'escalier.

— Je me fiche de ses remords, dit-elle avec rage. Quand on se conduit comme une chatte en chaleur, il ne faut pas s'étonner de se retrouver grosse du mâle! Combien de femelles meurent au fond des bois, parce que leurs petits les condamnent? Angéla est punie par là où elle a péché!

Léon en resta bouche bée. Anita aussi. Faustine recula, effrayée. Jamais elle n'aurait cru Claire capable de dire de telles insanités.

— Est-ce que tu t'entends parler, maman? demanda-t-elle. Là, tu baisses dans mon estime, mais à un point que tu n'imagines pas! Tu rallies le rang de ceux que tu méprisais dans ta jeunesse: les sans-cœur, les chasseurs, les imbéciles! Mon Dieu, tu devrais avoir honte! Angéla va mourir et toi, tu la compares à une bête?

— Oui! s'exclama Claire d'un air halluciné. Qu'elle crève et son bâtard aussi! Elle et Jean m'ont empoisonnée, ils m'ont rendue mauvaise! Tu le vois bien? Fiche le camp! Va pleurnicher au chevet de la fille qui a détruit ta famille!

La jeune femme recula encore, blême et chancelante. Léon fit le geste de la soutenir, mais il n'osa pas.

— D'accord, je fiche le camp! répliqua Faustine. Tu me dégoûtes, je ne veux plus de toi pour mère!

Sur ces mots, elle sortit en courant et claqua la porte. Le silence qui suivit était lugubre. Claire poussa un soupir et marcha jusqu'à la table. Elle se servit un second verre d'eau-de-vie et l'avala d'un trait avant de se rasseoir et de reprendre la même position, le visage caché entre ses mains. Tout devint noir, à la ressemblance de son chagrin, de sa haine.

Plus rien n'existait dans son âme torturée, ni la beauté du mois de mai et sa moisson de fleurs et de plantes, ni les sourires des enfants, ni le chant éternel de la rivière.

«Je voudrais mourir tout de suite, là!» se répétait-elle.

Mais le noir se dissipa autour d'une tache de lumière dans laquelle apparut la face ridée du vieux rebouteux. Le père Maraud avait sa longue barbe de neige, ses prunelles étaient limpides et son regard, pénétrant. Il semblait fâché.

«Et alors, Claire Roy! C'est comme ça que tu gardes la tête haute, ma fille? crut-elle l'entendre dire. Tu as peur parce que tu sais que toi, tu as le pouvoir de la guérir, Angéla. C'est peut-être ta dernière épreuve.»

— Non, non! fit Claire. Non, je ne peux pas.

— Madame, vous devriez y aller! supplia Anita.

— Ce genre de choses, on se le reproche tôt ou tard! ajouta Léon en posant une main ferme sur l'épaule de sa patronne. Refuser le pardon à un mourant, c'est pas beau, madame.

Au même instant, la chatte sauta sur les genoux de Claire et se frotta à son menton en ronronnant. Mimi était câline, mais elle se montrait rarement aussi entreprenante.

— C'est bon! s'écria Claire en se relevant. J'ai compris! Je vais le faire, mais, Dieu m'en est témoin, que c'est dur!

— Je vous emmène en camionnette, madame! dit aussitôt Léon. Je passe une veste et j'enfile des galoches. Matthieu m'a laissé les clefs.

Anita pleura de soulagement quand le véhicule démarra. Claire, elle, éprouvait une étrange impression de dédoublement.

« Vous m'en demandez beaucoup, père Maraud! se disait-elle. Enfin, je ne sais pas si c'est vous ou si c'est ma conscience! Même Mimi semblait de la partie et me suppliait. »

Le trajet lui parut bien trop court. Il faudrait revoir Jean, sans doute dans un état pitoyable, et affronter la vision d'Angéla au terme de sa grossesse.

« Pourquoi me réclame-t-elle? Après ce qu'elle m'a fait, comment pouvait-elle penser que je viendrais? » s'interrogea-t-elle, tandis que Léon coupait le moteur à quelques mètres du pavillon de chasse.

Il y avait deux automobiles garées dans l'allée que les sapins assombrissaient. Claire reconnut la voiture de son mari. Elle se mit à trembler et, d'un geste énergique, saisit le poignet de Léon.

— Je t'en prie, va parler à Jean, je ne veux pas le croiser ni qu'il m'approche!

— Mais j'suis en pyjama, madame! protesta-t-il.

— Vas-y, si tu as de l'amitié pour moi! insista-t-elle. De toute façon, il a besoin d'être soutenu.

— Je m'étais juré de plus jamais lui causer, à ce traître!

— Et moi, je m'étais juré de laisser mourir Angéla, Léon! dit Claire d'une petite voix triste.

Elle descendit de la camionnette. Chaque pas lui coûtait, mais il lui sembla être escortée par ceux qui l'avaient guidée depuis l'enfance sur le chemin du dévouement, de la charité et du pardon. Peut-être bien que son cher vieil ami, Basile Drujon, se tenait là. Anarchiste, athée, mais aussi humaniste, philosophe, il avait enseigné à la fillette du Moulin les bienfaits d'une intelligence sans cesse en éveil. Raymonde la suivait aussi, sans doute. Sa servante l'avait souvent sermonnée et raisonnée. Cela fit penser à Claire que la sœur aînée de Raymonde était morte des suites d'une fausse couche et des brutalités de Frédéric Giraud, son premier mari. Et Colin Roy, son père, le tendre maître papetier, il la poussait sûrement en avant, exigeant d'elle un sacrifice de plus.

— Mon Dieu, donnez-moi la force! souffla-t-elle.

Claire regarda droit devant elle en direction de la porte entrouverte du pavillon. De l'intérieur sourdait une luminosité orangée, comme s'il y avait le feu. Un homme en complet-veston sortit, une mallette à la main.

— C'est vous, la femme que réclamait cette pauvre gosse? lui lança-t-il. Vous arrivez trop tard, elle délire et ne dit plus un mot cohérent. Dépêchez-vous, elle devrait passer dans les minutes qui viennent. Déjà, l'accouchement est prématuré et l'enfant est mort à coup sûr. Bonsoir, madame.

Ensuite, ce fut Bertille qui se rua vers elle, le visage ruisselant de larmes. Toute menue dans une robe chiffonnée, la dame de Ponriant s'exprimait avec difficulté.

— Viens vite, Clairette, je t'en prie, viens! Elle souffre tant, la pauvre.

— Calme-toi, princesse, laisse-moi donc passer! répliqua-t-elle.

Autour du lit se tenaient Faustine et Odile Bernard, la sage-femme de Vœuil. Claire les salua d'un signe de tête et observa Angéla. Malgré tout son ressentiment, elle eut un terrible choc. La jeune fille était quasiment méconnaissable. Les os pointaient sous la peau couleur de cire. Les cheveux collés par la sueur, elle geignait, les yeux fermés.

— Madame! lui expliqua la sage-femme, je n'ai pas bien compris pourquoi vous n'étiez pas là dès les premières douleurs. Je suppose que vous aviez vos raisons. Mais il faut m'aider. Le médecin a déclaré forfait, il nous abandonne. Selon lui, cette jeune personne est condamnée. Je voudrais tenter l'impossible!

— Dites-moi! répondit Claire, revigorée par l'expression soulagée qui émanait du visage de Faustine.

— Voilà, je crois pouvoir sortir le bébé avec les forceps, mais la douleur sera violente et je crains que le cœur de la mère ne tienne pas le coup. Hélas, je ne dispose de rien pour l'endormir. J'aurais préféré qu'elle meure sans souffrir, au moins, si ce que je fais la tue.

Odile Bernard parlait vite et très bas.

— Vous êtes guérisseuse, madame! Moi, j'ai le sentiment que nous pouvons la sauver. Pas l'enfant, je ne perçois aucun battement de cœur. Si elle est délivrée du bébé, si elle ne perd pas trop de sang, elle a une chance de s'en tirer.

— Maman, souffla alors Faustine, merci d'être venue! Merci de tout cœur. Aide madame Bernard, je t'en conjure.

— Je voudrais que tu sortes, dans ce cas, ma chérie, dit Claire. Emmène Bertille aussi. Il me faut du silence.

La jeune femme s'empressa d'obéir. Elle avait remarqué le sac que portait sa mère, son gros sac en cuir contenant ses baumes, ses fioles et ses herbes. Bertille ne discuta pas non plus.

— Je prépare moi-même du laudanum, confia-t-elle tout de suite à Odile Bernard. Je plante des pavots roses derrière la maison et je recueille les graines. Elles macèrent dans du vin de menthe et de camomille. Je vais lui en donner; elle ne sentira rien, je vous le promets.

Claire réussit à faire boire trois gorgées à Angéla. Elle posa ses mains à la hauteur de la poitrine de la jeune fille. Des fourmillements coururent aussitôt le long de ses bras, et une chaleur intense se répandit jusqu'au bout de ses doigts. Concentrée, attentive au message que lui envoyait ce corps presque inerte, elle resta ainsi quelques minutes. Pendant ce temps, la sage-femme mettait son projet à exécution. Ce n'était pas sans mal. Elle bredouillait des imprécations ou bien s'encourageait toute seule.

— Là, c'est presque fini! Courage! Mon Dieu, ayez pitié de nous.

Sa blouse blanche était maculée de taches de sang. Enfin, elle poussa un énorme soupir proche du sanglot, tandis qu'une odeur incommodante s'élevait.

— J'ai extrait le bébé. Il ne risquait plus rien, le malheureux. À peine huit mois, trois tours de cordon ombilical autour du cou. Le docteur disait vrai, l'enfant a dû mourir avant-hier. Un garçon.

Claire prit soin de fixer son regard sur le mur qui lui faisait face. Elle avait la nausée et une violente envie de pleurer.

La sage-femme enveloppa le petit cadavre dans plusieurs épaisseurs de linge. En se lavant les mains dans le cabinet de toilette, elle demanda:

— Comment va la demoiselle? Elle vit encore?

— Oui, répliqua Claire, mais son pouls est très faible. De mauvaises humeurs ont dû se répandre dans le ventre. Je ne ferai pas de miracle! Aucune plante ne peut lutter contre l'infection des chairs[8]. Mais je peux essayer certaines tisanes composées qui feront baisser la fièvre et purgeront le sang.

Les deux femmes discutèrent à voix basse, près du lit. Odile étudiait le beau visage de son interlocutrice avec une admiration évidente.

— Vous auriez dû être infirmière ou médecin! conclut-elle. Je vous ai vue, tout à l'heure, quand vous avez posé vos mains sur la malade. Elle n'a pas tardé à mieux respirer et cela m'a aidée. Votre don, ajouté à la science, aurait soulagé tant de gens.

— Je m'y emploie quand même. Je vous remercie, Odile. Cela ne vous dérange pas que je vous appelle par votre prénom?

— Oh! non, la nuit n'est pas finie. Je veux surveiller ma patiente jusqu'à demain matin. Je voudrais tellement qu'elle survive.

Claire se pencha sur Angéla et lui toucha le front.

— Elle lutte, elle vit toujours! balbutia-t-elle. Mourir à son âge, ce serait horrible. Pouvez-vous me laisser seule un

8. La pénicilline n'était pas encore mise au point ni utilisée.

instant? Si vous pouviez prévenir toutes les personnes qui doivent attendre, dehors? Enfin, leur annoncer pour le bébé.

— Bien sûr! approuva Odile Bernard en ôtant sa blouse souillée.

Avant de sortir, elle contempla Claire qui s'était assise sur une chaise au chevet d'Angéla. Il émanait de la belle guérisseuse une profonde sérénité. Elle tenait la main de la jeune fille. Dehors, Bertille et Faustine l'assaillirent de questions.

— L'enfant est mort-né, confia-t-elle. Un bébé très petit et étranglé par le cordon. Je suis vraiment désolée. Nous espérons sauver la mère.

Jean était là, lui aussi, une cigarette entre les lèvres qu'il jeta tout de suite et écrasa du talon.

— C'était un garçon! précisa Odile.

— Lucien est mort deux fois! coupa-t-il en réprimant un sanglot sec.

— Papa, je suis navrée! s'écria Faustine.

Elle était incapable d'afficher de la froideur ou du mépris. Pourtant, devant Angéla à l'agonie, elle avait maudit cent fois son père.

— Oh, ne te fatigue pas, répondit-il. Cela arrange tout le monde que ce petit n'ait pas vécu! Encore une fois, c'est ma faute. Tout est ma faute.

Léon se tenait un peu à l'écart. Il céda à un élan de pitié et vint tapoter l'épaule de celui qui avait été son meilleur ami, son unique ami.

— Pleure, mon vieux, pleure, va!

— Laissez-moi! hurla Jean. Laissez-moi tranquille! Je sais ce que vous pensez!

Il s'éloigna si vite que personne ne tenta de le rattraper. Il démarra sa voiture et, l'instant d'après, il avait disparu du parc de Ponriant. Le bruit du moteur s'atténua, puis ce fut le silence.

— Où va-t-il? s'inquiéta Faustine. Nous aurions dû le retenir!

— Il va se garer vers le village et pleurer à son aise! avança Bertille. Madame, que devons-nous faire pour Angéla?

Elle s'adressait à la sage-femme. Odile Bernard eut un geste évasif.

— Votre cousine souhaitait demeurer seule. Je crois qu'elle prie. Je passe la nuit ici. Vous pouvez aller vous reposer un peu. De toute façon, vous ne pourrez pas nous aider.

Faustine paraissait très tourmentée. Bertille le devina et se montra rassurante.

— Tu devrais aller au domaine. Il est très tard et la nurse a peut-être du mal à calmer Gabrielle. Tu as sauté une tétée et ta fille n'a pas dû apprécier le biberon d'eau sucrée.

— D'accord, je vais l'allaiter! répliqua la jeune femme.

— Je t'accompagne, soupira Bertille. Mireille ne doit pas dormir. Je lui demanderai de préparer quelque chose à manger pour vous, madame Bernard, et pour ma cousine.

Claire percevait leurs voix, des bribes de phrases, comme elle avait entendu une voiture longer l'allée. Elle avait la certitude qu'il s'agissait de Jean.

« Il fuit encore! songea-t-elle. Il n'a plus aucun courage, ni celui de voir dans quel état se trouve Angéla ni celui de voir son fils. Mais ma présence a dû hâter son départ. Je suppose qu'il va se réfugier chez Blanche et qu'elle le consolera! Tant de souffrances pour ce résultat! Une fille en pleine jeunesse qui agonise, un petit être innocent qui ne connaîtra rien des joies terrestres... »

Bizarrement, Claire vouait à l'enfant mort-né une sorte de tendresse instinctive. Il n'était plus l'élément ennemi conçu dans l'adultère, mais la victime d'un drame monstrueux.

« Angéla devait être bien désespérée pour se détruire à petit feu! pensa-t-elle encore. Mon Dieu, si seulement je pouvais comprendre ce qui est arrivé. On dirait que le diable, même si je ne crois pas en lui, a mené la danse. »

Elle ne lâchait pas la main de la jeune fille, dans le but de lui transmettre son énergie vitale, sa volonté de vaincre la mort qu'elle sentait rôder. Odile entra sur la pointe des pieds.

— Alors? demanda-t-elle.

— Je ne peux pas me prononcer, dit Claire avec un soupir.

En se tournant vers la sage-femme, elle aperçut un tableau posé sur la petite cheminée d'angle. Son cœur se mit à cogner.

— Odile? Je ne dois pas quitter Angéla. Pourriez-vous me montrer cette toile de plus près, je vous prie!

La sage-femme s'exécuta avec empressement.

— Une œuvre d'une délicatesse infinie! commenta-t-elle en le présentant à Claire. Je crois que c'est vous, sur ce cheval?

Elle approuva en silence et étudia longuement la peinture. Sirius revivait sous ses yeux, avec sa belle tête fine, son corps musculeux et sa robe d'un blanc laiteux. Les frondaisons auréolées de soleil nimbaient d'or la radieuse cavalière vêtue d'une tenue d'amazone couleur de châtaigne mûre.

« Quel talent! reconnut-elle. Quelle perfection! C'est une grande artiste! Moi, j'ai l'air grave, mais je caresse l'encolure de mon cheval. Je suis prête à sourire. »

— Il paraît que mademoiselle Angéla a peint ce magnifique tableau la veille de Noël, à votre intention. C'est madame Giraud, votre cousine, qui me l'expliquait ce soir. Vraiment, vous montiez en amazone? Avec une selle spéciale?

— Oui, avoua Claire qui aurait bien aimé être seule et n'avait pas envie de bavarder.

« Pourquoi a-t-elle eu l'idée de peindre cette scène-là? Quand même, elle n'aurait pas osé me l'offrir! » s'étonnait-elle.

La main d'Angéla s'agita dans la sienne. Une voix presque inaudible appela : « Maman? Maman Claire? »

— Elle a repris connaissance! se réjouit Odile. Merci mon Dieu, quel bonheur! Je remets la toile à sa place et je vais examiner notre miraculée.

Claire scrutait le visage de la malade, qui gardait les yeux fermés. Un faible sourire crispait ses lèvres pâles et gercées.

— Déjà, elle ne saigne plus beaucoup, constata la sage-femme. C'est bon signe. La fièvre a baissé. Je vais la nettoyer.

Claire se leva tout doucement.

— Elle vivra! affirma-t-elle en fouillant dans son sac. Je vous laisse ces sachets de tisane que vous lui ferez boire dès qu'elle sera réveillée tout à fait. Je préfère m'en aller, Odile. Vous la soignerez aussi bien que moi, maintenant.

— Mais, madame? Je comptais veiller en votre compagnie!

— J'ai fait le nécessaire, je ne peux pas rester. Excusez-moi, ma cousine va vite revenir. Tout ira bien, n'ayez pas peur.

C'était une fuite, plus discrète et moins précipitée que celle de Jean. Odile n'insista pas. Claire retrouva avec un plaisir sensuel l'air frais de la nuit et l'ombre des grands sapins dont le parfum l'avait toujours grisée. Léon dormait, assis au volant de la camionnette. Attendrie, elle renonça à le tirer de son sommeil et quitta le domaine de Ponriant à pied. Un quartier de lune dispensait une faible clarté grise sur le paysage cher à son cœur. Chaque détail se redessinait sous le regard de Claire. Elle en aurait crié de joie.

« Mes falaises, les saules au bord de la rivière, bientôt ils auront ces chatons duveteux que les enfants adorent! Comme la terre sent bon, et comme ma vallée est belle! songeait-elle, éblouie. Angéla sait recréer ce que nous voyons grâce à des crayons, des pinceaux, des tubes de peinture! Au moins, elle pourra exercer son art toute sa vie. Mais je ne pouvais pas rester, non, je ne pouvais pas la voir ouvrir les yeux et me regarder. Je ne pourrai plus jamais, je crois. Mais elle est sauvée. Je suis en paix. »

Cette nuit-là, Bertille raconta à la sage-femme la tragédie qui avait frappé Claire et la faute commise par Jean et Angéla. Cette nuit-là aussi, Jean prit la route de Libourne en roulant à vive allure. Il traversa des villes endormies: Marmande, Casteljaloux, puis Nérac et Condom. Quelque chose le poussait vers Auch, la cité méridionale perchée au bord du Gers, là où il avait vécu près de Térésa, qui tenait une pension de famille bon marché. Ce n'était pas cette créature jalouse et sans scrupules qu'il allait rejoindre. Le souvenir d'un jardin ensoleillé l'attirait. Il s'y dressait une statue de marbre blanc représentant la Vierge Marie. Il se revoyait conduisant par la main une adolescente de treize ans, Manuela, la fille de Térésa, que celle-ci forçait à se prostituer. Ces images du passé rayonnaient d'une lumière sublime. Jean se souvint des religieuses, accueillantes et douces, et de l'impression de sérénité qu'il avait éprouvée en ces lieux. C'était là qu'il avait retrouvé la foi. Cruellement marqué par la mort du bébé, il implora tout le long du voyage le secours divin.

Il arriva à Auch au lever du jour. La gigantesque cathédrale était baignée dans les lueurs roses de l'aube.

La voiture chauffait, et il n'avait plus une goutte d'essence. Jean prit la direction du couvent à pied, tête nue. Mais, devant la porte surmontée d'une croix en pierre, il céda à l'épuisement, à la crainte de ne pas trouver Manuela.

« Pourtant, je voudrais lui parler, se disait-il. Elle a connu le Jean d'avant, celui qui croyait en la justice, en la bonté. »

Il fit demi-tour et prit une chambre dans un hôtel de la ville. Pendant une semaine, il s'enferma la plus grande partie du temps, mangeant à peine, dormant beaucoup. Ses pensées le ramenaient sans cesse à la dernière soirée qu'il avait passée en Charente, dans le parc de Ponriant. Assis au volant de sa voiture, il avait assisté aux allées et venues affolées de Bertille et de Maurice. Il avait vu Faustine arriver, conduite par Matthieu. Elle portait la petite Gabrielle emmitouflée dans une couverture en laine et l'avait confiée aussitôt à la nurse, elle aussi sur le pied de guerre.

Il avait fixé les murs et la porte du pavillon de chasse en imaginant Angéla en proie aux douleurs de l'enfantement. Bertille était venue lui parler, frêle et volontaire dans la pénombre. Jean n'avait pas daigné descendre de la voiture.

— Elle a dépéri, disait la dame du domaine, hautaine. Angéla n'a plus une once de force. Si tu la voyais! Un homme digne de ce nom sortirait de cette automobile et viendrait à son chevet!

Il avait répondu qu'il en était incapable. Sa lâcheté le poursuivait, à tel point qu'il avait parfois l'impression de voir un étranger dans les miroirs.

Presque à court d'argent, Jean s'obstinait à demeurer dans le modeste hôtel de la place de la cathédrale d'Auch. Il guettait un signe qui lui donnerait le courage de retourner au couvent et de tirer la clochette réservée aux visiteurs.

Le déclic eut lieu un matin de franc soleil, alors que sur les toits de la ville il admirait l'envol bruyant d'une bande de pigeons d'un blanc pur. Le claquement de leurs ailes et le bleu du ciel rappelèrent à Jean le symbole de paix représenté par la colombe.

Une heure plus tard, une religieuse le recevait. Il s'était rasé et portait une chemise neuve achetée dans un bazar.

— Monsieur?

— Je voudrais un renseignement, ma sœur. C'est un peu compliqué. Peut-être que la mère supérieure serait plus à même de m'écouter.

— Entrez!

Jean avança doucement, sottement heureux d'entrevoir derrière une seconde porte vitrée le grand jardin aux allées de gravillons, aux massifs de buis taillé. Des narcisses et des jonquilles à peine éclos égayaient des bordures de terre brune le long du mur d'enceinte.

Rien n'avait changé et cela l'apaisa. Il marcha sous la voûte en pierre dorée d'un vaste corridor,

— La mère supérieure va vous recevoir, monsieur, bredouilla la sœur, assez jeune et intimidée.

Elle l'introduisit dans le même bureau aux lourds meubles bruns où il avait plaidé la cause de Manuela. Une religieuse était assise derrière une table. Jean la dévisagea, perplexe. Plus de vingt ans s'étaient écoulés; il n'était pas sûr de reconnaître la supérieure de jadis.

— Monsieur, dit-elle soudain en étudiant sa physionomie avec attention, je crois que nous nous sommes déjà rencontrés.

— Oui, madame... pardon, oui, ma mère! Je suis content que vous me reconnaissiez. Jean Dumont. Je vous ai confié, en 1905, une jeune fille nommée Manuela. J'ai souvent pensé à elle, et à ce lieu. Je voudrais savoir si elle a pris le voile ici.

— Manuela! répéta-t-elle. Vous lui avez écrit pendant deux ans, ensuite, plus une seule lettre, mais des mandats réguliers. Et un don conséquent il y a dix ans, n'est-ce pas?

— Eh oui, soupira Jean, embarrassé. J'avais hérité.

— C'est tout à votre honneur, monsieur Dumont. Manuela n'a pas quitté le couvent. Après son noviciat, elle a prononcé ses vœux. Le plus souvent, elle s'occupe de l'ouvroir. Maintenant, nous l'appelons sœur Jeanne-Marie.

— Est-ce que je pourrais la rencontrer, ma mère?

demanda-t-il. Cela peut vous surprendre, mais, malgré une existence très agitée et de nombreuses responsabilités, je n'ai jamais oublié votre couvent. C'est ici que j'ai commencé à croire en Dieu.

La religieuse perçut l'accablement du visiteur. Il avait tout d'un homme traqué.

—Je ne vois pas d'objections à ce que vous discutiez un peu avec sœur Jeanne-Marie. Allez au parloir, monsieur Dumont.

Assis sur un banc, Jean s'interrogea enfin sur le sens de sa démarche. Qu'attendait-il de Manuela après tant d'années? Il se souvenait de l'adolescente au teint mat, au corps délié, et surtout de l'expression extatique de son visage quand il lui avait dit au revoir alors qu'une novice l'emmenait visiter les lieux.

Près de lui, on toussa légèrement, juste pour attirer son attention. Une sœur en longue robe grise, coiffée d'une cornette blanche, se tenait à deux pas.

— Monsieur Dumont! dit-elle d'un ton surpris.

Jean se leva et la fixa d'un air soulagé. Malgré l'austérité de sa tenue conventuelle, il avait tout de suite reconnu Manuela. Elle avait un peu grandi et paraissait plus ronde, mais c'était bien elle.

— Manuela, pardon, sœur Jeanne-Marie! Bonjour! Comment allez-vous? dit-il avec maladresse.

— Mais je vais très bien! Je suis surprise, bien sûr! Je ne pensais pas vous revoir dans cette vie.

—Je voudrais vous parler, reprit-il. Avez-vous le droit d'aller dans le jardin?

— Si vous préférez. Il n'y a aucun souci.

Elle le guida le long du corridor et ils marchèrent bientôt entre les massifs de buis.

—Je suis depuis une semaine à Auch, expliqua Jean. J'ai fui mon pays, du côté d'Angoulême. J'ai besoin de me confesser et vous êtes la seule personne à qui je pouvais m'adresser.

— Oh! non, monsieur, il faut vous rendre à la cathédrale. Le prêtre vous entendra en confession. Ce n'est pas mon rôle! protesta la jeune femme.

— Comme c'est étrange! fit remarquer Jean. Jadis, je vous tutoyais et vous vous nommiez Manuela. Enfin, nous faisions moins de cérémonie. Mais ce n'est pas important. Ma sœur, j'ai très mal agi ces derniers mois. Et depuis, je n'ai qu'une idée : mourir, mettre fin à ce sentiment de culpabilité qui me ronge.

Sœur Jeanne-Marie prit place sur un banc de pierre, au bout d'une esplanade surplombant la basse ville et le cours du Gers. Jean s'assit à ses côtés.

— Si je peux vous aider, souffla-t-elle, dites-moi ce qui vous tourmente. J'ai une dette envers vous, une douce et bonne dette.

En prenant soin de ménager sa pudeur, à demi-mot il lui raconta tout, du départ pour le Canada en paquebot à la nuit horrible de l'accouchement.

— J'ai accumulé les bassesses, le reniement, la lâcheté! conclut-il.

— Cette jeune fille, Angéla, avez-vous au moins pris de ses nouvelles? interrogea la religieuse après un silence.

— Non! avoua-t-il.

— Ce serait un premier acte de courage, de vous alarmer de sa santé. Même ici, malgré le recueillement et la sécurité dont nous bénéficions, les tristes choses du monde extérieur nous parviennent, quand nous accueillons des enfants martyrisés, affamés, malades. Comme je l'étais, monsieur Dumont. Je suis vraiment accablée par ce que vous m'avez dit. Mais je prierai pour vous, des mois s'il le faut, je prierai de toute mon âme pour votre salut.

— Je crois que cela ne suffira pas, sœur Jeanne-Marie, répondit Jean, cependant touché par sa gentillesse. Je voudrais expier, payer mes crimes, et pouvoir reprendre ma vie d'avant. Pas tout à fait la même vie. J'ai l'impression que j'aimerais davantage ma fille, mes petits-enfants et mon épouse.

Le regard noir de la sœur erra sur le jardin encore dépouillé. Elle cherchait comment apaiser Jean.

— Vous aimez votre épouse, dit-elle. Je le sens à la façon dont vous prononcez son prénom. Dès que vous serez prêt à le faire, allez implorer son pardon, quitte à vous mettre à genoux. Prouvez-lui votre repentir, regagnez sa confiance. Je ne suis pas experte en la matière, mais, si elle vous aime encore, un jour elle vous pardonnera. Je prierai pour cela aussi.

— Je suivrai vos conseils, ma sœur! avoua-t-il. Quand j'oserai me présenter devant ma famille.

Ils discutèrent encore plus d'une heure. Âgée de trente-quatre ans, sœur Jeanne-Marie ne se contentait pas de prières et de journées à l'ouvroir. Comme ses sœurs en religion, elle parcourait parfois la ville ou se rendait à la cathédrale. Avant de raccompagner Jean à la porte, elle l'exhorta à se confesser le soir même. Elle lui donna également un autre conseil, assorti d'un sourire angélique.

Il promit de le suivre. Ce fut un déchirement pour lui de quitter l'enceinte du couvent où il se sentait protégé et meilleur. Le regard serein, plein de bonté de l'ancienne Manuela le soutint dans ses gestes et ses décisions.

De retour à l'hôtel, Jean téléphona au domaine de Ponriant. Il eut Bertille à l'autre bout du fil.

— Des nouvelles d'Angéla? persifla-t-elle. Il serait temps de t'en préoccuper! Dors tranquille, elle est vivante. Le père Jacques a béni l'enfant qui a été inhumé au cimetière de Puymoyen. Je ne t'insulte pas, car je ne suis pas seule dans le salon. Sinon, ce serait avec plaisir.

Elle coupa la communication. Jean respira mieux. Il écrivit deux longues lettres, puis il se rendit à la cathédrale.

8
Repentirs

Domaine de Ponriant, un mois plus tard

La nature semblait fantasque, en cette année 1926. Après le froid rigoureux qui avait sévi en janvier et en février, le mois de mars offrait aux hommes et aux bêtes de magnifiques journées de soleil et un air tiède d'une douceur exquise. Les prairies reverdissaient à vue d'œil, déjà parsemées d'une nuée de pissenlits et de boutons d'or dont les corolles jaunes resplendissaient.

Bertille avait ouvert grand les fenêtres et la porte du pavillon de chasse.

— Admire ce ciel bleu! dit-elle à Angéla, toujours alitée. Tu vas reprendre des forces, maintenant, avec ce printemps précoce.

La convalescence de la jeune fille avait été un vrai parcours du combattant. Les premiers jours suivant l'accouchement, Angéla était restée plongée dans un état végétatif. Elle n'avait pas conscience de ce qui l'entourait. Faustine avait cru bon de lui chuchoter que le bébé était mort, mais elle n'avait même pas réagi.

Dès qu'elle fut en état de comprendre, on lui annonça la mauvaise nouvelle avec ménagement. Angéla pleura beaucoup, mais, n'ayant pas vu le corps du nourrisson et la faiblesse aidant, elle admit assez vite ce deuil. La forcer à boire les tisanes prescrites par Claire et lui faire avaler du bouillon était un tour de force. Mais la vie s'accrochait à ce corps squelettique et, petit à petit, une lente guérison s'était amorcée. Le médecin la considérait désormais comme hors de danger.

Sur l'insistance de son épouse, Bertrand Giraud avait dû

engager une infirmière. Il s'agissait d'une quinquagénaire joviale et vigoureuse qui pouvait soulever Angéla pour changer les draps et la traitait en enfant dès qu'elle refusait de manger.

— Si le beau temps continue, tu pourras te reposer dehors, dans une chaise longue! reprit Bertille. Demain, je vais à Angoulême et je te rapporterai de nouveaux livres et des magazines.

— Vous êtes tellement gentille pour moi! répliqua Angéla. Je trouve cela étrange, en fait. Nous étions ennemies, avant!

— Oublions ce temps-là! coupa la dame de Ponriant. Ou bien tu en parles parce que tu penses encore à Louis. Je suis désolée pour ce qui s'est passé.

Angéla poussa un bref soupir. Faustine n'hésitait plus à monter jusqu'à Ponriant avec ses trois enfants et, à l'occasion d'un goûter, elle avait raconté comment Claire avait révélé la grossesse de la jeune fille au châtelain.

— Par chance, Louis ne sait pas qui était cet homme marié, fit remarquer Bertille. Il aurait été encore plus choqué.

— Il a dû être bien malheureux, répondit Angéla d'une voix affligée. Par ma faute! C'est ça le pire, l'avoir fait souffrir. Et je n'aurai jamais l'occasion de lui demander pardon, de lui dire comme je l'aime encore.

— Tu peux au moins lui écrire! Cela te soulagerait. Une lettre sincère, où tu te confierais sans tricher.

— Non, madame, c'est impossible, protesta la jeune fille. Mettre des mots sur ce que j'ai fait, sur la mort de mon bébé, je n'y arriverais pas. Ce serait même indécent. Louis m'a rayée de sa vie, à présent. Cela ne servirait à rien de remuer toute cette boue. Je vais suivre vos conseils. Dès que j'irai mieux, je recommencerai à peindre.

Bertille s'assit près du lit et observa Angéla. Elle avait repris des couleurs, et ses joues étaient moins creuses. Leur relation évoluait vers une tendre complicité que ni l'une ni l'autre n'avait prévue.

— Tu es très douée, Angie! J'espère qu'au mois de septembre nous serons toutes les deux à Paris. Si tu présentes un excellent dossier, tu entreras aux Beaux-Arts.

— Grâce à votre générosité et à celle de votre mari! Si

jamais je deviens une artiste célèbre, je vous rembourserai tout l'argent que vous allez dépenser pour moi.

Les Giraud prévoyaient, comme l'avait fait Victor Nadaud, financer l'installation d'Angéla à Paris. Ils jugeaient que cela aiderait la jeune fille à tirer un trait sur ce qu'elle avait vécu. Pourtant, même si Bertille se réjouissait de revoir la capitale, elle avait de sérieux doutes sur le bien-fondé de ce projet. Incorrigible romantique, mais très lucide aussi, la dame de Ponriant avait surtout envie de jouer les bonnes fées.

« Seule dans cette ville immense, se disait-elle, Angéla aura-t-elle le courage de travailler autant qu'il le faudra? Et si elle tombait plus bas encore, si un homme la séduisait à nouveau et profitait de son besoin d'amour? »

Un rayon de soleil nimbait sa chevelure d'un blond vénitien aux boucles abondantes et souples.

— Je voudrais vous dessiner, là, tout de suite! s'écria Angéla. Devant la fenêtre, avec cette lumière! Je n'ai pas pu faire votre portrait, mais c'est le moment. Vous êtes si belle!

— Alors, lève-toi et prends ton matériel! Si, si! Tu te lèves! Je suis sûre que tu tiendras debout!

— Vous croyez?

Angéla rabattit le drap et l'édredon. Elle posa ses pieds nus sur la carpette et, en se tenant au dossier du lit, fit un pas, puis deux. Vêtue d'une longue chemise de nuit blanche, deux nattes brunes dansant sur ses épaules, elle avait l'air d'une fillette.

— J'ai un peu le vertige! précisa-t-elle. Tant pis.

D'une démarche incertaine, elle atteignit la table où étaient posés sa mallette, des carnets et des crayons. Dès qu'elle eut le nécessaire, elle tituba, se redressa et, vite, se recoucha. Son cœur cognait fort dans sa poitrine, mais elle souriait.

— Ce soir, je crois que j'aurai faim! annonça-t-elle.

— Voici une bonne nouvelle! s'écria Bertille.

« Cette fois, elle va vraiment guérir, songea-t-elle. Bientôt, elle pourra se promener autour du pavillon. Cela lui fera le plus grand bien. »

Impatiente de pouvoir admirer le résultat, elle posa pour Angéla plus d'une demi-heure. L'esquisse réalisée l'enchanta.

— Tu m'as rajeunie! s'étonna-t-elle. Je n'ai pas un profil aussi parfait!

— Je vous assure que si, affirma la jeune artiste. Ce dessin deviendra un tableau. La dame du domaine un matin de printemps.

Touchée, Bertille caressa la joue de sa protégée. Elle lui vouait un attachement étrange, inexplicable.

« Peut-être que j'ai l'occasion, en veillant sur Angéla, de racheter mes fautes passées, conclut-elle après réflexion. Je me suis rétablie de mon infirmité, Bertrand m'adore et il ignore que je lui ai été infidèle pendant trois ans. Pour toutes ces grâces que la vie m'a accordées, je devais faire une bonne action. »

Le lendemain, Bertille se rendit comme prévu à Angoulême. Ses emplettes effectuées, elle demanda à Maurice, qui faisait office de chauffeur, de prendre la route de Villebois. Le domestique s'en étonna.

— Mais vous ne connaissez personne là-bas, madame! dit-il.

— Je connais un jeune notaire, Louis de Martignac, soupira-t-elle. Ne t'inquiète pas, je ne serai pas longue.

Le jeune homme hocha la tête, mécontent. Il raisonnait de façon sommaire. Comme il savait que le châtelain était l'ancien amant de sa patronne, ce détour lui déplaisait, par loyauté à l'égard de Bertrand Giraud.

— Tu boudes, Maurice? observa-t-elle après quelques minutes de silence.

— Non, madame. Mais ce n'est pas toujours facile, la place d'un domestique. On est témoin de bien des choses, mais on ne doit rien en penser et faire comme si...

Jamais Maurice n'avait osé parler aussi franchement. Bertille comprit.

— Je t'ai dit de ne pas te tourmenter! Je ne suis pas une sainte, je te l'accorde, mais ne crains rien, tu n'auras pas à mentir. Je veux rencontrer monsieur de Martignac au sujet d'Angéla. Presque toute la vallée sait qu'elle habite le pavillon; les enfants aussi. Mais lui, il croit peut-être le contraire. Sûrement, même. Il aimait sincèrement cette jeune fille.

Maurice retrouva le sourire. Bientôt ils aperçurent les

remparts du vieux château médiéval qui surplombait la petite cité aux maisons serrées le long de rues en pente. Bertille fit arrêter la voiture devant une épicerie et interrogea une cliente qui sortait de la boutique afin de savoir où se situait l'étude de maître de Martignac.

— Place de la Mairie, près du Champ de Foire. Vous verrez, une belle maison entourée d'un jardin.

Tout en remerciant la cliente, Bertille triturait son sac en maille d'argent. Proche du but, elle éprouvait une pénible appréhension. Louis pouvait très bien refuser de la recevoir ou être absent. Elle ne l'avait pas revu depuis le jour fatal des vendanges, quand ils avaient rompu, et que le petit Pierre, encore bébé, avait failli mourir étouffé.

Un jeune clerc la fit entrer dans une salle d'attente austère aux murs lambrissés de panneaux de chêne sombre. D'interminables minutes s'écoulèrent. Enfin, Louis en personne vint la chercher.

— Chère amie, quand on m'a dit votre nom, j'ai été très surpris, déclara-t-il en baisant sa main gantée de dentelle noire.

— En bien ou en mal? voulut-elle plaisanter, sur un ton mondain.

— En bien, évidemment! Venez, nous serons mieux dans le salon pour discuter. Je n'ai pas jugé utile de changer la décoration vieillotte des parties de la maison réservées à l'étude. Que me vaut l'honneur de votre visite? Votre époux aurait-il besoin de mes services?

Bertille ne répondit pas tout de suite. Elle était rassurée. Louis ne la troublait plus.

« Cela ne me fait aucun effet de le revoir, pensa-t-elle. J'ai l'impression qu'il ne s'est rien passé entre nous. Pourtant, il y a deux ans, à la même date, nous vivions une folle passion. »

Le jeune châtelain pensait aussi à cette liaison qui lui avait apporté de grandes joies et de cruelles angoisses. Il s'étonna également de n'être pas plus ému de se retrouver en présence de Bertille.

« Elle n'a pas beaucoup changé, se disait-il. Mais que me veut-elle? En tout cas, je ne retomberai pas sous son charme. »

Il la fit entrer dans un grand salon. Bertille découvrait avec une curiosité bien féminine l'intérieur bourgeois, mais assez original de la demeure. Les teintes pastel, du gris et du beige, exaltaient la beauté du mobilier en marqueterie. Le fameux salon donnait sur une verrière envahie de plantes vertes.

— Un décor soigné, orchestré avec amour pour un fantôme! lança le châtelain à sa façon un peu théâtrale. Je suppose que, de votre domaine, vous avez suivi les épisodes d'un drame qui m'a cruellement blessé?

— En bref, coupa Bertille, vous parlez d'Angéla! Au moins, cela me facilite la tâche, car je suis venue vous donner de ses nouvelles.

— Des nouvelles dont je ne veux pas! rétorqua Louis. Je n'ai plus goût à rien depuis que votre cousine Claire m'a asséné des horreurs sur une jeune fille que j'adorais. Angie! Un ange déchu, me semble-t-il!

Il guida sa visiteuse vers une bergère couverte de velours rouge. Mais Bertille refusa d'un signe de tête et déambula dans la pièce. Un détail l'encouragea.

— Un ange déchu dont vous gardez la photographie! dit-elle en souriant gentiment. Ce cadre, là, sur la commode, c'est bien un portrait d'Angéla? Vous ne l'avez pas jeté ou brisé?

— Non, je n'en ai pas eu la force! Je regarde son visage chaque jour et je me répète qu'elle m'a trahi, humilié. Ses traits ravissants et ses jolis yeux sombres cachaient une âme vile.

Exaspérée par l'emphase de son ancien amant, la dame de Ponriant céda à un mouvement d'humeur.

— Que savez-vous, au fond? s'exclama-t-elle. Et ne jouez pas les victimes innocentes avec moi! Zut, à la fin! Louis, vous savez ce qui nous a liés. Il fut un temps où vous étiez beaucoup plus franc, disons plus simple dans vos manières. À cause de notre passé, j'estimais être la seule à pouvoir vous parler d'Angéla. Soit, elle a couché avec un homme et elle s'est retrouvée enceinte. C'est le lot des femmes, n'est-ce pas? La nature ne se gêne pas pour montrer au monde entier la preuve de nos égarements. Claire ne vous a pas tout dit! Angéla, le jour où vous avez appris son état, se trouvait au domaine. Je l'avais recueillie et logée dans ce pavillon où, tous les deux, nous avons pratiqué l'adultère sans honte ni remords. J'ai eu pitié d'une gosse de dix-neuf ans, seule au monde et désespérée. Et qui vous regrettait, qui déplorait son erreur au point de se laisser mourir. Oui, rejetée par tous, elle n'avait plus envie de vivre! Et, il y a un mois, elle a mis au monde un bébé mort-né. Nous avons cru la perdre; elle a été très malade. La fièvre et la faiblesse ont bien failli l'emporter.

Louis écoutait, abasourdi. Bertille le jugea moins beau que jadis. Il avait un peu grossi et avait coupé sa chevelure blonde de poète. Elle se demanda même comment elle avait pu l'aimer autant.

— Mais qui, nous? balbutia le jeune homme.

— Faustine, la sage-femme, moi!

— Et Claire? Claire n'était pas à son chevet?

— Si, bien sûr! assura Bertille. Elle l'a sauvée.

Assommé par ces révélations, Louis dut s'asseoir. Le regard dans le vague, il répéta tout bas:

— L'enfant était mort-né! Peu importe, certaines souillures ne s'effacent pas. Et pourquoi devrais-je vous croire quand vous dites qu'elle me regrettait? Sa conduite méprisable me prouve le contraire. Je n'avais aucune importance à ses yeux. Je sais compter; elle est tombée enceinte au Canada, juste après avoir quitté la France en me jurant qu'elle m'aimait.

Bertille prit place en face de Louis, choisissant pour siège un tabouret en rotin.

— Louis, j'ai la conviction qu'elle vous aimait sincèrement. Mais elle s'est retrouvée loin de nous tous, certaine que jamais votre mère ne consentirait à un mariage. Ce n'est pas facile d'être jugée sur sa naissance, sur son passé. Je n'ai guère été bavarde pendant notre liaison. Je peux vous dire maintenant que mes parents étaient des gens très modestes, des commerçants. Après leur mort, mon oncle Colin m'a recueillie. Oh! Les Roy étaient considérés comme des gens aisés, dans la vallée, mais les Giraud, eux, les traitaient de haut. Je ne pouvais pas imaginer, à l'époque où je me morfondais dans un fauteuil d'infirme, que je deviendrais l'épouse de l'homme le plus riche et le plus influent de la région. Bref, je pense qu'Angéla n'avait aucune confiance en elle et qu'elle a fait n'importe quoi pour briser toutes ses chances de bonheur et de réussite.

Le châtelain écoutait, perplexe. Il haussa les épaules.

— Et ce type, soi-disant marié, il n'a pas cherché à la retrouver? Il ne s'est pas soucié de ce qu'elle ferait, enceinte et sans soutien?

Bertille avait promis à Claire de ne pas divulguer le rôle de Jean dans cette histoire abjecte. Surtout pas à Edmée et à son fils. Angéla ne le souhaitait pas davantage.

— Disons qu'elle a refusé de rester en contact avec ce mufle! répliqua-t-elle durement. Elle ne voulait plus en entendre parler, ni le revoir. C'est pour cette raison que je l'ai hébergée. Pour la protéger. Je ne l'appréciais pas, avant! Mais, au fil des jours, sa vulnérabilité, ses remords et son talent m'ont conquise. C'est une grande artiste!

— De cela, je ne doute pas! décréta Louis. En prolongement de la verrière, j'avais fait aménager un magnifique atelier qui communique avec les cuisines. Je l'ai tant de fois imaginée en train de dessiner, de manier ses couleurs! Je l'aurais chérie, choyée! J'avais prévu des voyages dans les capitales où l'on visite les plus beaux musées: Paris, Milan, Rome. Comment a-t-elle pu renoncer à tous nos projets?

— Je ne sais pas, confessa Bertille. Cependant, ce constat a failli la tuer à petit feu. Elle ne mangeait plus et dormait à peine. Louis, faites un geste chevaleresque, venez la voir. Je ne vous demande rien d'autre. Il faut apaiser son chagrin. De toute façon, en septembre, mon mari et moi l'installerons à Paris. Elle ira à l'école des Beaux-Arts.

Il secoua vigoureusement la tête en signe de négation. Les bras croisés, l'air outragé, le jeune notaire fixait un point invisible du mur qui lui faisait face.

— Qu'elle parte! Qu'elle exerce son talent où elle veut, le monde est vaste! nota-t-il avec dépit. Je parie qu'elle rencontrera vite un possible fiancé. Vous devez comprendre, ma chère amie, que je ne l'épouserai plus. Le viol qu'Angéla avait subi enfant n'éveillait en moi que de la compassion. Là, c'est différent; elle était presque adulte et consentante. Nous savons tous deux le pouvoir de l'extase, du plaisir partagé. Elle a aimé cet homme, le père de son bébé. Dans ses bras, elle ne pensait plus à moi.

C'était sans aucun doute vrai. Bertille ne sut que répondre. Elle se leva en retenant un soupir déçu.

— Je dois m'en aller, Louis. Merci de m'avoir reçue. Juste une chose encore... Sur cette terre, le bonheur est rare, difficile à capturer. Peut-être qu'Angéla est la seule femme au monde capable de vous rendre heureux. Elle vous a toujours captivé. Je n'ai jamais été aussi sincère : elle souffre terriblement de vous avoir perdu. D'autant plus qu'elle pense n'avoir vraiment aucune chance d'obtenir un peu d'indulgence de votre part.

La dame de Ponriant tapota le poignet de Louis et quitta le salon d'un pas vif. Elle avait repéré les lieux et se retrouva dehors très vite.

« Maintenant, il va réfléchir à mes paroles et à la situation. Qui sait, il va peut-être mordre à l'hameçon », pensait-elle, indécise.

En rejoignant la voiture où patientait Maurice, elle se fit un pari. Louis de Martignac se présenterait au domaine avant la fin du mois de mars.

« Si je gagne, je m'offre ce ravissant chapeau que j'ai vu chez la modiste de la rue Marengo. Et si je perds, je me l'offre quand même, pour me consoler. »

*

Moulin du Loup, 5 mai 1926

Claire sarclait la plate-bande de terre brune où elle voulait semer des capucines et des renoncules. C'était au fond du potager, près du lieu où reposait son cher Sauvageon, né des amours du vieux chien Moïse et d'une louve au cœur sauvage. La tombe était agrémentée de pieds de myosotis. Ces frêles fleurs bleues livraient leur message : « Ne m'oubliez pas. » Couverte de pierres moussues, elle s'ornait aussi d'une croix en bois vermoulu.

«J'avais enterré Sauvageon avec l'aide de William Lancester. Il me faisait la cour et semblait prêt à abattre des montagnes pour me plaire, se souvenait-elle, un peu amère. Et Jean vadrouillait en Belgique. Je ne le saurai jamais, mais peut-être qu'il me trompait déjà à cette époque.»

Plusieurs fois par jour et le soir avant de s'endormir, Claire pensait à Jean. Elle égrenait leur vie commune en ressuscitant des détails anodins, une chemise qu'il avait déchirée en taillant la vigne, un sourire particulièrement doux qu'il lui avait adressé. Personne ne savait où il était. Blanche et Victor s'étaient même présentés au Moulin afin d'obtenir des renseignements sur lui. Claire les avait congédiés avec hargne.

— Jean a disparu et je m'en fiche! avait-elle déclaré, sans même leur proposer d'entrer.

Blanche pleurait, s'avouant malade d'angoisse.

— Mon frère a dû se suicider! avait-elle répété. Quelle épouse êtes-vous pour ne pas craindre le pire? Quoi qu'il ait fait, Jean est votre mari depuis vingt ans! Cela vous ferait plaisir, d'être veuve?

Claire avait répliqué que cela lui était égal, qu'Angéla avait failli mourir à cause de leurs agissements honteux. L'entretien s'était achevé sur ces mots. Victor avait vite entraîné sa femme vers leur automobile et ils étaient repartis. Après leur courte visite, Léon et Anita avaient dû la consoler.

— Dites, vous croyez vraiment que Jean a pu se tuer? avait-elle sangloté. Je le sentirais, s'il était mort, non? Je le hais, mais je serais sûrement morte au même instant que lui.

Le couple s'était regardé, bien embarrassé.

— Vous l'aimez toujours, madame! avait affirmé Anita.

Elle n'avait pas nié. Ce matin-là, les mains plongées dans la terre brune et féconde, grisée par le parfum de l'herbe neuve et des premiers narcisses, Claire se sentait seule, malgré la chatte Mimi perchée sur un piquet, malgré Moïse le jeune qui humait le vent, assis près d'elle.

— Heureusement que je vous ai! dit-elle à ses fidèles compagnons.

Quelques mètres plus loin, le panier qu'elle avait rempli

de légumes trônait dans l'étroite allée bordée des plantes médicinales les plus courantes. Il y avait là des touffes vigoureuses de sauge, d'hysope, de lavande et de thym.

« C'était le temps du bonheur, pensa-t-elle, les larmes aux yeux, quand j'étais ici, au jardin, et que j'avais hâte de rentrer à la maison pour préparer le déjeuner de Jean. Nous bavardions tous les deux. Souvent, il me prenait par la taille en me proposant de faire une sieste après le repas. Mon Dieu, qu'il me manque! »

Le loup grogna. On marchait derrière le mur du jardin.

— Sage, Moïse! s'écria-t-elle.

Mais l'animal bondit et se rua vers le portillon. Claire aperçut un homme barbu, coiffé d'un large béret noir. Il caressa le loup et s'avança dans l'allée d'un pas déterminé. Personne d'autre n'avait ces yeux d'un bleu lumineux, bordés de cils noirs et drus. C'était Jean.

Sur le coup, Claire garda le silence, médusée. Elle demeurait toujours agenouillée entre un rang d'iris et une tige de rosier hérissée d'épines.

« Il est vivant! » se dit-elle.

L'instant suivant, elle se relevait avec brusquerie, prête à le chasser. Il s'était arrêté à une distance prudente et la contemplait. Elle portait une large chemise froncée au col, une blouse à rayures et à volants, une vieille jupe noire. Le soleil printanier dorait sa peau. Une mèche de cheveux bruns s'était échappée de son foulard bariolé. Jamais Jean ne l'avait trouvée aussi belle.

— Qu'est-ce que tu fais là? demanda-t-elle d'un ton sec.

— Je rentre chez moi, dans ma vallée, au Moulin du Loup. Claire, je dois te parler. Je sais, tu vas me dire de m'en aller, mais je voudrais d'abord que tu m'écoutes.

Elle était tellement bouleversée de le revoir, de réentendre sa voix, qu'elle n'eut pas le courage de protester. Seconde par seconde, Jean affirmait sa présence. Il n'avait rien perdu de son magnétisme. Doucement, il ôta son béret et le tourna entre ses doigts.

— Je reviens de loin, Claire! commença-t-il. N'aie pas peur, je n'ai pas l'intention ni la prétention d'implorer ton pardon, de regagner ton amour. Je te demande juste de me laisser habiter près de toi, n'importe où. Je me contenterai d'un coin rudimentaire, le plancher à foin, l'appentis ou une pièce du logement au-dessus de la salle des piles. Je travaillerai pour Matthieu, s'il accepte. Sinon, je couperai l'herbe, j'aiderai Léon à entretenir les terres. Claire, j'ai commis la plus grave erreur de toute ma vie. J'ai pensé à mourir je ne sais plus combien de fois, mais quelqu'un m'a montré un autre chemin. Une religieuse, à Auch. Tu te souviens de Manuela, la fille de Térésa? Elle a pris le voile au couvent et je lui ai rendu visite. Sur ses conseils, j'ai passé un mois et demi à Lourdes auprès des pèlerins malades. En côtoyant tant de souffrances physiques, en me plongeant parmi la foule des mourants et des infirmes, j'ai compris bien des choses. La première, c'est que je t'avais mal aimée. Tu es la personne que j'admire le plus sur terre. Tu as toujours été charitable et d'une extrême gentillesse, au détriment de toi-même. Tu t'es sacrifiée pour tous, ton père, ta mère, Matthieu, moi surtout. Claire, je me sens capable d'attendre ton pardon des années, si ces années-là je peux te voir, si je peux veiller sur toi. Si tu avais la bonté de me redonner une toute petite place ici, au Moulin. Je ne désire rien d'autre que vivre dans ton ombre.

Jean la fixait avec une fervente expression d'amour. Claire vit des rides au coin de ses lèvres et des fils d'argent à ses tempes. Il avait une attitude modeste, presque humble.

— Je ne peux pas accepter! lança-t-elle, très émue cependant par ce qu'il venait de lui dire.

Mais elle réfléchissait, terriblement tentée, contre toute logique, malgré les souffrances morales qu'elle avait endurées. Au fond, elle préférait le savoir tout proche, quitte à pouvoir le torturer, l'insulter, le mépriser quotidiennement.

« Le logement neuf, celui au-dessus de la salle des piles, est à peu près meublé, pensait-elle. Léon a transporté là-haut un lit de camp, une table et une armoire qui était dans le grenier. Il pourrait prendre un réchaud, de quoi cuisiner et se faire du café. Il n'entrerait pas dans la maison. »

— Reviens demain, je te donnerai une réponse! ajouta-t-elle. Et si je consens à ce genre d'arrangement, ce sera surtout pour Matthieu. Mais je ne crois pas que mon frère supportera ta présence. Je vais en discuter avec lui.

— Je te remercie, Claire. C'est très généreux de ta part.

— D'où sors-tu ce béret ridicule? ironisa-t-elle.

— Je l'ai acheté à Lourdes, dit-il en souriant. Les bergers portent ce genre de coiffe, dans la montagne. Je reviens donc demain?

— Oui, demain! répliqua Claire d'une voix mal assurée. Ne te fais pas trop d'illusions. Déjà, j'ai été bien sotte de t'adresser la parole.

Elle ramassa vite son panier et secoua son tablier. Elle s'éloigna, le cœur battant la chamade. Jean l'avait regardée d'une manière si tendre.

« Mon Dieu, j'avais oublié à quel point il a le don de me bouleverser, à quel point il me plaît! C'était plus facile de le haïr quand il n'était pas devant moi. J'aurais pu me jeter dans ses bras, pour être certaine qu'il était vivant, qu'il était revenu! »

Claire prit conscience de sa faiblesse. La voix chaude de son mari résonnait encore dans son cœur; ses yeux bleus la hantaient.

« Au moins, il serait utile à quelque chose, ici! se justifiait-elle. Léon n'en peut plus de tout ce travail qu'il assume seul. Et cela ferait taire les commères du village, qui se posent trop de questions. »

Elle finit par éprouver un profond soulagement. Sa décision était presque prise. Jean serait là chaque jour. Même si elle ne l'approchait pas, même si elle se montrait dure et hostile, il serait là. Elle ne l'imaginerait plus dans les bras d'Angéla, ni mort noyé ou pendu. C'était une sorte de revanche contre le sort et cela l'exaltait.

Matthieu la vit entrer dans le bureau de l'imprimerie. Tout de suite, il perçut son émotion.

— Eh bien, sœurette, qu'est-ce que tu as? N'oublie pas, ce soir tu as promis de m'aider pour la commande de buvards publicitaires. Les caisses se renflouent, c'est bon signe.

Elle regarda son frère avec tendresse. Tous les matins,

il enfilait une longue blouse grise et attachait ses cheveux bruns sur la nuque, comme le faisait Colin Roy, leur père.

— Matthieu, si tu savais combien je t'aime! dit-elle d'une voix tendre.

Il se leva et la prit contre lui.

— Moi aussi, je t'aime, ma Clairette. Tu es bizarre. On dirait que tu vas te mettre à pleurer ou à rire.

— Jean est revenu! avoua-t-elle tout bas. Je viens de lui parler, dans le jardin. Il est apparu tout à coup, barbu, amaigri. Matthieu, il m'a dit des choses vraiment touchantes et je sens qu'il est sincère. Il revient de Lourdes où il s'est occupé des pèlerins malades. Maintenant, il voudrait rester ici, près de moi, de nous tous, et il m'a suppliée de tolérer sa présence au Moulin. Ce sont ses mots à lui. Il n'entrera pas chez moi, dans ma maison. Qu'en penses-tu?

Matthieu la repoussa délicatement. Il alluma une cigarette en déambulant autour de sa sœur.

— Claire, as-tu perdu l'esprit? Rien qu'à ta voix, je sens que tu as envie d'accepter. Non et non, c'est impossible! Jean me dégoûte, comprends-tu? Ce type s'est fichu de nous. Il a menti, il t'a trahie. Et tu connais le résultat! Angéla se laissait dépérir, si bien que son bébé en est mort, lui. Tout ça à cause de Jean Dumont! Sois raisonnable, refuse net! Sinon, je sais comment ça se terminera. Tu lui pardonneras et voilà! Dis-lui de foutre le camp ou je m'en charge! Où est-il?

— Calme-toi! coupa Claire. Il est reparti. Je n'ai même pas regardé dans quelle direction ni comment. Mais il revient demain. Tu veux bien prévenir Léon, lui demander son avis? Il aurait besoin d'aide! Et si quelqu'un doit mettre la main à la pâte, c'est Jean, ne serait-ce que pour réparer ses torts envers nous tous.

Le jeune homme leva les bras au ciel.

— Ma pauvre Clairette, tais-toi, tu me fais honte! Tu n'as qu'une idée: récupérer ton mari en faisant une croix sur ta dignité. Au bout de six mois, tu baisses les armes.

Le sermon de son frère la contraria. Au lieu de se rendre à ses arguments, elle s'entêta.

— Et même si c'était le cas, j'aurais bien le droit! s'écria-t-elle. Les gens s'étonnent, dans le pays, de l'absence de Jean. Pour la réputation même de ton imprimerie et de notre famille, il faudrait sauver les apparences. C'est peut-être le seul moyen. Et je tiens à te dire que tu te trompes sur un point, Matthieu: je ne suis pas du tout prête à pardonner. Mais tu sais comme je m'inquiétais, depuis qu'il avait disparu. J'ai eu tellement peur qu'il soit devenu alcoolique ou qu'il se soit suicidé. Pour moi, c'est très important que Jean soit là de nouveau. Je lui en veux toujours, mais je préfère l'avoir sous mes yeux. Cela me rassure, je ne peux pas t'expliquer pourquoi. Je sens que je ferai ma récolte de plantes le cœur moins lourd, que je dormirai mieux. Et puis, oui, peut-être qu'un jour je lui pardonnerai, parce que je n'ai pas envie de vieillir seule. Après tout, ça me regarde!

Matthieu secoua la tête, mortifié. Il considéra sa sœur avec perplexité. C'était évident qu'elle aimait toujours Jean. Il n'avait pas le choix. Claire avait suffisamment souffert. Par égard pour elle, il céda plus vite qu'il ne l'aurait voulu.

— D'accord, fais ce que tu veux! pesta-t-il. Je vais essayer de supporter Jean à mes côtés, uniquement pour toi. J'ai eu tellement peur de te perdre, quand tu te laissais dépérir. Et je te préviens: il aura intérêt à filer doux.

Un peu surprise de le voir céder, Claire se jeta au cou de son frère.

— Merci, tu verras, tout se passera bien. Je crois qu'il a beaucoup changé.

— Hum, je l'espère, fit Matthieu.

Elle se donna moins de mal avec Léon et Anita, leur annonçant la nouvelle comme une chose acquise et inévitable.

— Nous avons échappé au scandale; la situation doit rentrer dans l'ordre. Léon, ne fais pas cette tête! Tu vas porter ce qu'il faut dans le logement pour Jean. Une tasse, un bol, deux assiettes et le réchaud. Toi, Anita, monte des draps et une couverture, un oreiller aussi. Il revient demain, il pourra s'installer. Par pitié, ne me rebattez pas les oreilles avec vos jérémiades. J'en ai décidé ainsi.

— Bien, patronne! tonna Léon. À vos ordres, patronne!

Mais comptez pas sur moi pour lui faire la causette, à Jean. Même pas bonjour, bonsoir, ça non!

Il était furieux, mais Claire discerna dans cette colère spectaculaire une infime note de jubilation. Anita, elle, ne trichait pas.

— Madame, moi, à votre place, j'aurais un peu plus d'amour-propre! Ce qu'il a fait, monsieur Jean, c'est une honte.

— Je n'ai pas dit que je lui pardonnais, Anita! décréta Claire. Je lui accorde une chance de se racheter en travaillant chez nous.

Elle sortit, irritée, et suivit le chemin des Falaises. Il fallait mettre Faustine au courant. Celle-ci fut ravie de recevoir sa mère. Elle venait d'allaiter Gabrielle et s'apprêtait à la changer. Dans ces moments-là, la jeune femme resplendissait d'une joie simple et douce, celle de donner le sein, de contempler la moindre petite mimique de son enfant, toujours avide de ses sourires, de ses premiers gazouillis.

— Maman, quelle bonne surprise! Regarde notre mignonne, comme elle a de bonnes joues! Je vais bientôt la sevrer. Elle a goûté du lait de tes chèvres, hier soir, et cette nuit elle ne s'est pas réveillée.

Claire prit le bébé et couvrit son front de baisers légers. Une paix exquise l'envahissait à tenir cette adorable poupée contre elle.

— Tu es rayonnante, maman! s'étonna Faustine. Je t'assure, tu resplendis.

— Ton père est revenu. Mais ne te méprends pas, je ne suis pas transfigurée par la joie. Seulement en paix avec moi-même.

— Papa? Mais où est-il? Chez Blanche?

De nouveau, Claire raconta le retour de Jean et les conditions qu'elle avait posées. La jeune femme parut soulagée.

— Je n'osais pas te l'avouer, maman, mais je m'inquiétais beaucoup pour papa. Moi, je t'approuve. Ce ne sera pas facile et rien ne redeviendra comme par le passé; mais ça me réconforte de le savoir ici, dans la vallée. Surtout, ne te laisse pas envoûter par son regard bleu azur! Il faut lui montrer à quel point nous lui en voulons.

Elles discutèrent encore longtemps de l'événement. Claire reprit le chemin du Moulin à midi. Très loin, au fond de son cœur, une fragile étincelle d'espérance pétillait, en harmonie avec la nature en robe de printemps.

Le lendemain, Jean franchit le porche du Moulin à quatre heures de l'après-midi au volant de sa voiture, dont le moteur semblait à l'agonie. Il la gara près de l'appentis, comme il l'avait toujours fait. Son cœur se serra au moment d'affronter ceux qui l'attendaient en bas du perron. Mais il se sentait prêt à subir leur mépris et leur froideur. Il avait occupé sa journée en rendant visite à sa sœur. Blanche avait eu une sorte de malaise en le revoyant. Jean avait pris ses valises. Il s'était rasé et avait aussi mis des vêtements propres.

— Alors, tu retournes chez elle, chez une femme qui se moque que tu sois mort ou vivant! avait crié Blanche, hors d'elle.

— Si Claire accepte ce que je lui ai proposé, je ne la quitterai plus, même si je ne peux jamais la reconquérir! avait-il répondu.

Maintenant, il descendait de la vieille automobile noire et claquait la portière. Il lui fallait marcher vers la maison. Sa famille, alertée par le bruit du moteur, était sortie. C'était un comité d'accueil figé dans la réprobation et la méfiance.

Jean devinait le regard noir de Matthieu et la mimique boudeuse de Léon. Anita hochait la tête comme un automate détraqué. Il y avait aussi Faustine, sa belle enfant chérie, qui avait l'air de contenir un sourire enfantin. Claire tenait le bébé Gabrielle dans ses bras; Isabelle et Pierre se cachaient dans les jupes de leur mère. Tous semblaient pétrifiés par le simple fait de le revoir. Il s'arrêta devant eux, vieilli, les traits las, le regard plein de douceur.

—J'accepte! dit Claire d'un ton sec. Tu peux travailler pour nous. Tu logeras au-dessus de la salle des piles.

—Je te remercie de toute mon âme, répliqua Jean. Et je vous remercie tous de me laisser revenir, de ne pas me renvoyer en enfer. L'enfer, c'est d'être loin du Moulin du Loup, loin de vous. Voilà, j'ai payé cher mes erreurs, mais pas assez cher encore. Une sainte femme, sœur Jeanne-Marie, m'a dit que je devais expier, me montrer humble, ce que je n'étais pas. Je viens expier, ici, dans ce que j'ai appelé bien souvent mon paradis perdu. Léon, ne me ménage pas, je ne suis plus le patron. Je bosserai dur. Matthieu, c'est pareil pour toi: tu avais besoin d'un bon ouvrier, je tâcherai d'en être un. Tu ne seras pas obligé de m'adresser la parole, sauf pour me donner tes consignes.

Personne n'osa répondre. Jean alla prendre ses valises dans la voiture et se dirigea vers l'entrée de la salle des piles. Il disparut dans l'ombre du bâtiment. Tous l'entendirent monter l'escalier flambant neuf dont les planches grinçaient un peu.

— Ouais! fit Matthieu, un peu ébranlé par la tirade de Jean. Quel bon comédien!

— Je vais l'embaucher pour curer la bergerie dès demain matin au chant du coq! ajouta Léon. J'ai le dos brisé, moi. Le gars Jean va en brasser, du fumier. Ça ne le changera pas trop.

Faustine poussa un soupir contrarié. Elle n'aimait pas que son père soit traité ainsi. Mais elle ne dit rien, soucieuse de respecter le choix de Claire. Celle-ci remontait le perron et se glissait dans la cuisine.

« Je crois qu'il a tout ce qu'il faut pour le dîner, songeait-elle. Anita a rempli le garde-manger: il y a des œufs, du lard, du pain et du lait. Du café aussi et du sucre. Chez nous, ceux qui travaillent ont toujours été bien nourris. »

Les anciennes manies reprenaient vite le dessus. Elle berça Gabrielle à moitié endormie contre sa poitrine. Jean lui avait paru très content, mais il était aussi prêt à pleurer.

« Non, je ne dois pas m'apitoyer! se raisonna-t-elle. Il m'a fait trop de mal. Je ne lui accorderai pas un mot, pas un sourire. »

Mais elle s'approcha de la croisée et observa l'autre fenêtre, plus petite et haut perchée, où se dessinait la silhouette de Jean. Leurs regards se croisèrent quelques secondes. Très vite, chacun d'eux se détourna.

*

Domaine de Ponriant, deux semaines plus tard

Bertille venait de poser sur ses boucles blondes le petit chapeau qu'elle s'était acheté à Angoulême à la fin avril pour se consoler d'avoir perdu son pari. Louis de Martignac, contrairement à ses prédictions, ne s'était pas rué au chevet d'Angéla. Le téléphone sonna. C'était un jeudi. Arthur courut vers l'appareil; cela l'amusait de répondre.

— Oui, monsieur, je vous passe madame Giraud, dit le garçon d'un ton poli.

— Qui est-ce? demanda-t-elle.

— Louis de Martignac, balbutia Arthur.

Elle le remercia d'un sourire et s'empara du combiné. Une minute plus tard, la dame de Ponriant raccrochait.

— Merci, mon Dieu! Oh merci! s'écria-t-elle. Il n'y a pas de temps à perdre. Arthur, va chercher Clara. J'ai besoin d'aide. Un visiteur imprévu!

— D'accord, tantine!

Son pensionnaire l'appelait ainsi, comme Faustine et Matthieu. Bertille en était ravie. Mais pour l'instant elle tournait en rond. Clara dévala bientôt l'escalier.

— Maman, qu'est-ce que tu veux? J'allais monter mon poney. Maurice l'a sellé.

La fillette, à onze ans, était une petite beauté. Moins gracile que sa mère, elle en avait la blondeur exquise et l'incorrigible toupet. Elle était en tenue d'équitation et trépignait de contrariété.

— Ne me tiens pas tête, chipie! coupa Bertille. Il me faut des bouquets de roses, que vous porterez sur le banc, devant le pavillon de chasse.

— Je m'en occupe, tantine, s'écria Arthur. Je peux aussi cueillir des pivoines. Elles sont magnifiques.

— Parfait, toi au moins tu es serviable! répliqua-t-elle. Demandez à Mireille de préparer du thé à la bergamote et des parts de son gâteau au chocolat, celui de midi qui était une merveille. Vite, vite! Après, disparaissez et faites-vous discrets. C'est Angéla qui a de la visite. Il ne faudra pas l'importuner.

Les deux enfants s'éclipsèrent en riant. Bertille jeta son

chapeau en l'air et se précipita dehors. Un soleil éblouissant baignait le parc, la grande cour, le bassin et sa fontaine.

— Vite, vite! répétait la dame de Ponriant.

Assise devant un chevalet, Angéla peignait une aquarelle de la vallée. Elle vit accourir Bertille qui semblait très joyeuse.

— Range ton matériel! lui cria-t-elle. Angie, replie tout!

— Mais pourquoi? s'étonna la jeune fille. Est-ce qu'il y a un problème? Claire va venir vous voir?

— Non, Claire ne mettra pas les pieds au domaine tant que tu seras là. Je m'en fiche, puisque je lui rends visite deux fois par semaine. Ma cousine a d'autres chats à fouetter que toi.

Angéla approuva en silence. Elle savait que Jean était revenu au Moulin et jouait les domestiques pour rester dans le voisinage de son épouse. Du moins, c'était la version de Bertille. De toute façon, cela lui était indifférent.

— Angie, va te laver les mains, qu'il ne reste aucune trace de peinture. Et puis, zut, tu as trop bonne mine. Quelle idée de te mettre au soleil!

— Mais j'ai suivi les conseils du docteur, madame! protesta la jeune fille, déconcertée.

Bertille la saisit par les poignets et la fixa avec insistance.

— Tu vas faire ce que je te dis! supplia-t-elle. Une jolie mise en scène est indispensable. Enlève ta blouse, défais tes nattes. Viens!

Angéla commençait à se familiariser avec les extravagances de sa protectrice. Elle se résigna à obéir et se retrouva dans son lit, en chemise de nuit rose, les cheveux épars sur ses épaules.

— Très bien! déclara Bertille. Je vais coffrer les volets; une lumière tamisée est préférable. Angie, Louis va venir. Il sera là dans une demi-heure. C'est ta dernière chance!

— Oh non, non! Pas lui! gémit Angéla. Madame, qu'est-ce que vous avez fait? Je suis incapable de le recevoir ni de lui parler. Par pitié, ne m'imposez pas ça.

— Je lui ai rendu visite au mois de mars, à son étude de Villebois. J'ai plaidé ta cause, tellement tu me faisais de la peine à te languir de lui. Il avait gardé une photographie de toi et je peux t'assurer qu'il est célibataire. Je lui ai conseillé de te revoir, de t'écouter. Angie, cet homme t'aime encore. Fais-moi confiance, je m'y connais. Mais tu dois paraître encore faible, vulnérable. Bref, la pécheresse à l'agonie.

On frappa. Angéla sursauta, totalement affolée. Ce n'était que Clara, les bras chargés de fleurs. Bertille prit les bouquets et embrassa sa fille.

— Merci, ce sera superbe!

Elle s'empressa de garnir des vases et de tirer les rideaux de percale qui atténuèrent encore la luminosité d'avril.

— Madame, je n'aurai pas le courage. Il va me regarder avec tant de mépris! sanglota Angéla. Je pourrais affronter n'importe qui, mais pas lui.

— Franchement! s'exclama Bertille en ouvrant grand les yeux. Tu préfères avoir la visite de Jean ou de Claire? Louis n'a rien à te reprocher, au fond! Quelle époque! Il faudrait que la société évolue. Les hommes peuvent coucher à gauche et à droite, mais une femme qui les imite est considérée comme une dévergondée, pour rester polie. Allons, Angie, si tu pouvais rattraper tes beaux rêves, obtenir la clémence de Louis, le bonheur serait à portée de tes mains. Je te laisse, il ne va pas tarder. Tu seras bien mieux dans la superbe demeure bourgeoise de Villebois où tout est aménagé pour toi que dans un modeste garni parisien. Dans deux heures, la bonne vous apportera un plateau avec du thé. Sois courageuse! Surtout ne t'enfuis pas. Je n'aime pas faire du marchandage, mais tu me dois bien ça, non?

Angéla acquiesça de manière timide. Une fois seule, elle passa par tant d'émotions contradictoires et d'angoisses affreuses que son teint vira à l'ivoire. Lorsque Louis de Martignac frappa à la porte et qu'elle murmura « Entrez », la jeune fille avait vraiment mauvaise mine et paraissait prête à s'évanouir.

Le châtelain était très distingué en costume de lin beige, chemise blanche et cravate de soie. D'abord, il évita de regarder en direction du lit. Bertille s'était montrée habile. Le décor du pavillon de chasse ne pouvait que rappeler à Louis des scènes torrides. À cause des fleurs disposées sur la commode et de la clarté rose que dispensaient les rideaux, il eut une étrange impression de retour en arrière.

— Bonjour! dit-il enfin. Bonjour, Angéla.

— Bonjour, Louis.

Il avisa une chaise placée à contre-jour et s'assit, son chapeau entre les mains.

— Je voulais surtout te demander pardon! lança-t-elle tout de suite. Je n'osais même pas t'écrire. Je n'ai aucune excuse pour ce que j'ai fait, mais je suis contente de te revoir, tellement contente.

Il approuva d'un signe de tête, gêné. Lentement, il posa les yeux sur elle. Blême, les cheveux dénoués, le regard voilé de larmes, Angéla n'avait rien d'une implacable séductrice. Il put constater combien elle était encore maigre et nerveuse.

— Je te présente mes condoléances pour l'enfant que tu as perdu! balbutia-t-il. Je suppose que c'est un chagrin bien pire qu'une blessure d'amour.

— Je l'ai beaucoup pleuré, répondit-elle, mais j'étais si malade après la naissance que je ne l'ai même pas vu. Il a été béni et enterré. Je l'ai su plus tard. Si bien que ce bébé qui était dans mon ventre, je crois parfois qu'il n'était pas réel.

Angéla avait une voix très douce et enjôleuse. Louis en avait oublié le timbre frais et limpide. Il soupira, bouleversé.

— J'aurais dû t'empêcher de partir pour le Canada, se désola-t-il. Mais quand même, comment as-tu pu piétiner les sentiments que je te portais? Tu t'éloignais sous le prétexte de réfléchir, de prendre du recul. Je t'ai crue. Pourquoi te jeter dans les bras du premier venu?

Louis n'employait pas le ton guindé qui agaçait souvent ses amis. Il offrait à la jeune fille un visage tourmenté et parlait en toute sincérité. Angéla était bouleversée de le voir si proche, si malheureux.

— Comme je t'aime! s'exclama-t-elle sans réfléchir. Si tu savais à quel point je regrette ce qui est arrivé. Je ne suis pas quelqu'un de bien, j'en ai la preuve et toi aussi. Sur le paquebot, j'ai renoncé à mes rêves. Je me répétais que ta mère ne voudrait jamais de moi, que j'apprendrais un jour ou l'autre que tu avais épousé une autre fille. Ça m'a rendue stupide. J'ai joué avec le feu! J'avais envie de provoquer la terre entière, de plaire. Louis, je te le répète, je n'ai aucune excuse. J'ai fait la folle et un jour, à mon retour en France, j'ai compris que j'avais perdu la seule personne qui comptait: toi. C'était en lisant une lettre réexpédiée de Québec.

Elle se tut, secouée de pleurs pitoyables. Le désespoir l'envahissait à nouveau. Louis était près d'elle, à son chevet, et il ne la toucherait pas, il n'aurait pas une once d'indulgence.

— Ne t'épuise pas ainsi! dit-il assez gentiment. Tu parais si fragile encore. Je sais tout ceci. Bertille m'a résumé l'essentiel. Je suis arrivé devant ce pavillon le cœur plein de ressentiment, de colère; à présent, je ne sais plus. Toute cette histoire est déplorable. J'ai enduré un calvaire ces dernières semaines, à ressasser ta trahison et le reste que je considère comme un péché odieux. Une liaison éphémère avec un homme marié! Toi que je plaçais si haut! Tu étais mon ange, mon étoile.

Jugeant que Louis ne reviendrait jamais en arrière, Angéla se permit de protester.

— Non, ne dis pas ça! Je n'étais pas ton étoile! Tu étais au courant de mon passé, du milieu d'où je venais. Peut-être que tu m'aimais, je n'en doute pas, mais en connaissance de cause. Je suis navrée, Louis, de t'avoir fait souffrir. Pardonne-moi. Et sois heureux! Tu auras bientôt une fiancée telle que le souhaitait ta mère, une fille sérieuse.

Le châtelain se leva et arpenta la pièce. Il tomba en arrêt devant le tableau représentant Claire sur Sirius.

— Dieu, quelle œuvre exquise! s'extasia-t-il.

— Je l'ai peinte avant Noël, précisa la jeune artiste.

— Et c'était un cadeau, sûrement? s'étonna-t-il. Que fait-il ici? Et toi, tiens, que fais-tu ici? C'est un paradoxe. Je crois me souvenir que tu étais jalouse de Bertille.

— Oh oui, pendant des années, je l'ai maudite! avoua-t-elle. Pourtant, c'est la seule qui m'a tendu la main.

— Ta famille adoptive s'est montrée bien dure à ton égard! constata-t-il. Claire ne mérite pas sa réputation de grand cœur, de femme généreuse et compréhensive.

— Je les ai déçus, dit Angéla, comme je t'ai déçu. J'ai

hâte d'être à Paris, de ne plus affronter les regards hostiles. Enfin, Faustine me rend souvent visite. Elle est très gentille, vraiment.

Louis s'approcha à nouveau du lit. Il détailla les traits de la jeune fille, le nez mutin, la bouche sensuelle, les pommettes hautes. Ce visage, il l'avait caressé, chéri.

— Serais-tu assez honnête, Angéla, pour me dire le nom de celui qui t'a séduite et abandonnée? Cela me prouverait au moins que tu as un peu de considération pour moi, qui étais prêt à t'épouser.

Elle fit non de la tête, saisie d'effroi. Il reprit place sur la chaise.

— Voyons! Cet homme vit au Canada, je ne vais pas traverser l'océan et l'égorger. Je te demande son nom, rien que son nom, que je puisse haïr ce nom-là!

— Quelle importance! bredouilla-t-elle. Je ne le reverrai pas, son enfant est mort. C'est du passé.

— Pour moi, c'est important! coupa Louis. Si je te disais que c'est l'unique moyen de nous donner une seconde chance? Tu implores mon pardon, tu m'as confié tes regrets et tes remords, mais je veux la vérité! Tu peux deviner que je ne t'ai pas rayée de mon cœur, car je ne suis plus une girouette qui change d'inclinaison au gré du vent. J'attendais ton retour comme un gamin attend Noël. J'avais fait le vœu de te choyer ma vie durant. Même aujourd'hui, j'ai envie de te prendre dans mes bras. Tu aurais pu mourir, personne ne serait venu me prévenir. Je ne t'aurais pas revue. Angéla, prouve-moi que tu m'aimes vraiment, que cet homme n'a pas compté. Tiens, je suis franc, moi! Je croyais adorer Bertille, mais je pensais déjà à toi. Contre mon gré. Je me sens capable de te pardonner, à cette condition: sois loyale et dis-moi son nom. D'abord, est-ce que tu l'aimais?

— J'ai cru l'aimer! gémit la jeune fille. Et je l'aimais d'une autre façon, avant le voyage. Je n'avais pas peur de lui, au moins. Et, tout à coup, je l'ai trouvé séduisant.

Louis était au supplice. Les poings serrés, il retint un cri de rage.

— Qui est-ce? César?

Angéla eut un petit rire triste avant de fondre en larmes. Elle ajouta, terrifiée :

— Tu aurais dû comprendre de qui je parlais!

— Je ne joue pas aux devinettes! soupira Louis. Bien, puisque tu protèges cet individu, je m'en vais.

— C'est Jean! lâcha-t-elle.

— Jean? Quel Jean? Jean comment?

— Jean Dumont.

Il y eut un silence de mort. Angéla ferma les yeux pour ne pas voir l'expression de Louis.

— Pourrais-tu m'expliquer cette ineptie que tu viens de débiter? dit-il d'une voix changée.

Elle lui expliqua. C'était la première fois qu'elle allait au bout de sa confession, tant son besoin de se justifier devenait pressant. Ce fut un récit précis, sans concession dans le rôle qu'elle avait joué. Tout fut dit clairement, y compris le marché que lui avait proposé Blanche Nadaud et l'attitude hostile de Jean après la scène tragique du Moulin. En racontant sa fuite éperdue, un soir de janvier, qui l'avait conduite jusqu'à l'institution Marianne, Angéla eut de tels accents de désespoir que Louis en frissonna.

— Et Bertille m'a installée ici, conclut-elle. J'ai sombré dans la mélancolie, c'est ce qu'a dit le docteur. Je voulais mourir, mon corps refusait la nourriture. J'ai tué mon bébé, sans doute.

Louis de Martignac se leva et remit son chapeau et ses gants en fine peau d'agneau. Il était d'une pâleur alarmante. Ce qu'il venait d'apprendre l'avait profondément bouleversé. Il se sentait très mal, partagé entre l'envie de ne jamais revoir la jeune fille et la force de l'amour qu'il avait pour elle, dont il n'avait pas pu se libérer. Cependant, une certitude l'envahissait. Il ne voulait pas la perdre à nouveau. C'était au point d'appréhender le simple fait de la quitter, ne fût-ce que pour quelques jours. Elle était si frêle, si menue! Fidèle à sa nature exaltée, il prit tout à coup une décision sur laquelle il devait ne jamais revenir.

— Je te remercie, Angéla, dit-il. Tu as eu le courage de me confier la vérité, si détestable soit-elle. Mais je ne suis pas un exemple de vertu et j'ai commis moi aussi des choses dont je ne suis pas fier. Repose-toi, tu trembles comme une feuille. Je reviendrai vite, n'aie crainte. Il me faut juste un peu de temps pour admettre l'inadmissible.

Le châtelain s'inclina et sortit. Il croisa la jeune bonne qui apportait le plateau du thé.

— Servez mademoiselle! dit-il avec douceur. Je ne pourrai vraiment rien avaler. Mais ma fiancée prendra volontiers un goûter.

Sur ces mots, Louis s'en alla. Angéla pleurait, mais cette fois c'était de joie.

*

Moulin du Loup, même jour

Jean assemblait des caractères en plomb à l'aide d'une pince miniature dans les casiers qui servaient à composer le texte à imprimer. C'était un travail de précision qu'il effectuait avec sérieux. Depuis deux jours, il portait des lunettes, car ce genre de manipulations l'y obligeait. C'était sur les conseils de Faustine qu'il s'était décidé à consulter un opticien, en ville.

Matthieu n'avait pas à se plaindre de son ouvrier typographe. Tous deux n'échangeaient que les paroles nécessaires à la bonne marche des machines ou au choix des lettrages. Malgré sa colère tenace et le mépris que lui inspirait Jean, ce n'était pas facile pour le jeune homme de garder ses distances. Paul et Jacques, les employés du moulin, essayaient souvent de détendre l'atmosphère. Ils s'occupaient en priorité de la fabrication des cartons fins et du papier, mais, le cas échéant, ils aidaient à charger la camionnette ou à emballer les commandes.

— Je ne tiendrai pas longtemps comme ça! avait révélé Matthieu à Faustine, la veille. Jean me fait pitié, à courber l'échine, à ne pas répondre à mes piques. S'il joue les pénitents, il joue bien. Je donnerais cher pour revenir en arrière et pouvoir bosser dans une ambiance plus amicale.

La jeune femme avait répondu que la situation évoluerait

d'elle-même, au fil des mois. Elle se gardait bien d'intervenir, même si au fond de son cœur elle aurait aimé que la paix revienne dans sa famille.

Ce jour-là, un incident allait brusquer les choses. Jean s'assurait que la phrase composée ne comportait aucune faute d'orthographe quand une voiture entra dans la cour à vive allure. Un crissement de freins retentit; une portière claqua. Matthieu abandonna le rouleau de papier qu'il tenait pour jeter un œil à la fenêtre. Au même instant, Louis de Martignac, l'air excité, le regard furibond, se rua dans le local.

D'un pas vif, il se plaça entre Jean et le lourd bureau servant à la typographie.

— J'ai quelque chose à vous dire, Dumont, clama le châtelain, mais ça se passera de mots!

Ni Matthieu ni Paul ne purent s'interposer. Louis saisit Jean par le col de sa blouse de la main gauche et, de l'autre main, il cogna. Trois grands coups de poing en plein visage.

— Voilà, au siècle dernier, je vous aurais provoqué en duel et pourfendu, mais cela suffira. N'approchez plus jamais Angéla, espèce de saligaud! Je vais l'épouser, vous m'entendez, et lui faire oublier les types sans moralité dont vous êtes un exemple.

Jean s'était écroulé, inconscient. Il saignait abondamment du nez et de la lèvre supérieure. Louis, qui ne supportait pas la vue du sang, sortit le plus vite possible afin de ne pas s'évanouir devant les témoins de la scène. Matthieu le vit traverser la cour d'une démarche incertaine et se remettre au volant de sa voiture, dont il n'avait pas coupé le moteur.

— Je vais chercher madame Claire! s'écria le jeune Paul.

Il avait pu constater la séparation du couple, mais c'était une habitude établie de recourir à la patronne en cas de blessure. Matthieu, lui, s'agenouilla près de Jean et lui souleva la tête.

— Eh! Remets-toi! Bon sang, quel direct a ce blanc-bec! Jean, regarde-moi.

— Je crois qu'il est tombé dans les pommes, précisa le vieux Jacques. Faudrait une goutte d'alcool.

Matthieu haussa les épaules et sortit son mouchoir pour tamponner le sang.

— Je n'aurai pas à le faire! dit-il avec un léger sourire. Je voulais te casser la figure, mais un autre s'en est chargé.

Claire écossait des haricots avec Anita. Les longues cosses beiges racornies par un hiver dans le grenier livraient des graines très dures qu'il faudrait laisser tremper dans l'eau une nuit entière. Paul fit irruption dans la cuisine, l'air affolé.

— Madame, c'est votre mari! Un type est arrivé et l'a cogné en pleine face! Il a perdu connaissance et il saigne du nez.

Elle se leva sans rien dire et ouvrit le buffet où étaient rangés ses remèdes. Elle prit un flacon et un mouchoir et donna le tout au jeune homme.

— Voilà de quoi le soigner, Paul. C'est une préparation à base de consoude et de millepertuis; cela le soulagera. Merci de t'être dérangé et, ne t'inquiète pas, je sais qui est ce type, comme tu dis. Anita m'a renseignée en allant voir à la fenêtre. Louis de Martignac est une sorte de cousin, qui a sûrement quelque chose à reprocher à mon mari.

— Mais vous ne voulez pas venir soigner monsieur Jean? insista Paul.

— Non, il n'a rien de grave, à mon avis, soupira-t-elle en reprenant place à la table.

Le jeune ouvrier sortit en remerciant tout bas.

« Louis de Martignac sait la vérité! songeait Claire. Je suppose que Bertille a joué les bonnes fées en essayant de les rapprocher, Angéla et lui. »

Malgré sa volonté de jouer les indifférentes, elle avait envie de courir vers l'imprimerie. Jean approchait de la cinquantaine; il pouvait très bien avoir eu une syncope.

— Arrêtez donc de trépigner, madame! soupira Anita, un peu moqueuse. Vous vous faites du souci, je le vois bien.

— Pas du tout! mentit-elle.

Un long silence s'installa. Claire commençait à regretter d'avoir permis à Jean de vivre au Moulin. Elle ne pouvait s'empêcher de guetter la fenêtre de son logement, du matin au soir, de l'épier pendant qu'il traversait la cour. Elle se répétait dans ces moments-là qu'elle le haïssait, tout en luttant pour ne pas courir vers lui et le serrer dans ses bras. Plus que la colère, la rancœur dominait souvent son besoin de retrouver son contact, de sentir la chaleur et la densité de son corps, de respirer son odeur.

Matthieu ne tarda pas à entrer à son tour dans la pièce. Il passa dans le cellier mettre deux mouchoirs ensanglantés dans la panière à linge sale. Puis il se posta près de la cheminée.

— Clairette, Louis de Martignac, notre cher cousin, a déclaré bien haut qu'il épousait Angéla. Voici un homme qui n'a pas peur d'être cocu!

— Je t'en prie, répliqua laconiquement sa sœur, ça ne sert plus à rien d'être ironique ou insultant. J'en ai assez de toute cette histoire. Au fond, je trouve qu'il est courageux d'aller au bout de son amour. Et puis, dans la vie, il faut savoir pardonner.

Claire se leva à nouveau et sortit. Elle marcha dans un état second jusqu'à l'imprimerie. Jean était assis sur un tabouret, le visage blafard, le nez tuméfié. Sa chemise était maculée de taches ensanglantées. Paul, qui devait veiller sur lui, s'empressa de filer dans la salle adjacente.

— Tu as mal? demanda-t-elle à son mari.

— Non, ta lotion m'a soulagé. Ne t'inquiète pas, je l'avais mérité! répliqua-t-il sans la regarder. J'ai compromis le bonheur de Louis et celui d'Angéla. J'espère qu'ils réussiront à oublier et qu'ils seront heureux.

— J'ai une chose à te dire, déclara-t-elle d'une voix basse. Autant régler nos comptes. Je ne suis pas irréprochable. Il y a sept ans, pendant que tu travaillais comme journaliste à l'étranger, je me retrouvais tous les jours confrontée à William Lancester. Tu te souviens, le papetier anglais qui louait le Moulin?

— Oui, je me souviens, dit Jean en la fixant intensément cette fois.

— Il me faisait la cour, il m'offrait des cadeaux. Cela me flattait d'être admirée par un homme qui me plaisait assez, il faut le dire. Un soir, il m'a invitée à dîner dans une auberge au bord de la Charente. Je me sentais bien avec lui. Et, ce soir-là, il m'a suggéré de divorcer pour l'épouser, et aller vivre avec lui en Angleterre. Il ne comprenait pas pourquoi tu restais si longtemps absent, pourquoi tu me laissais seule, alors que j'avais dû travailler dur pendant la guerre.

Elle s'approcha encore de son mari. Il baissa la tête, comme s'il attendait le coup de grâce.

— Toujours ce même soir, nous nous sommes embrassés, Lancester et moi. Et, quelques jours plus tard, j'ai couché avec lui. Je t'ai trompé, parce que j'étais à bout de nerfs, malheureuse, que j'avais besoin des bras d'un homme autour de moi. Mais je ne cherche pas d'excuse, je t'ai trompé. Une seule fois, rassure-toi. Maintenant, fais ce que tu veux. Tu peux continuer à habiter au Moulin ou bien t'en aller.

Elle sortit précipitamment, mal à l'aise d'avoir avoué une faute datant de plusieurs années. Matthieu lui barrait le passage. Il la sondait de ses yeux bruns avec un air de profonde stupeur.

— J'ai eu des soupçons, à l'époque, mais je te croyais incapable de trahir Jean, chuchota-t-il. Reste à savoir si vous êtes ex æquo. Je ne le pense pas, tu as du retard.

— Tais-toi, Matthieu! intima Claire. Ne t'en mêle pas. J'ai agi par esprit de justice, rien d'autre.

Claire se mit à courir vers le portail. Quelques instants plus tard, elle avait disparu derrière un bosquet de saules.

Matthieu poussa un juron et retourna à sa machine. Jean n'avait pas bougé.

— En fait, vous n'étiez guère un couple exemplaire! persifla le jeune homme. Bon, tu te sens d'attaque pour finir les pages en cours? Jean, je te parle!

— Tu n'aurais pas une cigarette? répondit-il enfin. Excuse-moi, je suis sonné, là. D'abord les poings du châtelain, ensuite Claire qui m'annonce l'inconcevable.

Apitoyé, Matthieu lui tendit de quoi fumer.

— Je me passerai de toi, ajouta-t-il. Monte te reposer! Je ne sais pas pourquoi Claire t'a raconté ça, précisément aujourd'hui.

— Sans doute pour m'achever! maugréa Jean en se levant.

Il hésita un instant en bas de l'étroit escalier conduisant à son logement. Il avait envie de briser la loi établie par Claire et d'entrer dans la cuisine, de lui demander des explications. Mais il n'osa pas et quitta la cour du Moulin à son tour. Son cœur cognait à grands coups dans sa poitrine. Seconde par seconde, le poison de la jalousie se répandait en lui. Il imagina bientôt Claire délirante de plaisir, nue dans les bras de Lancester.

« Non, non! se répétait-il. Pas elle, pas ma femme! »

Jean s'éloigna en suivant le bord de la rivière. Il percevait ce parfum particulier qui émanait des hautes falaises grises, mélange de la fragrance des buis, des premières giroflées et de la roche tiède. Sans but précis, il décida de grimper le talus jusqu'à la Grotte aux fées. Il avait l'impression d'être à un tournant précis de sa vie où le passé et le présent se rejoignaient.

« J'avais vingt ans quand je me suis caché ici, dans la vallée, et trente ans plus tard j'ai aussi peur, aussi mal, se disait-il. Je me sens seul et perdu. Mon Dieu, peut-être que ce n'est qu'un juste retour des choses, mais je n'étais pas préparé. »

Il avança sous la voûte de pierre qui précédait la cavité en elle-même. Quelqu'un pleurait, assis le dos à la paroi la plus proche. Une femme dont l'attitude tout entière exprimait le chagrin. Jean reconnut tout de suite Claire. En entendant marcher, elle redressa la tête.

— Comment as-tu su que j'étais là? s'écria-t-elle. Laisse-moi! Je te devais la vérité, mais je n'ai rien à dire de plus.

— Tu es contente? Tu t'es vengée? jeta-t-il sèchement.

— Vengée? Je m'en fiche de me venger! Et tu ne vas pas comparer ce que j'ai fait avec ce que tu as fait, toi? Si tu veux le savoir, cela m'a détendu les nerfs, de coucher avec Lancester. Je venais de comprendre que Nicolas s'était caché chez Étiennette, qu'il avait péri dans l'incendie. Quand Faustine l'a su, je lui ai même dit que cet acte-là équivalait à manger un gâteau ou à boire un verre de champagne.

— Parce que ma fille était au courant? s'indigna Jean. Bravo! Et s'il ne s'était rien passé entre Angéla et moi, tu ne me l'aurais jamais avoué? J'ai bonne mémoire: après mon retour, nous avons été très heureux, tous les deux! Mais tu m'avais trompé!

Il la releva par les coudes, furieux. Claire le toisa, superbe dans son indignation.

— Cela n'avait aucune importance pour moi. Il n'y a eu qu'une seule et unique fois, alors que toi... Pendant un mois tu as eu une liaison, tu dormais près de ta jeune maîtresse, tu en disposais à ton aise.

Jean lui saisit les poignets et approcha son visage du sien.

— Où as-tu couché avec Lancester? Dans notre lit? Où? Il t'a vue toute nue? Tu as eu du plaisir, hein?

— Dans un champ au bord du chemin de Vœuil! lança-t-elle en se débattant. En plein soleil. J'ai relevé mes jupes, j'ai déboutonné mon corsage! Là, tu es satisfait? Je n'ai pas d'autres détails à te donner! Et tant mieux si tu souffres, après ce que j'ai enduré, moi! J'ai cru en mourir, Jean! Regarde, nous sommes dans la Grotte aux fées, là où tu m'as faite femme. Ce lieu devrait être sacré pour nous, mais non, tu as tout gâché! Sais-tu comme j'avais peur de te perdre quand tu parcourais la Belgique et la Hollande, et que je me languissais de toi, de ton corps, de tes baisers? Au fond, Bertille a raison. Les hommes se croient tout permis. Le compte est facile. Toi, tu as eu plusieurs expériences, cette prostituée sur les remparts, avant de me rencontrer. Ensuite, tu as épousé Germaine, tu as vécu avec Térésa, à Auch, bien assez longtemps. Sans oublier Angéla et toutes celles que tu as peut-être oublié de me citer. Pendant la guerre aussi, tu m'as trompée, mais je devais l'accepter, le comprendre, n'est-ce pas? Alors, désolée, je ne regrette pas ce qui s'est passé. Oui, je suis contente d'avoir connu William Lancester, de m'être offerte à lui!

Jean la lâcha et recula. Claire était dangereusement proche de lui. Tandis qu'il tenait ses poignets, il avait retrouvé son parfum de lavande et le contact de sa chair. Il s'étonnait presque de la violence de son désir. Il s'était vu écrasant sous ses lèvres sa belle bouche couleur de cerise, ouvrant son corsage pour mordiller ses seins ronds et chauds. Savoir qu'elle avait appartenu à un autre homme le rendait fou de rage, mais il aurait voulu la reprendre sur l'heure, lui donner du plaisir pour la reconquérir.

— Tu vas partir? demanda-t-elle d'une voix crispée. Ne te gêne pas, ne t'inquiète pas. Je suis vieille, maintenant, plus personne ne voudra de moi.

— Oui, je pars! décréta-t-il. Sois contente, Claire, tu viens de me blesser dans ce que j'avais de plus précieux: toi! Je m'en voulais à mort d'avoir trahi une épouse fidèle et parfaite. Désormais, je sais à quoi m'en tenir. Je ne peux pas rester. Je deviendrais fou de ne pas pouvoir te toucher, te reconquérir. Même là, maintenant, si je te couchais par terre, si je te faisais l'amour, je suis persuadé que tu capitulerais, que tu ferais ensuite des pieds et des mains pour me retenir. Mais j'ai encore un peu d'orgueil, je ne m'abaisserai pas à te forcer.

La jalousie farouche dont faisait preuve son mari enivrait Claire. Elle aurait voulu le provoquer encore, mais il tourna les talons et dévala le talus semé de cailloux.

« C'est ça, pars! se dit-elle. Je te connais, Jean! J'ai bien senti que tu me désirais, que tu as failli m'embrasser. Je te plais encore un peu... Va-t'en, je suis sûre que tu reviendras. »

Elle se remit à pleurer, redoutant et espérant le jour où elle ne pourrait pas lui résister. Même grisonnant, vieilli et le nez tuméfié, Jean l'attirait avec une force prodigieuse. Après avoir séché ses larmes, elle se félicita de lui avoir dit la vérité. Il n'y avait plus aucun secret entre eux. Et si vraiment il quittait la vallée, elle retrouverait la paix, n'étant plus tentée de lui pardonner.

« Quand même, je suis montée à la Grotte aux fées et lui aussi, comme si nous avions rendez-vous, comme si quelque chose nous poussait vers ce lieu où nous avons été si heureux! pensa-t-elle, émue. J'avais besoin d'être ici, et Jean aussi. »

Claire se perdit dans une songerie douce-amère. Lorsque le soleil se drapa de nuées orange, elle descendit sans hâte la pente herbeuse et marcha vers le Moulin.

9
Au fil du temps

Domaine de Ponriant, août 1926

À l'ombre d'un large parasol en toile jaune, Bertille et Claire prenaient le thé sur la terrasse. Arthur jouait du piano dans le salon, dont la porte-fenêtre était grande ouverte. Le jeune garçon, âgé de douze ans, répétait une sonate de Mozart.

Les deux cousines composaient un charmant tableau. Bertille était vêtue d'une robe blanche qui dénudait ses bras menus. Ses cheveux de fée auréolaient un visage que le temps ne parvenait pas à altérer. Claire arborait un chemisier de soie brodée contrastant avec son pantalon d'équitation et ses bottes noires. Ses longs cheveux d'ébène étaient un peu décoiffés par le vent, car elle avait lancé Junon au galop pour monter au domaine.

Malgré les années écoulées, toutes deux avaient su préserver leur beauté et leur grâce de jeunes filles. Si l'une, très blonde, avait des manières précieuses et un rire d'oiseau, l'autre, brune et de carnation plus mate, évoquait les reines antiques par son port de tête et sa douce gravité.

Depuis le départ d'Angéla, Claire se rendait presque tous les jours au domaine, sans pour autant abandonner ses activités de guérisseuse.

— Au fait, dit soudain Bertille, ils sont mariés! Et partis en lune de miel quelque part en Italie. Du côté de la Toscane, je crois.

Claire frissonna contre son gré. Elle savait de qui il s'agissait. Louis de Martignac avait épousé Angéla.

— Mariés dans la plus grande discrétion! nota-t-elle avec un soupir. Le faire-part que m'a envoyé Edmée le précisait.

La pauvre, elle n'a pas dû comprendre pourquoi je refusais d'assister à la cérémonie.

— Elle était même très vexée, fit remarquer la dame de Ponriant avec un sourire narquois. Mais nous avons très bien représenté la famille, Bertrand et moi. Cela dit, Edmée n'a pas eu l'air de croire à mon histoire de maladie violemment contagieuse qui frappait tout le monde au Moulin du Loup.

— Tant pis! De toute façon, nos relations en resteront là. Edmée a repris le goût des mondanités. Je suis peut-être la fille de sa demi-sœur, mais elle se préoccupe peu de moi. Je reçois une lettre par mois, d'une banalité affligeante. Je croyais que nous nous verrions souvent, qu'elle reviendrait au Moulin, mais non. Je me moque de tout ça. Tu me suffis, comme amie et comme sœur de cœur.

— Merci, Clairette, j'en suis ravie! Le pire est derrière nous, n'est-ce pas?

Elles échangèrent un sourire plein de tendresse. Bertille demanda ensuite d'un ton qui se voulait indifférent:

— Et Jean? Aucune nouvelle?

— Princesse, tu exagères! protesta Claire. Tu me poses la question chaque fois que je viens ici! Mais en fait il y a du nouveau. Faustine a reçu une carte postale de son père qui représente la grotte où la Vierge serait apparue. Je pense donc que Jean est retourné à Lourdes jouer les bons Samaritains. Matthieu ne décolère pas. Il prétend que mon cher mari était indispensable à l'imprimerie. Léon aussi me boude.

— Toi alors! ironisa Bertille. Quel besoin avais-tu de confesser ce qui s'est passé avec Lancester? Sept ans après! Une toute petite faute, en plus!

— J'en avais assez d'être considérée comme une sainte martyre par Jean. Il semblait prêt à tout endurer de ma part en signe d'expiation. Je crois que ça m'a vengée. Il était tellement jaloux!

— Je sais, tu m'as raconté la scène de la Grotte aux fées déjà plusieurs fois. Si tu l'aimes toujours autant, ne te torture donc pas. Je suis certaine que Faustine a son adresse là-bas. Si tu lui écris, il reviendra en courant. Une belle lettre où tu le supplierais de repartir à zéro, comme on dit.

— Non, je ne crois pas! coupa Claire. Toi, si on t'écoutait, il faudrait absoudre n'importe quelle faute. Tu es plus charitable que moi.

Bertille lui prit la main et l'étreignit.

— Je voudrais tant que tu sois heureuse! Encore plus heureuse qu'avant. La vie est courte, il faut la savourer. J'ai la chance de t'avoir et de couler des jours délicieux près de Bertrand. Clara me donne de grandes joies. Tu t'épuises à lutter contre ton amour pour Jean qui est indestructible, à mon avis.

Claire se leva et embrassa sa cousine.

— Ne t'inquiète pas pour moi. Je ne souffre plus, c'est déjà bien. J'ai la certitude que Jean m'aime toujours autant. Faustine aussi m'a conseillé de lui écrire, mais je n'en ai pas envie. Et où lui envoyer un courrier? Tu te trompes, il n'a pas donné d'adresse, même pas à sa propre fille.

— Jean et toi, vous êtes encore deux grands enfants! conclut la dame de Ponriant. Espérons que vous ne gâchez pas vos dernières belles années! Le temps devient précieux, à notre âge.

— Quand on aime vraiment, le temps ne compte pas!

Cependant, les mois suivants, Claire dut lutter de toutes ses forces pour ne pas douter des sentiments de son mari. Jean ne revenait pas. Faustine recevait une carte postale par semaine avec quelques lignes affectueuses où il l'embrassait ainsi que les enfants. Il disait se plaire beaucoup à Lourdes, où il se sentait utile, puisqu'il continuait à s'occuper des pèlerins malades.

— Ma parole, Jean terminera sa vie dans un couvent! lui déclara Matthieu un soir, d'un ton acerbe. Ce n'est pourtant pas le travail qui manque ici! Tu aurais mieux fait de tenir ta langue, Claire. Brandir ton amourette avec Lancester, c'était vraiment une mauvaise idée.

— La vérité est toujours bonne à entendre! Jean et moi pourrons reprendre une existence commune sur des bases saines, en temps voulu.

Jusqu'à Noël, Claire garda espoir. Elle guettait sans cesse le chemin des Falaises, certaine qu'une voiture allait arriver. Il n'en fut rien.

Bertille reçut toute la famille le soir du 31 décembre et, quand il y eut la cérémonie des embrassades sous le gros bouquet de gui suspendu dans le salon, Claire songea à Jean et retint des larmes de dépit.

« Il fait bien peu de cas de moi, lui qui prétendait ne plus jamais me quitter même si je le tenais à distance, pensa-t-elle, furieuse d'avoir cru aux promesses de son mari. Ce n'est qu'un beau parleur, un bonimenteur de foire! J'ai tout enduré de lui, mais il ne me pardonne pas une légère incartade. »

Chagrinée, elle espéra cependant une carte de vœux qui aurait voyagé vers le Moulin du Loup depuis Lourdes, mais, encore une fois, son espérance fut déçue.

Janvier, février et mars passèrent. Avril 1927 fut doux et lumineux. Des tulipes roses, mêlées aux dernières jonquilles, ornaient les plates-bandes aménagées le long du mur des étendoirs. Les rosiers portaient déjà des boutons prometteurs d'une belle floraison. Comme chaque année, les premières hirondelles investirent les poutres de l'écurie et de la bergerie. Leurs allées et venues affairées suscitaient l'admiration de la petite Isabelle. Matthieu l'amenait avec lui le matin, car elle réclamait Claire. Bientôt âgée de six ans, la fillette devenait turbulente, et Faustine avait du mal à la surveiller. Cela soulageait la jeune femme, très accaparée par le petit Pierre, et Gabrielle qui marchait depuis peu.

Ce jour-là, Claire partit avec Anita promener les chèvres sur le chemin des Falaises. La plupart des bêtes allaient mettre bas, si bien qu'elles exhibaient un ventre proéminent. L'herbe poussait dru sur les talus et au bord des prés.

— Regardez donc, madame, dit l'épouse de Léon. Vos biques sont toutes contentes. Je vous parie que d'ici demain ou après-demain nous aurons un premier cabri.

Claire serra plus fort la menotte d'Isabelle. La moindre allusion à la maternité, à la naissance d'un enfant ou d'un animal la blessait.

« Si j'avais donné un fils à Jean, rien ne serait arrivé! Il n'aurait pas osé me tromper, il ne serait jamais parti », songea-t-elle sans répondre à Anita.

La campagne resplendissait, ce qui raviva son chagrin. Les champs se paraient d'une végétation verdoyante, semée de boutons d'or et de pissenlits. La rivière chantonnait, limpide.

— Il fait rudement bon, hein, madame! insista Anita. C'est une bénédiction, ce printemps, même si l'hiver n'a pas été très rigoureux.

« Pour moi, l'hiver a été épouvantable, pensa encore Claire. Je dors seule depuis trop longtemps et j'en ai assez. Toutes ces nuits à chercher le corps de mon mari près du mien, à pleurer de regret sur mon oreiller! J'ai l'impression que cela dure depuis des siècles. »

Le ronronnement d'un moteur lui fit lever la tête. Moïse le jeune précédait le troupeau. Le loup se mit à aboyer en courant vers la vieille voiture noire qui roulait au ralenti. Claire aperçut le visage de Jean derrière le pare-brise. Son cœur se mit à cogner follement.

— Mon Dieu! gémit-elle.

Quelques années auparavant, elle aurait couru vers son bien-aimé en se moquant de sa robe usagée et du foulard noué sur ses cheveux. Mais tout avait changé. Elle retint Isabelle par les épaules, car la fillette voulait s'élancer sur les traces du loup.

— Ne bouge pas! lui souffla-t-elle. Tu reconnais ton grand-père?

— Oui, Clairette! Je peux lui faire la bise?

— Pas maintenant. Attends un peu!

« Attendre, toujours attendre! se disait Claire. Jean se croit tout permis. Il s'en va, il séjourne des mois on ne sait où, et ensuite il se présente ici! En plus, il a le culot de sourire! »

Son mari avait coupé le moteur pour ne pas effaroucher les chèvres qui encerclaient l'automobile. Anita les rappela en faisant claquer sa langue, mais cela ne servit à rien. Jean ouvrit la portière et marcha vers les deux femmes, son chapeau à la main. Il était barbu, amaigri et avait le teint pâle.

— Bonjour, mesdames! s'écria-t-il. Et bonjour, ma jolie petite Isabelle! Je t'ai rapporté un cadeau de Lourdes! Sans oublier Pierre et Gabrielle.

Claire ne broncha pas, vivante image de la désapprobation.

— Qu'est-ce que tu viens faire ici? demanda-t-elle tout bas. Je croyais que tu t'étais établi ailleurs.

— Je compte travailler, rien d'autre! expliqua Jean sans paraître remarquer la froideur de sa femme. J'ai obtenu une commande inespérée pour l'imprimerie. Matthieu aura besoin d'un sérieux coup de main. Et il gagnera beaucoup. Je vais en discuter avec lui. Est-ce que je peux reprendre le logement au-dessus de la salle des piles?

Ils échangèrent un long regard. Chacun lut dans les yeux de l'autre une sorte de joie farouche à l'idée d'être à nouveau ensemble dans le périmètre du moulin.

« Qu'elle est belle! Fière, forte et vulnérable à la fois! pensait Jean. J'avais tellement envie de la revoir. Et elle est là, inchangée, ma Claire... »

« Je le verrai matin et soir, je pourrai le croiser dans la cour, entendre sa voix! songeait-elle. Seigneur, il est là, si proche, et je ne peux pas le prendre dans mes bras! »

Anita toussota, car le silence s'éternisait. Isabelle sautait d'un pied sur l'autre en espérant avoir son cadeau tout de suite.

— Oui, bien sûr, si c'est important pour Matthieu! répondit enfin Claire. Installe-toi, il te manque juste des draps propres. Anita t'en donnera.

Elle lui tourna vite le dos pour reprendre sa balade. Jean embrassa Isabelle et se remit au volant de sa voiture. Il était exténué par ce long trajet, mais une sensation d'apaisement le revigorait. En franchissant le portail, il s'émerveilla presque de retrouver intacts ces lieux dont il connaissait chaque détail.

« Les étendoirs, la bergerie là-bas, à droite, l'écurie, et cette chère vieille maison, avec ses rosiers, ses lilas... »

Léon surgit de l'appentis. Il tenait une hache à la main. En voyant la voiture, il poussa un juron.

— Mais c'est Jeannot! s'exclama-t-il, indécis.

L'amitié qui unissait les deux hommes avait été mise à rude épreuve sans pour cela se briser vraiment. Léon fit table rase de ses derniers griefs.

— Bon sang, Jean, ce que je suis content! s'écria-t-il en lui donnant l'accolade.

Matthieu assista à la scène de la fenêtre de l'imprimerie. Il n'était pas loin de ressentir la même satisfaction. Lorsqu'il apprit, quelques instants plus tard, la nouvelle d'une grosse commande, il fut envahi par une sincère gratitude.

— Tu m'ôtes une sacrée épine du pied! avoua-t-il à celui qui était à la fois son beau-frère et son beau-père. Mes finances étaient au plus bas et je n'osais en parler ni à Claire ni à Faustine. Je ne savais pas comment payer mes ouvriers. On commence le boulot demain sans faute.

Jean eut un sourire mélancolique. Il avait l'impression de marcher sur une corde raide tendue entre l'accueil glacial de sa femme et les retrouvailles plus chaleureuses que lui réservaient Matthieu et Léon.

— Il faudrait vous rabibocher, madame Claire et toi! souffla ce dernier avec un clin d'œil significatif. Il y a eu assez de grabuge chez nous. Hein, Jeannot, tu es de retour, alors faites la paix!

L'ancien patron du Moulin du Loup hocha la tête d'un air embarrassé. C'était plus facile à dire qu'à faire, selon lui. Malgré les mois écoulés, il éprouvait une colère sourde et tenace dès qu'il imaginait Claire couchée sous le corps de William Lancester. Contre toute logique, et en cela il réagissait bien en mâle dominant, il ne pouvait pas comparer sa liaison avec Angéla et l'incartade de son épouse.

Mais la conversation revint sur la commande exceptionnelle. Il s'agissait d'une quantité considérable de livrets médicaux, dont Jean montra un modèle à couverture cartonnée. Les pages intérieures exigeaient une composition ardue, car il fallait prévoir des espaces pour les notes des médecins.

— Nous avons deux mois environ! précisa Jean. J'ai négocié ce délai, sinon nous perdions le contrat.

Dès lors, du moins aux yeux du jeune imprimeur, il fit figure de sauveur. Matthieu décida de lui accorder une nouvelle fois toute sa confiance.

De la fenêtre de la cuisine, Claire épiait les allées et venues de son mari qui, lui, guettait la moindre de ses apparitions.

Il ne pouvait cesser de l'admirer du matin au soir, récoltant une moisson d'images qu'il se remémorait tard dans la nuit en ressassant sa jalousie.

Il y avait Claire à cheval, droite et élancée, son beau visage fermé sur des pensées qu'il redoutait; Claire qui partait cueillir ses plantes médicinales, un panier au bras, en longue jupe de serge bleue. Elle s'éloignait dans les champs sous les taillis, vive et gracieuse, ses longs cheveux d'ébène ruisselant le long de son dos.

Jean ne soupçonnait pas qu'elle jouait les coquettes et avait grand soin de sa toilette et du choix de ses vêtements, dans son besoin de le séduire à nouveau. Cette fois, même si elle paraissait renfrognée et froide, elle était bien déterminée à ne pas le laisser repartir.

Il tentait aussi de l'apercevoir quand elle étendait du linge, ses beaux bras dorés tendus par l'effort qu'elle devait fournir pour tordre et secouer les lourds draps blancs brodés à leurs initiales, un J et un C entrelacés. Cela le plongeait dans un bouleversement de sentiments, d'où naissait une passion nouvelle. Il n'avait plus qu'une idée: lui faire oublier définitivement leurs mois de séparation, et surtout le souvenir de Lancester. Il élaborait d'innombrables plans afin de se l'approprier tout entière et de pouvoir enfin parcourir son corps de baisers, le combler de jouissance.

Leur petit manège n'échappait pas à Matthieu. À l'attitude de Jean, il pouvait deviner que sa sœur sortait dans la cour ou marchait vers la bergerie. Il trouvait toujours une occasion de s'approcher de la porte ou de la fenêtre, d'où il observait Claire, qui incarnait désormais une femme inaccessible dont il rêvait, dont il était fou amoureux. À être sans cesse frustré, son désir d'elle s'exacerbait. Pour un sourire, un baiser sur la joue, il aurait donné à présent n'importe quoi. Mais elle avait l'art de l'éviter. Cela dura encore deux longs mois.

Un jour très chaud de la fin de juin, Jean surprit Claire au bord de la rivière. Elle était assise sur la berge, sa jupe relevée, les mollets et les pieds nus dans l'eau vive et fraîche. Ses cheveux étaient relevés en chignon et dégageaient son cou rond et la naissance de ses épaules. Il s'immobilisa, pareil au chasseur qui vient de débusquer un gibier inespéré. Elle n'avait rien entendu. Il fit encore un pas, le cœur serré.

«Jadis, je l'aurais saisie par les épaules pour l'embrasser à pleine bouche! songea-t-il. Elle se serait débattue en riant, peut-être même qu'elle m'aurait jeté de l'eau et nous aurions roulé dans l'herbe.»

Soudain, Claire se retourna et le vit. Jean perçut le léger frémissement de son corps, une ombre de sourire sur son visage.

— Va-t'en! dit-elle doucement. Je suis tranquille, ici. Ne gâche pas tout.

Il recula, malade de déception, et fit demi-tour. Elle ferma les yeux pour contempler l'image qu'elle gardait de lui, en chemise blanche, ses boucles brunes auréolant son visage viril, buriné à présent par les épreuves, et surtout, surtout, le magnifique regard bleu ourlé de cils très noirs, ce regard dont on subissait aussitôt le magnétisme.

Quand elle entrouvrit les paupières, Claire s'assura que Jean était bien reparti. Le soleil brûlant sur ses cuisses, l'eau sur ses jambes, le parfum singulier des roseaux et des saules, tout ça lui montait à la tête. Elle poussa un faible gémissement qui exprimait la fièvre ardente de son corps de femme.

«Heureusement, il m'a obéi, sinon je l'aurais appelé, je lui aurais ouvert les bras.»

Mais Jean n'était pas loin. Il avait contourné un bosquet de saules et, couché à plat ventre, il la contemplait. En lui voyant une expression de pure sensualité, la rage brouilla sa raison.

«Peut-être qu'elle pense à ce type, à son Anglais! se dit-il. S'il la surprenait ainsi, elle ne le repousserait pas! Bon sang, je suis le dernier des crétins. J'aurais dû la renverser sur l'herbe, la prendre de force.»

La course de son sang se précipita dans ses veines. Il serra les poings, paupières closes.

«Où j'en suis arrivé? déplora-t-il. Je deviens à demi fou de désir pour mon épouse devant Dieu, avec qui je devrais coucher chaque nuit. Je ne m'étais jamais rendu compte que je possédais un trésor. Claire, ma Claire!»

Il se releva brusquement et marcha droit vers la rivière, aussi bruyant cette fois qu'un sanglier.

— Claire! hurla-t-il. Tu vas m'écouter!

Elle avait bondi sur ses pieds et lui faisait face, l'air inquiet.

— Qu'est-ce que tu as? demanda-t-elle.

— J'en ai assez de ton silence, de cette comédie qui n'amuse que toi! déclara-t-il. Je suis là depuis deux mois, et tu ne m'as pas adressé la parole, ou si peu. J'estime que j'ai droit à des explications au sujet de ton amant! Tout à l'heure, tu rêvais de lui, avoue-le! Peut-être qu'il habite dans la région, que tu le rencontres à ta guise!

— Mon pauvre Jean! soupira Claire, moqueuse. Je ne suis pas aussi perfide que toi! Après ce que tu m'as fait, comment oses-tu te mêler de ma vie?

Elle savourait sa revanche, grisée par la sincère détresse qui altérait les traits de son mari. Il souffrait à son tour et cela lui semblait juste, mérité.

— Tu es devenue cruelle! lança-t-il d'une voix rauque.

— On change, quand on est trop malheureux! rétorqua-t-elle. Ce que j'ai enduré, tu ne peux pas le concevoir. J'ai failli en mourir. Mais si je t'ai confié mon aventure avec William, c'était par esprit de justice, et non pour te torturer.

— William, William! répéta Jean en vociférant. Tu en as plein la bouche, de ce prénom-là! Je ne sais pas ce qui me retient de te gifler, de te frapper!

Claire éclata d'un rire bas provocant. En fait, elle résistait de toutes ses forces à l'envie de se jeter dans les bras de Jean, de le rassurer, de sentir ses lèvres sur les siennes.

— Ne t'avise pas de m'approcher! dit-elle enfin. Encore moins de me toucher! Tu n'as plus aucun droit sur moi. Je tolère simplement ta présence au Moulin du Loup, entends-tu? Rien d'autre!

Jean crispa les mâchoires. Il était à bout. L'exil qu'il s'était imposé, à Lourdes, n'avait guère apaisé ses tourments. Si, durant la journée, il se dévouait corps et âme pour les pèlerins malades, la nuit, il brassait de sombres pensées, concentrées sur cette belle femme qui le narguait, là, au bord de la rivière, dans la lumière éblouissante du printemps à son apogée.

— Je ferais mieux de disparaître pour de bon! s'écria-t-il. Tu pourrais avoir pitié d'un homme qui a perdu un fils, ce fils que j'avais attendu des années et que tu n'as pas su me donner.

Il venait de décocher une flèche empoisonnée. Claire fut atteinte en plein cœur.

— Et à cause de toi, je n'ai même pas vu ce pauvre bébé mort-né, je ne connaîtrai jamais son visage! ajouta Jean, ne se souciant plus de la préserver. Oui, je n'ai pas pu entrer dans le pavillon du domaine, parce que tu t'y trouvais. J'étais condamné aux ténèbres, à la plus atroce des solitudes.

— Je sauvais la vie de ta maîtresse, balbutia-t-elle. Et, crois-moi, cela m'a coûté. Mais je ne voulais pas perdre mon âme. C'était une épreuve de plus: sauver la fille qui nous avait séparés.

Incapable de supporter le regard embué de larmes de son mari, Claire voulut s'enfuir. Mais ses jambes tremblaient, elle respirait mal.

— Toi aussi, tu viens d'être très cruel! réussit-elle à articuler. Jean, tout est vraiment fini entre nous. Jamais tu ne m'avais reproché ça. Mon plus grand regret, mon plus grand chagrin!

Il lui tourna le dos et passa sa fureur désespérée sur le tronc d'un frêne qu'il martela de coups de poing. Puis il sanglota, le front appuyé à l'arbre.

— Va-t'en! gémit-il. Tu as raison, tout est fini!

— Oh oui! Tout est fini, répéta Claire.

Elle ramassa ses chaussures et son cabas en toile posé sur la berge. Accablée par la violence de la scène qui venait de les opposer, elle agissait lentement, comme si elle craignait de se briser en mille morceaux. Cependant, Jean continuait à pleurer. Elle lui jeta un coup d'œil abasourdi. La vision des épaules de son mari, secouées par le rythme des sanglots et le bruit saccadé de sa respiration, la bouleversa.

— Jean, appela-t-elle tout bas, je t'en prie, ne pleure pas. Je croyais tellement fort à notre amour, je n'étais pas préparée à une rupture aussi pénible. Mais il faut être raisonnable, à notre âge. Nous nous faisons trop de mal.

Radoucie, elle n'était plus que compassion. Il lui fit face brusquement.

— Ne me chasse pas! implora-t-il. Je n'ai pas d'autre endroit où aller. Je veux dire que c'est le seul endroit, le Moulin, où je me sens protégé.

— Je suppose que ta sœur t'accueillerait avec joie! fit-elle remarquer. Blanche ne te laissera pas à la rue.

— Non, je ne veux plus la voir! souffla-t-il. Blanche est aigrie, manipulatrice. Claire, pardonne-moi. J'ai prononcé des paroles injustes. Ce n'est pas ta faute si tu ne peux pas avoir d'enfants. Pardon!

Jean se précipita vers elle et tomba à genoux. Sans qu'elle puisse l'en empêcher, il ceintura sa taille de ses bras et posa la tête contre son ventre.

— Pardonne-moi! répéta-t-il.

— Calme-toi! Tu peux rester. Faustine est ravie d'avoir son père près de chez elle et Matthieu a besoin de toi. Nous devons essayer de cohabiter sans nous déchirer.

— Tu es ce que j'ai de plus cher au monde, confessa-t-il sans changer de position.

— Je pense que non, répondit-elle d'un ton amer. Ta fille et tes petits-enfants sont plus importants que moi et c'est bien normal.

Claire aurait pu se dégager de l'étreinte de Jean ou le prier de la lâcher, mais elle n'en avait pas le courage. Elle percevait avec acuité le contact de son mari dont les mains étaient posées sur ses hanches de femme. Le tissu léger de sa jupe lui donnait l'impression d'être nue. Soudain, il embrassa fébrilement le bas de son ventre, puis ses lèvres brûlantes.

— Non, arrête! protesta-t-elle. Je ne peux pas, aie pitié!

— Accorde-moi ça, au moins, bredouilla-t-il. Tu vois, je te demande pardon à ma façon. Je ne voulais pas te blesser, ma Claire. Je t'aime, je t'aime encore plus fort qu'avant!

Elle dut faire appel à toute sa volonté pour lui échapper. Le désir la dévorait déjà. Des images pleines de sensualité la traversaient. Elle se voyait couchée sur l'herbe, offerte à Jean, entièrement consentante, avide de ses caresses d'homme.

— Non, non! cria-t-elle. Pas maintenant, pas si vite!

Il n'osa pas insister quand elle se débattit pour prendre la fuite. Mais il avait repris espoir grâce à ces mots qu'elle avait jetés d'une voix affolée : « Pas maintenant, pas si vite! »

Durant tout l'été, Claire évita de se retrouver seule avec Jean.

Elle s'épuisa à visiter les fermes et les hameaux, s'enhardissant à demander si personne n'avait besoin de soins avant l'hiver. Les pluies de septembre et le vent d'octobre la préservèrent de sa faiblesse à l'égard de son mari. Il s'enfermait dans son logement; elle se cantonnait dans la maison dès qu'elle rentrait de ses excursions d'un bout à l'autre de la vallée.

Au début du mois de novembre, Anita annonça qu'ils allaient affronter des froids terribles, parce que les oignons avaient plusieurs peaux et que les grues étaient descendues vers le sud bien plus tôt que d'ordinaire. Léon embaucha son ancien patron pour débiter des chênes abattus deux ans auparavant, ce qui garantissait du bon bois de chauffe.

Du matin au soir dans la forêt, les deux hommes renouaient une amitié vieille de presque trente ans. Ils emportaient un casse-croûte, sirotaient le vin blanc de Chamoulard et dégustaient le chou farci préparé par Claire suivant la recette de la défunte Raymonde. C'était le plat traditionnel charentais, savoureux juste cuit, chaud et luisant de bouillon, mais délicieux également refroidi, coupé en tranches. La viande de porc aillée et persillée dégageait tous ses arômes entre les feuilles d'un vert sombre à la saveur potagère.

Souvent, Léon, la bouche pleine, observait longuement Jean. Dès qu'il pouvait parler, il grommelait d'un ton plein de reproches, où perçait cependant son amitié pour Jean :

— Quand même, Jeannot, tu en as fait, du gâchis! La patronne, on a cru la perdre.

Et Léon se répandait en détails dont Jean était avide. Il sut ainsi à quel point Claire, toujours confinée dans la chambre d'Arthur, avait souffert, jusqu'à avaler des somnifères en cachette. Il apprit par la même occasion que sa femme avait déserté leur lit de couple, la pièce où ils avaient partagé tant d'heures de joie et d'extase.

— Moi qui rêvais de remonter par le souterrain, de tambouriner à la porte de communication! avait soupiré Jean. Personne ne m'aurait entendu.

— Ben si, Anita et moi, puisque Claire nous a logés là dès qu'elle a repris le dessus, après la naissance de Gabrielle. Au début, ça gênait ma Nini d'y dormir. Mais on s'est habitués.

Jamais en panne de bavardage, Léon raconta aussi un matin que les réveillons de Noël s'étaient déroulés au domaine, les deux dernières années.

— Je me demande ce qu'elle décidera pour ce Noël-ci! dit Jean, affligé. Moi, de toute façon, je serai cantonné dans mon logement, privé de la fête. Sauf si Faustine tient parole et m'invite le 25 pour déjeuner.

— Ne te bile pas, mon vieux! trancha Léon. Faut prendre ton mal en patience. Il y a des femmes qui ne t'auraient même pas permis de revenir. Claire, on sait tous qu'elle t'aime encore.

Ce genre de propos réconfortait Jean. Après des heures et des heures passées à l'imprimerie, penché sur les petits caractères de plomb, le travail de bûcheron lui faisait du bien. Il appréciait le grand air et l'effort physique. Le soir, il s'endormait vite, trop fatigué pour se torturer l'esprit.

Malgré les premiers froids, Claire continua ses expéditions à cheval. Au retour, elle rendait souvent visite à Faustine. Gabrielle allait bientôt avoir deux ans. C'était une adorable fillette aux boucles châtains, rieuse et sage.

— Maman, je t'invite à déjeuner lors de l'anniversaire de notre poupette! dit la jeune femme la veille du 2 décembre. Léon m'a apporté un des canards de Barbarie, plumé et vidé. Je le ferai avec des navets et des pommes de terre.

— Eh bien, je m'occupe du gâteau! répondit Claire. Mais ton père? Est-ce que tu l'as invité, lui aussi?

— Je voulais te demander ton avis avant de le faire, avoua Faustine. Moi, je serais contente de vous avoir tous les deux, mais, si cela tourne à la soupe à la grimace, ce n'est pas la peine. Et Noël? J'en discutais avec Matthieu, hier soir. J'aimerais bien le passer chez toi, et que tu décores la cuisine, comme avant.

Claire baissa la tête sur sa tasse de café. Elle y réfléchissait depuis quelques jours.

— Demain, je viendrai, mais je préférerais que ton père ne soit pas là. Invite-le à goûter, il restera bien du gâteau. Je ne tiens pas à partager tout un repas en sa présence.

— D'accord! soupira Faustine d'un air résigné. C'est tellement surprenant, votre arrangement à l'amiable! Papa vit près de nous depuis plusieurs mois, mais à l'écart de toi. Cela me rend triste. Tu n'as qu'à lui pardonner pour de bon, comme Matthieu l'a fait, et Léon, et moi. Ce n'est pas très sain, cette situation. Quand papa vient ici, j'ai toujours peur que tu arrives. Et les petits ne comprennent pas. Ils seraient heureux de voir leurs grands-parents ensemble.

— Ce sont mes conditions, ma chérie. Jean les a acceptées. Il a renoué de bonnes relations avec Isabelle et Pierre, et Gabrielle le connaît. Que veux-tu de plus?

— Rien, maman, coupa la jeune femme. Et à Noël, ce sera la même chose? Nous tous réunis et papa dans son pigeonnier? Il appelle son logement ainsi : le pigeonnier!

Claire quitta sa fille adoptive le cœur lourd. Elle aurait aimé rayer la date de Noël de son calendrier personnel. Pourtant, tandis qu'elle suivait le chemin des Falaises, le ciel nuageux, un buisson de houx orné de baies écarlates et le vent froid eurent raison de son apathie.

« Eh bien, soit! décida-t-elle. Je ferai la maison aussi belle que par le passé. Janine sera contente. Arthur viendra, bien sûr. Le domaine est devenu son second foyer, pour ne pas dire son foyer tout court. Autant faire les choses en grand! J'inviterai César ainsi que sa petite épouse et ma Thété. Quant à Jean, je lui ferai porter une part du festin dans son pigeonnier. »

Forte de ces bonnes résolutions, Claire s'amusa le soir même à établir le menu du repas de Noël. Anita, sa fidèle compagne de veillée, participa avec joie sans lâcher son tricot et ses aiguilles.

— Nous serons donc une douzaine, madame, mais les enfants ne mangent pas autant que les adultes.

— Excepté Arthur qui a un appétit d'ogre, répliqua

Claire. Je dresserai une petite table pour les trois bambins, Isabelle, Janine et Pierre. Gaby – j'adore ce diminutif que lui donne Matthieu – sera dans sa chaise haute. Il reste mon frère et Faustine, Léon et toi, Thérèse, César et sa Suzette. Cela fait sept couverts… non, huit avec Arthur.

— Et vous, madame! Il ne faut pas vous oublier! rétorqua Anita.

— Je ne m'oublie pas, mais je tiens à servir ce soir-là. Et tu sais bien que je n'ai plus goût à la nourriture.

— Pardi, ça se voit, vous êtes mince comme une gamine! Enfin une gamine qui aurait une belle poitrine.

— Veux-tu te taire, Anita? s'écria Claire. As-tu déjà rencontré des gamines de mon âge? Bientôt quarante-six ans!

— D'abord, vous ne les faites pas du tout! On vous en donnerait dix de moins, et ce n'est pas que ça.

Claire feuilletait un livre de recettes que lui avait offert Faustine.

— Explique-toi! rétorqua-t-elle.

— Pour être franche, madame, je dirai que ce sont des enfantillages, vos minauderies avec monsieur Jean. Léon et lui se sont rabibochés et même votre frère lui fait la causette. Mais vous continuez à le battre froid par-devant, et après vous ne le quittez pas des yeux. Et il fait pareil, monsieur Jean. Toujours à vous guetter, à vous regarder! Il s'est passé ce qui s'est passé, ça, on ne peut pas revenir en arrière. Seulement, quand on s'aime à ce point, on s'aime. Vous perdez du temps et c'est précieux, le temps!

Ces paroles directes et assez justes touchèrent Claire qui eut un sourire attendri. Sans répondre à Anita, elle lut à haute voix:

— Faisans à la crème farcis aux cèpes et aux châtaignes. Cela paraît exquis, mais nous n'avons pas de chasseurs dans la famille et je n'achèterai pas de faisans, c'est trop cher.

— Pourquoi pas une fricassée de lapin au vin blanc? proposa Anita. Ou du canard rôti?

— Non, c'est d'un commun! Chez ma cousine, à Noël dernier, j'ai mangé du saumon fumé. Si tu savais, Anita, comme c'est bon. Mireille le servait sur des toasts grillés avec du beurre fin et un filet de citron. Il y avait aussi du caviar de Russie. Ce sont des œufs d'esturgeon.

— Madame Bertille et son époux ont les moyens, eux! fit remarquer Anita. Et pourquoi je ne vous ferais pas un plat de mon pays? Je suis née en Espagne, même si j'ai grandi en France. Ma grand-mère, paix à son âme, je l'aidais à cuisiner. Tenez, une paella, ça surprendrait tout votre monde. Il suffirait que Léon me conduise aux halles, en ville. Je trouverais ce qu'il me faut. Des moules, du chorizo – c'est un saucisson d'âne au paprika –, des langoustines... En accompagnement, du riz cuit au safran, une épice très parfumée qui colore le riz en jaune.

— Une paella? s'étonna Claire en songeant tout à coup à Térésa, la torride Espagnole qui avait séduit Jean. Non, ne te vexe pas, mais je n'ai pas envie d'une paella.

Elles discutèrent du dessert et du hors-d'œuvre. Anita monta se coucher la première. Claire s'attarda près de la grosse cuisinière en fonte noire. Mimi vint se coucher sur ses genoux; Moïse le jeune posa sa belle tête grise sur ses pieds.

« Quand on s'aime à ce point, on s'aime! se répéta-t-elle, apaisée par le silence familier de la pièce à cette heure tardive. Anita dit vrai, j'aime Jean et cela ne changera pas, jusqu'à ma mort. »

Irritée, elle quitta sa chaise et éteignit les lampes. Les volets étaient clos. Aussi ouvrit-elle la porte le plus discrètement possible pour lever la tête vers la fenêtre du logement de Jean. Il y avait de la lumière.

« Comme il doit se sentir seul! pensa-t-elle. Il ne sait pas bien tenir ses affaires. J'ai vu hier que sa chemise était froissée et qu'il y avait une tache de café sur sa manche. Oh! Mon Dieu, que je suis sotte de me soucier de détails pareils! »

Elle ne bougeait pas, tout entière concentrée sur ce rectangle jaune dessiné par la fenêtre au cœur de la nuit.

« Tout est fini, à présent. Angéla et Louis sont mariés! Cette étrange fille m'a laissé pour quémander mon pardon ce magnifique tableau qui me représente sur Sirius, habillée de ma tenue d'amazone. Son prince charmant, notaire et châtelain, devait l'aimer vraiment pour l'épouser devant Dieu. »

Glacée par la bise soufflant du nord, Claire s'apprêtait à refermer la porte, quand Jean se posta derrière les carreaux de la fenêtre. Elle devina qu'il observait le logis. Vite, elle referma, tremblante de joie.

« Je lui pardonnerai à Noël! » se promit-elle tout bas, effarée de s'imposer une échéance aussi courte.

Le lendemain, Claire se rendit au déjeuner en l'honneur du deuxième anniversaire de la petite Gabrielle. Elle avait apporté une grande tarte aux noix nappée de sucre roux, le dessert préféré de Jean.

— Papa sera content, nota Faustine. Il viendra à l'heure du goûter. Je lui garde une bonne part.

Matthieu esquissa au même instant un sourire moqueur. Il planta deux bougies roses dans le gâteau. Gabrielle souffla de toutes ses forces sur les petites flammes et se mit à applaudir, fière de son exploit.

« Nous sommes si heureux! pensa Claire. Et c'est vrai, sans y réfléchir, j'ai préparé la pâtisserie favorite de Jean. Je n'en peux plus de lutter contre mes sentiments. Je l'aime si fort... Vivement Noël! »

*

Moulin du Loup, jeudi 22 décembre 1927

Trois semaines s'étaient écoulées. Pendant que Matthieu terminait l'emballage d'une commande de buvards publicitaires, Claire contemplait la grande cuisine du Moulin du Loup. Elle se disait, émue, que la vieille maison devait se réjouir d'avoir mis sa toilette de fête.

La veille, Léon avait coupé un superbe sapin, si vigoureux et si vert que, à peine passé le seuil, son parfum grisant envahissait toute la pièce. Des guirlandes scintillantes descendaient en spirale autour de sa ramure harmonieuse. Au plafond étaient accrochées de longues lianes de lierre nouées de ruban en satin rouge. Une énorme boule de gui pendait entre la cheminée et la table. Arthur avait aidé Janine à découper, dans des chutes de papier blanc, des bonshommes de neige et des étoiles qu'ils avaient accrochés aux murs.

— Ma maison, ma chère maison, comme je l'aime! s'avoua Claire tout bas. Je suis sotte, mais j'ai l'impression qu'elle se réjouit d'être décorée.

Elle pencha la tête pour admirer les bouquets de houx décorant les deux gros buffets de chêne. Anita entra au même instant, après avoir tapé ses galoches contre les marches.

— Je suis gelée, madame! s'exclama-t-elle, encore tout emmitouflée dans son gros manteau de laine. Il fait un de ces vents! Léon prétend qu'il va neiger avant la nuit.

— Tant mieux! L'année dernière, nous n'avons pas vu tomber un seul flocon. J'aimerais bien un beau paysage blanc, surtout pour ce Noël-ci.

— Votre fille arrive, au fait, ajouta Anita. Avec ses trois petits bien encapuchonnés. Votre Gaby trottine entre son frère et sa sœur. Ils sont tellement mignons.

Claire se précipita sur le perron pour ne rien perdre du spectacle. Faustine portait un pantalon gris, une chaude veste rouge et un bonnet en laine assorti. Elle riait en soulevant sa dernière-née à bout de bras.

— Maman! Elle est tombée. Notre Gaby est tombée, la pauvre!

Isabelle courut vers Janine qui sortait de la bergerie avec Léon. Les deux fillettes étaient pratiquement inséparables. Elles se considéraient comme des sœurs. Le petit Pierre gambadait au milieu de la cour. Claire aperçut Jean. Il était sorti du local de l'imprimerie et marchait d'un bon pas vers sa fille et ses petits-enfants.

Cela poussa Claire à rentrer, de peur d'avoir envie de se joindre à lui. La promesse de la neige et l'atmosphère propre à Noël la rendaient joyeuse.

« Ce sera si bon de retrouver le goût du bonheur, d'être dans les bras de Jean! songea-t-elle. Le samedi 24 au soir, pas avant, hélas! »

Faustine se rua à l'intérieur de la maison et posa Gabrielle sur la table. Claire l'embrassa sur ses joues bien rondes.

— Dommage, tu ne l'as pas vue courir pour franchir plus vite le porche! dit la jeune femme. Elle en riait aux éclats. Mais elle est tombée.

— Tu n'as pas eu peur du vent, ma chérie?

— Non, les petits ne tenaient pas en place. Je leur avais promis une balade. C'est pour ça que je suis venue te voir.

Elle ajouta avec des mines de conspiratrice:

— Maman, j'ai trouvé quelque chose en rangeant la grange et je voulais te le montrer! C'était dans une petite malle qui devait appartenir à pépé Basile.

D'entendre ce vocable datant de la petite enfance de Faustine bouleversa Claire. Elle se mit à pleurer.

— Comme il nous manque, ce cher Basile! déplora-t-elle.

— Oh! non, maman, ne pleure pas! Moi qui pensais te faire plaisir.

Anita écoutait, l'air de rien. Isabelle et Janine commençaient à jouer au pied du sapin, le regard pétillant d'excitation. Arthur leur avait prêté son vieux train mécanique.

— Regarde, souffla Faustine.

Elle sortit de sa poche un objet entouré d'un linge. Bientôt, un couteau apparut à Claire. Le manche en corne était intact, mais la lame, fort rouillée, légèrement recourbée et très pointue.

— Où as-tu trouvé cette malle?

— Derrière un tonneau en partie cassé, enseveli sous une pile de vieux foin. Cet endroit de la grange, personne n'y allait à cause d'un bat-flanc qu'il aurait fallu ôter de ses charnières. Comme Matthieu va acheter une nouvelle voiture, j'ai nettoyé hier soir. Et je n'étais pas rassurée. Cela me rappelait ce soir affreux où des loups étaient entrés, avec Tristan et Moïse.

— Quelle peur nous avons eue! se souvint Claire. Cela n'arrivera plus, les loups se font rares désormais.

— Pas tant que ça, madame! coupa Anita. Léon m'a dit que, dans le journal de ce matin, que reçoit monsieur Matthieu, on parle d'une petite bande qui traînerait du côté de la forêt de la Braconne.

— C'est de l'autre côté d'Angoulême, précisa Faustine.

— Les loups parcourent plusieurs kilomètres en une seule nuit, dit Claire. Le froid les chasse des contreforts du Limousin et ils rôdent en quête de gibier. Depuis la guerre, le nord-est du département comporte plus de friches et de brandes que de champs cultivés. S'il se met à neiger, il faudra bien enfermer les chèvres. Mais n'en parlons plus, ça ferait peur aux petits.

Elle tournait le couteau entre ses doigts, tandis que des images lui revenaient, intactes. C'était un soir de mai. Elle avait laissé Bertille bien installée dans le lit qu'elles partageaient. Sa princesse infirme pestait de ne pas pouvoir courir ramasser des escargots, comme le faisait Claire.

« Et j'espérais le retour de Basile, parti faire le deuil de sa bien-aimée, Marianne Giraud. J'ai cru qu'il était enfin rentré, à cause d'une clarté dansante dans la grange. Je ne me doutais de rien. J'ai avancé dans la pénombre. Sauvageon, mon beau Sauvageon, a grogné avant de foncer dans le noir. Ensuite, il y a eu des bruits, une plainte de mon brave chien-loup, et très vite un bras m'a ceinturée. Et j'ai entendu une voix d'homme à mon oreille: "Si tu cries, je te saigne. J'ai un surin!" J'étais jeune, mais au contact de cet inconnu mon corps s'est éveillé. »

— Maman, appela Faustine, dis, tu penses à quoi? C'est le couteau de papa, n'est-ce pas? Vous nous avez tant de fois relaté l'histoire du surin dont la pointe te piquait les côtes que j'ai couru te le montrer.

— On dirait bien le même couteau! répondit-elle. Je le croyais perdu, depuis le temps. Ton père l'a vu?

— Non, je préférais que ce soit toi la première, affirma la jeune femme.

Claire regarda l'arme encore une fois, l'enveloppa à nouveau du carré de linge et alla la cacher dans un tiroir.

— Ai-je le droit de connaître le menu de Noël? demanda Faustine.

— Non, madame ne veut pas. Matthieu imprime des cartons avec un décor très joli, expliqua Anita. En vous mettant à table, vous aurez la surprise.

Malgré la bonne humeur générale, la moindre parole vibrait d'une imperceptible fausse note. Claire n'était pas dupe. Faustine lui avait confié le vieux couteau de Jean dans l'espoir de l'attendrir, de ranimer une flamme bien mal éteinte et de voir son père à la table du réveillon.

— Je peux juste te dire que Bertille m'a fait porter du caviar comme cadeau, déclara-t-elle. Ce sera une entrée raffinée et originale. Je suis la seule à en avoir dégusté. Vous allez vous régaler!

Anita prépara du chocolat chaud. Arthur installait son électrophone pour faire écouter un disque aux deux fillettes. Très vite, les voix mêlées d'une chorale enfantine retentirent dans la grande pièce, chantant des cantiques de Noël.

Faustine riait de plaisir en mangeant une tartine beurrée; Isabelle reprenait les refrains de sa voix fluette.

« Comme tout est paisible et doux! se disait Claire. Mon Dieu, je voudrais tant pouvoir me jeter au cou de Jean et qu'il soit là, près de nous. J'ai décidé de lui pardonner, de lui rendre sa place, mais j'ai peur de ne pas y arriver, d'éprouver à nouveau de la colère, de la rancœur. Et s'il me touche, je risque de le repousser! »

Tout le reste de la journée, elle ressassa des pensées confuses, sans cesse tentée de rejoindre son mari pour avoir une discussion avec lui. Mais elle renonça, afin de s'en tenir au délai qu'elle s'était fixé.

Le lendemain matin, elle s'éveilla très tôt. Elle eut tout de suite la perception d'un changement. Un profond silence régnait à l'extérieur et un courant d'air très froid semblait s'infiltrer par la fenêtre pourtant bien close, ainsi que par les volets.

— Le poêle a dû s'éteindre pendant la nuit, pesta-t-elle. Je me suis endormie si vite, sans même remettre une bûche.

Frileuse, elle paressa quelques instants bien au chaud dans son lit.

« Comme ce serait bon de me blottir contre Jean, à cet instant! se dit-elle. Nous aimions tant nous réveiller ensemble, sentir l'odeur du café brûlant qui montait jusqu'à nous de la cuisine. Vraiment, est-ce possible de recommencer une vie de couple? »

Claire chassa ses doutes d'un mouvement de tête. Vite, elle se leva et ouvrit ses volets. Un paysage métamorphosé lui apparut. Il avait neigé en abondance pendant la nuit.

« J'avais oublié comme c'est beau, la neige! »

Presque émerveillée, elle contempla la vallée toute blanche, décorée dans ses moindres détails. Le vieux chêne semblait drapé de coton. Les branches fines des lilas et des rosiers ployaient sous leur charge douce de flocons. Le ciel bas, d'un gris opaque, s'accordait au gris des falaises, chapeautées d'un épais manteau immaculé.

L'absence de son mari devint insupportable à Claire. Elle aurait voulu l'avoir à ses côtés, contempler avec lui le vol hardi des mésanges en quête de nourriture.

— Lui aussi doit regarder par sa fenêtre, nota-t-elle. Et je suis sûre qu'il éprouve la même chose que moi. Je le connais si bien. Jean, nous avons perdu tant de jours de bonheur. Et ce matin aussi, nous l'avons perdu.

Attristée, elle passa cependant une bonne journée, surtout grâce à la visite de Bertille et de Clara. Elles vinrent à pied, équipées de bottes fourrées et de pelisses en martre achetées au Canada. Ce fut l'occasion d'une bataille de boules de neige presque générale, qui rassembla les ouvriers du moulin, Jean, Léon, Arthur et Janine.

Cela donna l'idée à Anita de confectionner des caramels, sans économiser la crème fraîche, le beurre et le miel.

— Tu verras, princesse, dit Claire, les caramels d'Anita sont les meilleurs du monde.

— J'en goûterai dès qu'ils seront tièdes, promit Bertille, assise près de la cheminée où brûlait un bon feu. Tu es toujours d'accord, vous venez déjeuner au domaine le jour de Noël? Puisque tu nous fais faux bond le soir du réveillon, je te veux à midi le lendemain!

Elles continuaient à bavarder quand le téléphone sonna. C'était Bertrand. Un peu inquiète, Bertille prit la communication. Quand elle raccrocha, Claire l'interrogea du regard. Certaines réponses de sa cousine avaient laissé deviner un problème.

— Que se passe-t-il? demanda-t-elle.

— Oh! Un incident ennuyeux! Le garde champêtre vient de passer à Ponriant prévenir Bertrand et Maurice. Il paraît que des loups rôdent dans le bois de Chamoulard. Quatre bêtes efflanquées. Et, bien sûr, Lilas vient de s'échapper.

Claire hocha la tête, soucieuse elle aussi. Lilas était la sœur de Moïse le jeune et de Tristan, ce dernier étant mort cinq ans auparavant. La louve était très docile et témoignait un vif attachement à ses maîtres. Cela ne l'empêchait pas de se livrer parfois à de brèves escapades, surtout lorsqu'elle était la seule à entendre les appels nocturnes de ses congénères sauvages.

— Rien de surprenant, ajouta Anita. Le facteur prétend avoir aperçu hier matin au petit jour deux loups qui longeaient la rivière en amont. Moi, ça me donne la chair de poule.

— Il n'y a pas de quoi, enfin, protesta Claire. Et je t'ai vue caresser Moïse le jeune bien souvent.

— Lui, ce n'est pas pareil, il est apprivoisé et bien dressé, trancha l'épouse de Léon. Mais je me souviens, au début, j'en avais peur. Je vais dire à Janine de rentrer tout de suite. Et il faudra bien fermer la bergerie, à la nuit.

Anita sortit sur le perron et appela les enfants. Arthur, Clara et Janine accoururent, les joues écarlates, excités par la bataille de boules de neige et la promesse du goûter. Matthieu suivait les trois enfants. Le jeune homme venait embrasser Bertille.

— Toujours aussi belle, tantine! déclara-t-il.

— Merci, j'adore les compliments. Les affaires marchent bien, je crois? Tu vas faire fortune avec ton imprimerie. Claire m'a dit que tu avais une commande très importante, des livrets scolaires?

— Oui, un rude boulot, précisa Matthieu. Mais je ne me plains pas. Savez-vous, mesdames, qu'il se remet à neiger? Heureusement que je n'ai pas de livraison à faire; la camionnette ne passerait jamais.

Il but du thé en bavardant avec sa sœur et Bertille. La conversation ne tarda pas à revenir sur les loups signalés par le garde champêtre.

— Des bêtes errantes affamées, conclut Claire. Au fait, où est Moïse?

— Il était dehors, avec moi, claironna Arthur.

— Flûte! pesta Claire en se précipitant vers la porte. Je

vous parie n'importe quoi qu'il s'est sauvé lui aussi, comme Lilas!

Elle avait raison. La cour était déserte, mais de longs rideaux de flocons ruisselaient du ciel. Désappointée, elle rentra.

— Voilà! Il va aller se battre ou se faire égorger et dévorer! se désola-t-elle.

— Mais non, coupa Matthieu. Il est si bien nourri ici et si bien soigné qu'il se fera respecter. De toute façon, je n'ai jamais compris ton obstination à garder des loups, sœurette! Les gens du pays les craignent et cela ne t'a attiré que des ennuis.

— Quels ennuis? coupa Claire, vexée. Tu exagères! Quelques poules tuées que j'ai remboursées. Nos loups ont toujours été de fidèles compagnons et de bons gardiens.

— Bertrand pense comme toi, Matthieu, renchérit Bertille. Il est catégorique sur un point: Lilas n'aura pas de descendance. Elle a eu trois portées et chaque fois Maurice a tué les petits à peine nés. Discrètement, pour ne pas chagriner les enfants.

— Eh bien, cette fois, si elle donne naissance à de vrais louveteaux, il faudra m'en garder un, affirma Claire. Une femelle! Je n'ai pas l'intention de vivre sans un loup à mes côtés.

Matthieu ressortit après avoir pincé, un peu moqueur, la taille de sa sœur. Bertille décida de rentrer plus tôt que prévu au domaine.

— Je n'ai pas envie de me faire croquer par un fauve en maraude, s'alarma-t-elle en prenant sa cousine dans ses bras. Encore moins de me battre contre une bestiole enragée pour sauver Clara. Mon Dieu, ça y est, je suis terrifiée!

La dame de Ponriant avait beau rire, elle préféra téléphoner à son mari.

— Il m'envoie Maurice avec la voiture, dit-elle.

— Si la route glisse, vous ne remonterez pas au domaine, fit remarquer Claire. Quelles peureuses vous faites, Anita et toi! Ce n'était pas la peine de déranger ce pauvre Maurice. Je pouvais vous raccompagner.

Bertille remit son lourd manteau de fourrure, ses gants et sa toque. Elle était très gaie, en fait, et obligea Claire à esquisser un pas de danse en lui tenant les mains.

— Quand fais-tu la paix avec ton Jean? Depuis des siècles, à l'occasion de Noël, tous les conflits connaissent une trêve, la trêve de Noël. N'est-ce pas, Anita?

— J'en ai entendu parler, madame, répondit la femme de Léon, gênée par les manières directes de l'élégante et pétulante Bertille.

Clara était furieuse de partir si tôt. Elle bouda tout de suite en tapant du pied.

— Je veux rester au Moulin avec Arthur! s'écria-t-elle. Je m'ennuie à la maison. Ou bien Arthur vient avec nous.

— Trépigne autant que tu veux, Clara! gronda sa mère. Arthur a promis de rester chez Claire et tout est organisé. Je ne vais pas changer les arrangements pour une capricieuse.

— Elle peut dormir ici, dans la chambre de Janine, proposa Claire. Je la raccompagnerai demain matin. Même s'il y avait un mètre de neige, ce qui n'arrivera pas, tu auras ta fille avant midi.

Bertille consentit, assez contente à l'idée de dîner en tête-à-tête avec Bertrand. Dès que la voiture conduite par Maurice passa le portail, elle sortit sur le perron sans lâcher sa cousine.

— Clairette, nota-t-elle malicieusement, n'oublie pas la trêve de Noël! J'avais de la haine pour Jean de t'avoir autant fait souffrir, mais il a souffert lui aussi. Et il t'aime!

— Je sais qu'il m'aime, souffla Claire. J'ai encore une nuit pour réfléchir.

Mais cette nuit-là il neigea en abondance. Matthieu avait donné congé à ses ouvriers afin de profiter d'une journée auprès de sa petite famille. Le jeune couple avait lui aussi dressé un sapin dans la pièce principale. Ravie d'avoir son mari jusqu'à l'heure du dîner au Moulin, Faustine se lança dans la confection d'un gâteau au chocolat.

— Comme nous sommes bien! ne cessait-elle de répéter. Regarde, mon chéri. Isabelle joue sagement avec Pierre, et notre Gaby fait des vocalises en empilant ses cubes.

Matthieu approuva en lui envoyant un baiser du bout des doigts. Il lisait une revue littéraire, confortablement installé dans le vieux fauteuil en cuir qu'il affectionnait.

— En effet, je suis un homme comblé, reconnut-il. Une femme magnifique, adorable, la plus douce du monde, et des enfants parfaits. Et ce soir nous irons tous ensemble chez Claire, dans un décor enneigé digne des cartes postales de Noël. Eh oui, Faustine, l'an prochain, je me lance dans les cartes postales couleur. Ton père est enthousiaste. Le projet lui plaît.

— Cela m'ennuie vraiment que papa soit condamné à dîner seul dans son pigeonnier, avoua-t-elle. Je ne mangerai pas de bon appétit en le sachant mis à l'écart.

— Jean traverse une longue période d'expiation. Même si cela le rend triste, on ne peut pas s'opposer à la volonté de Claire. Dis donc, je croyais que nous devions passer l'après-midi le plus joyeux de la terre?

Faustine vint se lover sur ses genoux, ébouriffa ses cheveux et l'embrassa à pleine bouche.

— Tu as raison, un jour, tout finira bien par rentrer dans l'ordre, lui dit-elle en souriant.

*

Claire jeta un coup d'œil anxieux à la grande horloge. Il était déjà quatre heures et demie. La nuit ne tarderait pas à tomber. Anita, les joues cramoisies, un foulard sur les cheveux, s'affairait au fourneau.

— Madame, vous avez vu comme il neige? Nous n'irons pas à la vigile de Noël ce soir. Léon est de mon avis, nous assisterons à la messe demain avant le déjeuner.

— Nous irons avec toi, Anita, s'écria César.

Le jeune homme était arrivé depuis vingt minutes au bras de sa femme très intimidée surnommée Suzette. C'était une personne menue, brune aux yeux verts. Elle paraissait émerveillée par le sapin et la décoration de la grande cuisine. Le couple avait dû laisser la voiture sur la place du bourg. Descendre au Moulin à pied en suivant la route enneigée avait beaucoup amusé les jeunes mariés.

— Je suis ravie que tu sois venu malgré le froid, dit Claire en souriant à César.

Il lissa sa moustache rousse dont il était très fier. De revenir dans la maison où il était né vingt-trois ans plus tôt et où il avait grandi le rendait très heureux. Il avait promis à Suzette que le repas serait succulent.

— Et moi, on ne me dit rien! protesta Thérèse. J'ai pris le car hier et j'ai emprunté le raccourci à la tombée de la nuit, alors que des loups rôdent dans la vallée.

— Ma Thété, dit affectueusement Claire en allant embrasser la jeune fille, je crois t'avoir fait assez de compliments hier soir. Je suis si heureuse de vous avoir tous près de moi, comme avant! Et Janine, donc!

La fillette était assise sur les genoux de Thérèse et détaillait son collier bon marché, en métal doré. Sa grande sœur lui manquait beaucoup, elle qui l'avait quasiment élevée et qui ne venait plus au Moulin que pour les fêtes.

— Pas de fiancé, Thété? demanda Anita.

— Non, j'ai bien le temps, répliqua la jeune fille. Je penserai au mariage quand j'aurai ouvert mon salon de coiffure.

Claire sentit sa gorge se nouer, car Thérèse, âgée de dix-huit ans, était le portrait vivant de sa mère. Elle avait la même blondeur flamboyante, le même rire et une façon de bouger et de parler qui troublait tous ceux qui avaient connu la belle Raymonde. À cause de cette ressemblance, Léon versait souvent une larme quand sa fille lui rendait visite.

— Madame, vint lui dire Anita tout bas, je mets toujours de côté une part de chaque plat pour monsieur Jean?

— Mais oui, affirma Claire. Par contre, je voudrais monter au village avant le repas.

— Quoi? s'étonna la domestique. Avec votre belle robe en velours rouge et par cette neige?

— J'ai bien le temps encore, insista Claire. C'est très important. J'ai oublié d'acheter quelque chose. Mettez le couvert; Arthur vous aidera. Ce matin, quand j'ai raccompagné Clara à Ponriant, je voulais faire un détour par Puymoyen, à l'épicerie, et j'ai oublié. J'y vais vite, cela m'amuse!

Claire mentait. Sans laisser à quiconque l'occasion de protester, elle prit son manteau et chaussa ses bottillons fourrés. Elle prit une lampe de poche à pile et un bâton.

Cinq minutes plus tard, elle traversait la cour, un cabas à la main. Son cœur battait aussi vite que celui de la jeune Claire rebelle qui courait la campagne au crépuscule. Elle marchait d'un bon pas, s'enfonçant dans la neige jusqu'aux mollets. Cela lui était égal.

« Je dois faire ce que j'ai décidé! » se disait-elle, éblouie par le chant infime des flocons qui ruisselaient sur elle.

Elle grimpa le raccourci, attentive au moindre bruit. La nuit précédente, elle avait entendu hurler les loups. Le sinistre appel, monotone et comme plein de détresse, l'avait apitoyée.

« Ces pauvres bêtes ont faim. Partout en France, elles sont chassées, exterminées! Elles mangeront bien ce soir, si elles trouvent ce que je leur apporte. »

Cette pensée la réconforta. Léon n'avait pas compris pourquoi elle lui avait demandé de tuer quatre poules le matin même, alors qu'il avait déjà coupé le cou à deux énormes canards.

« Si les loups ont un peu de viande dans le ventre, ils s'en iront et personne ne cherchera à les abattre, se répétait-elle. Je leur dois bien ça. Je le dois à Sauvageon, qui m'a donné tant d'amour pendant plus de vingt ans, je le dois à ma jolie Loupiote, à Tristan... »

Son idée, que beaucoup auraient jugée déraisonnable, l'exaltait. Elle en riait toute seule, en silence, avec le sentiment précieux d'abolir les années écoulées. Ce soir-là, dans les dernières lueurs d'un jour gris, elle redevenait la jeune Claire audacieuse qui avait parcouru la vallée, un soir de battue aux loups, à l'âge de Thérèse.

Parvenue sur le plateau, elle renversa le cabas et disposa les cadavres de poules là où, selon le garde champêtre, un paysan avait vu des empreintes de loups. Elle tenait le renseignement de Bertille.

— Voilà! dit-elle bien haut.

Mais elle ne rebroussa pas chemin. Elle continua jusqu'au

village et se dirigea vers l'église, déserte à cette heure. Le père Jacques préparait l'autel pour la première messe de Noël, la vigile. Claire admira la crèche, puis rejoignit le vieux prêtre.

— Claire! dit-il doucement. Quelle surprise! Si ma mémoire est bonne, je ne vous ai pas vue depuis plus d'un an. Ce n'est pas sérieux, votre foi bat de l'aile. Mais je suis heureux de votre visite. Je quitte la paroisse à la mi-janvier. Une retraite bien méritée. Je cède la place à un jeune curé plein de zèle.

— Je l'ignorais! Cher père Jacques, vous nous manquerez beaucoup.

— J'avoue que j'abandonne mes paroissiens à regret. Quand je pense, Claire, que je vous ai vue en communiante, au siècle dernier. Mais vous n'avez guère changé, rassurez-vous. Alors, qu'est-ce qui vous amène? J'ai l'habitude, avec votre famille! Vous venez surtout en cas de crise!

Ces paroles la déroutèrent. Elle ignorait que Jean s'était confessé au prêtre deux ans auparavant.

— Eh bien, soupira-t-elle, c'est le cas, en effet. J'ai besoin de vos conseils. Une grave querelle m'a opposée à mon mari pendant longtemps. Depuis des mois, nous faisons chambre à part. Je n'arrive pas à lui pardonner. Pourtant, c'est Noël. Et je suis triste de le tenir à l'écart de Faustine et de ses petits-enfants un soir de fête où l'amour familial devrait être l'unique souci de tous.

Le père Jacques fixait le christ en croix accroché à un des piliers du chœur. Il déclara assez sèchement:

— Malgré tous vos efforts, Claire, les gens du pays se sont posé des questions sur ce malheureux nouveau-né dont j'ai béni le corps, le fils d'Angéla Dumont. On se demandait qui était le père. Et pourquoi votre mari se faisait si rare dans la vallée, à cette époque. Je n'ai pas prêté une grande attention à ces ragots. Cependant, si j'avais un conseil à vous donner, car je connais votre grand cœur et votre belle âme, ce serait d'être honnête avec vous-même. Pourquoi tolérer la présence de Jean si vous êtes incapable de lui pardonner? Si c'est par vengeance, vous ne trouverez jamais la paix du cœur.

— Vous savez la vérité, mon père? demanda-t-elle, consternée.

— Oui, car Jean s'était confessé à moi après avoir appris que cette malheureuse jeune fille était enceinte. Je suis tenu au secret, mais comme c'est la veille de Noël et que j'ai de l'affection pour vous, je vous dirai que votre mari souffrait déjà dans tout son être de vous avoir offensée et blessée. Nous ne savons ni le jour ni l'heure de notre mort, ma chère enfant, c'est écrit dans les Évangiles. Je vous dis cela pour vous rappeler que la vie est courte. Ceux qu'on aime peuvent disparaître de ce monde-ci en un instant, et après on regrette de ne pas avoir baissé les armes. Peut-être pouvez-vous pratiquer le pardon des offenses, si vous n'avez pas oublié vos prières de communiante!

Claire approuva d'un signe de tête.

—Je serais bien ingrate d'avoir perdu la foi, quand Dieu m'a offert le don de soulager les souffrances de mes semblables, répondit-elle d'une voix adoucie. Mais, ma douleur à moi, je crains d'être incapable d'en guérir.

— Vous êtes guérie, ma chère petite, sinon vous n'auriez pas cette lumière dans les yeux, ni ce sourire, rétorqua le père Jacques en traçant du pouce le signe de croix sur son front. Rentrez vite chez vous. Il fait nuit noire. J'espère que vous viendrez me dire au revoir, le jour où mon successeur prendra ses fonctions.

—Je vous le promets, mon père! affirma-t-elle.

Il la raccompagna jusqu'à la porte. Elle le salua et s'éloigna. De toutes les maisons s'élevaient des panaches de fumée. Des odeurs de viande rôtie et de graisse chaude flottaient dans l'air glacé.

«Jean! Jean! C'est Noël! Je ne veux plus du malheur, de solitude! pensait Claire. Jean, je t'aime!»

Elle quitta le village et se glissa entre les noisetiers qui abritaient l'entrée du raccourci menant au Moulin.

*

Jean avait travaillé seul à l'imprimerie, après quoi il avait regagné son logement pour emballer les cadeaux qu'il comptait offrir le lendemain.

«Je demanderai à Arthur et à Janine de les poser sous le

sapin! » se disait-il, acceptant sans trop d'amertume de passer ce soir de fête en solitaire.

Depuis quelques jours, il avait perçu une sorte de timide tendresse dans le regard de Claire quand il leur arrivait de se croiser dans la cour. Peu lui importait le temps à attendre son pardon. Il attendait, de plus en plus amoureux.

Le cours du destin tient souvent à un infime détail. Vers six heures, alors que la nuit était déjà tombée, Léon appela sous sa fenêtre.

— Jeannot!

Le terme affectueux le réconforta. Il dévala l'escalier et se heurta presque à son vieux camarade.

— J'enfermais les chèvres quand j'ai vu Moïse entrer dans la cour. Il est tout esquinté. J'ai voulu le caresser, mais il a grogné. Viens m'aider, il s'est caché sous le toit de l'appentis. Un peu plus et je ne le voyais pas.

Jean pensa en toute sincérité que Claire voudrait être prévenue. Sans demander son avis à Léon, il courut frapper à la porte du logis. Ce n'était pas sans une immense émotion qu'il entrevit, quand César lui ouvrit, le sapin illuminé, le feu dans la cheminée et la table dressée, resplendissante de fleurs en papier doré et de bougies. Il se sentit pareil aux damnés qui ont une brève vision du paradis et doivent retourner dans les ténèbres et les tourments.

— Moïse le jeune est blessé, annonça-t-il sans avancer davantage. Dis-le à Claire.

— Mais elle est partie au bourg! répliqua le jeune homme.

Au fil des confidences de son père et de sa sœur, César avait tout su de l'histoire d'Angéla. Toujours vexé d'avoir été éconduit par la jeune fille, il n'avait pas pris parti contre Jean.

— Comment ça, elle est allée au bourg? interrogea celui-ci. Mais quand? Et avec qui?

— Toute seule, à pied, s'écria Anita. Il y a un bon moment qu'elle est partie.

— Mais il fallait l'en empêcher! hurla Jean. Et elle devrait déjà être de retour!

— Elle a dû s'arrêter chez Matthieu et Faustine! lança Thérèse un peu sèchement. Et elle arrivera avec eux tout à l'heure.

Mais Jean était sûr du contraire. Envahi par une appréhension irraisonnée, il courut prendre une lampe; il enfila une veste chaude et des godillots. Léon s'apprêtait à le suivre. Il protesta:

— Non, reste là, je vais la chercher. Arthur n'a qu'à porter de l'eau tiède à Moïse et de quoi manger, sous ta surveillance. Il a dû se battre sur le plateau avec ses congénères sauvages.

Il fonça dans le noir, laissant Léon interloqué. Il marchait, terriblement inquiet, en appelant Claire.

« Où es-tu, mon amour? Ma rebelle, ma femme? » se disait-il, comme s'il n'allait jamais la retrouver.

Pas un instant il ne l'imagina chez Faustine, ce qui était pourtant une hypothèse logique. Quelque chose soufflait tout au fond de son cœur que Claire avait ressenti le besoin d'être seule et qu'il devait absolument la rejoindre.

Une fois sur le plateau surplombant les falaises, il appela encore. Il crut percevoir une réponse et balaya du faisceau de sa lampe les étendues neigeuses qui le cernaient. Soudain, il aperçut deux bêtes grises, maigres, aux yeux luisants. Deux loups occupés à dévorer des volailles.

— Jean! fit une voix faible et étouffée. Jean, est-ce que c'est toi?

— Claire!

Elle était assise sous un petit chêne, dans une attitude de fillette apeurée. Il tomba à genoux à ses côtés, sans oser la prendre dans ses bras.

— C'est trop bête! gémit-elle. Ma cheville gauche! Je crois qu'elle est foulée. Je me dépêchais de rentrer, mais j'ai vu les loups qui mangeaient mes poules. J'étais montée ici leur porter de la nourriture. Je ne voulais pas les déranger et j'ai coupé à travers les buissons. Il y avait une racine sous la neige. Je suis tombée.

— Claire, ma chérie! balbutia Jean. J'ai eu tellement peur! Je vais te porter, ne crains rien.

— Non! Ne me touche pas! protesta-t-elle. J'ai perdu mon bâton et ma lampe. Si tu les retrouves, je n'aurai pas besoin de ton aide.

— Laisse-moi te porter! implora-t-il. Aie pitié! Ce sera

mon cadeau de Noël, de te sentir près de moi. Claire, je t'aime! Je t'aime tant! Essaie, au moins…

Elle ne savait pas de quoi il parlait exactement. Devait-elle essayer de se lever et de marcher ou accepter son contact? Jean prit les devants. Il l'enlaça, au bord des larmes, en posant sa joue contre la sienne.

— Pardonne-moi, Câlinette, pardonne-moi!

Jean recula bien vite. Quelque chose lui piquait la gorge.

— Si tu continues, je te saigne, j'ai un surin! s'écria Claire. Ton surin de bagnard!

Aussitôt, elle éclata en sanglots et lâcha le vieux couteau dont elle l'avait menacé.

— C'est le tien, celui du premier soir! Faustine l'a retrouvé. Je l'avais emmené, je me disais que cela me porterait chance!

Une nouvelle fois, Jean l'enlaça. Il embrassa son front et ses cheveux trempés. Elle ne le repoussa pas.

— Il t'a porté chance, puisque je suis venu te chercher, fit-il remarquer. Viens, ce n'est pas prudent de rester là. Moïse est rentré blessé et tu grelottes. Mon amour, ma petite femme chérie, viens.

Claire capitulait. Elle pleurait doucement, étonnée d'être si proche de son mari, de percevoir le parfum ténu du savon de Chypre qu'il utilisait depuis des années, mêlé à l'odeur du tabac blond que dégageait sa veste. Jean la souleva. Elle noua ses bras autour de son cou.

— Je n'ai pas vraiment le choix! dit-elle de mauvaise foi, car sa cheville ne la faisait presque plus souffrir. En bonne guérisseuse, elle l'avait déjà massée avant l'arrivée de Jean, et la douleur s'était estompée.

— Tiens-toi bien, tu es plus légère qu'une plume! répliqua-t-il.

Mais Claire constata bien vite que Jean obliquait en direction de la Grotte aux fées, qui s'ouvrait à mi-pente entre le plateau et le Moulin.

— On doit m'attendre! s'écria-t-elle. Jean, que fais-tu?

— Je veux juste me reposer un peu au sec et examiner ta cheville! Je te promets que tu seras à l'heure pour le dîner de Noël.

Elle eut une sorte de vertige, à cause du froid et de l'émotion qui la faisaient trembler. En se fâchant un peu, Claire aurait pu dissuader son mari de s'arrêter dans la grotte, mais elle n'en avait pas envie. Blottie contre lui, avide de sa chaleur et de son corps, il lui semblait atteindre une félicité inouïe, d'une douceur infinie.

— Je t'ai fait tant de mal! dit Jean à son oreille. Je n'aurais jamais cru qu'une telle chose se produirait, je te le jure. Mon coup de folie, ce n'était pas contre toi, loin de là. Pas une seconde je n'ai cessé de t'aimer. Oublie, Câlinette, oublie cet autre Jean qui a perdu la tête. Tout ce que j'ai pu dire ou faire de stupide et de cruel, oublie-le, je t'en prie. C'est Noël.

Sur ces mots, il entra dans la caverne et la déposa délicatement sur le lit de sable entre les pans de roche. Tout de suite, il s'allongea à ses côtés et attira sa tête sur son épaule.

— J'en rêvais, Claire, de m'endormir ainsi, près de toi. Si tu savais, depuis que je suis ton voisin, comme j'ai réappris à te chérir, à t'adorer! Depuis que je te vois vivre, marcher, courir dans les champs, je suis encore plus amoureux que le jeune bagnard d'il y a trente ans.

Elle buvait ses paroles, tandis que le désir s'éveillait dans chaque fibre de son être. Jean le comprit et posa sa bouche sur la sienne. Leurs lèvres jointes se reconnurent, s'unirent avec une passion adolescente. Ils eurent l'impression de communier, de redécouvrir la saveur de l'amour, de leur amour. Ce fut un baiser interminable qui les enflamma et leur fit oublier tout ce qui n'était pas eux.

— Claire, Claire chérie! dit tendrement Jean quand il recula son visage. Merci. Merci pour ce baiser. Je ne voulais rien d'autre que te sentir contre moi, que retrouver le goût de ta bouche. Mais tu trembles! Je vais te ramener à la maison.

— Je ne tremble pas de froid. Je n'ai plus froid du tout, dit-elle. J'ai chaud, très chaud.

Elle glissa une main dans le col de sa chemise pour toucher sa chair. Il réprima une plainte sensuelle.

— Jean, mon Jean, s'écria-t-elle, je te pardonne, oui, je te pardonne ce soir et pour toujours. Je ne peux plus vivre sans toi, ni loin de toi. Mais j'ai peur, maintenant, peur que tu me fasses du mal à nouveau.

— Oh! non, c'est impossible! assura-t-il. J'ai failli en mourir, de t'avoir fait autant de mal. Tu es mon épouse, tu es ma Claire, et je peux te faire le serment de ne plus jamais te quitter. Nous prendrons du temps pour nous deux. L'été prochain, nous irons passer deux jours au bord de la mer. Nous mangerons des coquillages sur le port de Royan, nous marcherons sur la plage... Je voudrais te rendre heureuse, la plus heureuse de la terre, jusqu'à ce que la mort nous sépare.

— Chut! fit Claire. Ne dis pas ça! Je t'aime trop pour laisser la mort nous séparer. Je t'ai pardonné et je ne perdrai plus un instant de notre vie. En fait, je t'ai pardonné quelques heures plus tôt que prévu. Ce soir, je comptais t'inviter à la maison, et ensuite dans ma chambre. Jean, je t'aime tant!

Elle chercha ses lèvres et ils s'embrassèrent longuement. Jean n'y tint plus. Il releva sa robe et égara ses doigts dans un fouillis de jupons, de bas de soie, de culotte en satin. Dans l'impatience de leur étreinte, Claire se sentait renaître. Elle riait et pleurait, libérée de la haine et du chagrin. Quand son mari enfouit son visage entre ses seins avant de les caresser et de les mordiller, elle poussa un cri de joie. Enfin, ils ne firent plus qu'un, à demi dévêtus, transportés d'extase.

— Je voudrais demeurer en toi toute la nuit, toujours! balbutia-t-il.

En guise de réponse, elle s'offrit davantage, les jambes passées autour des hanches de son bien-aimé. Des larmes de pure jouissance coulaient sur ses joues.

— Jean! cria-t-elle. Jean, je t'aime!

Il s'abattit sur son beau corps brûlant et reprit sa bouche avant de lui répéter qu'il l'aimait aussi. Claire l'étreignit, émerveillée d'être de nouveau dans les bras de son mari, de sentir sa chair ferme au bout de ses doigts, de tressaillir d'extase à son seul contact. Ces longs mois de solitude, de haine et de tourments s'étaient évanouis. Ils étaient réunis et plus rien ne les séparerait, cette fois. Ils avaient eu si peur de se perdre l'un et l'autre!

— Cela devait se passer ici, dans notre Grotte aux fées!

dit Claire, un peu plus tard, en rajustant ses vêtements. Je chérissais ce lieu, même si je n'y venais pas souvent.

— Et moi, pendant ma pénitence, je m'asseyais là, je contemplais le Moulin du Loup, mon paradis perdu, le domaine de ma femme adorée.

— Rentrons chez nous! dit-elle tendrement.

— Vraiment? demanda Jean. Chez nous?

— Mais oui, c'est la nuit de Noël. Si les animaux parlent cette nuit-là, si les hommes en guerre font la trêve, je n'aurai jamais le cœur de te savoir seul dans ton pigeonnier. Viens, mon amour. Je suis si heureuse!

10
Claire et Jean

Moulin du Loup, même soir

Claire et Jean franchirent le portail du Moulin main dans la main. La vieille demeure resplendissait. Pendant leur absence, Thérèse, Arthur, César et Janine avaient renoué avec la tradition en déposant sur l'appui des fenêtres des loupiotes en verre coloré, garnies de bougies. Léon avait accroché sur le perron une grosse lanterne à pétrole ornée d'un ruban rouge. La neige légère qui ruisselait conférait au décor une touche enchanteresse, les flocons capturant parfois des éclats de lumière.

Derrière les vitres, le sapin scintillait, ainsi que les cuivres. Des guirlandes de lierre accrochées aux poutres complétaient agréablement le tableau. La frimousse d'Isabelle apparut à un des carreaux. Presque aussitôt, la porte s'ouvrit sur Faustine, Matthieu, Anita, Léon et les enfants. César et Suzette se ruèrent aussi dehors.

Personne ne s'y trompa. Jean avait pris Claire par la taille et la tenait de si près... Elle les regarda tous en souriant.

— J'ai invité quelqu'un à partager le réveillon, déclara-t-elle bien haut. Un paria, un loup solitaire! Mon époux devant Dieu.

Faustine se mit à pleurer de soulagement en cachant ses larmes dans le cou de Matthieu, qui portait le petit Pierre. Anita se signa; Léon éclata d'un bon rire rassuré. Même Thérèse renonça à bouder Jean. Si Claire avait pardonné, elle pardonnait aussi. Isabelle envoya un baiser au couple qui approchait. César et Suzette échangèrent un regard ravi. La jeune femme connaissait toute l'histoire, et, en voyant le couple enfin réuni, elle éprouvait un surcroît d'amour pour celui qu'elle avait épousé, le cœur plein de rêves romantiques.

— Entrez donc! s'exclama Anita. Le repas est prêt. Une omelette aux cèpes, des canards farcis et même du caviar.

— Oh non, c'était une surprise! protesta Faustine en se jetant au cou de son père.

Jean étreignit sa fille de toutes ses forces. Il reprit Claire dans ses bras. Dès qu'il vit la grande cuisine se remplir des convives, Arthur prit son harmonica et improvisa un petit air gai. L'enfant musicien jouait aussi pour Moïse le jeune, une patte bandée, qui sommeillait devant le feu, et pour la chatte Mimi, perchée sur un des buffets.

Au Moulin du Loup, jamais un soir de Noël ne fut aussi réussi et mémorable que celui-là. Une profonde félicité régnait entre les murs séculaires du logis en toilette de fête. Il neigeait, la paix était revenue dans le cœur de chacun, et, quand le clocher de l'église sonna à la volée, Claire se réfugia dans les bras de Jean.

— J'ai reçu le plus beau des cadeaux, cette année! dit-il tout bas. Ton pardon, ma belle épouse, ma Claire chérie.

— Oui, tout recommence, répondit-elle. Comme si nous venions de nous marier et qu'une longue existence nous attendait.

Nul n'entendit hurler les loups efflanqués qui poursuivaient leur errance au cœur de l'hiver précoce. De leur trot silencieux et régulier, ils s'éloignaient de la vallée et des hautes falaises grises.

Après la distribution des cadeaux, Faustine commença à débarrasser la table avec l'aide de Suzette. Toutes les deux jetaient des regards attendris en direction de Claire, qui avait posé sa tête sur l'épaule de son mari retrouvé.

— Il n'est pas si tard que ça! déclara Anita en adressant un clin d'œil à Léon. Un beau soir comme celui-ci, on pourrait renouer avec la tradition, quand même!

— Que veux-tu dire, Anita? demanda Claire. Je crois que nous avons partagé tous ensemble l'esprit de Noël, dans la paix revenue!

— Bien sûr, madame! Mais c'est bien silencieux et on

se tourne les pouces. Moi, dans ma jeunesse, pendant les veillées, surtout quand toute la famille était réunie, on en profitait pour s'occuper les mains. Tenez, je me souviens que chez ma mémé et mon pépé les voisins arrivaient avec les châtaignes à *épelouner* ou un sac de maïs à *épivarder*! On frottait les épis contre le manche d'une poêle pour détacher les grains.

— On ne comprend rien à ce que tu racontes, Anita! s'écria Arthur, un rien méprisant.

— Ne parle pas sur ce ton! s'indigna Jean. Tu deviens insolent, Arthur. Je sais que tu habites la plupart du temps à Ponriant, mais ce n'est pas une raison pour faire le malin.

— Et puis, avec un peu de jugeote, trancha Léon, tu pourrais très bien comprendre, gamin!

Faustine ajouta de sa voix d'institutrice, douce mais ferme et sonore:

— Léon a raison, Arthur! Ces mots de patois demeurent proches du français. Si tu avais mieux écouté, tu aurais remarqué qu'épelouner ressemble à éplucher. Quant à épivarder, on devine qu'il s'agit de séparer les grains de l'épi.

— Faustine parle d'or, reprit Anita. Moi, ce soir, je vous propose d'*énauler* notre réserve de noix. Si tu préfères, Arthur, c'est ôter la coque verte, qui commence à noircir, des belles noix que nous avons récoltées cet automne. Comme madame Claire a récupéré un petit pressoir, nous ferons de la bonne huile. Il n'y a rien de meilleur sur la salade, l'huile de noix. Ils la vendent cher, en ville, je t'assure!

— C'est une excellente idée, se réjouit Claire. N'est-ce pas, Jean? Quand notre vieil ami Basile était encore en vie, nous avons passé de merveilleuses soirées près de la cheminée. Il avait tant de choses à nous raconter! Je me souviens qu'il me demandait souvent, à la fin des veillées, de préparer des rôties, vous savez, ces tranches de pain grillées que l'on trempe dans du vin.

Matthieu avait les yeux luisants d'émotion. Il se revoyait garçonnet, assis sur la pierre de l'âtre. Basile, sa pipe entre les dents, sa tête maigre renversée un peu en arrière, évoquait pour eux ses combats sur les barricades, à Paris, faisant renaître Louise Michel, une femme éprise de justice et de liberté[9].

— Moi, je me rappelle surtout les histoires effrayantes de mémé Jeanne, renchérit la jolie Thérèse. Le premier Noël sans maman, elle nous a dit que les loups-garous rôdaient sur le chemin de ceux qui se rendaient à la messe de minuit, et aussi que les animaux parlaient pendant les douze coups de minuit.

Claire eut un pincement au cœur. Raymonde, sa servante, mais aussi une véritable amie, lui manquait encore. Fauchée à la fleur de l'âge par un camion dans la cour du Moulin, cette belle femme blonde, première épouse de Léon, avait le don de faire régner la gaîté tout autant que la discipline et l'ordre.

— Ma grand-mère connaissait également beaucoup de récits à faire peur, dit-elle en se blottissant amoureusement contre Jean. Il s'agissait de superstitions bien ancrées dans le pays. On pensait que les grottes des falaises abritaient des fées et des sorcières, mais aussi une cohorte de revenants, de lutins et de créatures diaboliques. Petite fille, je n'osais jamais m'aventurer seule sur le chemin.

Anita apportait deux gros paniers remplis de noix. Elle les posa devant la cheminée. Tout le monde se rapprocha. Léon et Jean disposèrent les bancs. Faustine se pencha sur le landau où dormait Gabrielle.

— Nos bavardages doivent la bercer : elle dort comme un ange, constata la jeune mère avec soulagement.

Chacun prit place dans le cercle de veillée, sous le regard vigilant d'Anita. Janine se nicha sur les genoux paternels, et Léon, ému, lui caressa les cheveux. Isabelle fit de même, mais Matthieu protesta :

— Dis, ma petite chérie, je ne pourrai pas casser les noix si tu t'installes sur moi comme si j'étais un fauteuil. Coquine, assieds-toi par terre à côté d'Arthur.

Le jeune garçon, du haut de ses douze ans, toisa Jean. Ces deux-là n'avaient guère d'affection l'un pour l'autre. Cela remontait à l'époque où Claire avait recueilli son demi-frère, alors âgé de quatre ans, maigre et pouilleux, qui gardait

---

9. Louise Michel, personnage authentique qui s'illustra pendant la Commune en 1870.

les marques des coups qu'il recevait de la part de sa mère, Étiennette, et de son amant. Jean n'avait pas approuvé cette décision et il ne s'était jamais beaucoup soucié de cet enfant morose et craintif.

Cela ne préoccupait pas la jolie Suzette, cuisse contre cuisse avec son mari. César ne cachait pas sa fierté d'avoir une petite épouse aussi douce et aimable. La jeune femme, qui s'était montrée discrète, même timide durant le repas, semblait prête à prendre la parole. Deux fois, elle entrouvrit la bouche, mais se ravisa. Ce manège intrigua Claire.

— Eh bien, Suzette! Tu voulais dire quelque chose?

— Oui, répondit la jeune femme, les joues rosies par l'intérêt qu'elle suscitait. Chez mes parents, on veille les soirs de fête. J'ai grandi aux Rassats, près de la forêt de la Braconne. Là-bas, il y en a, des légendes, des contes à faire dresser les cheveux sur la tête. Je me disais…

— Tu te disais que tu allais nous raconter une histoire! coupa César en l'embrassant. J'y ai eu droit, moi, le matin de nos noces…

— Chut! fit Suzette, toute rouge de confusion.

Jean avait déjà décortiqué et cassé une dizaine de noix. Il suspendit sa besogne et passa un doigt sur la nuque de Claire, dégagée par un chignon haut.

— Je t'aime, ma chérie, lui souffla-t-il à l'oreille. Comme nous sommes heureux, au Moulin, tous réunis!

— Oui, approuva-t-elle en souriant.

Tout haut, elle s'adressa à Suzette.

— Nous t'écoutons. J'ai toujours entendu parler de la Braconne, mais je n'y suis jamais allée. C'est bête, j'ai visité la Normandie et la ville d'Auch, dans le Gers, mais mon propre pays, non.

Sollicitée par une rumeur impatiente, Suzette se décida. Elle baissa le nez sur le récipient contenant sa part de noix.

— Il y a une légende qui me plaît, celle de la *langrote* verte, déclara-t-elle. En plus, elle ne fera pas peur aux enfants.

Arthur faillit demander ce qu'était une langrote. Il se retint, craignant un nouveau sermon.

— La langrote verte, c'est un lézard, expliqua vite Suzette.

Et chaque fois que je vois un gros lézard vert, l'été, je pense à Lucas, le héros de la légende.

Le silence se fit. La jeune femme avait une voix légère, teintée de l'accent charentais, mais sans outrance.

— Tout commence dans le bourg des Rassats, à la lisière de la forêt de la Braconne. Une honnête famille de paysans vivait là, les Jaulde. Un fils leur vient, qu'ils baptisent Lucas, mais il est si chétif, si frêle que ses parents demandent sa protection à la fée Braconne, qui habitait dans les profondeurs de la Fosse mobile. La fée promit que Lucas deviendrait un robuste gaillard, à une condition...

— Les fées, elles posent toujours des conditions, ne put s'empêcher de dire Arthur.

— Tais-toi! s'exclama Anita. Moi, j'ai vu la Grande Fosse, dans la forêt; c'est impressionnant. Il paraît que c'est le diable qui l'a creusée en une nuit.

Le mot diable provoqua des cris étouffés, poussés par Janine et Isabelle.

Suzette continua, encouragée par les sourires de César et de Claire.

— Lucas, à vingt ans, devrait épouser la langrote verte du puits de Nanteuil. Le père Jaulde prêta serment, tellement il avait peur de perdre le nourrisson. Il se disait peut-être que, le temps aidant, la fée oublierait la promesse.

— Se marier avec un lézard, en voilà, une sale affaire! pouffa Léon.

— Mais la langrote était en vérité une belle jeune fille, victime d'un mauvais sort, protesta Suzette. La fille du roi d'Aunis et la filleule de la fée Braconne. Et ce mauvais sort, c'était le monstre Largigoul qui le lui avait jeté, un horrible géant à treize têtes. Devenu un beau garçon de vingt ans, Lucas se mit en route pour trouver sa fiancée, la langrote verte. Il lui fallait affronter Largigoul, et pour ça il dut traverser le territoire de l'horrible sorcière Cheta et celui de l'ogre Cagouet qui avalait les moutons de la plaine comme nous mangeons des cerises.

Le petit Pierre, perché sur les genoux de Matthieu, se mit à pleurer. Isabelle avait une mine effarée.

— N'ayez pas peur, les enfants! coupa Claire. Ce n'est qu'une histoire. L'ogre et la sorcière n'existent plus.

— Et Lucas avait des amis, poursuivit Suzette. Il reçut l'aide de la Couleuvre, qui était très sage, du Loup qui était très fort, et de la Chouette, très rusée. Ce sont les animaux qu'on peut croiser dans la forêt, et j'ai toujours cru, petite fille, que la fée les avait envoyés au secours de Lucas.

— Le loup, c'était Moïse le jeune, claironna Isabelle.

— Qui sait? plaisanta Claire.

Suzette reprit sa respiration. Elle avait eu soin, pour ne pas apeurer les fillettes, de ne pas décrire les combats opposant le monstre au jeune homme.

— Enfin, Lucas, qui était courageux et solide comme un chêne, réussit à faire fuir Largigoul, qui tomba du haut des falaises de son repaire, dans le Bandiat. Mon institutrice, qui connaissait la légende, nous avait expliqué que la chute du monstre avait causé un tel effondrement que les eaux s'y engouffrèrent, créant le fameux gouffre de Chez-Roby près du hameau de Montgoumard, dans lequel disparaît la rivière. Ce sont ses mots, je m'en souviens par cœur! assura la jeune conteuse.

— Et après? interrogea Arthur. Lucas a vécu toute sa vie avec un lézard?

— Non, car la langrote était délivrée du mauvais sort. Elle se changea en une magnifique princesse, la princesse Élina. Lucas fut bien content, et la fée Braconne leur fit un don exceptionnel: celui d'avoir toujours vingt ans. Il paraît même qu'on peut encore les croiser en se promenant dans la forêt, près des Rassats, mon village[10].

Tout le monde applaudit. Faustine en avait oublié son ouvrage. Elle éclata de rire en s'en apercevant.

— Tu nous as captivés, Suzette, dit-elle gentiment. Mais je suis en retard sur les autres.

— Je me suis appliquée pour vous la raconter, expliqua la jeune femme. Quand ma grand-mère relatait l'histoire, je ne comprenais pas tout, car elle parlait en patois et très vite.

10. D'après *Contes et Légendes des Charentes* par Henry Panneel.

Jean contempla le minois gracieux de Suzette, puis le visage satisfait de César. Il admira ensuite Isabelle qui cherchait à se loger sur les genoux de Matthieu en écartant un peu Pierre. Son regard revint à Claire. Elle resplendissait, ses traits altiers dorés par les flammes.

« Une fée, elle aussi! songea-t-il, bouleversé par la douce ambiance de la veillée. Une fée qui sait pardonner et délivrer des mauvais sorts. Mon Dieu, donnez-moi encore de longues années que je puisse la chérir et la protéger. »

Sensible à l'attention de son mari, Claire, avide de tendresse et de sécurité, se réfugia contre son épaule. Elle se croyait sauvée, à l'abri du malheur et du chagrin.

— Maintenant, je vais préparer du vin chaud et des rôties! s'écria Anita. Une belle soirée comme ça, il faut l'arroser.

La nouvelle provoqua une joyeuse approbation. Arthur s'écarta du cercle familial. Assis au pied du sapin, il feuilleta le roman d'aventures illustré qu'il avait eu en cadeau. Personne ne vit le coup d'œil haineux qu'il lança à Jean.

«Je ne veux pas qu'il revienne chez nous, se répétait l'enfant. Moi, je ne lui pardonnerai jamais. »

*

Moulin du Loup, dimanche 25 décembre 1927

La grande horloge de la cuisine sonna neuf coups sonores. Claire écoutait, alanguie, un bras replié sous sa tête. C'était le matin de Noël, et Jean avait repris sa place dans le lit conjugal. Elle le regardait dormir, attendrie par les quelques rides qui marquaient le coin de ses paupières. C'était ce qui lui avait le plus manqué, le corps de son mari allongé à ses côtés.

« Maintenant tu es là, Jean! pensa-t-elle. Et je te garderai quoi qu'il arrive. J'ai trop souffert, privée de toi. »

Ils étaient restés éveillés jusqu'au milieu de la nuit, étroitement enlacés, se rassasiant de tendresse et de douceur.

« Tu étais tellement heureux de me retrouver tout entière, toute à toi... » songea-t-elle encore.

Claire se rapprocha pour caresser l'épaule nue de Jean.

Il ouvrit les yeux et elle reçut en plein cœur l'éclat bleu de ses prunelles, dont le magnétisme en fascinait un grand nombre.

— Ma chérie! confessa-t-il tendrement. Que c'est bon! Nous deux entre les draps, enfermés dans la chambre. Si tu savais comme je t'aime!

Elle se réfugia contre lui, prise d'une soudaine envie de pleurer.

— C'est Noël, Jean! Noël! Tu as raison, nous sommes enfin réunis. Serre-moi fort, je t'en prie.

Il l'étreignit en déposant de légers baisers sur son front et ses joues. D'un doigt, il suivit la ligne de son profil.

— Tu es si belle, Claire! Tu m'as pardonné, je sais, mais je te demande encore une fois pardon. Je t'ai fait tant de mal, mon Dieu!

— Chut! fit-elle. C'est Noël, ne parlons plus de ça.

Le «ça» représentait la trahison. Angéla, deux ans de larmes et de douleur.

— Oui, bien sûr, balbutia Jean, n'en parlons plus. Si tu veux, aujourd'hui, nous pourrions faire une promenade sur le chemin des Falaises. Rien que toi et moi, bien emmitouflés. Main dans la main, comme les amoureux qui sont heureux d'être ensemble et disent mille petites choses banales.

Sur ces mots, Jean se mit à rire en silence. Il embrassa Claire sur la bouche.

— Je ne sais pas si nous aurons le temps, dit-elle. Nous déjeunons à Ponriant. Bertille a invité toute la famille. Mais elle ne sait pas que nous sommes réconciliés pour de bon, toi et moi.

— Oh! moi, je n'irai pas, coupa-t-il. Téléphone à ta cousine, explique-lui ce qui se passe. Je ne suis pas prêt à affronter la mine réprobatrice de Bertrand.

— Je ne peux pas faire ça. Arthur serait trop déçu si nous n'allons pas au domaine. Comme je connais Bertille, elle a préparé un festin, et le couvert est déjà mis.

Claire était contrariée. Elle réfléchissait sans trouver de solution. Jean n'était pas compté parmi les convives.

— En effet, si tu viens, cela causera un choc à Bertrand et à ma princesse, conclut-elle.

— Envoie tout le monde à Ponriant, proposa Jean. Nous serons si bien, ici, sans personne! Après notre balade, nous reviendrons dans ce lit avec un plateau bien garni, comme avant.

Ils avaient souvent improvisé des repas très intimes, à demi nus, qui leur donnaient le sentiment exquis d'être libres de s'aimer, de partager un verre de vin et une part de gâteau en se livrant à des joutes amoureuses.

— Non, c'est impossible, affirma Claire. Noël est une fête familiale.

Elle s'était écartée de son mari, piquée par l'aiguillon d'un malaise indéfinissable. L'exigence de Jean et sa volonté de l'isoler, de demeurer en tête-à-tête avec elle, lui déplaisaient.

«Je devrais m'en réjouir! s'inquiéta-t-elle. Je devrais même être flattée, mais… Mais sans doute a-t-il connu ce genre de moments avec Angéla, à Québec. Ils n'avaient pas toute une grande famille autour d'eux. Ils dînaient au restaurant et se promenaient. Peut-être main dans la main. Jean a envie de m'aimer comme si nous étions de jeunes amoureux. Il veut retrouver ce qu'il a vécu auprès d'Angéla.»

Plus elle se répétait ce prénom, plus la colère revenait et embrouillait ses idées.

— Câlinette, dit Jean tout bas, qu'est-ce que tu as?

— Non, pas Câlinette! gémit-elle. Nous étions d'accord, tu ne devais plus m'appeler comme ça. Et je n'ai rien. Enfin, si, je suis bien contrariée de te laisser seul le jour de Noël, mais j'irai à Ponriant. À vivre en célibataire, j'ai pris des habitudes.

Claire se leva brusquement. Elle grelotta aussitôt, car le poêle était éteint. Sa chemise de nuit en soie ne la protégeait pas du froid. Jean la rejoignit et l'enveloppa de l'édredon.

— Ma femme chérie, ne te vexe pas si vite! Ce surnom, il me vient aux lèvres tout seul. Pendant des années, je t'ai appelée ainsi. Allons, ne boude pas. Je vois bien que tu te tracasses. Ne change rien à ce qui est prévu. Je t'attendrai ici, je m'occuperai des bêtes et des feux. Je serai le gardien du foyer. Et ce sera un grand bonheur de guetter ton retour.

Il la tenait dans ses bras et la contemplait avec une telle expression d'amour que Claire eut honte de ses mauvaises pensées.

— Tu es gentil! avoua-t-elle. J'en profiterai pour annoncer

à Bertille que je t'ai pardonné et que tu as repris ta place. Dans la maison et dans mon cœur!

Jean approuva en souriant.

— Tu en es certaine? avança-t-il. Tu dis ça d'un ton si grave!

— Je dois faire ma toilette et m'habiller, répliqua-t-elle en lui échappant.

Elle se rua vers la salle d'eau dont elle tourna le verrou. Toujours secouée de frissons, autant nerveux que frileux, elle se doucha longuement.

« Mon Dieu, se disait-elle, si l'eau pouvait laver ma mémoire, effacer la moindre trace de ce qui s'est passé! J'aime Jean, je suis heureuse qu'il soit là, mais je ne peux pas m'empêcher de me souvenir. Parfois, je voudrais qu'il me raconte en détail ce qu'il faisait avec Angéla pour ne plus imaginer des choses folles! »

Claire se mit à pleurer. Elle avait cru atteindre la sérénité, le pardon absolu, mais le cauchemar recommençait.

« Pourtant, c'est bien fini! se rassura-t-elle. Angéla a épousé Louis de Martignac et ils ne se quittent plus. Je n'ai pas à avoir peur. Et Jean m'aime, oh oui, il m'aime. Que je suis sotte de me rendre malade! »

*

Domaine de Ponriant, même jour

Bertille vérifiait de son regard limpide l'arrangement de la table. La dame du domaine, éprise de beauté et de luxe, savourait la qualité de la nappe blanche brodée de fleurs fantasques et l'élégance des verres en cristal aussi bien que de la vaisselle en porcelaine. Des branchettes de sapin enrubannées de fil doré servaient de décoration.

— Es-tu satisfaite? demanda Bertrand en la prenant par la taille. Ma princesse, j'adore ta robe!

Malgré ses cheveux grisonnants et ses lunettes, l'avocat demeurait un amant passionné. Après des épisodes houleux, le couple était plus lié que jamais.

— Oui, je suis ravie, mon amour. Je m'interroge sur la place de mes convives.

Déterminés à entretenir des relations chaleureuses avec Claire et sa famille, les Giraud avaient invité Léon et Anita, Janine, Thérèse, César et Suzette, ce qui était une nouveauté que leur vieille gouvernante, Mireille, avait qualifiée de révolutionnaire.

— La table des enfants est charmante, fit remarquer Bertrand. Mais tu as disposé des sucreries autour de chaque assiette; ils vont s'en gaver et n'auront plus faim.

— Oh, pour une fois! C'est Noël! se récria sa femme. Clara m'a promis de les surveiller. Notre fille chérie est si fière de jouer les nurses. Dire qu'elle a déjà douze ans! Arthur aurait pu déjeuner avec nous, les adultes, mais il a insisté pour être avec les petits.

Les petits, c'était Isabelle, Janine, Félicien, Pierre et Gaby.

— Ils sont en retard, soupira Bertrand. Claire avait pourtant promis de venir en voiture avec Léon. Je parie qu'elle a encore attelé sa jument au cabriolet.

— Tu te trompes, claironna Bertille, ils arrivent. Regarde, la Panhard remonte l'allée, et derrière il y a la camionnette. Vite, mon manteau, *darling*, que je coure les accueillir!

Le *darling* taquin fit sourire l'avocat. C'était une manie de la dame de Ponriant qui datait de son adolescence. Elle jugeait tout ce qui venait d'Angleterre d'un bon goût exquis.

Claire fut la première à atteindre l'escalier d'honneur. Elle avait marché avec prudence dans la neige durcie par le gel, ce qui lui conférait une allure posée, un brin majestueuse. Bertille nota que sa cousine portait la pèlerine de son père, et elle en eut un léger pincement au cœur. En l'embrassant, elle murmura à son oreille:

— Eh bien, Clairette, tu as le cafard? Tu mets des reliques, quand tu n'es pas vraiment en paix avec toi-même!

— Tais-toi donc, ce sont des balivernes, princesse! Je n'ai pas de vêtement plus chaud que cette pèlerine, inusable, d'ailleurs. Elle te cache ma toilette, en plus. Tu te fais des idées, je suis enchantée de déjeuner à Ponriant. Mais Léon et Anita sont très intimidés; il faudra les mettre à l'aise.

Bertille promit d'un clin d'œil, sans se défaire d'un doute. Claire lui cachait quelque chose. Elle décida de patienter et tendit les mains à Léon qui était rouge de confusion.

— Mon cher ami Léon, je suis tellement contente! affirma-t-elle. Anita, montez vite, il fait un froid...

Les deux se considéraient comme les domestiques du Moulin. Ils ne comprenaient pas vraiment pourquoi Claire, Jean et maintenant Bertille s'obstinaient à les traiter en membre de la famille.

Thérèse dépassa ses parents et se jeta au cou de leur hôtesse.

— Enfin, à la bonne heure! En voici une qui n'est pas timide! Que tu es belle, Thérèse! Une vraie demoiselle! Entre vite, voyons, va près de la cheminée.

Claire, déjà à l'intérieur, discutait avec Bertrand. Elle ne vit pas Arthur se précipiter sur Bertille et lui parler tout bas.

— Tantine, souffla-t-il, Jean est revenu. Il a réveillonné avec nous hier soir. Ils ont dormi ensemble, dans la même chambre! Moi, ça ne me plaît pas!

La nouvelle stupéfia Bertille. Elle scruta l'intérieur de la Panhard. Matthieu et Faustine ne descendaient toujours pas.

— Mon Dieu, est-ce que Jean est là? demanda-t-elle dans un chuchotement affolé.

— Non, il est resté au Moulin et tant mieux! trancha le garçon d'un ton méprisant.

— Je te défends de juger les grandes personnes! protesta-t-elle. D'abord, de quoi te mêles-tu, garnement? Claire allait sûrement me le dire elle-même.

En parfaite dame du monde, Bertille patienta. Elle embrassa tendrement Faustine qui portait la petite Gabrielle dans ses bras. Matthieu lui fit le baisemain.

— Ma chère tantine, toujours ravissante! dit-il en riant. Et d'une élégance!

— Le toujours est de trop, mon garçon, plaisanta-t-elle. Cela signifie que tu scrutes les dégâts du temps.

— Il n'y en a pas, je te l'assure! ajouta Faustine, pressée d'entrer au chaud.

— Une minute, vous deux! coupa Bertille. Arthur m'a dit que Jean et Claire étaient réconciliés pour de bon? Ils auraient dormi ensemble, d'après ce garnement qui a des talents d'espion. Est-ce vrai?

— Oui, c'est tout à fait vrai, confirma Matthieu. Mais ma sœur va sûrement annoncer la grande nouvelle pendant le repas.

Semblables à deux jolies poupées endimanchées, Isabelle et Janine montaient les marches à leur tour. Elles avaient un an de différence, mais cela se devinait à peine, car elles avaient la même taille.

Bientôt, tout le monde s'installa dans le salon. Bertrand servit l'apéritif. Léon dégusta le meilleur pineau de sa vie, du moins le prétendit-il. Anita considérait avec effarement le mobilier, les somptueux rideaux, les tapis d'Orient et les bibelots qui ornaient la colossale cheminée en marbre blanc.

L'ambiance fut vite conviviale. Bertille trouva l'occasion d'attirer Claire à l'écart, dans le petit salon contigu.

— Toi, tu vas me raconter tout de suite ce qui s'est passé avec Jean! intima-t-elle à sa cousine. Arthur a vendu la mèche; Faustine et Matthieu ont confirmé.

— Il n'y a rien d'extraordinaire, rétorqua Claire. J'ai suivi tes conseils. Hier soir, j'ai décidé de lui pardonner, parce que c'était Noël. Figure-toi que je suis allée demander conseil au père Jacques. Il quitte la paroisse au mois de janvier, notre cher curé.

— Ne change pas de sujet! Tu as vraiment pardonné à Jean de toute ton âme? Tu te sens capable de reprendre la vie commune?

— Oui, et c'était un petit miracle de me réveiller près de lui. J'avais tellement besoin d'avoir mon mari à mes côtés, chaque nuit et surtout le matin! Je l'ai regardé dormir, je sentais l'odeur du café qui montait de la cuisine. J'étais au paradis. Tout s'était effacé.

Bertille fit la moue. Elle dévisagea Claire et lui caressa la joue d'un doigt.

— Hum! Si tu as pardonné pour de bon, que signifie cette mine affligée? Et tu n'avais qu'à nous l'amener! Je parie que tu as honte de l'avoir laissé au Moulin.

— Mais non, assura Claire. De toute façon, Jean n'avait pas très envie d'être confronté à Bertrand ni à toi. Je suis heureuse, princesse, seulement…

— Seulement quoi?

— Jean a parfois des propos étranges qui me blessent. Il me voudrait toute à lui, il a des idées extravagantes, un voyage au bord de la mer, une balade en amoureux alors qu'il fait froid. J'ai l'impression qu'il veut revivre ce qu'il a partagé avec Angéla. Moi, j'aime être entourée de ma famille. En fait, je n'ai qu'une envie, que tout se passe comme avant.

— Eh bien, tu vas être comblée, persifla Bertille. Bertrand a reçu une lettre de William Lancester. Il revient au pays. Il sera notre invité. Tu n'as pas oublié Lancester?

Claire se maudit de rougir telle une adolescente. Du coup, elle but d'un trait sa coupe de champagne.

— Tu diras bien à ton invité d'éviter les alentours du Moulin, dit-elle tout bas. Je ne tiens pas à ce qu'il rencontre Jean. Mon Dieu! Tu aurais pu refuser qu'il séjourne au domaine. Quand arrive-t-il?

La dame de Ponriant haussa les épaules. Elle étrennait une robe en faille argentée, rebrodée de strass, qui dévoilait ses jambes menues, gainées de bas noirs.

— Au courant du mois de janvier. Tant mieux, car l'hiver, les distractions sont rares. William nous apporte un poste de radio, une nouveauté. Bertrand en rêvait. Sois tranquille, j'enfermerai ton ancien amant à double tour.

— Chut! fit Claire, agacée. Si les enfants t'entendaient, surtout Arthur qui a la manie de me surveiller!

— Notre virtuose n'est pas content. Je crois qu'il n'a guère d'affection pour Jean.

Sur ces mots, Bertille prit sa cousine par la taille et la conduisit ainsi jusqu'à la salle à manger. Claire portait également une toilette neuve. Elle avait acheté en ville une jupe en velours noir, surpiquée de festons rouges et verts. Un corsage en satin, également vert et agrémenté de passementeries, moulait son buste magnifique.

— Tu es rayonnante, ajouta Bertille. Et ce chignon te rajeunit encore. Si Lancester te voyait!

— Arrête immédiatement tes plaisanteries douteuses ou je rejoins Jean en courant, sans goûter à un seul de tes plats!

Assistée d'une jeune bonne, Mireille s'affairait dans les

cuisines. Chacun prit place autour de la longue table. Le menu était digne des meilleurs restaurants parisiens.

— Je n'ai jamais rien mangé d'aussi bon! répétait Léon.

Il avait essayé de coincer sa serviette dans le col de sa chemise, mais Anita l'en avait empêché. Elle s'appliquait à manier les couverts en nombre impressionnant, sidérée par la cuisine raffinée de Mireille. Après la mousse citronnée de saumon fumé agrémentée de petites brioches chaudes et salées venaient des faisans et des perdrix farcis aux truffes. Différents légumes sautés et persillés accompagnaient les volailles rôties.

Claire n'avait pas faim. Tout en souriant et en bavardant, elle pensait à Jean. Que faisait-il, seul au Moulin?

« Il avait raison, j'aurais dû rester près de lui. Peut-être qu'il m'a trompée parce que je ne le chérissais pas assez. Je suis toujours accaparée par les enfants, les bêtes ou mes malades. C'est normal qu'il ait envie de plus d'intimité. Au printemps, nous irons à Royan. J'aime tant l'océan, le parfum des pinèdes et les sensations que procurent les promenades sur le sable. Je dois le combler, lui prouver que je peux le suivre où il le souhaite. »

Mireille apportait le dessert, un fabuleux gâteau en pyramide nappé d'un glaçage blanc comme neige. Des violettes confites et des perles argentées dessinaient des guirlandes à chaque étage.

Les enfants poussèrent des cris émerveillés. Suzette applaudissait en riant. Elle n'était jamais entrée dans une demeure aussi luxueuse, et cela lui avait fait tout d'abord un choc, mais finalement elle s'amusait beaucoup.

Pendant ce temps, au Moulin du Loup, Jean reprenait possession de la maison. Il n'avait pas à se plaindre de ces heures en solitaire. Les feux ronflaient, la chatte Mimi dormait en boule sur le fauteuil, Moïse le jeune était étendu devant la cheminée. L'horloge semblait chantonner la marche des minutes.

« J'ai pas mal voyagé, mais aucun endroit ne m'a plu autant que ce vieux logis, se disait-il en sirotant un verre de vin. Claire a le don d'embellir tout ce qu'elle touche. »

Il notait les aménagements effectués depuis son départ aux allures de fuite, à l'automne 1925. La couleur des murs avait changé, ainsi que celles des boiseries. Sa femme avait acheté de nouveaux rideaux et un tapis.

« Une chose me chagrine! s'avoua-t-il. Je voudrais bien récupérer notre chambre. »

Frappée en plein cœur en apprenant sa liaison avec Angéla, Claire avait déserté la pièce spacieuse où ils s'étaient installés dès le lendemain de leur mariage, la chambre du souterrain, comme la nommaient les enfants du Moulin. À présent, Léon et Anita l'occupaient. Ce souterrain, seul Colin Roy en connaissait l'existence. Il s'était décidé à en parler avant les noces de sa fille et de Jean. Il fallait ouvrir un placard qui cachait une trappe. Le panneau de bois circulaire fermait l'issue munie de barreaux en fer d'un puits. Après une descente un peu raide, on accédait à un passage voûté, taillé dans le roc, qui débouchait dans la Grotte aux fées. Cela datait de plusieurs siècles.

« Je me sentais mieux dans cette chambre, pensa Jean. La vue y est plus belle, et le lit meilleur. J'en discuterai ce soir avec Claire. »

Il cherchait déjà des arguments pour la convaincre, quand une voiture franchit le porche et se gara en bas du perron.

— Ce bruit de moteur ne me dit rien, marmonna-t-il, décontenancé. Ce n'est pas la Panhard ni la camionnette de Léon.

Par la fenêtre, il aperçut une automobile noire. C'était un taxi. Une silhouette féminine en sortit, enfouie dans un ensemble en fourrure grise : toque, manchon, manteau et gants assortis.

— Mais c'est Edmée de Martignac! constata Jean. Bon sang, je n'avais pas besoin d'une visite de ce genre.

Selon Claire, la châtelaine ignorait la vérité au sujet d'Angéla. Elle croyait que son fils Louis avait épousé la jeune fille, considérée à juste titre comme une artiste talentueuse, à son retour du Canada. La discrétion dont avait fait preuve toute la famille, ainsi que Bertille, y avait largement contribué.

«Je vais lui dire de monter à Ponriant, songea Jean en ouvrant la porte. Cette dame est peut-être la demi-tante de ma femme, mais je n'ai pas envie de lui tenir compagnie.»

Claire avait pris soin de lui révéler son lien de parenté avec cette élégante aristocrate. Il portait un tricot en grosse laine beige et un pantalon usagé, car il avait nourri les chèvres, la jument et l'âne.

— Bonjour, Edmée, dit-il aimablement. Si vous vouliez voir Claire, elle déjeune au domaine. Excusez ma tenue.

Les lèvres pincées, Edmée de Martignac le toisa d'un air horrifié.

— Que faites-vous ici? demanda-t-elle. Comment osez-vous entrer dans cette maison que vous avez déshonorée?

Jean en resta bouche bée. Il n'eut pas l'occasion de répondre. La châtelaine pointa un doigt accusateur vers lui.

— Je sais tout! Tout! Et j'ai aussitôt commandé un taxi pour obtenir de Claire des explications. Mon Dieu! Quand je pense que Louis vit avec une créature sans moralité! Vous imaginez ce que je ressens? Je suis blessée en plein cœur. Et vous, Jean Dumont, rien ne vous arrête. Enfin, vous avez souillé votre fille adoptive, elle a mis au monde un malheureux enfant qui a été puni à votre place. Quelle abomination! Il n'y a même pas de mots pour qualifier votre conduite.

La visiteuse arpentait la grande cuisine auparavant si paisible. La chatte avait décampé, Moïse le jeune grognait en fixant Edmée de ses prunelles dorées.

— Calmez-vous, madame! s'écria Jean. Cette histoire remonte à plus de deux ans. Je ne nie pas ma culpabilité, mais j'ai payé très cher ma faute. Et Claire m'a pardonné. D'après ce que j'ai entendu, votre fils est très heureux avec Angéla. Tout est rentré dans l'ordre.

Les yeux vert clair d'Edmée étincelaient d'une sainte fureur. Elle semblait chercher un témoin qui la soutiendrait, mais il n'y avait personne d'autre que Jean.

— Vous mériteriez la corde, espèce de... de criminel! Mais je vais vous traîner en justice, moi! Et je ferai annuler le mariage de mon fils. L'Église ira dans mon sens!

D'abord confus, Jean ne tarda pas à se rebeller. Il se

planta devant Edmée, les bras croisés sur sa poitrine, les traits durcis par la colère.

— Et ensuite? Vous serez contente de vous? Louis souffrira beaucoup si le passé d'Angéla est livré en pâture à la presse et aux commérages de la bourgeoisie angoumoisine. Tout le monde saura la vérité, certes, mais cela retombera sur le nom de votre illustre famille, alors que pour l'instant personne ne soupçonne ce qui s'est passé. Réfléchissez un peu, madame. Et qui vous a si bien renseignée?

Il s'interrogeait depuis un moment sur ce point. Ce n'était pas l'intérêt de Louis, encore moins celui d'Angéla. Il songea soudain à sa propre sœur, Blanche. Mais Edmée n'entretenait aucune relation avec les Nadaud, qui avaient voulu acquérir le château de Torsac sans y parvenir.

— J'ai reçu une lettre hier matin, le 24! Seulement, j'étais absente et je ne l'ai ouverte qu'aujourd'hui, à midi! précisa-t-elle. Le jour de Noël, en revenant de la messe. Quel cruel paradoxe! Une lettre anonyme. Tenez, lisez!

Jean déplia une feuille de papier d'un blanc ivoire. C'était écrit à la machine.

« *Pendant son séjour au Canada, Jean Dumont avait une maîtresse et c'était Angéla Dumont, qui avait l'âge d'être sa fille. Ils s'aimaient. Neuf mois plus tard, un bébé naissait. Mort. Le fils du péché! Jean Dumont ne craint ni Dieu ni diable.* »

Il n'y avait pas une seule faute d'orthographe. Cependant, le style parut bizarre à Jean.

— Eh bien! Celui ou celle qui a rédigé ce texte n'a pas mâché ses mots. Pour autant, ce n'est pas un as en littérature.

— Vous avez l'audace de prendre cette dénonciation à la légère? bredouilla la châtelaine, livide.

D'une démarche vacillante, elle s'écroula dans le fauteuil en osier. Son cœur battait bien trop vite à son goût.

— Je ne me sens pas bien, gémit-elle.

Du coup, Jean s'affola. Il prit la bouteille d'eau-de-vie dans le buffet et un verre.

— Buvez, madame. Claire prétend que l'alcool est salutaire en cas de malaise. Je suis navré! ajouta-t-il d'un ton sincère. Je peux comprendre le choc que vous venez de recevoir. Mais je pense que ce torchon ne vise que moi, qu'il est destiné à me nuire. Et c'est l'œuvre d'un abruti! Je vous en prie, ne jugez pas Angéla trop durement. J'ai tous les torts dans cette affaire.

— Alors, c'est vrai, vous ne niez même pas! dit Edmée avant d'éclater en sanglots.

Son rêve d'harmonie avait volé en éclats. Elle vantait à tous ses amis le talent exceptionnel de sa belle-fille, multipliant les ruses verbales et les propos énigmatiques quand il s'agissait d'évoquer les origines d'Angéla. Dans le milieu mondain ou chez les nobles de province, c'était presque une obsession de comparer les arbres généalogiques. Même si Louis se cantonnait à Villebois et ne fréquentait plus ses anciennes connaissances, Edmée craignait sans cesse de voir révéler l'impensable. Angéla était née d'un ouvrier, elle avait grandi dans les quartiers pauvres de la ville. Maintenant, c'était encore pire.

— Comment Louis a-t-il pu me faire ça? se lamenta-t-elle. Il aimait Angéla de tout son être, je n'en doute pas, mais il aurait pu en faire sa maîtresse. Elle porte notre nom.

Jean demeurait républicain, un brin anarchiste malgré un rang social respectable. Il serra les poings.

— La valeur d'une personne ne se mesure pas à celle de ses ancêtres, répliqua-t-il. Angéla a su s'instruire et progresser! De plus, c'est une artiste hors pair.

— Si vous l'admirez tant, il fallait divorcer et l'épouser, maugréa la châtelaine. Vous m'auriez ôté une belle épine du pied.

Il ne répondit pas, furibond. De nouveau, il lisait la lettre. Une évidence s'imposait.

« On s'est servi de ma vieille machine à écrire, celle que Bertrand Giraud m'avait offerte jadis. Elle était dans le grenier, je crois, ces dernières années. Je ne peux pas me tromper. La typographie est identique. »

— Maintenant, expliquez-moi ce que vous faites chez Claire, reprit Edmée, les joues colorées par l'eau-de-vie. Aucune femme respectable ne consentirait à reprendre son époux après une affaire aussi répugnante.

— J'ai obtenu son pardon hier soir, son pardon entier, définitif! précisa Jean. Auparavant, je travaillais ici, au moulin, mais je logeais au-dessus de la salle des piles. Claire a terriblement souffert, et moi-même j'ai eu plusieurs fois la tentation de me supprimer, tellement j'avais des remords. Sans cette maudite lettre, vous n'auriez rien su.

Edmée se leva péniblement. Une soudaine lassitude marquait ses traits fins, un peu durs.

— Qu'allez-vous faire? s'inquiéta-t-il.

— Je rentre chez moi. Vous direz à Claire que je ne pourrai pas lui pardonner. C'était son devoir de me prévenir. Jamais je n'aurais consenti à ce mariage ridicule si j'avais su la vérité. Jamais! Je ne ferai pas de scandale, dans le souci de préserver notre nom, notre honneur. Je pensais qu'une douce amitié nous liait, Claire et moi; je me trompais. Elle a laissé mon fils épouser une moins que rien! Mon Dieu, comment a-t-elle pu?

Jean eut pitié de la châtelaine qui s'appuyait à la table pour se déplacer. Il se précipita et lui tendit un bras secourable.

— J'étais si affolée que j'ai oublié ma canne! nota-t-elle. Mais je vous interdis de me toucher. Je préférerais ramper par mes propres moyens plutôt que d'accepter votre aide. Heureusement, Louis et cette fille sont à Paris. Sinon, ils seraient venus au château! Je ne vous salue pas, monsieur. Quel triste jour de Noël! Il me reste ma petite Marie. Pour elle, je ferai un effort.

Après quelques pas hésitants, Edmée sortit et claqua la porte. Mais elle se heurta presque à Claire qui était rentrée à pied du domaine pour faire une surprise à Jean.

— Ma chère Edmée! s'écria-t-elle. Pourquoi passez-vous au Moulin sans m'avertir? Que je suis contente de vous voir! Vous n'allez pas repartir si vite, maintenant que je suis là.

— Oh si! décréta la châtelaine. Le taxi m'attend. Demandez à votre mari ce qui m'a conduite chez vous et ce qui me pousse à m'enfuir. C'est une honte, je ne m'en remettrai jamais.

— Edmée, expliquez-vous! Je ne comprends pas.

— Moi non plus, je ne comprends pas. Cet homme, sous votre toit, mon Dieu! Si vous ne voulez pas perdre votre âme, votre honneur de femme, chassez-le!

Claire devina sans peine ce qui pouvait affliger ainsi cette dame du monde, cette aristocrate, très pieuse de surcroît. Blême, elle la laissa monter dans le taxi et rejoignit Jean. Occupé à se rouler une cigarette, il était assis sur un des bancs.

— Elle sait? dit-elle péniblement. Qui le lui a dit?

— Un imbécile, un crétin désireux de me nuire! répondit-il. Edmée a reçu une lettre anonyme tapée sur une machine à écrire que je connais bien, celle du grenier. Si tu veux, nous pouvons monter, écrire une ligne et comparer les caractères.

Jean lui tendit la lettre. Claire la parcourut du regard. Elle fut glacée par le texte et les événements évoqués par chaque mot.

— Qui peut être assez odieux pour envoyer ce message? souffla-t-elle. J'ai pourtant eu soin de préserver mon entourage le plus possible. Surtout Edmée.

Son mari lui raconta brièvement les griefs virulents de la châtelaine. Très gêné, il prit un ton hautain qui eut le don d'exaspérer Claire.

— Encore une conséquence de ton coup de folie! remarqua-t-elle amèrement. Edmée a raison, elle n'a pas à me pardonner. Oui, je lui devais la vérité, mais je me suis tue et son fils a épousé Angéla. J'étais bien contente quand je l'ai su. Contente et rassurée. Je me disais que vous étiez séparés pour de bon, vous deux.

Jean se leva avec brusquerie. Il saisit sa femme par les épaules.

— Claire, nous commençons une nouvelle vie, je t'aime et tu m'aimes! Du moins, tu le prétendais cette nuit. Si nous remuons sans cesse cette histoire, nous n'arriverons à rien.

— En effet! trancha-t-elle d'un ton sec. Cependant, je tenais beaucoup à l'amitié d'Edmée. Tu me prives de ça aussi. Je n'irai plus au château.

— Tu n'y vas plus jamais! hurla-t-il. Nous avons tous souffert, moi comme toi. Et l'enfant est mort, mon enfant! J'en fais des cauchemars! J'ai l'impression de l'avoir tué de mes mains, ce petit innocent.

Jean prit sa veste au portemanteau et sortit. La porte claqua de nouveau. Claire se réfugia près de la cheminée. Elle avait très froid.

« Il pense toujours à ce bébé! Je n'ai pas pu lui donner d'enfant, et celui que portait Angéla n'a pas vécu une heure. Bien sûr qu'il en a souffert! Il me l'a fait comprendre quand il m'a trouvée au bord de la rivière, ce printemps. Et moi, je n'ai pas pu exaucer son désir de paternité, jamais! »

Prise d'une colère désespérée, elle se frappa le ventre à coups de poing en sanglotant.

« Je ne suis même pas une vraie femme, voilà! se répétait-elle. Une bréhaigne, une terre ingrate, stérile! »

— Claire! Qu'est-ce que tu fais? s'exclama Jean.

Il n'avait pas descendu les marches du perron et l'observait par l'œil-de-bœuf voisin de la porte. Il se jeta sur elle.

— Es-tu folle? Claire, je t'en prie! Nous étions si heureux hier soir, pendant la veillée et la nuit aussi, et ce matin! Ma chérie, pardonne-moi. Je sais bien ce qui te tourmente.

Elle se jeta à son cou et pleura encore plus fort. Il l'enlaça tendrement.

— Toi seule comptes! lui confia-t-il à l'oreille. Tant que tu m'aimes, que tu dors à mes côtés, que je te vois bouger, rire, cuisiner, je ne veux rien d'autre. Je t'ai encore fait du mal. Viens…

Il l'entraîna vers l'étage. Elle le suivit, résignée, en larmes. Jean la fit s'allonger en la couvrant jusqu'au menton.

— Je vais t'apporter une bouillotte et du lait chaud avec un peu de café. Tu grelottes. Pourquoi es-tu revenue si tôt?

— Je voulais te voir, expliqua-t-elle. Tu me manquais. Je ne profitais pas du repas, sans toi. Jean, crois-tu que nous avons vraiment droit à une autre chance?

— Mais oui, je le crois. Calme-toi, je reviens tout de suite.

— Non, protesta-t-elle en le retenant. Je ne veux pas de bouillotte ni de lait. Réchauffe-moi, console-moi.

Jean courut tourner le verrou. Il ôta son pantalon et sa veste pour se glisser entre les draps. Claire continua à sangloter, collée à lui qui l'étreignait. Peu à peu, elle enleva sa jupe, son corsage et ses bas. Il l'embrassa avec passion, bouleversé par l'infime goût salé de ses lèvres.

— Je bois ton chagrin! murmura-t-il. Nous sommes tous les deux au paradis, personne n'a d'importance.

Claire se prit au jeu. Elle s'imagina bien plus jeune, enfin libre de s'abandonner à son amant. Brûlante, les nerfs à vif, elle s'abîma dans le plaisir, poussant des cris de jouissance qui stimulaient Jean et le grisaient.

Ce ne fut que bien plus tard qu'ils reparlèrent de la lettre.

— Qui a osé faire ça? soupira-t-elle.

— Si je t'avoue mon idée, tu vas encore te fâcher, dit-il.

— Non, je n'en ai plus la force. Et je suis si bien, maintenant, que je ne veux pas me mettre en colère. Voyons, ce n'est pas Anita! Elle en serait incapable, elle a de l'affection pour moi. Un des ouvriers? Cela m'étonnerait. Ils ne sont pas au courant de tout, juste de notre séparation.

— Cherche qui me déteste et voudrait m'expédier au diable, avança Jean. Quelqu'un de bon en orthographe, habitué à écouter et à épier. Ton frère Arthur.

— Arthur! Là, tu te trompes, Jean! Ce n'est qu'un enfant!

— Un enfant! Tu es la première à vanter sa maturité, son intelligence. Il a presque treize ans, Claire. Et, comme par hasard, il vivait à Ponriant quand Angéla était cloîtrée dans le pavillon de chasse. On croit toujours que les gosses de cet âge ne s'intéressent pas à nos faits et gestes, mais c'est faux. Je parie que Clara en sait long, elle aussi. J'ai réfléchi, tout à l'heure. J'ai réprimandé Arthur à plusieurs reprises, ces derniers jours. Une fois à l'imprimerie parce qu'il insistait pour récupérer des débris de plomb. C'est un alliage à ne pas mettre entre toutes les mains, vu son prix. Une autre fois, dans l'écurie, il taquinait l'âne, ce pauvre vieux Figaro. Bref, Arthur n'est pas content que tu m'aies pardonné. Il voyait la paix s'établir et il a voulu provoquer la guerre à nouveau.

Claire pesait chaque mot.

— Tu as peut-être raison, dit-elle à contrecœur. Je l'interrogerai ce soir, mais sans témoin. Il ne faut pas le heurter. Si je le couvre de honte devant tout le monde, il deviendra encore plus difficile de caractère.

— Le mieux, ce serait de le laisser à Bertille. Il était comme un poisson dans l'eau, au domaine, avec sa chère Clara.

— Ce n'est pas une solution, de l'éloigner, soupira

Claire. Il va penser que je me débarrasse de lui. Et j'avais pris la décision de le garder. J'ai l'impression que de vivre à Ponriant l'a changé. Tout y est luxueux et facile. On ne lui demande jamais le moindre effort, le moindre service. Il n'a qu'un impératif: progresser en piano.

Ils furent tirés de leur discussion par des bruits de moteur, vite suivis de claquements de portière. Bientôt, ils entendirent Anita gronder Janine, et Léon monter pesamment l'escalier. Leur ami chantait à tue-tête.

— Eh bien, notre Léon a dû boire un peu trop, commenta Jean. Il va sûrement ôter ses vêtements du dimanche et redescendre soigner les bêtes. Je file lui donner un coup de main. Repose-toi encore.

Mais Claire n'était plus fatiguée. Elle se leva et enfila une vieille robe usagée. Elle ôta son collier de perles.

— Moi aussi, j'ai envie de prendre l'air, déclara-t-elle. Je m'occupe de la jument et de l'âne. Tu n'as qu'à donner le foin aux chèvres et du grain aux poules.

Un sentiment de bonheur tout simple l'envahissait. Jean avait su la réconforter et ils avaient partagé leurs peines respectives. Pleine de confiance en l'avenir, Claire relégua au second plan la visite d'Edmée et la désolante histoire de la lettre anonyme. Elle avait hâte de se retrouver dans la cuisine, de savourer la fin de l'après-midi, d'allumer les lampes, de préparer une soupe de légumes.

Déjà sanglée dans son large tablier en toile grise, Anita guettait son apparition tout en surveillant Janine qui ramassait les morceaux d'une assiette.

— Ah! Madame! s'écria-t-elle. J'en ai des choses à vous dire. D'abord, Matthieu et Faustine vous embrassent. Vous leur aviez proposé de dîner ici, mais ils préfèrent passer la soirée chez eux. Ils ont invité César et Suzette, qui dormiront là-bas. Et madame Bertille m'a chargée de vous tirer les oreilles, parce que vous l'avez abandonnée juste après le dessert. Bien sûr, je n'oserai pas. Ce qu'elle est gentille, votre cousine! Je la croyais plus fière, et puis non. Regardez donc ce qu'elle m'a offert, une jolie montre-bracelet en argent. C'était mon rêve. Quelqu'un lui en aura parlé, sans doute...

Claire eut un sourire attendri. Bertille avait fait une nouvelle conquête.

— En tout cas, ce n'est pas moi, Anita! affirma-t-elle. Que veux-tu, ma cousine est une fée. Du moins, elle ressemble à une fée, malgré le temps qui passe. Mais où est Arthur?

— Mademoiselle Clara a fait des siennes, un gros caprice! Elle a empêché votre frère de nous suivre. Remarquez, il ne s'est pas fait prier. Madame Bertille vous fait dire que cela ne la dérange pas du tout.

— C'est ennuyeux! dit Claire, songeuse. J'avais une question à lui poser. Il ne perd rien pour attendre, ce garnement. Bon, je vais soigner Junon et Figaro. À mon retour, je ferai de la soupe.

Elle sortit, honteuse d'éprouver un réel soulagement. La clarté dorée des lampes faisait scintiller le sapin de Noël. Jean et Léon discutaient sur le palier. Tout était paisible. Aussi, pour un soir, elle renonça à se torturer l'esprit.

« Nous ne serons que quatre à table. Tant mieux! Je veux profiter de ma maison et de mon mari. »

Avec une joie presque enfantine, elle traversa la cour. Les ombres du crépuscule abolissaient les détails et soulignaient le dessin des toits avec leurs cheminées. Les fenêtres illuminées semblaient lui chuchoter de vite revenir au chaud, près du feu, sous le plafond dont les poutres s'ornaient de guirlandes de feuillage enrubannées de satin rouge.

Des bêlements plaintifs montaient de la bergerie. Dans la basse-cour, les poules se pressaient devant la porte grillagée.

— Le grain arrive! leur cria-t-elle.

L'écurie, son lieu de prédilection, dégageait son odeur familière, celle du foin et de la paille. La jument la salua d'un doux hennissement. L'âne du père Maraud frotta son nez contre son épaule.

— J'ai du sucre pour vous, puisque c'est fête, dit Claire en fouillant dans ses poches.

Jean l'avait rejointe sur la pointe des pieds. Il l'observa quelques secondes, ému par le moindre de ses gestes. Enveloppée d'un châle noir, une écharpe autour du cou, elle faisait la conversation aux deux bêtes, comme persuadée d'être comprise.

« Elle n'a pas changé, songeait-il. Ma femme, ma petite rebelle qui courait la nuit jusqu'à la Grotte aux fées suivie de son loup, pour apporter du vin et du gâteau au bagnard en cavale que j'étais. »

Il la saisit à la taille et l'obligea à pivoter sur ses talons.

— Jean! Es-tu fou? J'ai eu peur!

— Je n'ai pas pu résister, ma toute belle. Léon n'a pas besoin de moi, à ses dires, et moi j'ai besoin de toi.

Claire se serra contre lui.

— Je voudrais vivre ainsi le restant de mes jours, avoua-t-elle.

— Ici, dans l'écurie?

— Mais non! Seulement, ce soir, je me sens étrangement heureuse, comblée. Je ne peux pas t'expliquer, je ne suis plus la même. Tout me réjouit, tout m'amuse, alors que je pourrais très bien être contrariée. C'est comme si j'avais bu un élixir de jouvence.

— En effet! constata Jean. Tu n'as jamais été aussi ravissante.

Il l'embrassa sur les lèvres. Claire oublia Edmée, Arthur et les larmes amères qu'elle avait versées.

Tous deux servirent de l'eau fraîche aux bêtes et garnirent de foin les râteliers, tout en échangeant des baisers et des mots de tous les jours. Quand ils quittèrent le bâtiment soigneusement fermé, il neigeait. C'était une douce averse de flocons qui leur fit lever la tête vers le ciel nocturne.

— Jean, quel beau Noël! Mon Dieu, que je suis heureuse!

Claire éclata de rire. Lui, stupéfait et rassuré de la voir si gaie, osait à peine respirer. L'instant paraissait trop précieux, trop délicieux. Il se contenta de prendre sa main gantée de laine et de caresser ses doigts.

— Tu viens avec moi vérifier si les clapiers sont bien verrouillés? demanda Claire. Je voulais faire de la soupe, mais Anita s'en chargera. Ça me fait plaisir de rester dehors.

— Nous boirons du vin chaud à la cannelle, tout à l'heure, assis sur la pierre de l'âtre, proposa Jean.

Léon les croisa devant l'enclos du poulailler. Ils marchaient enlacés en parlant tout bas. Cela lui fit chaud au cœur de les revoir comme ça.

— On dirait les amoureux de la légende, lança-t-il d'un ton réjoui. Ceux dont causait ma bru, notre jolie Suzette, oui, ceux qui ont toujours vingt ans!

C'était un peu maladroit, mais touchant. Claire le remercia d'un large sourire; Jean lui adressa un clin d'œil.

La soirée se déroula dans la même atmosphère chaleureuse. La cuisinière en fonte noire ronflait; un bon feu brûlait dans la cheminée voisine. La chatte Mimi dormait sur un coin de buffet et Moïse le jeune était allongé sous la table. La grande pièce fleurait bon la soupe. Claire avait fait cuire des poireaux et des pommes de terre, en ajoutant des navets et du céleri-rave.

— Après la soupe, nous mangerons les restes d'hier, madame! annonça Anita.

— Moi, après le festin de ce midi, coupa Léon, un bouillon me suffira.

Claire approuvait, rêveuse. Jean lui avait servi le verre du vin chaud promis et elle le sirotait, assise sur la pierre tiède de l'âtre.

«Je me sens toute neuve, délivrée de mes chagrins, de mes doutes, de mes regrets, se disait-elle. Je suis chez moi, dans ma chère maison. Et mon mari est près de moi, lui que j'aime tant! Cette fois, il est pardonné, vraiment pardonné. Tant pis pour ceux qui ne me comprennent pas. J'écrirai à Edmée pour lui présenter mes excuses et je raisonnerai Arthur. Je ne veux plus souffrir ni être séparée de Jean.»

Ils dînèrent tous les quatre, Janine étant déjà couchée. Léon et Anita furent sensibles au rayonnement particulier qui émanait de Claire. Son regard de velours noir resplendissait, son visage paraissait illuminé de l'intérieur, comme celui d'une créature céleste. Jean lui-même en était fasciné.

«Cet après-midi, quand elle sanglotait, j'ai eu peur, se disait-il. Mais c'est fini, elle respire la joie de vivre. Sa voix est toute douce, ses gestes aussi. Ma femme, ma chère petite femme!»

Cet état de grâce se prolongea. Les deux hommes jouèrent à la belote sous la lampe en opaline, tandis que Claire et Anita feuilletaient une revue féminine regorgeant de recettes de cuisine et d'idées de travaux manuels. C'était un cadeau de Faustine.

L'horloge sonna enfin les douze coups de minuit. Jean s'étira et jeta ses cartes sur le tapis en feutrine.

— Je crois qu'il est temps de monter au lit, dit-il avec un sourire.

Claire se leva aussitôt. Dans les yeux bleus de son mari, elle avait lu un appel passionné, une immense tendresse. Elle n'avait qu'une envie : y répondre de tout son être, âme et corps confondus.

*

Domaine de Ponriant, lundi 26 décembre 1927

Claire se laissa glisser au sol et conduisit Junon à l'écurie. Dès son réveil, elle avait décidé de monter au domaine, mais à cheval. Jean avait tenté de la retenir dans ses bras. Leur lit était chaud, douillet, riche des souvenirs d'une nuit extatique, mais elle n'avait pas cédé aux baisers gourmands de son mari.

— Je dois absolument parler à Arthur, avait-elle protesté. Et la jument a besoin de se dégourdir.

Elle avait galopé sur le chemin des Falaises, éblouie par la beauté du paysage. Un timide soleil perçait entre les nuages irisés de sa clarté, jetant des scintillements argentés sur la neige floconneuse. La moindre tige d'herbe, les rameaux des buissons, les branches d'arbres, tout s'ornait de paillettes.

Fidèle au poste, Maurice s'empressa en promettant de bouchonner Junon et de la mettre au box. Claire le remercia et se dirigea vers l'escalier d'honneur aux larges marches de pierre calcaire. Elle se sentait bien, en bottes et en pantalon d'équitation, les joues rosies par le froid. Une veste en tweed de Jean l'avait protégée du vent. Porter ce vêtement la confortait dans un sentiment de plénitude qui la rendait légère et joyeuse.

La jeune bonne la fit entrer et l'accompagna au salon en précisant :

— Madame s'habille. Je vais la prévenir que vous êtes là.

Des notes malhabiles s'élevaient du piano. Claire découvrit Arthur assis devant l'instrument, le petit Félicien sur ses genoux. Bertrand, encore en robe de chambre, se tenait derrière eux, l'air ravi.

— Ma chère Claire, approchez. Votre frère vient d'apprendre à jouer *Au clair de la lune* à mon petit-fils. Arthur a une patience rare. Moi, je n'obtiens rien de ce diablotin de sept ans, mais j'ai bien entendu: Félicien n'a pas fait une erreur.

L'enfant joufflu et coiffé de boucles rousses s'empressa de rejouer la comptine. Arthur avait l'expression satisfaite d'un vieux professeur. Claire y vit de la prétention.

— Je suis désolée de vous rendre visite de si bonne heure, Bertrand, dit-elle doucement, mais je souhaite parler à mon frère.

— Faites, mon amie. Je vais demander à Mireille de nous apporter du café frais.

— J'aimerais être seule avec lui, ajouta-t-elle un peu gênée.

Arthur lui lança un regard angoissé qui le trahissait. Bertrand alla ouvrir la porte de son bureau.

— Vous serez tranquilles, ici, assura-t-il. De toute façon, je rejoins Bertille à l'étage et je confie Félicien à sa nurse. Mais, je vous en prie, si vous veniez chercher Arthur, sachez qu'il ne nous dérange pas. Il peut passer les vacances chez nous. Enfin, je n'en dis pas plus. Bertille aussi désirait vous parler.

Claire approuva d'un gracieux signe de tête. Elle changea d'attitude dès qu'elle fut en face de son demi-frère, dans le bureau.

— Arthur, je te soupçonne d'une très mauvaise action! Cela dit, je n'ai jamais accusé personne sans preuve. Tu as le droit de te défendre si j'ai tort. Voilà! Est-ce toi qui as envoyé une lettre à Edmée de Martignac, une lettre affreuse par son contenu et son intention?

L'enfant parcourut d'un regard lointain les livres rangés dans une bibliothèque vitrée. Il gardait les lèvres pincées. Son visage émacié était livide sous une frange couleur châtain.

« Mon Dieu, qu'il ressemble à sa mère, ainsi! songea Claire. Pour moi, il est le dernier-né de mon cher papa et j'oublie souvent qu'il est le fils d'Étiennette. »

Le temps de silence lui permit d'évoquer la femme en question, dont le destin avait été assez insolite. Étiennette était entrée au Moulin de la famille Roy comme servante à l'âge de treize ans et demi. Maltraitée par Hortense, l'épouse du maître papetier, elle avait dû beaucoup souffrir et cela l'avait rendue sournoise. Dès que Colin Roy s'était retrouvé veuf, la jeune fille l'avait séduit. Tout de suite enceinte d'un premier fils, Nicolas, elle trompait sans honte son mari. Quand Arthur était né, au début de la guerre, elle avait la certitude qu'il était l'enfant de son amant, Gontran, une brute notoire. Accablée par le suicide de son père, Claire ne s'était plus souciée du petit garçon. Mais, sur son lit d'agonie, Étiennette avait juré qu'Arthur était bien un Roy.

« Et j'ai trouvé ce pauvre bambin attaché dans son lit, des marques de coup sur son corps décharné, les cheveux pouilleux, l'air terrifié, se souvint-elle non sans émotion. Depuis que je l'ai recueilli, il est heureux. »

— Alors, Arthur? reprit-elle. Ta réponse? Nous te soupçonnons, Jean et moi, car la personne qui a écrit ce message s'est servie de la machine à écrire du grenier, celle que l'on n'utilise plus.

— Oui, c'est moi! s'écria-t-il en bombant le torse. J'ai agi au nom de la justice. Et Clara est d'accord avec moi.

— Ah! Clara t'a soutenu! Je ne vous félicite pas! jeta Claire d'un ton froid. Edmée est venue hier au Moulin, totalement désespérée. Elle ne veut plus me revoir. Vous avez brisé une amitié qui m'était précieuse. De quoi vous mêlez-vous? Ce sont des affaires d'adultes. Si tu cherchais à causer des ennuis à Jean, tu as échoué, mais moi, par ta faute, je suis punie.

— On voulait venger le bébé mort-né, balbutia Arthur, déconcerté par la dureté de sa sœur.

— Mon Dieu! soupira-t-elle. A-t-on idée? Avoue plutôt que tu n'aimes pas Jean et que tu voudrais le voir repartir.

— Lui non plus, il ne m'aime pas. Cet été, il me reprochait

toujours quelque chose. Dès que je donnais mon avis, il me faisait taire. S'il habite au Moulin, moi, je reste à Ponriant.

Le regard furibond, Arthur croisa les bras sur sa poitrine. Claire faillit le gifler. Elle se retint, soucieuse de ne pas provoquer davantage de haine chez son frère.

—Jean a très mal agi. Je suppose que Clara et toi vous avez compris tout ce qui s'est passé. Tu le juges avec sévérité, je ne peux pas t'en empêcher. Mais moi, je lui ai pardonné, parce que c'était Noël et que je l'aime malgré tout. Je l'aime depuis des années, Arthur. Tu comprendras un jour. Il est mon époux devant Dieu et je souffrais de vivre sans lui. Edmée était très choquée. Elle voulait dénoncer Jean à la justice. Elle ne le fera pas par peur du scandale, mais si cela s'était produit j'aurais été très malheureuse.

Une soudaine crainte envahit Claire. Elle obligea Arthur à la regarder droit dans les yeux en le tenant par le menton.

— Par pitié, dis-moi au moins que tu n'as pas envoyé d'autres lettres anonymes. Je ne sais pas, moi, à un journal, au maire du village? Pourquoi à Edmée, d'ailleurs? Sais-tu qu'elle va essayer de briser le mariage d'Angéla et de Louis? En tout cas, elle ne les recevra plus, elle les méprisera et moi aussi. Elle ne voudra plus me voir!

Arthur sembla prendre conscience de l'étendue de son geste. Il se gratta le nez, bien embarrassé.

— Et puis après, bredouilla-t-il, qu'est-ce que ça peut faire? Tu la protèges, maintenant, Angéla? Tu as trop pleuré à cause d'elle.

Claire prit place sur un tabouret. La discussion la replongeait dans une période sombre et tourmentée qu'elle espérait, sans doute en vain, rayer de sa mémoire.

« Quand la tragédie a éclaté, je me suis effondrée, se dit-elle. Pendant des mois, j'ai vécu repliée sur moi-même, malade de jalousie et de rancœur. Mais Arthur et Clara devaient écouter aux portes, se faire leur propre jugement. Pour eux, cette histoire était répugnante. »

— Puisque tu me détestes, toi aussi, déclara Arthur, je ne viendrai plus te voir. Clara et moi, on a posé un tas de questions à madame Rigordin, l'épicière, parce qu'elle nous répétait qu'il y avait plein de secrets au Moulin. Elle m'a parlé de ma mère. Il paraît que tu n'étais même pas sûre que je sois de ta famille! Et que j'ai un autre frère, Nicolas. Il serait en Amérique. Je suis capable de le retrouver, si je prends un bateau.

Cette fois, Claire fut assommée. Elle fixa le garçon d'un air ébahi.

— D'abord, madame Rigordin se fait vieille et ce n'est qu'une commère, la pire commère du village. Ensuite, je ne te déteste pas; je t'aime de tout mon cœur. Arthur, ce sont des ragots. Tu es le fils de Colin Roy, mon père bien-aimé. Tu as son implantation de cheveux, ses sourcils en aile d'oiseau et aussi ce grain de beauté sous le menton. Et, les soirs de fête, notre papa jouait de la musique.

Elle voulait lui parler de Nicolas, mais se tut, hésitante. Une évidence la sidéra. Hormis Matthieu, Faustine et Jean, personne n'était au courant de la mort atroce du jeune homme.

«Je ne peux pas avouer que Nicolas a violé des fillettes avant de périr dans les flammes, pensa-t-elle au bord des larmes. Je ne peux pas non plus lui dire que son fantôme s'est manifesté à plusieurs reprises, dans un souci de rédemption, et que je suis certaine qu'il a sauvé le moulin.»

— Nicolas n'a pas donné de nouvelles depuis la fin de la guerre, Arthur. Cela fait huit ans. Je crois qu'il est mort en Amérique.

— Peut-être qu'il reviendra?

Apitoyée, Claire attira son frère dans ses bras. Réticent, il se débattit. Elle n'osa pas insister.

— Tu sens le tabac! dit-il sèchement. Normal, tu as la veste de Jean.

— Et toi, tu sens la mesquinerie, la mauvaise foi et la vanité! rétorqua-t-elle. Tu as fait ta communion, tu vas au catéchisme, tu dois connaître l'importance du pardon des offenses! Nous faisons tous des erreurs, toi le premier. Tu n'as pas réfléchi avant d'envoyer cette lettre.

— Si! coupa le garçon. Bertrand, l'autre jour, il disait à Bertille que Jean méritait la prison, parce qu'il avait eu une relation avec sa fille adoptive. De toute façon, Jean, il aurait dû passer sa vie dans un bagne.

— Tu as donc prémédité ton acte. Tu imaginais que les gendarmes viendraient arrêter mon mari et le mettraient en prison, conclut Claire, un peu effrayée par la détermination de son demi-frère. Tu me déçois, Arthur. Je pensais que tu m'aimais, que tu te réjouissais de mon bonheur.

On frappa à la porte du bureau. Bertille entra sans attendre de réponse. Elle scruta le visage de Claire avec inquiétude.

— Désolée d'interrompre votre entretien, mais du salon j'entendais une partie de la conversation. Que se passe-t-il? J'ai dû consoler Clara qui pleurait depuis son réveil. Elle me disait qu'elle avait triché, à confesse, qu'elle n'avait pas été sincère.

Claire déplorait l'irruption de sa cousine, qui ne lui laissait plus le choix. Elle lui fit un résumé explicite, d'une voix tendue.

— En effet, c'est affligeant! avoua Bertille.

— Affligeant, rien que ça? s'insurgea Claire. Je pense que tu as deviné à présent ce qui tracasse ta fille. Clara était de mèche avec Arthur. Ils méritent une punition tous les deux, pas seulement un sermon.

Bertille semblait mal à l'aise. Sans répondre, elle déambula dans la pièce.

— Monte dans ta chambre, Arthur, ordonna-t-elle enfin. Je dois discuter avec Claire. File!

L'enfant sortit immédiatement, soulagé d'échapper à la tension palpable qui régnait entre les deux cousines.

— C'est un comble! s'indigna Claire. On dirait que c'est ton fils.

— Non, pas du tout! Mais je suis la nièce de Colin Roy et par conséquent Arthur est mon plus proche parent, ainsi que toi. Je me suis attachée à ce garçon. Cette crise tombe mal, j'avais un projet qui me tient à cœur. Bertrand est entièrement de mon avis, je tiens à le préciser.

— Comme d'habitude... Je t'écoute!

— J'ai eu la visite de l'instituteur de Puymoyen, commença Bertille. Il juge Arthur très en avance comparé aux autres élèves. Selon ce monsieur, dès janvier il faudrait le faire entrer au collège. J'ai songé à un établissement privé, bien sûr, en internat. Cela permettrait aussi à Arthur de suivre les cours de l'École de musique. Bertrand assumera tous les frais. Mais il y a une condition. Pendant les vacances et les week-ends, nous le garderons ici, à Ponriant.

— Mais de quel droit! s'écria Claire. J'ai élevé Arthur, j'ai pris soin de lui. Vraiment, je regrette de te l'avoir confié.

— Tu étais désespérée, à cette époque, par la trahison de Jean. Tu as dormi des semaines, tu t'es assommée de somnifères. Tu pleurais sans cesse. Ce n'était pas un climat idéal pour un garçon aussi sensible que lui. La preuve, il en est venu à écrire cette lettre, juste pour éloigner ton mari.

Claire retenait ses larmes. La veille, elle avait connu une exaltation presque surnaturelle, un bonheur infini, grâce à Jean. Elle avait l'impression que les soucis la rattrapaient.

— Mon mari, comme tu dis, je l'aime et il m'aime. Nous sommes réconciliés et plus rien ne nous séparera. Après tout, fais ce que tu veux. Garde Arthur sous ton aile, donne-lui le goût du luxe, de la facilité. Je n'ai pas les moyens de lui payer une institution privée ni un piano. Te rends-tu compte du mal qu'il va causer? Edmée s'en prendra à Angéla. Louis en souffrira aussi. Toi qui as veillé à les réunir, tu pourrais te montrer moins libérale.

Bertille haussa les épaules. Elle paraissait très lasse.

— Au fond, ce n'est qu'une sottise de gosse. Arthur et Clara ont voulu jouer les justiciers. Ils n'ont pas réfléchi aux conséquences. Et puis, quand on sème le vent, on récolte la tempête. C'est un vieux dicton.

Le ton grave de sa cousine inquiéta Claire.

— Que veux-tu dire? s'étonna-t-elle. Je ne comprends pas.

— Avoue que notre famille n'est pas ordinaire, répondit Bertille. Il y a eu trop de secrets. Nous prenons soin depuis des années de cacher tout ce qui pourrait ternir la réputation du Moulin ou du domaine, mais le mensonge n'est pas une bonne chose. La moindre révélation devient dévastatrice.

Pour deux enfants très complices, cela peut être une sorte de jeu de nous observer, de chercher des clefs à certaines énigmes. Le passé de Jean, le tien, le mien, et tous ces remariages compliqués! Bertrand et moi bavardons souvent le soir, du passé notamment. S'ils nous ont écoutés en cachette, ils ont dû aller de surprise en surprise.

Claire se contenta de hocher la tête. Mais elle savait que Bertille avait raison.

« Mon Dieu, il est arrivé tant d'événements dans la vallée entre le Moulin et Ponriant, se dit-elle. Que ce soit chez les Roy ou chez les Giraud. J'ai épousé Frédéric, le frère aîné de Bertrand, mais il s'est suicidé, comme mon père. Il y a eu ces tristes noces, quand Matthieu s'est marié avec Corentine, alors qu'il n'aimait que Faustine. »

— Arthur et Clara n'ont pas hésité à interroger madame Rigordin, au village! ajouta-t-elle à haute voix. Cette femme a dû raconter n'importe quoi.

— Ou seulement de gros morceaux de vérité! Clairette, tu devrais rendre visite à Edmée et lui parler franchement. Tu as des chances de pouvoir la calmer. De mon côté, je te promets de punir Arthur. Mais, pour son bien, accepte ma proposition.

— J'y suis obligée, déplora Claire. Son foyer, c'est ici, maintenant. Il ne se plaît plus au Moulin.

Elle eut honte de songer que cela soulagerait Jean et la soulageait aussi.

— Tu n'es plus fâchée? demanda Bertille avec un irrésistible sourire. On s'embrasse comme des cousines qui se chérissent?

— Oh toi! fit Claire. Tu changerais le diable en angelot! Agis au mieux. Je n'ai plus le cœur à me battre. Et je ne suis peut-être pas une excellente éducatrice. Vois le cas d'Angéla. Elle m'a reniée, trompée, rejetée comme le fait Arthur.

— Arthur t'aime. Laisse-lui du temps.

Elles s'étreignirent, apaisées. Les liens tissés dès leur adolescence avaient été parfois tendus, prêts à se rompre, mais leur complicité et la profonde affection qu'elles éprouvaient l'une pour l'autre étaient devenues encore plus fortes. Les querelles et les bouderies ne les tentaient plus, elles qui étaient devenues des femmes mûres, éprises d'harmonie.

— Lui aussi, un jour, il sera pris aux pièges de sentiments qui le dépasseront, dit encore Bertille. Dans cinq ou six ans, quand il tombera amoureux, il comprendra que ce n'est pas facile d'être adulte.

— Sans doute! répliqua Claire. Eh bien, je rentre au Moulin. J'enverrai Léon en camionnette porter les affaires d'Arthur.

— Bois une tasse de chicorée. Ou du thé.

— Non, je préfère m'en aller. Je vais me promener encore un peu sur le chemin de Chamoulard. Ne t'en fais pas, ta décision me paraît excellente.

Bertille fronça les sourcils, intriguée. Cela ne ressemblait pas à Claire de capituler aussi vite. Elle trouva même un air étrange à sa cousine, dont la beauté lui semblait sublimée.

— Merci, Clairette! Viens quand tu veux au domaine. J'aime bien entendre les sabots de Junon dans l'allée et t'admirer d'une fenêtre. Tu es ravissante, superbe. On dirait une jeune fille!

— Inutile de me flatter! Cependant, je me sens très jeune, ce matin.

— L'âge n'existe pas. Si tu es heureuse d'être avec Jean, sache qu'il est le bienvenu ici. Bertrand a eu des paroles malencontreuses. Il se peut qu'Arthur ait écouté.

— Hélas, oui. Mon petit frère cherchait comment envoyer Jean en prison. Quelle famille!

Sur ces mots, elle sortit, impatiente de respirer l'air frais de la vallée et de se retrouver à cheval. Lorsqu'elle passa le portail du Moulin, une heure plus tard, Jean fendait des bûches dans la cour. Les manches de sa chemise retroussées, les cheveux au vent, il l'accueillit avec un grand sourire. Très vite il posa sa hache pour saisir les rênes de la jument.

— Ma femme chérie, dit-il, je t'attendais. Ma belle amazone!

Il la reçut dans ses bras. Claire ferma les yeux, affaiblie par la joie délirante qu'elle éprouvait.

« Une seconde chance! pensa-t-elle. Merci, mon Dieu! »

11
Le démon de la jalousie

Château de Torsac, mardi 27 décembre 1927

Le lendemain même, Jean se gara devant l'église de Torsac. Il jeta un coup d'œil perplexe sur les tours du château. Très élégante dans un tailleur en velours brun, Claire lui caressa la main.

— Ne t'inquiète pas, je me sens forte, assura-t-elle. Fais ce que tu as prévu à Angoulême et reviens me chercher. Si Edmée refuse de me recevoir, je me baladerai dans le village ou au bord du ruisseau.

— Par ce froid? protesta-t-il.

— Je ne crains rien, mon Jean, ni le froid ni la colère de ma demi-tante. Va vite. Et n'oublie pas, ce soir nous dînons dans notre chambre, au lit!

Ils échangèrent un clin d'œil complice. Léon et Anita devaient profiter de leur absence pour libérer leur ancienne chambre, celle qui possédait le fameux placard cachant l'issue au souterrain. Jean avait eu gain de cause sur ce point. Le couple réintégrait la belle pièce où trônait leur lit de noces.

Après un dernier baiser, Claire descendit de l'automobile. Ses chaussures à talons firent bientôt crisser les gravillons de la cour. Le bel édifice qu'elle avait connu menaçant ruine avait fière allure. Un sapin décoré de rubans de satin doré trônait près du puits dont la margelle était restaurée. Les pierres de la façade, nettoyées à grands frais, proposaient à l'œil une douce teinte ivoire.

Un peu anxieuse, elle agita la sonnette. La vieille Ursule lui ouvrit.

— Chère madame, s'écria la domestique, que c'est gentil de rendre visite à madame Edmée! Elle ne quitte pas sa chambre, ces jours-ci. Entrez, le vent est glacé.

Ursule souriait d'un air ébahi. Elle vouait une profonde gratitude à Claire, qui avait soigné ses rhumatismes.

— Madame Edmée m'a recommandé de ne laisser entrer personne, même pas monsieur Louis, mais je suis sûre qu'elle sera contente de vous voir. Montez donc, je prépare un plateau avec du café frais et des biscuits. Notre demoiselle Marie est chez des cousins. C'est bien vide, le château, en cette période de fête.

Claire n'osa pas détromper la vieille femme. Cela n'aurait servi qu'à compliquer les choses. Elle s'empressa donc de gagner le premier étage et d'aller frapper à la porte d'Edmée.

« Heureusement que je connais bien les lieux! se dit-elle. Sinon, je me perdrais. »

Elle eut un regard amical pour le large couloir au parquet ciré et pour les tableaux accrochés entre les portes doubles qui se faisaient face. Cela lui rappela l'époque pas si lointaine où elle explorait le château, curieuse, fascinée.

— Ursule, c'est vous? fit une voix craintive. Eh bien, entrez!

Très émue, Claire se glissa dans la chambre. La châtelaine était couchée, comme nichée au sein d'un fouillis d'oreillers et d'édredons. Ses lunettes sur le nez, elle tenait un roman à la main. Lorsqu'elle vit Claire, un cri aigu lui échappa.

— Ah non, pas vous! Sortez immédiatement! Sortez de chez moi!

— Edmée, je vous en prie, vous devez m'écouter. Je sais que vous êtes désespérée, mais je voudrais vous expliquer…

— Il n'y a rien à expliquer, coupa celle-ci. Vous avez laissé mon pauvre fils épouser une moins que rien. Et je suis polie! En plus, vous tolérez la présence de cet homme sous votre toit! Lui qui vous a bafouée, honteusement trahie!

Sans se démonter, Claire s'assit au bord du lit. Edmée la dévisagea avec une sorte de dégoût affolé et se mit à sangloter.

— Vous n'aviez pas le droit! bredouilla-t-elle. Pas vous, Claire! J'avais une telle confiance en vous! Une personne aussi loyale que vous, soucieuse du bonheur de chacun.

— Edmée, je suis désolée. Cette effroyable histoire m'a brisée, moi aussi. J'ai souffert le martyre, je vous assure, j'ai sombré dans une mélancolie dangereuse. J'avais chassé Jean, j'étais sûre de ne plus vouloir le revoir ni l'approcher. Mais au fil du temps mon chagrin s'est changé en colère et ma colère est devenue du mépris. Quand mon mari m'a implorée de le laisser travailler à l'imprimerie, quand il m'a suppliée de lui pardonner, j'ai accepté. Je l'aime trop. Je ne pouvais pas finir mes jours sans lui. Quant à Angéla, ce n'est pas la plus fautive. Et cela a été une telle tragédie pour elle de mettre au monde un enfant mort-né! Elle voulait mourir, après... Je reconnais que tout ça est monstrueux. Vous avez réagi violemment parce que c'était nouveau pour vous. Je suis désolée, je vous le répète. La lettre anonyme, c'est mon jeune frère Arthur qui l'a écrite et envoyée. Il voulait venger le bébé d'Angéla, tout en expédiant Jean en prison. Sans cette stupide initiative, vous n'auriez jamais rien su. Ce n'était pas du calcul de ma part ni de la méchanceté; je voulais vous épargner et surtout donner une chance de bonheur à Louis et à Angéla. Allons, calmez-vous, ne pleurez plus, je vous en prie!

La châtelaine fit signe qu'elle ne pouvait pas s'arrêter. Cependant, l'excès même de sa peine vint à bout de sa fureur. Elle commença à respirer plus régulièrement et finit par s'essuyer les yeux et les joues.

— Vous vous êtes débarrassée d'une fille dévergondée, voilà! déclara-t-elle enfin. La sachant mariée à Louis, vous pensiez qu'elle ne tournerait plus autour de votre époux.

— Non, ce n'est pas ça! s'offusqua Claire.

On toqua à la porte. Cette fois, c'était bien Ursule. Elle entra, un plateau en équilibre sur le bras gauche.

— Du café bien frais, mesdames, et des tranches de cake, des biscuits à la noisette, claironna la domestique.

Claire se chargea de disposer la collation sur la table de chevet. Edmée, amère, congédia Ursule d'un geste discret.

— Votre frère! persifla la châtelaine. De mieux en mieux! Cela signifie que cet enfant était au courant des horreurs qui ont sali votre famille! Bravo! Quelle éducation a-t-il reçue pour se livrer à des actes aussi mesquins? Vous pouvez constater le résultat de votre odieuse liberté d'esprit, Claire. Chez vous, les enfants font à leur guise, vous vous souciez peu de l'honorabilité, du sens moral. C'est honteux! Honteux!

— Vous faites erreur, Edmée! coupa Claire. Mais Arthur a eu une enfance difficile et depuis quelques mois il vit surtout à Ponriant. Je vous assure que je lui ai fait prendre conscience de sa mauvaise action. Encore une chose, je n'ai pardonné à Jean que le soir de Noël. Vous n'êtes pas obligée de me croire, Edmée, mais c'est la vérité. Et si je suis venue, tout en sachant que vous étiez fâchée, c'est par peur de vous perdre. Votre amitié m'est trop précieuse.

Claire parla encore longtemps. Malgré sa répugnance à replonger dans un passé douloureux, elle se confia en toute sincérité. Elle évoqua ses crises de rage, son désespoir, sa haine pour Angéla, avant de raconter en détail le soir où la jeune femme avait accouché.

— J'ai dû faire un effort surhumain pour me rendre à Ponriant et sauver celle que je considérais comme ma pire ennemie. Devant son corps décharné d'où la vie s'enfuyait, j'ai pardonné. Ma cousine Bertille a fait le reste. Elle a soigné Angéla et l'a encouragée à peindre, à se battre contre le terrible chagrin qui la terrassait. Ce chagrin, Edmée, c'était surtout la certitude que Louis ne voudrait plus d'elle. Or, votre fils s'est montré un parfait chrétien. Il n'a pas renié l'amour qu'il éprouvait malgré tout. Il a jugé que le seul coupable c'était Jean. Comment pourriez-vous détruire un amour aussi magnifique? Quel homme serait capable d'un tel sacrifice? Votre fils! J'admire profondément Louis pour cela. Ne gâchez pas ce qu'il tente de construire, un foyer heureux, harmonieux. Angéla aspire elle aussi à une existence sereine et honnête. Si vous en trouvez la force, ne les accablez pas, oubliez cette lettre!

Sur ces mots, Claire se leva. Elle tendit une tasse de café à Edmée.

— Buvez, cela vous fera du bien. Marie va sans doute revenir très vite. Profitez de votre petite fille et de votre château remis à neuf. Je ne vous importunerai plus, je vous le promets.

Edmée la considéra d'un œil songeur. Jamais elle n'avait

remarqué avec autant d'acuité la grâce toujours adolescente de Claire, la douceur de sa voix, le charme de son beau visage qu'une lumière singulière semblait animer. Elle se demanda de quelle nature mystérieuse était faite cette femme qui avait reçu le don de guérison, qui pouvait pardonner les plus cruelles offenses et qui témoignait d'une générosité insensée à l'égard de ceux qu'elle aurait dû haïr.

— Ne partez pas si vite, Claire! intima-t-elle. C'est gentil de votre part de vous être déplacée, et très courageux. Votre présence me fait du bien. Je comprends mieux aussi ce qui s'est passé, même si je n'aurais pas pu agir comme vous. En plus, nous sommes parentes. Je ne parviens pas à y penser de façon pratique. De fait, Arthur, votre frère, est une sorte de petit-neveu. Mon Dieu, quel choc j'ai eu en lisant cette lettre!

— J'en suis navrée, Edmée.

Claire reprit sa place au bord du lit. Elle se servit du café presque tiède et grignota un biscuit.

— Voyez-vous, ma chère Edmée, je crois au destin. Du moins, j'ai souvent eu l'impression que rien n'arrive par hasard. Un vieux rebouteux de mes amis avait tenté de me prévenir, sur son lit de mort. Je n'avais rien compris, mais même si j'avais compris je pense que je n'aurais rien pu empêcher. Mon plus grand malheur, dans ma vie de femme et d'épouse, ça a été de ne pas avoir d'enfant bien à moi. Je rêvais de donner un fils ou une fille à Jean. Je me suis résignée. Cependant, au fond de mon cœur, je sais que cela a failli nous séparer. J'ai élevé Matthieu dès sa naissance, puis Faustine, Arthur, et la petite Janine aussi.

— Et vous avez adopté Angéla, ce qui était une sottise, avouez-le! coupa Edmée.

— Peut-être, je n'en sais rien. Mais aujourd'hui j'éprouve un sentiment de renouveau, de plénitude. Je pourrais douter de tout sur cette terre, sauf de l'amour de Jean pour moi. Cela seul compte.

— Je vous envie, Claire! répliqua la châtelaine. Tant d'abnégation, de bonté, Dieu vous le rendra, j'en suis sûre.

Elles se sourirent. Après une autre discussion interminable, mais plus sereine, Edmée parut rassérénée.

— Je ne peux pas vous jurer d'accueillir à bras ouverts mon fils et sa jeune épouse, dit-elle. Marie retourne en pension début janvier, mais Louis ne sera pas rentré de Paris. Je vais partir quelques semaines sur la Riviera et à mon retour j'essaierai d'être un minimum aimable avec eux. S'ils se soucient de me voir. En fait, Louis et Angéla ne quittent guère Villebois, si ce n'est pour des voyages d'agrément.

— Merci, Edmée! Merci de tout cœur. Je reviendrai moi aussi, à la belle saison. Nous devons rester unies.

Claire serra la main diaphane de la châtelaine. Elle prit congé infiniment soulagée. Elle avait à peine franchi le porche que Jean ouvrit la portière de la voiture. Il était garé près de l'église et lui faisait signe. Elle courut un peu, radieuse.

— Madame Dumont, fit-il, j'ai acheté de quoi faire un petit festin, ce soir. Et du champagne.

Il l'aida à s'installer et saisit quelque chose sur la banquette arrière. Claire se retrouva avec un bouquet de roses rouges entre les mains.

— Ce sont des fleurs de serre, lui dit-il tendrement à oreille. Mais elles sentaient si bon et leur couleur signifie que je t'aime passionnément.

Paupières mi-closes, elle respira le parfum grisant des roses.

— Tu vas me faire pleurer! Jean, mon Jean, ramène-moi vite à la maison, chez nous, au Moulin du Loup. Edmée s'est raisonnée et nous sommes toujours amies. Je veux être heureuse jusqu'à l'aube. Avec toi!

— Je l'espère bien, avec moi et rien que moi, affirma Jean en riant. Tu es mon trésor, le sais-tu?

En disant cela, Jean eut une pensée étrange. Un trésor excite les convoitises. Il eut peur soudain, comme si un élément inconnu pouvait briser leur bonheur retrouvé. Mal à l'aise, il chassa vite cette idée et prit la route de Puymoyen.

Deux mois plus tard, William Lancester foulait le sol de la vallée des Eaux-Claires.

*

Domaine de Ponriant, vendredi 24 février 1928

— C'est un après-midi à jouer au bridge! déclara bien haut Bertille, agacée de voir Bertrand et leur invité, William Lancester, plongés dans une discussion fort ennuyeuse sur les problèmes économiques qui minaient l'Europe. Le papetier anglais sirotait un vieux cognac, son regard clair fixé sur le verre ballonné, ambré par le précieux breuvage. Bertrand, le teint coloré, parlait haut avec des gestes dignes de la cour de justice.

— Messieurs, n'importe quelle femme se plaindrait de vos discours. Allons, j'insiste, faisons une partie de bridge.

— Ma princesse, il faudrait être quatre, pour cela, protesta son époux.

— Dans ce cas, jouez aux échecs! rétorqua-t-elle. Mais de grâce, épargnez-moi vos conversations politiques.

Dehors, il neigeait à gros flocons sur la vallée des Eaux-Claires. Mais il faisait bon au domaine. Derrière la grille ouvragée du pare-feu, de belles flammes dorées dansaient dans la cheminée de marbre blanc. Les lourds rideaux de velours vert étaient à demi tirés. On avait déjà allumé les lampes.

— Je préfère bavarder, comme vous dites en France, répliqua Lancester. Dommage aussi qu'il fasse un temps pareil : j'aurais aimé rendre visite à votre cousine.

Bertille fit une petite moue contrariée. Elle était ravie d'avoir un invité, mais il n'avait qu'une idée : aller au Moulin du Loup. Dès son arrivée deux jours auparavant, il s'était enquis de la santé de Claire et de celle de ses proches, tout en oubliant résolument de citer Jean Dumont.

— Cher ami, je vous y conduirai à la première accalmie, promit Bertrand.

— Il faudra d'abord téléphoner, s'empressa de dire la dame de Ponriant. Je connais Claire, elle a horreur des visites-surprises.

Les deux hommes prirent un air perplexe. Bertrand Giraud percevait une sérieuse réticence dans la voix de son épouse. Cela l'étonna. Il ignorait que le papetier et Claire avaient eu une très brève aventure.

— Vous ne comprenez sans doute pas les raisons de mon impatience, décréta William. J'ai des torts envers cette femme exquise, oui, votre cousine. Et je tiens à lui présenter des excuses. Tant que ce ne sera pas fait, je ne profiterai pas des agréments de votre hospitalité.

Bertrand hocha la tête, plein d'admiration pour l'aisance avec laquelle le papetier anglais s'exprimait en français. Bertille eut un doux sourire angélique.

— Dans ce cas, écrivez-lui d'abord! dit-elle d'un ton persuasif. Claire s'est plainte de vos manières et de vos très rares courriers, je m'en souviens tout d'un coup.

— Vous pensez que c'est préférable? Je trouve un peu étrange de poster une lettre au village voisin, alors que le Moulin est à deux kilomètres, et que je peux m'y rendre à pied.

Il attendait la réponse de son hôtesse avec une expression anxieuse. C'était encore un homme séduisant, toujours élancé et de haute taille. Une chevelure désormais argentée, plus courte que jadis, faisait ressortir ses yeux bleu-gris et ses traits réguliers. Il ne portait ni barbe ni moustache et arborait la même expression sereine, un brin mélancolique. Bertille dut s'avouer qu'elle comprenait le coup de folie de Claire, huit ans auparavant.

— De même, elle vous tient encore rigueur d'avoir coupé court, sans autre explication, à la location du moulin, ce qui lui a causé de gros soucis financiers, ajouta-t-elle.

— Princesse, ce n'est pas la peine de remettre ça sur le tapis! coupa Bertrand. L'eau a coulé sous les ponts. Claire est tirée d'affaire, à présent.

— J'ai mal agi, je le sais, soupira Lancester. Mais j'avais mes propres soucis, à l'époque. Je pensais sincèrement ne jamais revenir en France. J'avais aussi mes raisons pour ne plus vouloir habiter la vallée.

Bertille hocha la tête, certaine que le papetier avait pris ses distances par dépit amoureux. Il y eut un temps de silence. Bertrand ne posa aucune question, trop bien éduqué pour cela. Il se contenta de dire :

— Mon épouse et moi sommes vraiment ravis de vous

revoir. Et nos projets me conviennent tout à fait. Nous en parlerons tranquillement dans mon bureau.

Ils échangèrent un regard entendu qui intrigua Bertille. Elle se promit, pour sa part, de discuter un peu avec le papetier, le soir même.

« Ma Clairette est enfin heureuse, je dois tenir ce beau monsieur enfermé. Je n'ai pas envie qu'il y ait de nouveau du grabuge avec Jean », se dit-elle.

Toutes ses pensées allèrent alors vers sa cousine.

Au Moulin, Claire était seule et bien loin de songer à William Lancester. Elle ne savait même pas qu'il était déjà installé au domaine de Ponriant, Bertille ne l'ayant pas prévenue.

Assise à la grande table de la cuisine, elle admirait la danse des flocons derrière les vitres, un cahier posé devant elle. Les quatre saisons lui plaisaient, chacune riche en atmosphères particulières.

« L'hiver, c'est le temps de se coucher tôt, de lire, d'élaborer de nouvelles recettes de cuisine. Il fait bien chaud, le feu ronfle dans le fourneau. Au printemps, la nature fera jaillir de la terre toutes les plantes que je connais, que je retrouve comme de précieuses amies. Et l'été, il faut récolter les fruits et les légumes, remplir les buffets de confitures, cueillir des roses aussi. Puis vient l'automne et ses lumières plus tendres. Là encore il faut songer aux récoltes, les châtaignes, les noix… et l'appentis qui se garnit de bûches, de fagots. Tout m'enchante, maintenant que Jean et moi sommes réunis, comme avant. »

Cette idée la fit sourire. Mais très vite, d'un air posé, elle se replongea dans l'examen de son inventaire. Elle notait dans le cahier qu'elle tenait la liste des conserves qui lui restaient : haricots verts, petits pois, tomates, cornichons et autres produits de son jardin soigneusement cuits et mis en bocaux. Au fil des années, les parcelles de terre fertile qu'elle possédait s'étaient enrichies d'arbres fruitiers. Avec Léon, elle veillait aussi sur trois ruches qui leur fournissaient assez de miel pour leur consommation et pour la vente.

« Voyons, il reste dix pots de confiture de cerises, douze pots de prunes, au moins une trentaine de pots de gelée de mûres ! » comptabilisa-t-elle.

C'était sa fierté de nourrir toute sa maisonnée. Elle faisait certains achats à l'épicerie du village, mais en quantité limitée et cela concernait surtout les produits ménagers, le sucre et le sel.

« Dans la basse-cour, la volaille est saine et nous avons eu très peu de pertes, songea-t-elle en griffonnant sur la page du cahier le nombre de chèvres prêtes à mettre bas. Anita m'a bien conseillée, les canards se plaisent, ici. Et cela nous procure de bons repas, des pots de confits aussi. »

Les fromages du Moulin du Loup avaient acquis une solide renommée dans le pays. Léon en livrait une partie aux épiceries de la commune.

« Et Bertille est une fidèle cliente. Ma chère princesse, je la fais rire avec ma manie d'engranger, de faire des conserves. Bien sûr, elle est si riche maintenant que son chauffeur la conduit aux Halles d'Angoulême deux fois par semaine. »

Perdue dans ses pensées, Claire jeta un coup d'œil à la grande horloge ornée de fleurs peintes. Son balancier rythmait la vie du Moulin depuis le mariage de ses arrière-grands-parents.

— C'est bientôt l'heure du goûter, dit-elle à mi-voix. Je vais préparer la tisane de tilleul pour notre petite Janine. Et son cataplasme de farine de moutarde.

Anita repassait du linge à l'étage, dans la chambre de la fillette qu'une bronchite clouait au lit. Claire lui faisait boire aussi deux fois par jour une infusion de lierre terrestre, dont elle connaissait l'efficacité contre la toux.

— Je me serai occupée d'enfants toute ma vie, dit-elle avec un sourire et en caressant la chatte Mimi, assise près de la cheminée.

Malgré la douceur familière de l'instant, elle dut retenir ses larmes. Elle se sentait aux portes de la vieillesse, et ce constat lui était pénible. Vite, afin d'échapper à son chagrin, elle se leva et marcha jusqu'à une des fenêtres. La vision de la cour enneigée la fit sourire, mais elle eut une sorte de sanglot sec. Anita, qui était descendue sans bruit, la trouva ainsi.

— Mais qu'est-ce qui vous arrive, madame? s'étonna-t-elle. Vous êtes triste, ces derniers temps. Je l'avais remarqué, mais je n'osais pas en discuter.

— Tu es gentille, Anita. Ne t'inquiète pas. Il n'y a rien de plus naturel, hélas! Je peux bien t'en parler, à toi. Je suis fatiguée, je passe du chaud au froid à la moindre émotion. Enfin, je crois que c'est le retour d'âge. J'ai quarante-sept ans.

— Taratata, vous ne les faites pas du tout; on dirait une femme de trente ans! Vous êtes belle comme tout, et votre mari vous a prouvé combien il vous aimait. Il ne faut pas vous ronger les sangs. Venez, nous allons boire une chicorée avec des tartines. Janine s'est endormie, nous pouvons prendre un peu de bon temps.

Claire accepta en soupirant. Elle savait qu'elle n'avait pas à se plaindre de son apparence, mais le bouleversement de son corps la désolait.

— Toi, tu es encore jeune, dit-elle. Pourquoi, justement, n'as-tu pas eu un enfant avec Léon?

— Mon Dieu! Janine me suffit, je l'adore comme ma propre fille. Et mon Léon n'en veut pas d'autre. Déjà qu'il a honte de ne pas élever son fils, ce pauvre Thomas. Chaque fois que nous lui rendons visite à l'institution Marianne, j'en ai le cœur brisé. Il marche, ce petit, mais à huit ans il s'exprime bien mal. Heureusement que cette dame, Simone, l'a pris en charge. Moi, je ne m'en sentais pas capable.

Dépitée, Claire évoqua la face ronde et impassible du garçonnet. Elle avait toujours refusé de l'accueillir au Moulin. Ce n'était pas un manque de charité ni un rejet de son handicap, mais elle respectait ainsi la mémoire de Raymonde, qui avait beaucoup souffert de l'infidélité de Léon, à l'époque.

— Thomas est très attaché à Simone, reconnut-elle. Si nous le séparions d'elle maintenant, je crois qu'il en souffrirait. Tu ne m'as pas répondu, au fait.

La domestique, malgré son teint mat de femme du Sud, eut les joues plus roses.

— Léon s'arrange, il prend des précautions. C'est contraire à la morale; je ne le dis pas à confesse.

La neige, l'odeur du lait chaud teinté d'ocre par la chicorée, le ronronnement du feu, tout cela créait une atmosphère qui poussait aux confidences.

— Je n'ai jamais eu ce genre de soucis, dit Claire d'un ton mi-amer, mi-envieux. Le seul avantage, dans mon cas, c'est que je peux me soigner grâce aux plantes. Beaucoup de sauge et de la sarriette, cela calme les bouffées de chaleur. Je t'en prie, Anita, n'en parle à personne. La semaine dernière, j'ai consolé une dame de Torsac qui pleurait de confusion pour la même raison. Elle est plus jeune que moi. Elle le cachait à son mari de peur de le dégoûter. Comme si c'était honteux de ne plus avoir ses règles.

— Disons que cela fera des lessives en moins, chuchota Anita. N'ayez crainte, madame, ce ne sont pas des choses dont on cause à tort et à travers.

La porte s'ouvrit, laissant passer un courant d'air glacé. Jean entra, emmitouflé. Bonnet, écharpe, gants et une grosse veste en laine lui donnaient une allure de colosse. Ses vêtements étaient constellés de flocons.

— Mesdames, Matthieu réclame un café brûlant! s'écria-t-il. On gèle, dans l'imprimerie, malgré le poêle.

Jean se précipita vers la cuisinière en fonte noire qui datait du siècle précédent. Claire se leva et marcha jusqu'à lui. Elle avait désespérément besoin de le toucher, ne fût-ce que sur la joue.

— Tu es transi! déplora-t-elle. Anita, vite, prépare un grog à monsieur.

— Je sais ce qui me réchaufferait! souffla-t-il à son oreille, l'œil coquin.

Elle répondit d'un sourire ébloui. Jean lui témoignait un désir sans cesse renouvelé. Tout de suite réconfortée, elle répliqua tout bas:

— Patience, ce soir nous nous coucherons de bonne heure.

Il la contempla de son regard bleu, dont elle mesura à nouveau l'infinie séduction, et alla décrocher la lourde pèlerine du père de Claire.

— Viens avec moi, dit-il, l'âne Figaro me semble malade.

— Vraiment? s'alarma-t-elle aussitôt. J'arrive. Je vais mettre des sabots.

Le couple ne tarda pas à sortir. Le ciel bas, chargé de nuages d'un gris sombre, donnait une impression de crépuscule. La neige craquait sous leurs pas. Ils étaient infiniment heureux de cette courte promenade. Dans l'écurie, la jument les salua d'un doux hennissement.

— Ma belle Junon, tu as l'air en pleine forme, toi! s'écria Claire en s'approchant de la stalle de la jument pour la caresser.

— Figaro aussi se porte à merveille, précisa Jean. Je n'ai pas trouvé d'autre prétexte pour être un peu seul avec toi. Rien que nous deux, loin des regards indiscrets. Claire, tu es si jolie en ce moment, si douce et câline!

Il l'enlaça et, après avoir écarté le col de la pèlerine, déposa de petits baisers dans l'encolure de sa robe.

— Jean, tu sais combien je prends soin de mes bêtes et tu inventes une histoire rien que pour ça? protesta-t-elle.

— Oui! « Ça », comme tu dis, me paraît très important. L'odeur de la paille et du foin me rappelle des souvenirs délicieux, nos premiers rendez-vous dans la grange de Basile.

Elle ferma à demi les yeux, sensible à la chaleur de ses lèvres d'homme sur sa peau. Le désir s'éveillait, d'abord timide et fugace, mais bientôt impérieux. Une main de Jean s'aventurait sous sa jupe.

— Voyons, ce n'est pas sérieux! s'offusqua-t-elle. Ici, en plein jour! Léon peut arriver, ou Matthieu...

— Ils sont occupés à l'imprimerie. J'ai demandé une pause pour boire un café, en leur promettant de rapporter de quoi goûter. Clairette, je t'en prie! Je t'aime tant, ma chérie!

Elle ne voulait plus du surnom de Câlinette que son mari avait utilisé pendant des années. Jean avait réussi à ôter ce mot de son esprit, mais il abusait du « ma chérie », et de « Clairette », jadis réservée au frère de son épouse et à Bertille. Elle ne s'en formalisait pas.

— Tu n'es qu'un bandit, un goujat! plaisanta-t-elle. Figaro ferait bien de te mordre une oreille, pour la peine.

Mais déjà Jean l'entraînait vers un angle du bâtiment où une grande caisse en planches servait de coffre. On y rangeait les licols, les rênes et le matériel de pansage[11]. Claire ne résistait pas, le cœur battant la chamade, la respiration haletante.

— Toi, toi! répétait-elle.

Il la fit s'appuyer au mur et se plaça derrière elle. C'était une façon de procéder inhabituelle qui eut le mérite de les exciter davantage. Elle pensa très vite qu'il avait dû pratiquer ce genre de position avec d'autres femmes. Mais elle ne voulait plus de querelles ni de drames. Son mari la désirait, cela seul comptait. Le spectre de la vieillesse s'éloigna dans l'ardeur juvénile de leur étreinte. Jean retint un cri de jouissance; Claire tressaillit tout entière, submergée par le plaisir.

Cela ne dura guère longtemps. Ils mirent de l'ordre dans leur tenue, encore étourdis de joie, amusés aussi.

— Tu en as, de drôles de manières! fit-elle remarquer en souriant. Je suppose que c'était le sort réservé aux pauvres filles de ferme, par le passé. Troussées et déshonorées en deux minutes…

Jean l'embrassa pour la faire taire. Il l'étreignit délicatement en frottant sa joue sur ses cheveux bruns.

— Je n'ai jamais autant ressenti la force des sentiments qui nous lient, murmura-t-il tendrement. Et toi, tu es merveilleuse. La plus belle des femmes, la plus adorable. On recommencera, dis? Il nous reste des années avant de baisser les armes.

— De quoi parles-tu?

— De l'époque où nous serons deux respectables vieillards grisonnants, entourés d'une grande famille. Mais c'est encore loin et j'ai l'intention de profiter au maximum du temps à venir. Je veux te chérir, te voir rire et chanter.

Comblée par ses paroles, Claire se blottit contre Jean. Elle lui cacherait le plus possible ce qui la tourmentait, même si son expérience de guérisseuse l'avait confrontée aux maux qui accablent les femmes après le retour d'âge.

---

11. Action de brosser et de soigner un équidé, qui comprend également le curage des sabots et le démêlage de la crinière.

« Le corps change, l'envie d'un homme diminue, songea-t-elle, effarée. Certaines ont des verrues qui se développent ou du poil au menton. Je ferai en sorte de surveiller tout ce qui pourra m'enlaidir. Maintenant, je ne pourrais plus me passer de Jean. Je l'ai, je le garde. »

Elle distribua du grain à l'âne et à la jument, et vérifia qu'ils avaient de l'eau en suffisance. Jean l'observait d'un œil attendri. Il la connaissait sur le bout des doigts, grain de beauté par grain de beauté. Il aurait pu citer l'emplacement des minuscules cicatrices qu'il effleurait parfois : une sur le mollet gauche, une sur l'épaule droite. Claire avait une peau mate, dorée et nette.

« Elle a des seins ronds et fermes, se disait-il, des hanches bien marquées et la taille fine. Qu'elle est mince, encore! Et souple. Un roseau. Au moins, elle n'a jamais eu l'idée de couper ses magnifiques cheveux... »

Ils retraversèrent la cour enneigée en se tenant par le bras. Ils échangeaient des mots d'amour à voix basse, l'un près de l'autre. Ce tableau eut le don de ravir Matthieu, qui les suivait des yeux de la fenêtre de l'imprimerie.

« Qui aurait cru qu'ils seraient de nouveau ainsi, pareils à des tourtereaux de vingt ans! pensa le jeune homme. Pourvu que ça dure! »

*

Domaine de Ponriant, même jour

Bertille avait installé William Lancester dans le pavillon situé au fond du parc, près du mur d'enceinte de la propriété. L'agréable maisonnette, dûment aménagée par ses soins, était désormais réservée aux invités. Les peintures intérieures et les boiseries avaient été refaites à la fin de l'été précédent dans des couleurs plus claires, assorties aux rideaux soyeux et aux meubles anciens descendus du grenier du domaine.

— Il faut effacer les traces de tout ce qui s'est passé là, aimait expliquer Bertille en présidant à ces changements.

— Agis à ta guise, ma princesse, répliquait Bertrand. Ce sera toujours de bon goût.

L'avocat ne se doutait absolument pas que le pavillon avait abrité la liaison de sa femme et du jeune Louis de Martignac, sept ans auparavant. Bertille faisait plutôt allusion au funeste accouchement d'Angéla.

Le papetier anglais se retrouvait donc dans un cadre élégant et raffiné qui lui convenait tout à fait. Un poêle en fonte garni de charbon dispensait une chaleur presque étouffante

Lancester avait repoussé au lendemain l'entretien prévu avec Bertrand. Il aspirait à un peu de solitude. Toujours en manteau, coiffé d'un chapeau de feutre, il hésitait, une main gantée sur la poignée de la porte.

— Je vais me promener, déclara-t-il tout bas. On ne peut pas m'empêcher de prendre l'air! Le paysage est superbe, grâce à la neige.

Au fond, il était bien décidé à marcher jusqu'au Moulin du Loup. Mais Bertille s'inquiétait et elle avait calé un petit fauteuil en cuir près d'une des fenêtres du grand salon. Ainsi, elle pouvait surveiller les abords du pavillon, plantés de sapins séculaires.

« C'est étrange! songeait-elle. William a refusé de jouer aux cartes et aux échecs. Il a préféré se retirer au calme, selon ses propres mots! Comme si ce n'était pas très calme, chez nous. Arthur et Clara sont pensionnaires, Mireille est plus discrète qu'une souris et la nurse ne quitte pas l'étage! C'est vraiment étrange! Tiens, qu'est-ce que je disais? »

Elle venait d'apercevoir le papetier qui s'éloignait d'un pas tranquille vers le portail, dont la haute et large grille ouvragée demeurait ouverte toute l'année.

« Je parie que *mister*[12] Lancester file rendre visite à Claire. Il est obsédé, ma parole! »

La dame de Ponriant s'empressa de chausser des bottillons fourrés et enfila un manteau. Depuis une opération subie aux États-Unis, elle ne boitait presque plus, mais elle avait du mal à courir. Pourtant, afin de protéger le bonheur de sa cousine, elle réussit à se rapprocher assez de William Lancester pour le héler. Il joua les étonnés.

---

12. Monsieur, en anglais, employé ici par Bertille sur un ton ironique.

— Ma chère amie, mais que se passe-t-il?

— Ne faites pas l'innocent! répliqua-t-elle en reprenant son souffle. Je vous en prie, retournons au pavillon. J'ai retardé à tort une conversation indispensable. Mon mari se repose et j'ai une heure devant moi.

William fit demi-tour à regret. Il ne pouvait pas refuser sous peine d'être très impoli.

— Qu'avez-vous de si important à m'apprendre? demanda-t-il en chemin.

— Cela concerne Claire, dit-elle. Je dois vous empêcher de la revoir. C'est très grave, je vous assure.

Il tressaillit, avec une expression intriguée. Dans le pavillon, une douce pénombre régnait déjà. Bertille alluma les lampes à pied de porcelaine, équipées d'abat-jour en soie jaune.

— Jean Dumont, mon beau-frère, est au courant de votre aventure avec Claire, commença-t-elle. Et moi aussi. Ne faites pas cette mine suffoquée!

— *I am sorry*[13]*!* soupira-t-il, oubliant de s'exprimer en français tant il était gêné.

Bertille le considéra avec un brin de compassion. Elle n'était pas mécontente de se retrouver seule face à lui, car elle était curieuse de savoir ce qu'il éprouvait réellement pour Claire.

— Asseyons-nous, proposa-t-elle d'une voix aimable. William, nous serons amenés à nous rencontrer fréquemment; je suis obligée d'être franche. Le couple de ma cousine est encore fragile. Je vous supplie de ne pas aller au Moulin. Jean est d'une nature jalouse. Il pourrait devenir violent et s'en prendre à vous. Je n'ai pas à vous confier les raisons de leurs problèmes, mais, après une cruelle épreuve, ils ont été séparés plusieurs mois. Claire est enfin heureuse; je ne laisserai personne détruire ce bonheur-là.

Lancester approuva d'un air penaud. Il marmonna un *my God*[14] en secouant la tête.

— Est-ce que je suis responsable de leur séparation? demanda-t-il.

— Oui! Quand Jean a appris la chose, il est parti. Il est

---

13. Je suis désolé.

14. Mon Dieu.

rentré longtemps après en pardonnant à Claire, étant donné qu'à cette époque il parcourait l'Europe et vivait le plus souvent à Paris où il exerçait son métier de journaliste. Enfin, c'est un peu plus compliqué, mais je me répète, le reste de l'histoire ne vous regarde pas.

William Lancester scruta le visage de Bertille de son regard clair. Il devina qu'elle brûlait de tout raconter.

— Je n'insisterai pas, dans ce cas, même si tout ce qui arrive à votre cousine me touche sincèrement, assura-t-il. Consentirez-vous au moins à lui transmettre une lettre de ma part? Il faut me comprendre, chère Bertille! J'aimais Claire de toute mon âme. Je l'aurais épousée, si elle avait pu divorcer. Ma conduite, par la suite, n'était que la réaction d'un amant rejeté, supplanté par ce Jean Dumont.

— Vous l'avez également humilié en cherchant à séduire son épouse légitime, nota Bertille.

— Certes. Cependant, je l'ai haï, même maudit. Mais comment a-t-il su? Vous encore, je présume que Claire vous a avoué notre liaison, mais lui?

— Elle le lui a dit à l'occasion d'une grave querelle! C'était une façon de se venger, voilà! Depuis, ils se sont réconciliés et sont très amoureux. Il est hors de question que vous croisiez Jean. William, je donnerai votre lettre à ma cousine. Elle vous répondra peut-être. Mais à l'avenir ne pensez plus à elle. Vous serez très accaparé par votre projet et nous vous aiderons, Bertrand et moi. Dès que la neige déclarera forfait, ce qui ne tardera pas, nous irons au château de Balzac. Mon mari connaît très bien les propriétaires. C'est un lieu exquis où vous ne rencontrerez ni Claire ni Jean. Un illustre écrivain y résidait à la Renaissance, Guez de Balzac. Nous allons vivre un beau printemps et un été délicieux.

Elle se leva, vive et gracieuse. Une bouilloire sifflait sur le poêle.

— Vous pouvez préparer du thé, j'ai tout prévu, expliqua-t-elle. Le vaisselier de la petite cuisine comporte le nécessaire. Je vais remonter au domaine. Vous êtes déçu, n'est-ce pas? Au sujet de Claire?

— Ce sera pénible de loger à trois kilomètres d'elle sans

espoir de la revoir ni d'entendre le son de sa voix, répondit-il. A-t-elle beaucoup changé? C'est notre lot à tous, hélas!

Bertille fit mine de réfléchir. Elle enviait un peu Claire d'avoir suscité un amour aussi profond chez cet homme très séduisant.

— Ma cousine est toujours belle; elle est même plus mince qu'avant. Ne vous attristez pas trop, le hasard peut vous aider, sait-on jamais!

Le papetier anglais poussa un soupir. Les mois à venir lui semblaient sans attrait. Il s'était décidé à un long séjour, peut-être à une installation définitive dans la vallée, dans l'unique but de croiser Claire le plus souvent possible. Le Moulin du Loup lui était désormais interdit. Il n'osa pas proposer à son hôtesse d'arranger un rendez-vous. Elle dut lire dans ses pensées.

— Vous la reverrez sans doute ici ou là, fit-elle remarquer. Claire monte à cheval, elle me rend visite en revenant de ses expéditions. Mon Dieu, où ai-je la tête? Ma cousine s'est découvert un don de guérisseuse et elle bat la campagne pour soigner les gens de la région. Sa réputation devient légendaire. On la surnomme la bonne dame du Moulin! Je vous attends pour le dîner, mon cher.

Bertille sortie, William Lancester se mit à écrire une lettre. Il avait terriblement besoin de parler à Claire. Il fut plus éloquent sur le papier qu'il ne l'aurait été de vive voix.

Quatre jours plus tard, le mardi suivant, le facteur de Puymoyen remit une grande enveloppe bleue à Anita.

— C'est pour votre patronne! claironna-t-il.

Le redoux s'annonçait. La pluie avait succédé à la neige dont il ne restait que des plaques grises le long des murs exposés au nord. Le chemin des Falaises s'ornait de larges flaques boueuses.

— Vous boirez bien un petit café, monsieur Yves? proposa la domestique. Il vient d'être fait.

Jean était assis à la table. Il avait reçu une revue littéraire à laquelle il s'était abonné. Une cigarette au coin des lèvres, il s'empara de la lettre adressée à Claire.

— Je me demande qui poste un courrier du village, dit-il d'un ton surpris.

Le facteur se tenait debout devant la colossale cuisinière en fonte. Il sirotait son café bien sucré.

— Votre dame est connue, monsieur Dumont, il y en a des gens qui peuvent lui écrire. Le maire ou le nouveau docteur, relativement à ses activités à elle.

— Ses activités de guérisseuse? s'enquit Jean, étonné.

— Le nouveau docteur a fait la grimace, quand on lui a causé de votre épouse. Il ne voit guère de patients dans sa salle d'attente.

Anita éclata d'un rire nerveux.

— On ne va pas reprocher à madame de soigner les plus pauvres sans rien exiger en échange! déclara-t-elle. C'est une sainte femme, à mon avis. Et même ceux qui ont de l'argent font appel à elle. Comme ce notable de Gurat qui lui a téléphoné. Son fils ne guérissait pas d'une maladie des reins, mais madame l'a remis d'aplomb.

— Moi, je ne critique pas, coupa le facteur. Madame Claire a bien soulagé ma vieille mère qui a des rhumatismes. Bon, je continue ma tournée. Merci pour le café.

Jean salua d'un signe de tête. Il continuait à observer la fameuse lettre d'un œil suspicieux lorsque Claire descendit l'escalier. Ils devaient aller jusqu'à Angoulême, tous les deux. Elle portait une robe noire à col de dentelle blanche, des bas blancs et une veste imperméable.

— Je suis prête, Jean! s'écria-t-elle. Dépêchons-nous, je voudrais être de retour vers midi.

— Tu as du courrier, dit-il en lui tendant l'enveloppe. Emporte-le, tu l'ouvriras dans la voiture.

Claire eut un bref sursaut. Elle avait reconnu l'écriture de Lancester, pour la simple raison qu'elle avait conservé les documents relatifs à la location du moulin, sept ans plus tôt. La calligraphie large et harmonieuse était facilement identifiable.

— Non, je verrai ça à notre retour, trancha-t-elle en posant la lettre sur le buffet.

Jean perçut un malaise indéfinissable chez sa femme. Il la fixa avec insistance.

— Nous ne sommes pas à deux minutes près. Ouvre-la donc. Tu n'es pas curieuse?

Agacée, elle reprit l'enveloppe et la mit dans son sac.

— Partons, soupira-t-elle.

Quand l'automobile, après avoir monté la petite route en lacets qui reliait la vallée au plateau, entra dans Puymoyen, Claire n'avait pas encore décacheté la lettre. Jean eut un mouvement d'humeur.

— Si tu me caches des ennuis quelconques, profite du trajet pour me le dire! s'exclama-t-il. Je vois bien que tu es bizarre. Le nouveau médecin te cause du souci? Le facteur prétend que ton activité de guérisseuse dérange ce monsieur qui nous arrive de Bordeaux.

— Mais qu'est-ce qui te prend, Jean? protesta-t-elle. Toi aussi, tu es bizarre! J'étais toute contente que tu m'emmènes aux Halles acheter des oisons et tu me lances des regards soupçonneux.

— Hier, j'ai travaillé dans ma vigne, répondit-il. J'ai discuté un peu avec Maurice, le chauffeur de Bertrand Giraud.

— Merci, je sais qui est Maurice! coupa-t-elle, de plus en plus angoissée.

— Ce brave Maurice m'a dit que Lancester séjournait au domaine pour une durée indéterminée. Il habite le pavillon. J'ai mal dormi et je n'ai qu'une envie: casser la gueule à ce rosbif! C'est peut-être lui qui t'écrit, parce qu'il n'a pas le cran de venir au Moulin.

Une telle prescience de la vérité effraya Claire. Cependant, elle ignorait que le papetier était déjà de retour, quoique Bertille lui ait dit à Noël qu'il serait là bientôt.

— Bertille ne m'a pas avertie de sa venue, Jean, mentit-elle. Et même si cet homme se trouve à Ponriant, cela m'est bien égal. Ça remonte à sept ans, cette histoire-là!

Jean fit une embardée afin d'éviter un chien qui traversait la rue principale du bourg. Il freina un grand coup et se gara, les mains crispées sur le volant.

— Claire, cria-t-il, je suis jaloux! Combien de fois je t'ai imaginée dans les bras de ce type? Il t'a baisée! Je suis grossier, mais c'est la vérité. Il t'a prise, touchée, sentie. Il a vu ton visage pendant le plaisir. Souvent, ça me réveille la nuit, j'en fais des cauchemars.

Elle ne répondit pas, préoccupée. La colère bouillonnait dans ses veines et son cœur s'emballait. Certes, elle avait trompé son mari à l'époque, mais il affirmait lui avoir pardonné, comme elle avait pardonné sa relation odieuse avec Angéla.

— Tu crois que je n'ai pas autant souffert, sinon plus, en t'imaginant vautré sur le corps de ta fille adoptive? dit-elle, révoltée. Je croyais que nous prenions un nouveau départ, Jean. Oui, j'ai couché avec William Lancester. J'étais seule, encore et toujours seule. Je venais de comprendre que mon frère Nicolas était un monstre de perversité et qu'il avait péri dans les flammes sous les yeux de Matthieu. Toi, dans les mêmes circonstances, tu aurais bu ou fumé. J'ai eu besoin d'oubli, de tendresse!

— Tais-toi! hurla Jean. Je t'aimais et je pensais sans cesse à toi, à cette époque-là. Et aujourd'hui je t'aime plus encore, je t'aime comme un fou. Je ne veux que toi, ma femme devant Dieu, et je me sens capable de tuer pour te garder.

Jean était livide, il avait les yeux exorbités et les traits tendus. Claire constata qu'ils étaient stationnés près de la mairie. À cette heure matinale, il y avait de l'animation dans le village. Les ménagères se rendaient à l'épicerie de madame Rigordin, et un groupe de vieilles dames en deuil se dirigeaient vers l'église. Sur la place plantée de tilleuls, le forgeron examinait les fers d'un cheval.

— Jean, roule un peu. Il y a du monde… Ce n'est pas utile de laver notre linge sale en public. Je t'en prie, avance donc!

Il obéit, l'air buté. Toujours aussi furieuse, Claire sortit la lettre de son sac et la décacheta. L'enveloppe contenait une feuille de papier de luxe, noircie de lignes serrées.

— Veux-tu que je te fasse la lecture à haute voix? interrogea-t-elle non sans ironie. Je n'ai rien à te cacher!

— La preuve que si, c'est que tu voulais attendre d'être rentrée à la maison pour lire ton courrier tranquille. Je suis certain que tu ne m'aurais rien dit. Donne-moi ça!

Jean se gara de nouveau, mais ils étaient maintenant sur la route d'Angoulême. Il pleuvait dru. Les essuie-glaces faisaient un petit bruit exaspérant en projetant de fines gerbes d'eau.

— Tu as perdu l'esprit! soupira-t-elle. Nous étions si heureux, Jean! Tu ne vas pas tout gâcher à cause d'un courrier. Tu n'as pas le droit de me faire une scène pareille.

Elle gardait l'enveloppe entre les mains. Jean la dévisageait avec une passion inquiétante. Sous le feu ardent de son regard bleu, Claire renonça à lutter. Il ne trichait pas, il semblait au supplice. Elle lui donna la lettre.

— Tiens, si cela peut te rassurer. Détruis-la, je ne saurai jamais ce que voulait me dire Lancester. Ce n'est pas grave. Moi, je ne souhaite qu'une chose: finir ma vie près de toi et en savourer chaque instant.

Elle ferma les yeux, la tête appuyée au dossier du siège. Encore une fois, elle se prit à maudire son corps de femme qui l'avait trahie. D'abord en lui refusant les joies de la maternité, ensuite en la poussant à s'offrir à William, un habile séducteur sous ses allures aimables.

— Jean, si je ne t'aimais pas, je n'aurais pas pu te pardonner. Je t'en supplie, ne sois pas stupide.

Elle percevait le craquement ténu du papier et la respiration saccadée de son mari.

— Je ne pourrai plus vivre sans toi, souffla-t-elle. Je ne veux plus de drames, par pitié.

Il vit des larmes rouler sur ses joues, le long de son nez. Il eut honte de s'être emporté et abandonna sa lecture.

— Clairette, je suis navré. Je crois que nous irons en ville un autre jour. Il vaut mieux rentrer au Moulin. Je t'ai fait du mal, moi qui m'étais promis de te choyer. Mais ce type, quand même, il a un sacré culot! Je n'ai lu que les premières lignes, mais il compte acheter le vieux moulin en aval de Chamoulard, le restaurer et y vendre de la porcelaine anglaise. Qui viendra acheter de la vaisselle au fond de la vallée? Je suis sûr qu'il a choisi de s'établir ici pour me rendre fou.

— Je ne le pense pas, Jean, répondit Claire. Il ignore que tu es au courant.

— Je ne serai jamais en paix en le sachant là, dans le pays. Tu le croiseras forcément pendant tes promenades à cheval, puisque tu rends visite à tes patients chaque jour de la semaine.

Elle se redressa et lui jeta un coup d'œil courroucé.

— Fais demi-tour, nous rentrons! Je n'ai plus envie d'aller aux Halles avec toi. Il n'y a pas une minute, tu disais être navré et tu recommences aussitôt. Je te signale qu'Angéla habite à une dizaine de kilomètres de chez nous. Peut-être que tu la rencontres encore, quand tu livres une commande à Villebois. Je pourrais jouer les épouses jalouses, moi aussi. J'ai de meilleures raisons que toi. Jean, si tu n'as pas confiance en moi, je serai incapable de te faire confiance à mon tour. Lancester, c'était une erreur, une bêtise. Cela date de sept ans. Ce n'est pas ma faute si ce monsieur m'écrit et désire s'installer à Chamoulard. Le temps a passé, j'ai subi une terrible épreuve qui m'a rongée. Je suis assez malheureuse comme ça. Tu oublies vite tes torts et même ceux de jadis. Tu as été marié à Germaine Chabin, la mère de Faustine. Pendant la guerre, tu m'as avoué avoir fréquenté des prostituées.

— Et toi? aboya-t-il. Tu as convolé avec Frédéric Giraud. Ce n'était pas un mariage blanc, il me semble! tempêta-t-il.

— Je te croyais mort au fond de l'océan. J'avais cédé à un chantage, rétorqua-t-elle. Maintenant, ramène-moi au Moulin que je brûle cette saleté de lettre.

Jean alluma une cigarette et entreprit de reculer dans un chemin. Il tremblait de rage impuissante.

— Je vais te surveiller, maugréa-t-il. Je t'accompagnerai partout, et si par chance je tombe sur Lancester, je lui arrange le portrait à ma manière. L'infidélité d'une femme n'a rien à voir avec celle d'un homme, Claire! Je me suis conduit comme le dernier des salauds, je l'admets, et je m'en voudrai jusqu'à ma mort, mais toi, tu as été séduite, détournée du droit chemin par un bellâtre. Il me le paiera d'une façon ou d'une autre.

Claire jugea ses propos idiots. Elle en aurait pleuré. Jean ne se contrôlait plus.

— Est-ce que tu t'entends parler? dit-elle froidement.

Que veux-tu faire? Le tuer? Finir ta vie en prison, pour me laisser seule encore une fois? Pourquoi ne pas le provoquer en duel? À l'épée! Jean, sois sensé, arrête tout de suite, on dirait un malade mental. Tu me fais peur!

— De mieux en mieux! cria-t-il en freinant sans débrayer.

Le moteur cala, la voiture s'immobilisa après un brusque sursaut. Claire en profita. Elle reprit la lettre de Lancester que son mari avait posé sur le tableau de bord et descendit. Elle claqua la portière.

Jean l'appela d'une voix rauque.

— Reviens! Où vas-tu? Claire, rends-moi la lettre!

Mais elle courait à travers un pré détrempé par la pluie. Il la vit se glisser derrière une haie de prunelliers. Elle connaissait depuis l'enfance le moindre sentier, les ravines, les raccourcis d'une ferme à l'autre.

— Bon sang! Quel crétin je suis! pesta-t-il.

Claire rejoignait assez rapidement le plateau surplombant les falaises. Elle s'abrita sous le porche d'une petite caverne, voisine de la Grotte aux fées. Les nerfs à vif, elle étouffa un sanglot.

— Ah! les hommes! dit-elle tout bas. Vraiment, ils se croient tout permis. Après des années à m'ignorer, William réapparaît et s'empresse de m'écrire! Et Jean! Il perd l'esprit, ma parole! Ce n'est plus de la jalousie, mais de la fureur aveugle.

Elle respira profondément, la gorge en feu d'avoir couru contre le vent froid.

— Quand même, à l'âge que nous avons, réagir comme ça! soupira-t-elle. Voyons, que raconte mon prétendu amant?

Avec le sentiment de trahir Jean, elle lut enfin le courrier qui lui était destiné.

Très chère Claire,

Je vous écris du pavillon de Ponriant, un triste jour de pluie. Sachez tout d'abord que je suis revenu dans la vallée des Eaux-Claires pour des fins commerciales. Je suis en affaires avec monsieur Bertrand Giraud à qui je voudrais acheter le vieux moulin de Chamoulard pour le rénover et en faire un lieu de vie agréable. Je compte y vendre de la porcelaine anglaise, que vous appréciez tant.

J'avais l'intention de vous rendre visite le plus tôt possible, mais votre cousine Bertille m'en a dissuadé pour les raisons que vous connaissez. Je ne veux pas vous causer d'ennuis. Aussi, j'obéis, mais c'est bien à regret. Cependant, je vous dois des excuses. Je n'ai pas été correct avec vous, il y a six ans, en mettant un terme au contrat de location qui nous liait, ceci sans explications.

Une blessure d'amour m'a fait fuir la France. Je n'avais aucune importance pour vous, je ne faisais pas le poids face à ce mari que vous adoriez.

J'en ai honte, mais j'ai cherché à me venger, dans la mesure de mes moyens. Combien de fois, en Angleterre, j'ai rêvé de vous voir arriver chez moi? Je vous l'avoue, j'étais égaré par le chagrin et la frustration.

En quelques précieuses minutes, vous m'avez offert plus de joie que toutes les femmes qui ont compté dans ma vie. Votre douce image ne m'a jamais quitté, au point que j'ai décidé d'habiter au bord de la rivière que vous contemplez chaque matin et chaque soir.

Je serai discret, invisible si nécessaire, et tous les jours j'espérerai vous croiser, vous apercevoir. Quel bonheur ce serait de bavarder avec vous, d'entendre votre voix douce et suave!

Claire, pardonnez-moi mes erreurs, j'ai péché par orgueil, par amour.

Claire froissa la lettre, incapable de continuer. Les souvenirs affluaient. Elle se revoyait sur la berge du fleuve Charente, un soir d'été. William l'avait invitée à dîner dans une auberge. Ils s'étaient embrassés pour la première fois.

« Mais avant cela, il m'a aussi aidée à enterrer Sauvageon, mon cher loup au cœur de chien, mort à plus de vingt ans. J'étais si seule, alors, et William se trouvait sans cesse sur mon chemin; au Moulin, au mariage de Matthieu et de Corentine... J'avais dansé avec lui et j'étais troublée. Souvent, je me disais que ce devait être agréable de vivre auprès d'un homme aussi galant, aussi raffiné. Ensuite, il m'a déçue en prenant la fuite pour arrêter de payer son loyer. C'était normal, en fait, puisqu'il ne vivait plus ici. »

Les battements de son cœur s'apaisèrent. Elle éprouva une vague nostalgie de ce qui aurait pu être si le destin s'en était mêlé.

— Au fond, Jean n'a pas tout à fait tort, s'étonna-t-elle à mi-voix. William m'a séduite et je me suis donnée à lui. Mais c'est fini, bien fini, tout ça. Je ne tiens pas à le revoir.

La curiosité fut plus forte que ses scrupules. Elle tenta de déchiffrer la fin de la lettre, après avoir lissé tant bien que mal le papier froissé. Les dernières phrases la stupéfièrent.

Je ne retournerai pas en Angleterre, où repose ma chère Janet, cette épouse admirable dont je vous avais confié la mort atroce. Là-bas, dans mon pays, je suis trop déprimé. Claire, accepterez-vous un ultime rendez-vous, pour vous dire adieu, car mon temps sur cette terre est compté. Un excellent médecin de Londres a diagnostiqué une faiblesse cardiaque qui fait de moi un homme en sursis. Je veux donc profiter des beautés de l'existence jusqu'au bout et, de ces beautés ineffables, vous en faites partie.

Votre affectionné William

— Le pauvre! s'écria-t-elle. Et je ne peux rien lui accorder! Tant pis, Jean s'absentera forcément un jour. J'irai à Ponriant et je passerai une heure avec William. Je lui dois bien ça, il m'a sauvé de la ruine.

Elle repliait la feuille lorsqu'une main se posa sur son épaule et la serra quelques secondes. Ce geste familier qui aurait pu être celui de son mari ou de son frère la tétanisa. Aucune personne de chair et d'os ne pouvait se trouver là, à ses côtés. Le replat de rocher où elle s'abritait de la pluie était trop étroit pour cela. Claire se retourna par réflexe, certaine d'être seule.

— Nicolas? murmura-t-elle. Nicolas, petit frère, que veux-tu me faire comprendre?

La terrible nuit de l'incendie, plus de deux ans auparavant, son demi-frère s'était manifesté depuis l'au-delà. Du moins, Claire l'affirmait-elle. Selon elle, il aurait sauvé le moulin du Loup afin de racheter les crimes qu'il avait commis de son vivant. Elle avait eu la certitude que son âme avait pu s'élever, mais tous les phénomènes étranges auxquels elle avait assisté la poussaient à considérer les mystères du monde spirituel comme des signes d'une autre dimension.

— Nicolas, aide-moi, gémit-elle. Est-ce si grave de revoir William? Il risque de mourir… Tu le sais peut-être, toi, le jour et l'heure de sa mort.

Elle attendit une réponse, mais il ne se passa rien. Claire relut la lettre, la rangea dans sa poche de veste, puis s'en alla en empruntant des passages parfois périlleux, à flanc de falaise. Là-bas, niché au bord de la rivière, le Moulin où elle était née ressemblait à un havre de paix. Les cheminées fumaient. Elle crut entendre les chèvres bêler.

« J'ai grandi sous ce toit, j'ai couru dans les champs, se dit-elle. Quand j'étais petite, à peine réveillée je tendais l'oreille pour écouter le chant des roues à aubes. Comme j'aimais dévaler l'escalier et rejoindre papa dans la salle des piles! Il y avait les ouvriers, tous à leur ouvrage, en blouse grise. Et le maître papetier, Colin Roy, le plus actif malgré son apparente nonchalance. Papa, mon cher papa, tu me manques tant. »

Claire évoqua son père, ses cheveux de neige qu'il portait longs, attachés sur la nuque. Elle revit avec précision son tablier en cuir maculé de taches.

« Lui aussi, il a beaucoup souffert, pensa-t-elle. Hortense, ma mère, était si revêche, si dure! Alors que lui, il était bon, tendre, câlin, poète souvent. »

Bouleversée par ses réminiscences, elle eut envie de pleurer. Anita la vit entrer dans la cuisine dans un tel état qu'elle poussa un petit cri de surprise.

— Oh! Madame, d'où sortez-vous? On dirait un chien mouillé. Regardez vos bas, votre veste! Et vos cheveux, ils dégoulinent! En voilà, une histoire, encore. Vous partez en voiture, vous revenez à pied. Et vous en faites, une tête… Votre mari était bizarre, lui aussi.

— Jean est venu? demanda Claire.

— Mais oui, il a téléphoné à votre cousine Bertille. D'après ce que j'ai compris, il la prévenait de son arrivée au domaine. Il y a de la dispute dans l'air, c'est ça?

— Nous nous sommes querellés, admit-elle. Je suis lasse, Anita, tellement lasse. Pourtant, je ferais bien de suivre Jean à Ponriant, sinon il risque d'agir en dépit du bon sens. Je n'en ai pas le courage.

Claire se réfugia dans sa chambre. Elle ne pouvait pas expliquer la situation à Anita. Frileuse, elle enfila des vêtements secs et se chauffa les mains au-dessus du poêle. La lettre de William l'obsédait. Au bout de plusieurs minutes de réflexion, elle la brûla.

— Ce n'est pas la peine que Jean la lise en entier, il serait encore plus jaloux, nota-t-elle, désabusée. Je ne sais pas ce qu'il va faire au domaine, mais s'il souhaite se ridiculiser, je ne peux pas l'en empêcher. J'en ai assez, oui, assez de tout.

Envahie par une étrange torpeur, elle s'allongea sur son lit et s'endormit.

*

Domaine de Ponriant, même jour

Dans le spacieux vestibule du domaine, Jean et Bertille s'affrontaient du regard. Ils ne s'étaient pas revus depuis le jour tragique où Angéla avait avoué à la famille réunie qu'elle entretenait une liaison avec son père adoptif. Mireille avait ouvert la porte au visiteur inattendu en l'annonçant très vite à sa patronne qui, par chance, se trouvait dans le salon. Elle se félicitait de l'absence de William et de Bertrand, partis en ville.

— Qu'est-ce que tu veux? demanda-t-elle. Claire a un souci, elle a besoin de moi? Je ne vois pas d'autre raison. Ma cousine t'a pardonné, ce qui n'est pas mon cas. Tu lui as fait tant de mal!

Malgré sa petite taille, la dame de Ponriant le toisait. Jean lui paraissait vieilli, les tempes semées de cheveux argentés, le visage buriné par le grand air. Mais ses yeux d'un bleu intense, soulignés de cils noirs et drus, étaient les mêmes.

— Tu as un invité, ce Lancester qui a osé séduire ma femme! s'exclama-t-il. Je dois lui parler. Je suis passé au pavillon et il n'y a personne. Ne te fatigue pas à jouer les innocentes créatures, Bertille. Tu sais, tout comme moi, que cet homme a couché avec Claire. Bertrand et toi, ça ne vous dérange pas de chercher à m'humilier en l'acceptant ici, près du Moulin!

— Mon pauvre Jean! ironisa Bertille. Tu es pathétique, je t'assure. Tu débarques chez moi en frappant aux carreaux si fort que tu aurais pu en casser un, avec une mine d'assassin. Tu viens réclamer vengeance? Franchement, tu n'as pas honte, après t'être vautré dans la pire des luxures avec une gamine de dix-huit ans? Tu te crois quand même tout permis!

Jean demeurait sourd à la logique implacable de Bertille. Il ne pouvait pas contenir sa fureur ni son indignation. Mais lui aussi observait cette jolie femme proche de la cinquantaine à qui on aurait donné à peine quarante ans. Elle avait toujours eu de l'amitié pour lui. Ils avaient un peu le même caractère passionné.

— Calme-toi! le tempéra-t-elle à mi-voix. Les domestiques n'ont pas à savoir ce qui se passe. Jean, ne sois pas stupide. Claire t'a prouvé combien elle t'aimait. Bertrand n'aurait jamais proposé à Lancester de séjourner au domaine s'il avait su la vérité. Tu connais mon mari, il est à cheval sur les principes. Ne fais pas de scandale; la boue rejaillirait sur Claire et même sur nos deux familles. Nous avons pu sauver les apparences au sujet d'Angéla, mais ne ranime pas une vieille histoire.

— Je ne pourrai respirer qu'après avoir cassé la gueule de ce type! tempêta-t-il en brandissant le poing. Figure-toi qu'il a écrit à Claire, au Moulin. Je n'ai pas pu lire toute la lettre, mais il agit comme si je n'existais pas, comme si j'étais quantité négligeable. Je ne le laisserai pas séduire ma femme à nouveau, Bertille. Je veux lui dire de se tenir à l'écart d'elle, le plus loin possible. Qu'il retourne en Angleterre au lieu de s'installer dans notre vallée!

S'il n'avait pas plu à torrents, la dame de Ponriant aurait forcé Jean à sortir sur le perron. Elle posa une main apaisante sur son épaule.

— J'ai bien notifié à William de ne pas s'approcher de Claire, expliqua-t-elle. Je suis consciente du côté pénible de ce voisinage. Il a eu tort de poster cette lettre. Jean, tu me fais de la peine, à te mettre dans des états pareils. Rentre vite et sois tranquille, je veillerai à éviter toute rencontre entre Clairette et Lancester. Je ne peux pas faire mieux, hélas!

Bertrand est ravi d'avoir un acheteur pour ces bâtiments vétustes. Tu n'as pas à t'inquiéter, enfin. Ni à proférer des menaces. Pourquoi es-tu aussi jaloux?

— Pourquoi? répéta-t-il. J'ai un mauvais pressentiment. Cet homme a réussi une fois à me faire cocu, il recommencera. Je ne le supporterai pas, car j'aime Claire, tu m'entends? Je l'aime à en mourir, à me battre pour la garder. Je ne comprends même plus comment j'ai pu céder aux enfantillages d'Angéla, qui essayait ses armes de jeune fille en mal d'amour sur moi. Si je perdais Claire, cette fois, je deviendrais fou.

Bertille songea qu'il semblait déjà un peu fou, mais elle n'en fit pas la remarque.

— Rentre au Moulin et console ma cousine. Je suis sûre que vous vous êtes querellés. Dis-lui ton amour, elle n'a besoin que de ça, Jean. Pas de violence ni d'offense à sa loyauté. Je te promets que tout ira bien.

Jean hocha la tête, encore indécis. Mais Bertille souriait, pâle et comme diaphane. Ses cheveux d'un blond platine, bouclés et légers, entouraient un visage exquis et mutin qui lui donnait plus que jamais l'air d'une fée malicieuse capable de régler les conflits des malheureux humains placés sur son chemin.

— Merci, souffla-t-il enfin. Tu m'as rendu espoir. Pardonne-moi mon attitude. Je ne sais plus ce qui m'a pris. Une si grande colère, tellement de haine... N'aie pas peur, je ne reviendrai pas. Te rends-tu compte? Je me suis vu en train d'étrangler de mes propres mains ce Lancester, et cela m'exaltait. Bertille, je suis peut-être vraiment un assassin. Il y a une violence au fond de moi qui m'effraie.

— Nous sommes tous portés à la rage vengeresse. Le tout est de ne pas passer aux actes dans la réalité, affirma-t-elle.

La dame de Ponriant était préoccupée par les paroles étranges de Jean. Mais elle se hissa sur la pointe des pieds et l'embrassa sur la joue. Il sortit aussitôt après, ému et étonné.

« Claire, ma Claire! pensa-t-il en marchant d'un pas rapide vers sa voiture. Claire, je t'en supplie, il faudra me jurer que tu ne reverras pas Lancester. Le jurer sur ce que tu as de plus sacré! »

12
Les cœurs malades

Moulin du Loup, même jour

Dès qu'il fut de retour au Moulin, Jean monta sans bruit à l'étage. Malgré les recommandations d'Anita, qui avait pris soin de lui dire que madame Claire se reposait, il entra dans leur chambre et s'approcha du lit. Il avait un besoin impétueux de voir sa femme, de scruter ses traits, de s'assurer aussi qu'elle était bien là, sous le toit familial. Les sentiments extrêmes qu'il venait d'éprouver lui causaient une sourde angoisse, comme s'il découvrait une facette presque inconnue de sa propre personnalité.

— Câlinette! dit-il très bas en constatant qu'elle était plongée dans un profond sommeil. Je peux bien t'appeler ainsi, puisque tu dors. Tu m'es si précieuse, si indispensable!

Avec délicatesse, il s'assit au bord du lit et contempla sa femme. Le temps, les chagrins, les épreuves avaient eu si peu de prise sur elle. Il céda à une tendresse douloureuse, qui le poussa à caresser ses cheveux et son front.

«Je ne devrais pas être étonné que tant d'hommes t'aient aimée, songea-t-il. D'abord, ils te désiraient, car tu étais un fruit tentant, magnifique. Ils admiraient ton intelligence, ta générosité, ta douceur. Frédéric Giraud, je suis sûr que tu aurais fini par l'apprivoiser tout à fait s'il ne s'était pas suicidé. Et Victor Nadaud, ton fameux préhistorien; il devenait blême et tremblant dès que tu lui parlais. Il s'est marié avec Blanche, mais ma sœur ne lui a pas offert ce que toi, tu lui aurais offert. Ce William Lancester a été le plus rusé, le plus habile à me voler une part de toi-même. Raconte-moi ce que tu veux, pour coucher avec lui tu étais un peu amoureuse. Dieu, je le maudis. Si je le croise... »

De nouveau submergé par une rage vengeresse, Jean serra les poings. Claire se réveilla au même instant. Elle vit à son mari une terrible expression de colère.

— Quoi? Tu m'épies? protesta-t-elle en se redressant. Tu n'es pas calmé?

— Mais si, Claire, je te l'assure. Je voulais te demander pardon. Je ne sais pas ce que j'ai. Cela me fait peur. Je t'en prie, aide-moi. Je suis allé au domaine avec une seule idée, trouver Lancester et le frapper. Bertille m'a raisonné. Claire, aide-moi.

La voix et le regard de Jean exprimaient une si profonde détresse qu'elle s'alarma. Il paraissait réellement tourmenté. Elle chercha aussitôt quelles plantes seraient susceptibles de le soigner.

— Nous en discuterons ce soir, affirma-t-elle. Je vais te préparer des tisanes à base de passiflore et de valériane. Tu dois te maîtriser, Jean. Je ne veux pas qu'il arrive un malheur, alors que nous avions retrouvé une vie normale, que nous étions si bien tous les deux. Je ferais mieux d'écrire à Lancester et de le supplier de quitter la région.

— Oui, ce serait la meilleure solution, répliqua Jean en lui prenant les mains et en y déposant de légers baisers pleins de respect. Dis, est-ce que je peux m'allonger près de toi?

Il avait l'air à présent d'un enfant coupable. Soucieuse, Claire renonça aux sermons. Elle se sentait dolente et fatiguée.

— Viens, tu me réchaufferas; j'ai froid. Si tu pouvais mesurer l'amour que je te porte depuis trente ans déjà, tu ne te torturerais pas ainsi.

Elle lui fit une place sous le gros édredon en satin rouge. Jean attira la tête de Claire contre son épaule et embrassa son front.

— J'ai tué un homme quand je n'étais encore qu'un gosse, rappela-t-il. Ce n'est pas rien, même si cet homme ne méritait rien d'autre que la mort. La justice ne l'aurait jamais puni, ce salaud qui avait souillé l'innocence de mon petit frère. Mais je l'ai tué et je me souviens de ma joie désespérée, en comprenant qu'il ne ferait plus de mal à personne. Lucien me manque souvent. Je me dis parfois que ce serait bon de l'avoir à mes côtés. Tiens, si je taille ma vigne, je l'imagine au boulot avec moi, et à l'imprimerie aussi.

— Jean, je suis désolée, soupira Claire. Je sais combien tu aimais ton petit frère. Mais s'il avait survécu, il aurait peut-être fait sa vie loin de toi, dans un autre pays.

— Non, Lucien et moi, on s'était promis de ne pas se séparer, bredouilla-t-il, la gorge nouée.

— Et si tu te souvenais de tes bonnes actions! ajouta-t-elle. Tu as sauvé Léon de la noyade, au large de Terre-Neuve. Grâce à ton courage, il a pu se marier avec Raymonde et avoir des enfants que nous chérissons. César, Thérèse, Janine et ce pauvre Thomas. C'est toi également, pendant la guerre, qui écrivait des lettres pour tes camarades et des articles dans le journal des tranchées… Tu sembles croire que tu es voué à commettre un crime, mais c'est faux.

Jean l'étreignit, secoué d'un long frisson nerveux. Il réfléchit quelques secondes avant d'avouer:

— Les mois que j'ai passés chassé d'ici, de mon paradis, ont détruit cet homme-là, le Jean qui était capable de sauter à l'eau pour un ami ou de se battre contre l'injustice. Chez Blanche, en ville, je n'étais plus qu'une épave, une ombre. Privé de toi, mes mauvais penchants ont refait surface.

Claire ferma les yeux, accablée. Bientôt, son mari prétendrait qu'elle aurait dû le garder sous son aile malgré l'abomination dont il était responsable.

— Nous ne sommes jamais tout à fait bons ou tout à fait méchants, répondit-elle. Tu as voulu partir au Canada et, si tu as été l'amant d'Angéla, ce n'est pas ma faute. Et, au fond, ce ne sont pas des mauvais penchants. Tant d'hommes mûrs s'entichent d'une fille toute jeune! J'ai failli en mourir, mais d'autres femmes se résignent et font semblant de ne rien savoir des infidélités de leur compagnon.

— Ne parle plus de ça, j'en ai tellement honte! lança-t-il. Claire, par pitié, jure-moi que tu ne reverras pas Lancester! Jure-le et tout s'arrangera.

— Je ne peux pas jurer une chose pareille. Enfin, Jean, je peux le rencontrer par hasard sur le chemin des Falaises ou sur la place du village.

— Tu refuses de jurer? gémit-il.

Cette fois, Claire s'affola. Elle devait trouver un moyen de le rassurer.

— Cela ne servirait à rien, déclara-t-elle doucement. Si le sort s'en mêle, je trahirai mon serment sans le vouloir. Mais je ne supporte pas de te voir dans cet état. Je n'ai qu'à feindre d'être malade, tiens. Arthur est pensionnaire et je l'ai confié à Bertille. Anita s'occupe très bien de Janine sans moi. Je vais garder le lit plusieurs jours. Tu n'auras qu'à me dorloter. De toute façon, je ne suis pas très vaillante, en ce moment. Tu prendras tes repas ici, dans la chambre. Le soir, nous lirons ou nous jouerons aux cartes. J'ai besoin de repos.

Elle n'osa pas évoquer les maux dont elle souffrait ni le retour d'âge dont les premiers effets la malmenaient.

— Vous me dites tous que je suis trop mince; je reprendrai du poids et des forces, à rester couchée. Cela te convient, Jean?

Il hésitait, sachant que le travail en cours à l'imprimerie le tiendrait à l'écart de la maison une grande partie de la journée.

— Tu pourrais facilement sortir en cachette! répliqua-t-il.

En d'autres circonstances, Claire aurait poussé les hauts cris. Seulement, elle était vraiment lasse. La pluie qui battait les vitres de la fenêtre l'invitait à la paresse, à se pelotonner des heures et des heures au chaud entre les draps.

— Jean, dit-elle d'un ton sévère, je peux au moins te jurer que je n'ai aucune envie de quitter cette pièce et ce lit. Enferme-moi à clef, je m'en moque. Il faudra juste que je dispose d'un seau.

Ce détail pratique et peu romantique ramena Jean sur terre. Il comprit que Claire était sincère. De plus, elle avait perdu sa virulence, son impétuosité. Lucide, douché par une nouvelle angoisse, il retrouva ses esprits.

— Serais-tu malade pour de bon, quelque chose de grave

que tu m'aurais caché? interrogea-t-il. Clairette, chérie, sois franche!

— J'ai quarante-sept ans, Jean, se décida-t-elle à dire. Ma vie durant j'ai trimé sans arrêt. Les lessives, le ménage, la cuisine, les foins, le jardin potager à entretenir, les enfants à élever qui n'étaient même pas les miens. Mon corps s'en ressent, et... et...

Des sanglots lui échappèrent. La perte de sa féminité prenait des proportions affreuses.

— À mon âge, les femmes changent, comprends-tu? Je mets du brou de noix sur mes cheveux blancs, mes lèvres sont moins rouges. Je les frotte tous les matins, mais elles n'ont plus cette couleur que tu adorais. Je vieillis, Jean! Séduire un autre homme que mon époux devant Dieu, mon époux que j'aime, c'est loin de mes pensées.

Peu informé sur le sujet, Jean entrevit cependant la vérité. Cela lui causa un choc.

— Ma pauvre Clairette! chuchota-t-il en la cajolant. Et moi qui te cherche querelle!

— Tu appelles ça une querelle? s'indigna-t-elle. Tu parles de meurtre, de mort, alors que je pleure ma jeunesse, mon corps condamné à ne plus te plaire!

Elle pleura de plus belle. Jean tenta de la consoler. Il était désemparé devant ce chagrin dont la cause le troublait.

— Allons, allons, tu n'es pas pour autant une vieille femme. Tu es encore très désirable. Et je m'en moque bien, moi, de ces détails. Je t'aime de toute mon âme, entends-tu? Je te regardais dormir, tout à l'heure, et je me disais que tu avais l'air d'une fillette très douce.

— N'exagère pas! bredouilla-t-elle, le souffle court. Je sais bien que je n'ai rien d'une fillette. Jean, je t'en prie, sois gentil, laisse-moi un peu seule quelques minutes. Je te promets que j'irai mieux ensuite. Je voudrais du lait chaud avec une cuillère de miel de châtaignier. Si tu pouvais m'en préparer... Je suis transie.

Il obtempéra en silence. Jusqu'au soir, il veilla à la bonne marche du poêle à bois et resta à son chevet.

À dater de cet après-midi-là, Claire se cloîtra dans leur

chambre. Plus tard, elle se souviendrait de cette période comme d'une sorte de rupture brutale, mais assez agréable, avec son quotidien. Elle avait des livres à sa disposition, et Jean montait des repas, des infusions et des goûters. Le temps était à la pluie. La rivière grossissait, les prairies arboraient de larges flaques d'eau boueuse d'où émergeait une végétation verdoyante, la jeune herbe du printemps, drue et vigoureuse. Elle était la promesse de futures fenaisons abondantes, d'une saison de verdure et de fleurs sauvages.

Faustine rendit visite à sa mère adoptive dès le lendemain. Matthieu lui avait dit que Claire était souffrante.

— Maman, qu'est-ce que tu as? s'écria la jeune femme en apportant un plateau garni de tranches de brioche et de deux bols de chocolat chaud. Nous pouvons bavarder tranquilles, Anita garde les petits dans la cuisine.

— Je suis très fatiguée, expliqua Claire, et j'en profite pour essayer de protéger ton père. Approche. Que je suis ravie de te voir, ma chérie! Tu me fais l'effet d'un rayon de soleil.

Faustine s'illumina d'un sourire radieux. Elle aurait vingt-huit ans au début de l'été et resplendissait de santé et de joie de vivre. Ses cheveux d'un blond intense qu'elle refusait de couper à la nouvelle mode étaient relevés en chignon. De carnation laiteuse, ses joues se paraient souvent d'une touche de rose. Elle avait une bouche charnue au dessin malicieux, un nez fin et un front rond et lisse. Jean lui avait légué ses yeux d'azur, d'un bleu pur. Après trois maternités, son corps présentait des formes plus épanouies, mais tout aussi gracieuses qu'à l'époque de son adolescence.

— Toi, au moins, tu sembles comblée depuis que tu as épousé Matthieu! dit Claire tout bas.

— Nous sommes infiniment heureux, affirma Faustine en s'asseyant au bord du lit. Je me demande comment j'ai pu me tromper à ce point, quand j'ai décidé de me marier avec Denis. Pauvre Denis, il n'a pas eu de chance, n'est-ce pas? Mourir si jeune!

— Et dans de tragiques circonstances! C'est ce que j'espère éviter, un autre drame dont je serais responsable. Ton père m'inquiète beaucoup.

— Maman, de quoi parles-tu?

Ce fut l'instant des confidences chuchotées. Claire raconta brièvement ce qui s'était passé la veille. Faustine devint toute pâle. Elle était au courant de l'infidélité de sa mère, mais ne l'avait pas mal jugée pour autant.

— Je ne croyais pas que papa était aussi jaloux. Sept ans après! s'étonna-t-elle. Mais je sais qu'il peut se montrer violent. Je n'oublierai jamais la fois où il m'avait frappée parce que j'embrassais des garçons en cachette, dans la cour de l'école. Cela dit, j'ai été bien punie, par la suite, quand Albert, l'apprenti du forgeron, s'est suicidé. Je porte sa mort sur la conscience. Je comprends la réaction de papa. Il a peur de cette force en lui qui le pousse à écarter ses ennemis de son chemin. Hélas! Tu ne pourras pas rester enfermée ici pendant des mois. Dans un sens, je suis de l'avis de papa. Monsieur Lancester devrait s'en aller.

Claire approuva d'un signe de tête. Elle s'empara de son missel de jeune fille, rangé dans le tiroir de sa table de chevet.

— C'est la seule solution, concéda-t-elle. Faustine, je t'en prie, arrange-toi pour donner cette lettre à William. Je lui demande de partir. Surtout, Jean ne doit rien deviner. Si tu avais vu ton père... Il était agité, livide et avait les traits crispés. Je m'en veux tant de lui avoir sottement jeté mon adultère à la figure! Cela n'a pas compté. J'aurais dû garder le secret.

— Et si papa était atteint de troubles mentaux? hasarda Faustine. Son comportement est vraiment bizarre. Ce serait terrible. Déjà, je ne l'imaginais pas capable de séduire... enfin, tu sais bien.

— De séduire Angéla? soupira Claire. Tu peux prononcer son nom, cela m'est égal, désormais. Ce qui m'importe, c'est de soigner Jean, d'éviter la moindre cause de conflit. Il a été durement éprouvé par tout ce que nous avons traversé. Il lui faut une existence simple, rythmée par des travaux réguliers. Et des tisanes de ma composition.

L'une comme l'autre tourmentées, elles échangèrent un faible sourire.

— Tant que je joue les malades, il n'y a aucun risque, insista Claire. Maintenant, Faustine, j'aimerais bien voir les enfants. Ils représentent l'innocence, la tendresse sans condition.

Peu après, Isabelle, Pierre et Gabrielle se tenaient sagement immobiles à son chevet.

« Ma petite Isabelle aux cheveux d'or! songea-t-elle. Née dans la grotte que les anciens considéraient comme le refuge des bonnes dames aux pouvoirs magiques. Et c'est Tristan, ce brave loup au cœur vaillant, qui nous a guidés vers elle et Faustine. Quant à mon gentil Pierrot, mon Pierre aux boucles brunes, il ressemblera à Matthieu, plus tard. »

Elle contempla plus longuement la ravissante poupée surnommée Gaby. La petite, âgée de deux ans, se dandinait sur place, intimidée. Avec son minois de chaton et ses prunelles grises, elle avait l'air toujours prête à rire. Des mèches ondulées châtain clair ornaient son front haut et bombé.

« Mes angelots, pensa-t-elle encore, vous êtes les vrais héritiers du Moulin, les descendants de Colin Roy, mon cher papa. Comme il vous aurait aimés! »

— Maman, ne pleure pas, dit tendrement Faustine. J'apprends l'alphabet à Isabelle. Elle déchiffre déjà quelques mots. Je l'inscrirai à l'école pour la prochaine rentrée.

— Mais oui, il sera grand temps, admit Claire. J'espère que notre Isabelle deviendra institutrice à son tour.

Faustine hocha la tête d'un air mélancolique. Afin d'élever ses enfants, elle avait renoncé à enseigner, mais l'exercice de son métier lui manquait. Elle avait fait ses premières armes à l'orphelinat Saint-Martial d'Angoulême, avant d'être nommée directrice de l'institution Marianne, un établissement réservé aux orphelines géré par Bertrand Giraud et situé dans la vallée, près du domaine de Ponriant.

— Repose-toi, maintenant, maman, recommanda la jeune femme. Je dois rentrer à la maison. Dites au revoir, mes chéris!

Les petits clamèrent en chœur un au revoir musical. Claire les embrassa avec tendresse. Ses visiteurs partis, elle fondit en larmes de nouveau. Le regret lancinant de ne pas avoir été mère la torturait.

*

Moulin du Loup, samedi 4 mars 1928

Faustine revint au chevet de Claire trois jours plus tard. La jeune femme avait confié ses enfants à leur père, car Matthieu fermait l'imprimerie à dix-sept heures le samedi, excepté en cas de commandes urgentes. Elle vit immédiatement, aux paupières meurtries de sa mère adoptive qu'elle venait de pleurer. Mimi, la chatte du père Maraud, le vieux rebouteux, était lovée au creux de l'édredon.

— Maman, tu es malheureuse? demanda-t-elle en s'asseyant au bord du lit. Cela ne te réussit pas de tricher. Toi toujours si active, je suis certaine que tu te languis à rester couchée.

— Non, ma chérie, ce n'est pas ça. J'apprécie même ce repos imprévu et je ne suis pas toujours allongée. J'ai trié du linge. Parfois, je m'assieds dans le fauteuil près de la fenêtre. Je lis beaucoup. Mais me savoir dans cette chambre ne rassure même pas Jean. Il a refusé que Bertille me rende visite demain, dimanche, avec Arthur et Clara. Maintenant, il répond au téléphone et il dit ce qui lui convient. Et il est monté m'annoncer la chose, il y a une heure de ça. Ton père prétendait que Bertille ou les enfants me passeraient forcément un message de la part de Lancester et qu'il avait donc agi au mieux. Pourtant, nous connaissons des moments tellement agréables, le soir. Jean se couche tôt. Nous bavardons ou nous jouons aux cartes. Il travaille un peu sur ce roman qu'il a abandonné ou il me fait la lecture.

— L'ouvrage qui parle du naufrage du *Sans-Peur*? s'enquit Faustine.

— Oui. Ton père dénonce les conditions très dures de la vie des matelots à bord des morutiers. Il évoque avec talent le froid, l'océan déchaîné. Je pensais que nous avions retrouvé notre complicité, mais je me trompais. La preuve, il m'empêche de recevoir Bertille!

La jeune femme esquissa une petite grimace ironique et extirpa de son sac à main une enveloppe.

— Pauvre papa! dit-elle. S'il savait que c'est sa propre fille qui transporte les courriers interdits! Tiens, voici la réponse de Lancester. Il a frappé chez moi ce matin et il m'a priée de te transmettre cette lettre le plus vite possible. Dépêche-toi de la lire et rends-la-moi aussitôt.

— Cette situation devient aberrante, soupira Claire.

De nouvelles larmes perlaient à ses beaux yeux sombres. Les mots que lui adressait le papetier anglais dansaient à travers un voile flou.

Ma chère Claire, je ne m'enfuirai pas comme un coupable. Même si je ne dois jamais vous revoir, au moins je vivrai près de vous, dans cette vallée où vous êtes née. Votre mari finira par accepter mon voisinage. Vous êtes un de mes plus précieux souvenirs.

William

— Ah! Les hommes! pesta-t-elle. Tu peux lire, Faustine! Ces messieurs prétendent vous aimer, mais ils se moquent des ennuis qu'ils vous causent! Jean passe avant toute chose. Je ne supporterais plus de le perdre, d'une manière ou d'une autre. Et si ton père s'en prend à Lancester, il ira en prison. Cela le détruira, car il a déjà trop souffert, adolescent, en colonie pénitentiaire. Plus tard aussi...

Claire n'ajouta rien, mais la jeune femme comprit qu'elle faisait allusion à une sinistre période, celle où Jean avait été arrêté par la police et notamment par Aristide Dubreuil, un policier acharné à lui nuire. Germaine Chabin, la véritable mère de Faustine, en était morte. La malheureuse, enceinte de sept mois, avait couru derrière le fourgon qui emportait son mari et elle avait fait une chute fatale.

— Maman, tu as raison de me rappeler les pénibles épreuves subies par papa. Il est sans doute plus vulnérable qu'il n'en a l'air. Me permets-tu de lui parler? Il doit se raisonner une bonne fois pour toutes. De plus, j'ai eu quelques renseignements grâce au facteur. William Lancester a versé une somme d'argent à Bertrand Giraud pour l'achat des bâtiments de Chamoulard. La rumeur court au village. On dit que l'Anglais va procurer du travail à deux maçons au moins et à un menuisier. Il faudra s'en accommoder: il ne repartira pas.

Malgré la gentillesse et la compréhension que lui témoignait sa fille adoptive, Claire garda le secret sur ce qu'elle savait. William était condamné à plus ou moins brève échéance. Cela la peinait beaucoup, car elle luttait depuis des années contre la maladie et la mort. Elle aurait voulu pouvoir le soigner comme un patient ordinaire, même si sa science des plantes s'avérait impuissante contre certaines malformations cardiaques.

« Mais mon don de guérir serait peut-être assez puissant pour prolonger son existence, songea-t-elle. Hélas! Lui, je n'aurai jamais le moyen de l'approcher ou je serai obligée de trahir Jean. »

Faustine se leva. Elle reprit la petite enveloppe bleue et alla la jeter dans le poêle.

— Tu fais bien, soupira Claire. Retourne vite près de Matthieu et des enfants, ma chérie.

— Oui, j'ai promis de ne pas m'attarder. Demain, je monterai à Ponriant et j'expliquerai la situation à tantine. Nous allons finir par trouver une solution, maman. En tout cas, tu as bonne mine.

— À force de manger et de dormir, je vais engraisser, plaisanta Claire. Merci, Faustine. Mais si tu parles avec ton père, ne le contrarie surtout pas.

Restée seule, Claire s'empara d'un vieux cahier à la reliure usagée. Il lui venait du père Maraud, cet étrange personnage qui avait consigné sur le papier ses visions concernant le plus souvent les gens de la vallée des Eaux-Claires et des bourgs avoisinants. La chatte Mimi, dernière compagne du vieillard, émergea de sa torpeur bienheureuse et alla frotter son front au cahier, comme pour saluer un objet ayant appartenu à son ancien maître.

— Je n'ai jamais eu le temps de tout lire, dit Claire à l'animal. Avec un peu de chance, je découvrirai quelque chose à notre sujet.

Par là, elle pensait à sa famille et à tous ceux qui habitaient aux environs du Moulin du Loup.

*

Moulin de Chamoulard, même jour

À la même heure, quatre kilomètres en aval de la rivière, Bertrand Giraud et William Lancester arpentaient les bâtiments vétustes de l'ancien moulin de Chamoulard laissé à l'abandon depuis des années. Situé de l'autre côté du cours d'eau, il faisait face aux terrains de Jean, à sa vigne et à son verger, un lot de parcelles que Claire lui avait offert au moment de leur mariage.

L'avocat désigna par une fenêtre béante aux boiseries vermoulues l'alignement des pommiers.

— Jean Dumont, les premières années où il était ici, a produit un excellent cidre. Il avait appris à le fabriquer en Normandie, une région réputée pour cela. Ses affaires marchaient bien, mais il y a eu la guerre, et Jean s'est mis en tête de devenir journaliste et écrivain. Il a eu raison, car ses articles et son livre sur les colonies pénitentiaires pour enfants ont démontré chez lui un réel talent. Mais Claire n'était pas contente, il s'absentait sans cesse. Il a donc replanté de la vigne, de bons cépages. Maintenant, il ne s'occupe plus de rien, du moins pas assez sérieusement. Finis, les cidres Dumont et le vin du même nom.

Lancester écoutait sans trahir l'extrême intérêt qu'il portait à Jean Dumont et surtout à son épouse. Tout ce qui avait trait au couple était susceptible de faire battre son cœur malade.

— Mais il y a deux hommes dans la vigne, dit-il avec son léger accent typiquement britannique.

— Oui, Jean Dumont et son domestique Léon. C'est le moment de couper les sarments de l'année précédente, expliqua Bertrand.

Il avait bien déjeuné, selon son habitude : un repas suivi d'un verre de cognac. Très satisfait d'avoir un acheteur sympathique pour ce moulin presque en ruine dont il ne savait que faire, le mari de Bertille avait envie de bavarder.

— Je vous avouerai, confia-t-il d'un ton sibyllin, que Jean Dumont est dans une période d'expiation. Il marcherait sur les mains pour plaire à sa femme. Notre chère Claire serait souffrante. Il paraît qu'elle garde le lit depuis quelques jours, ce qui ne lui ressemble guère. Je l'ai toujours connue active, infatigable, soucieuse de diriger son foyer avec sérieux.

Bertrand remarqua à peine les traits brusquement altérés de son interlocuteur. Lancester s'alarmait déjà, en silence.

« Claire malade? Et si c'était ma faute? Je lui ai peut-être causé des ennuis avec mes courriers. Sa fille m'a dit que Jean Dumont tolère mal ma présence à Ponriant. »

— Admirez les mécanismes des piles à maillets. De vraies pièces de musée! continua l'avocat en entrant dans la salle où jadis des ouvriers préparaient la pâte à papier. J'admets que le progrès nous offre des machines plus performantes, mais cela fonctionnait aussi, ma foi, et le vélin royal de Colin Roy, par exemple, était une merveille. Voyez-vous, mon cher William, j'ai passé toute ma jeunesse dans cette vallée avant de partir pour Bordeaux faire des études de droit. Je me souviens de bien des gens que la mort a fauchés prématurément. Comme Colin Roy, le père de Claire. Il s'est suicidé. On a retrouvé son corps dans une gangue de glace, près des roues à aubes dont il aimait tant la chanson. Je ne sais pas si mon épouse vous l'a dit, mais Arthur, le garçon sur lequel nous veillons, est en fait le fils de maître Roy, qu'il a eu avec une servante, une certaine Étiennette, une fille de rien. Rassurez-vous, ils étaient mariés. Hortense, la mère de Claire, est décédée en mettant Matthieu au monde.

— Oh! Cher ami, protesta William Lancester, je me perds dans tous ces noms.

Ils étaient à présent dans une vaste pièce aux murs peints en brun, ce qui ne cachait pas les traces de graisse et de suie. Il y demeurait une énorme cuisinière en fonte émaillée d'un jaune pâle et un vaisselier prêt à s'effondrer. Le sol était pavé de rouge.

— J'aime cet endroit-là en particulier, déclara Lancester. Je voudrais très vite le faire aménager.

— Je vous fais confiance. Ce sera superbe, plus tard, renchérit l'avocat. Vous saurez donner à ce corps de logement une âme toute neuve. Il faut aller de l'avant; se tourner vers le passé n'est bon pour personne. Quand j'ai perdu mon fils, Denis, alors qu'il avait juste vingt ans, j'ai cru ne pas m'en remettre. Mais, que voulez-vous, partout sur terre, les hommes ont leur lot de malheurs et de deuils.

William effleura prudemment du doigt le bois du vaisselier. Il se décida à poser la question qui le tracassait.

— Pourquoi disiez-vous à l'instant que Jean Dumont traverse une période d'expiation?

— Ah! fit Bertrand. Si je ne tiens pas ma langue, Bertille sera furieuse. Mais nous sommes seuls, sans oreille indiscrète dans les parages. Aussi je ne vois pas de raison de me taire. Il s'est passé une sale affaire au Moulin du Loup, il y a deux ans. Une très sale affaire, que je vous prierai de ne pas ébruiter dans la vallée. Nous avons réussi à étouffer le scandale, sinon nos deux familles auraient été salies par toute cette boue.

Il baissa le ton en entraînant Lancester vers l'appui en calcaire d'une fenêtre. Là, les yeux brillants d'exaltation derrière ses lunettes, il dévoila la tragédie qui avait failli briser le couple de Jean et de Claire.

— *My God!* s'écria William à la fin du récit. Je ne peux pas le croire! Et je suis installé dans le pavillon où il y a eu cet horrible accouchement? Je ne m'y sentirai plus à mon aise.

Du coup, Bertrand regretta d'avoir parlé. Il imagina la colère de Bertille si leur invité demandait une chambre à l'intérieur même du domaine. Cela ne serait pas gênant, la place ne manquant pas, mais le papetier devait rester plusieurs mois chez eux et ils avaient voulu préserver leur intimité.

— Mon épouse a entièrement revu la décoration. Le pavillon est flambant neuf, Will, ne vous laissez pas impressionner.

L'emploi judicieux du diminutif familier fit sourire Lancester. Il devinait l'embarras de son hôte. Cependant, toutes ses pensées volaient vers Claire.

« C'est une femme extraordinaire! Et il l'a humiliée, trahie! Moi aussi, je l'ai blessée en arrêtant de lui verser les loyers que je devais encore. J'ai essayé de me venger. C'était bas, mesquin, comme disent les Français. Mais lui, Jean Dumont, comment a-t-il osé lui faire autant de mal? *My God,* elle était désespérée, sans ami ni tendresse. Ce type a couché avec sa fille adoptive! Il ne mérite pas Claire, elle aurait dû le chasser pour toujours, ne pas lui pardonner. »

Dans son cœur naissait une haine terrible contre Jean, qui succédait à une longue jalousie désabusée.

— Est-ce que vous vous sentez bien? interrogea Bertrand, inquiet de lui voir une expression tourmentée.

— Je suis très choqué, cher ami, répliqua-t-il. J'ai beaucoup d'estime pour Claire Roy, et je n'arrive pas à comprendre pourquoi elle a repris la vie commune avec son mari après un drame aussi terrible.

— L'amour, Will! Ces deux-là s'aiment passionnément. J'ai accablé Jean, car je le juge coupable au plus haut point, mais il n'était plus que l'ombre de lui-même, séparé de Claire. Une épave! Changeons de sujet, ce n'est pas très gai. Et, je vous en prie, Bertille doit ignorer que vous êtes au courant.

— Bien sûr! soupira Lancester.

— Venez, coupa Bertrand, je vais vous montrer un détail pittoresque du moulin de Chamoulard. Enfin, quand je dis un détail, je suis modeste. J'ai emporté une lampe à pile; il faut descendre à la cave. Figurez-vous qu'il y a ici un départ de souterrain, comme c'est le cas au Moulin du Loup. Les papetiers de jadis devaient être des gens aisés qui faisaient creuser des passages vers les falaises, sans doute afin de pouvoir assurer la sécurité de leur famille et de leurs biens. C'était une pratique courante dans beaucoup de châteaux de la région. Le souterrain du Moulin du Loup communique avec une des cavernes de la vallée surnommée par les anciens du village la Grotte aux fées. Faustine, une jeune fille que j'apprécie grandement, s'est retrouvée là-bas par je ne sais plus quel hasard et sa fille Isabelle y est née.

William Lancester approuva, interdit. Il lui sembla soudain que rien n'était banal chez les Roy-Dumont. Du temps où il courtisait discrètement Claire, elle lui avait raconté également des anecdotes assez marquantes, gaies ou tristes.

— Prenez garde! s'écria l'avocat. Les marches sont glissantes, de l'eau s'infiltre sûrement.

Ils se retrouvèrent dans une vaste cave flanquée de quatre piliers taillés à même le rocher, à l'instar du plafond bas. Une odeur pénétrante s'élevait des murs, mélange de moisissure et de salpêtre, nuancée d'une imperceptible fragrance d'argile humide. Sur un des côtés, des tonneaux s'alignaient ainsi que du bois vermoulu et des cercles en fer rouillés. Divers débris jonchaient le sol, des sacs en toile de jute rongés par les rats, des planches blanchâtres, des bouteilles poussiéreuses.

— Quel capharnaüm! commenta Bertrand. Avancez quand même, William, suivez-moi.

Ils furent enfin devant une sorte de porte à claire-voie dont les gonds paraissaient prêts à tomber en miettes. Le faisceau de la lampe dansa plus loin dans les profondeurs d'un passage voûté.

— *My God!* s'écria Lancester. Je ferai murer cette entrée de souterrain. C'est trop dangereux. Des enfants du pays pourraient l'explorer et s'égarer.

— Il suffirait de faire poser une autre porte plus solide avec un cadenas, nota l'avocat. Personnellement, je n'ai pas cherché à suivre ce conduit. Au Moulin du Loup, le souterrain dont je vous ai révélé l'existence aboutit en bas d'un puits vertical, équipé d'échelons en fer. Une trappe se soulève et cela donne dans un placard, qui lui-même se situe dans la chambre de Claire et de Jean. Par mesure de sécurité, il y a des verrous à clef, ce qui en condamne l'accès aux enfants. Moi, je vous conseille d'entretenir votre souterrain. Sait-on jamais!

Bertrand éclata de rire. Mais William Lancester frissonnait. Une chauve-souris voleta au-dessus d'eux.

— Remontons! dit le papetier anglais. C'est sinistre, ici. Mais je vous remercie, cher ami. Je préfère connaître ma future propriété de fond en comble.

— Nous allons justement visiter le grenier et les anciens étendoirs, rétorqua Bertrand, très enthousiaste.

Il ne soupçonnait pas la tempête intérieure qui ravageait son invité. Lancester ruminait tout ce qu'il venait d'apprendre, et l'image de Claire, telle qu'il l'avait vue un jour d'été, allongée sur l'herbe au soleil, l'obsédait. Cette image, il la chérissait depuis sept ans. Il n'avait pas oublié le parfum frais de la menthe foulée par leurs ébats ni la douceur de leurs baisers.

« Claire, j'aurais pu vous éviter de souffrir autant, songea-t-il. Mais peut-être avons-nous une dernière chance d'être heureux... »

*

Moulin du Loup, lundi 6 mars 1928

Deux jours encore s'étaient écoulés, et le comportement de Jean ne faisait qu'empirer. Faustine avait bien tenté de le raisonner, mais cela n'avait servi à rien. Malgré la docilité inhabituelle de Claire, il multipliait les précautions dès qu'il devait s'absenter, même pour une heure.

Anita se rongeait les sangs. Elle en devenait aigrie.

— Si ce n'est pas malheureux, cette histoire! disait-elle souvent à qui voulait l'écouter. À mon avis, madame n'est pas malade du tout. Ce n'est pas dans ses habitudes de rester dans sa chambre comme ça. Je ne peux même pas m'occuper d'elle. Il n'y a que monsieur Jean qui entre et ressort dix fois par jour. Il lui porte tous ses plateaux.

— Ne t'en mêle pas! pesta Léon ce matin-là. Claire a sans doute de bonnes raisons de garder le lit.

— Toi, tu en sais plus long que moi, mais tu joues les carpes, à me cacher la vérité. Seulement, aujourd'hui, monsieur Jean l'a enfermée à clef, sa femme, ajouta-t-elle. J'étais dans le débarras au bout du couloir et je l'ai vu faire. Et il a emporté la clef! Tu trouves ça normal? Imagine qu'un incendie se déclare. Comment elle sortira, la patronne? Et si elle fait un malaise? Une femme aussi bonne, dévouée pour le monde! Elle ne mérite pas d'être traitée de la sorte.

Léon haussa les épaules. Il n'était ni sourd ni aveugle et il avait deviné que le noyau du problème devait être le retour au pays de William Lancester. Sept ans auparavant, il avait bien remarqué que le papetier anglais courtisait Claire.

— De toute façon, ce ne sont pas nos oignons, trancha-t-il. J'ai du travail, moi! Je vais pas rester à causer, le cul sur ma chaise.

Sur ces mots, il se leva et sortit en claquant la porte.

Matthieu avait réussi à convaincre Jean de l'accompagner jusqu'à Cognac, au sud du département, où ils devaient livrer une grosse commande de cartons destinés à emballer du pineau.

— Je n'ai aucune envie de quitter le Moulin! avait protesté Jean. Claire a besoin de moi. Elle est à bout de nerfs, je suis le seul à l'apaiser.

— Et moi, j'ai besoin de toi, avait rétorqué le jeune homme. Léon a du boulot par-dessus la tête et je te rappelle que nous sommes associés. Pire encore, tu avais promis de filer doux, quand tu nous as suppliés de t'accepter ici.

Jean avait cédé, mais en expliquant à Claire qu'il l'enfermait à clef. De plus en plus inquiète pour la santé mentale de son mari, elle avait consenti sans discuter.

Dans sa chambre, elle faisait les cent pas, les bras croisés sur sa poitrine. Elle était partagée entre la colère et l'appréhension.

« Que deviendrai-je si Jean perd la raison? s'interrogeait-elle. Je prie chaque jour pour qu'il prenne conscience de son erreur, de l'absurdité de sa conduite. »

Afin de confirmer les déclarations de son mari, Claire feignait d'être vraiment souffrante vis-à-vis de Léon et d'Anita. Elle fut un peu surprise lorsqu'on frappa à la porte.

— Madame, s'inquiéta une voix familière. C'est moi, Anita! Voulez-vous que j'appelle votre cousine Bertille à l'aide? Je ne suis pas née de la dernière pluie; monsieur Jean vous séquestre. Dans les journaux, ils disent comme ça, « séquestrer ».

Claire se colla au panneau de bois. Elle était mortifiée. Il lui fallait sauver les apparences une fois de plus.

— Anita, tu te trompes! s'écria-t-elle. Jean a tourné la clef par étourderie et il a dû l'emporter avec lui. Je comptais faire une bonne sieste; je ne vois pas où est le problème. Quand Matthieu et mon mari rentreront, tu me prépareras un plateau pour le goûter. Je voudrais bien des crêpes sucrées au miel. Ne perds pas ton temps à essayer d'ouvrir!

Cela sonnait comme un ordre. Anita leva les bras au ciel.

— Bien, madame! Vous aurez vos crêpes. Après tout, ça ne me regarde pas, ce qui se passe.

À demi soulagée, Claire guetta l'écho des pas d'Anita dans le couloir, puis dans l'escalier. Elle retourna vers son lit, blême de contrariété. L'inaction commençait à lui peser. Elle rêvait de sortir, de rendre visite à la jument et à l'âne Figaro, de donner du foin aux chèvres.

« Et de bêcher le jardin, de semer des radis, songea-t-elle. Il ne pleut plus, l'air est doux, le printemps approche. Je ne veux plus rester confinée dans cette pièce. Je l'ai dit à Jean ce matin, mais il a fait celui qui n'entendait pas. »

Elle s'allongea sur son couvre-lit, les jambes sous l'édredon. La fidèle présence de la chatte Mimi la réconfortait.

— Heureusement que tu me tiens compagnie, dit-elle à la jolie bête au pelage noir et blanc qui ronronnait en la fixant de ses yeux verts.

Claire ouvrit un des cahiers du père Maraud, rangé sur sa table de chevet.

« C'est Anita qui les a trouvés dans un placard, le soir de la veillée mortuaire. Pauvre homme, il connaissait le jour et l'heure de son décès. Par chance, j'ai pu lui tenir la main au moment ultime, celui où notre âme quitte notre corps. »

Les écrits du vieux rebouteux la troublaient souvent. Depuis trois ans qu'il reposait au cimetière de Vœuil, elle n'avait pas touché à ses cahiers où étaient consignés ses pensées personnelles, le détail de ses visions et des recettes de tisanes. Là, réduite à l'oisiveté, elle avait plaisir à en parcourir les lignes.

— Qu'est-ce que je cherche, au fond? se demanda-t-elle tout bas. Un remède miracle contre les hantises de Jean ou bien une réponse en ce qui concerne notre avenir?

Elle relut un passage qui l'avait intriguée la veille. Le père Maraud évoquait un phénomène singulier au sujet de Bertille.

Seulement, à moins d'être sourd, c'est difficile de ne pas entendre parler de Claire Roy et de sa cousine Bertille. En voilà une qui remarchera bientôt. Je ne l'ai vue qu'une fois, au bal du 14 juillet. Il y a de la lumière autour de sa tête. Comme mon Angélique. Claire Roy est liée à la terre et aux plantes, Bertille Roy appartient au monde de l'air et de l'eau. Monsieur Basile a tort de s'inquiéter. Ces deux filles-là sont nées sous une bonne étoile.

Le passé reprit ses droits, riche en images qui lui étaient chères. Claire évoqua avec émotion son cher Basile. Instituteur, communard passionné, cet homme vieillissant était devenu le grand-père de cœur de Matthieu et de Faustine.

« Il était tellement instruit, d'une si grande intelligence! se souvint-elle. Et il a beaucoup souffert, lui aussi. »

Claire sentit son cœur s'emballer. Elle venait de découvrir que deux pages étaient collées ensemble, le long de la bordure. S'agissait-il d'un accident ou d'un geste intentionnel du père Maraud? À l'aide de son coupe-papier, elle put assez facilement les séparer. Des lignes écrites à l'encre violette lui apparurent ainsi que de petits dessins dans la marge. Cela représentait des têtes humaines entourées d'un halo. Intriguée, elle s'empressa de lire.

Septembre 1919,

Monsieur Basile Drujon, à qui je donne le titre de monsieur, car c'était vraiment un monsieur, selon mon idée, appelait ça une aura. Moi, à peine gamin, je voyais parfois ce cercle de lumière autour des gens, plus précisément autour de leur tête. Ce n'était pas fréquent, mais, plus j'ai eu de visions, plus ça m'arrivait.

La couleur de l'aura, pour utiliser le mot scientifique, doit varier selon l'état dans lequel se trouve la personne. Je n'ai jamais pu oublier le halo argenté qui couronnait la jeune et jolie Bertille Roy, alors même qu'elle était infirme. De l'eau a coulé sous les ponts, cette demoiselle a remarché et elle est devenue une dame fortunée. Des ragots ont couru sur sa vertu, mais je sens, moi, que Dieu l'aime et la protège. Ce qui m'étonne, c'est le cas de Claire Roy, sa cousine. Celle-là, je l'ai bien épiée, observée sans qu'elle le sache. Son aura a la couleur de l'aube, un rose doré très dur à distinguer. Cette femme ignore-t-elle vraiment les pouvoirs qu'elle a?

Je dois faire sa connaissance, mais je ne me décide pas, vieil idiot que je suis.

De quoi est composée une aura, je n'en sais rien du tout! Mais une teinte sombre, brune, grise, me prouve la noirceur ou le malaise d'une âme. Sur cette brute imbibée de vin de Gontran, j'ai bien vu cette aura sombre, trois jours avant qu'on le retrouve pendu parce qu'il ne supportait plus le poids de ses méfaits.

Il faudrait donc mettre en garde ceux qui ont une aura terne, brune ou grise. Ce qui me chagrine souvent, c'est de penser que je n'aurai jamais d'explications à tous ces mystères, à tous ces phénomènes dont je suis témoin.

Claire s'arrêta de lire. Depuis qu'elle avait été confrontée à des manifestations de l'au-delà, notamment les apparitions de son demi-frère Nicolas, elle admettait volontiers le côté inexplicable d'autres phénomènes paranormaux. Si elle n'avait pas rencontré le vieux rebouteux, elle aurait peut-être continué à douter de ce qu'elle avait vu et perçu à plusieurs reprises.

« Si j'ai pris ce cahier et pas un autre aujourd'hui, si j'ai décollé ces deux pages où il est question de l'aura, est-ce vraiment un hasard? se demanda-t-elle. Quelque chose de grave risque de se passer, un danger plane sur nous tous ou sur Jean. »

Elle céda à l'angoisse. Le matin même, quand Jean lui avait expliqué pourquoi il devait l'enfermer à clef, durant quelques secondes elle avait perçu une sorte de voile grisâtre qui lui brouillait la vue. C'était un infime détail, mais qui lui revenait avec une précision stupéfiante.

« Et si j'étais comme le père Maraud! Si j'avais ce don-là aussi! Mes mains soulagent, sentent la force vitale de ceux que j'examine, mais je suis peut-être médium. Matthieu en a parlé, à cause du fantôme de Nicolas que j'étais la seule à voir. »

Cette idée la bouleversa. Une force obscure l'avertissait quand une menace rôdait.

« Gontran! songea-t-elle encore. Quel triste individu! Un ivrogne, une brute, un pervers! Son aura ne pouvait pas être lumineuse, ça non! Il a frappé Arthur qui n'était qu'un bébé, il a essayé de violer Blanche, et la pauvre femme a eu la peur de sa vie. »

Entre la sœur jumelle de Jean, Blanche Dehedin, et elle,

il y avait toujours eu une animosité instinctive, une antipathie que ni l'une ni l'autre ne maîtrisait. Cependant, avec le recul, Claire la plaignait d'avoir dû subir les baisers avinés de Gontran. Elle se replongea dans sa lecture.

Je crains de passer pour un cinglé si quelqu'un lit tout ceci. Si je suis le seul à voir l'aura de mes semblables, à quoi bon en faire le rapport? Je dirai, pour ma part, que cette lumière diffuse, en forme de couronne, pourrait être une émanation de l'âme, mais, comme elle change de couleur selon les émotions, les deuils, les joies de l'existence, peut-on s'y fier dans le jugement qu'on porte sur quelqu'un? Je n'en ai causé qu'avec monsieur Basile, mais il n'est plus de ce monde, hélas!

Ici s'achevaient les deux pages. Elle comprit mieux pourquoi le rebouteux les avait collées.

— Cher père Maraud, vous n'étiez pas fou! dit-elle avec respect. Mais très seul...

Au même instant, la chatte se mit à feuler. D'un bond, elle fut dressée sur ses pattes, le dos arqué, le poil hérissé.

— Qu'as-tu donc, Mimi? demanda Claire.

Elle attendit, aux aguets, le souffle court. Un grattement régulier, vite suivi de trois petits coups secs, l'intrigua au plus haut point.

— Mais cela provient du placard! Une bête aura remonté le souterrain et cherche une issue! dit-elle à mi-voix, déconcertée.

Elle concevait mal, néanmoins, quel animal aurait été capable d'employer des barreaux en fer dans l'obscurité. Elle crut entendre son prénom.

— Qui est là? balbutia-t-elle, apeurée.

Mimi se recouchait déjà en clignant des yeux. Si la chatte témoignait d'une telle indifférence, ce ne pouvait pas être un fantôme. Ainsi pensa Claire, alors que son prénom résonnait de nouveau. Cette fois, elle se leva précipitamment et marcha jusqu'à la porte du placard.

— Qui est là? répéta-t-elle.

— William Lancester. Claire, ouvrez, je voudrais vous parler, juste cinq minutes. Bertille m'a confié que vous étiez souffrante, que vous gardiez la chambre. J'étais inquiet.

Stupéfaite, elle considéra les planches peintes couleur ivoire et les deux verrous.

— Mais vous êtes fou! répondit-elle, émue de reconnaître le timbre de sa voix et son accent. Qui vous a renseigné, pour le souterrain? Ma cousine?

— Non, Bertrand, lors d'une conversation. Alors, j'ai tenté ma chance. C'est très boueux, mais j'ai pu passer.

— Vous devez repartir, William! Si mon mari l'apprend, il y aura une tragédie.

— Non! J'ai téléphoné en demandant Jean Dumont. Votre domestique m'a répondu qu'il était absent pour la journée. Ouvrez, je voudrais tant vous revoir. Et je voulais vous présenter toutes mes excuses, dans ma lettre, et j'ai oublié. J'ai mal agi avec vous, mais j'étais malheureux et le malheur rend méchant, stupide!

— Des verrous condamnent ce placard, répliqua-t-elle. Mon mari garde les clefs sur lui. Il a toujours redouté qu'un rôdeur découvre ce passage et s'introduise dans la maison.

William poussa un soupir. Il semblait étrangement proche à Claire.

— Je suis désolée, il ne fallait pas venir jusqu'ici, ajouta-t-elle. J'avais l'intention de vous rencontrer, mais plus tard. Votre maladie de cœur, est-ce très grave?

Lancester tapota la porte. Il brûlait d'envie de serrer Claire contre lui.

— Ma douce amie, ne parlons pas de moi, mais de vous! Vous devez quitter votre mari. Je sais tout ce qu'il vous a fait. Je parle bien sûr de son histoire avec Angéla, votre fille adoptive. Cet homme, il faut le rayer de votre vie. Je me moque du moulin de Chamoulard; ce qui m'intéresse, c'est vous! Je ne sais pas le temps qu'il me reste sur terre, mais si vous êtes près de moi, chaque heure sera merveilleuse, unique. Je vous offrirai une existence délicieuse, loin d'ici. Claire, je suis sûr que vous pouvez ouvrir. Il y a bien un double des clefs, réfléchissez!

— Allez-vous-en! dit-elle d'un ton ferme. Je n'aime que Jean, comprenez-vous? Je lui ai pardonné. Nous étions très heureux avant votre retour. Si vous m'aimez autant que vous le prétendez, tenez-vous à l'écart et laissez-moi en paix. Même si j'avais le moyen d'ouvrir, je me l'interdirais. William, vous me plaisiez, je ne peux pas le nier, mais c'est terminé, ce temps-là. J'étais plus jeune, vous étiez prévenant et protecteur. C'était un coup de folie de ma part. Je l'ai amèrement regretté depuis.

Claire avait des accents d'absolue sincérité. Ébranlé dans ses certitudes, Lancester demeura silencieux.

— Ce ne serait pas un crime, de vous revoir quelques minutes, finit-il par marmonner. Penser que vous êtes si proche, que je n'ai pas le droit de vous revoir, c'est injuste, cruel!

— Je vous en prie, partez! Et soyez prudent, le puits est dangereux, les échelons sont glissants. Ce n'est guère raisonnable, ce genre d'expédition, surtout si vous êtes malade.

Elle aperçut alors, sur la commode voisine, une coupelle en porcelaine contenant de menus objets: une gomme, un taille-crayon, des épingles et un jeu de petites clefs.

« Oh non! se dit-elle. Ce sont les doubles pour les verrous. Décidément, le sort me tend un piège. Maintenant, je peux ouvrir la porte. Non et non, je ne dois pas le recevoir dans ma chambre! »

— Claire, promettez-moi au moins un rendez-vous dès que vous serez rétablie, dit encore William.

Elle l'imagina dans l'obscurité, dans une position quelque peu malaisée, l'espace autour de l'ouverture du puits vertical étant réduit. Même équipé d'une lampe à pile, il n'était pas aisé de patienter dans un tel endroit.

— Moins fort! dit-elle. Je n'ai pas envie qu'on vous entende. On ne doit pas se douter de votre présence. Je viens de trouver le double des clefs. Je veux bien vous ouvrir, mais vous repartirez presque aussitôt, jurez-le-moi! Et vous allez être bien déçu, j'ai vieilli…

— Je ne vous crois pas. Bertille assure que vous êtes toujours belle. Merci, Claire!

— Chut! fit-elle.

Ses doigts tremblaient en s'emparant des clefs.

« Jean et Matthieu ne seront là qu'en fin d'après-midi, se disait-elle. Anita doit étendre du linge ou cuisiner. Après tout, cet homme m'a aimée sincèrement et il m'aime encore, il vient de le prouver. Si vraiment il est condamné, je peux lui accorder quelques minutes, mais rien d'autre. Rien! »

Sans plus réfléchir, elle ouvrit la porte. William Lancester se dressa devant elle, un sourire impatient sur les lèvres. Auréolé de sa chevelure argentée, son regard limpide étincelant de joie, il n'avait pas perdu de sa séduction.

— Ma chère Claire! balbutia-t-il en sortant du placard.

Il la dévisageait, heureusement surpris. Elle avait cet air doux et digne qui la caractérisait, un teint pâle, des lèvres roses, mais elle était beaucoup plus mince que jadis. Il fondit de tendresse et de respect.

— Vous êtes exquise! s'exclama-t-il.

— Vous n'avez guère changé! soupira-t-elle.

Ce fut plus fort que Claire. Ses mains se posèrent sur la poitrine de Lancester, à l'emplacement du cœur. Elle devait savoir, évaluer la puissance du mal et la possibilité d'une rémission. Mais le papetier anglais vit là un geste amoureux et il l'étreignit en réponse.

— Non, pas ça! protesta-t-elle tout bas. Je vous en prie!

Elle se dégagea et le tint à distance par la seule force de son regard.

— Pardonnez-moi! dit-il, l'air penaud.

« Il va mourir, je l'ai senti! » pensa-t-elle.

13
Un étrange printemps

Moulin du Loup, même jour

Claire et Lancester se faisaient face. Il ne la quittait pas des yeux, un sourire grave sur les lèvres. Elle le dévisagea mieux, émue par son expression mélancolique.

— William, je vous en prie, écoutez-moi. Même si cela vous déplaît, j'aime mon mari de toute mon âme et jamais je ne le quitterai. Je vous porte encore de l'affection, de l'amitié, mais rien d'autre, vous m'entendez? Rien d'autre. Je ne sais pas qui vous a raconté le drame qui nous a séparés deux ans, Jean et moi, mais c'est du passé. En tout cas, Bertille n'aurait pas dû vous parler de tout cela. Cela me donne le rôle d'une pauvre victime, ce que je ne suis pas.

— Claire, comment pouvez-vous encore aimer cet homme? s'écria-t-il.

— Mon Dieu! Calmez-vous, ne haussez pas le ton, il y a quelqu'un dans la maison. Anita… C'est la seconde épouse de Léon. Vous vous souvenez de Léon?

— Oui, je n'ai rien oublié de ce temps béni où j'habitais la vallée, où je venais chaque matin au Moulin du Loup avec l'espoir de vous croiser, de vous aborder. Je suis sincère, Claire. Mon départ précipité était une fuite et, une fois de retour en Angleterre, petit à petit, je vous ai détestée parce que vous m'aviez repoussé. Si seulement, à l'époque, vous aviez divorcé! Reconnaissez que la vie que je vous proposais était tentante…

— Tout était tentant, avec vous! approuva-t-elle. Je ne regrette rien. Mais à présent, je reconstruis mon couple, mon foyer, et je ne changerai pas d'avis ni de sentiments. Jean est ma priorité. C'est ainsi.

Lancester observait la chambre, les meubles en chêne sombre, la tapisserie beige dont les motifs représentaient des roses et des feuillages enchevêtrés. Il fixa un instant le lit, large et douillet, en pensant que là, chaque nuit, Claire dormait aux côtés de Jean Dumont. Il eut envie de la soulever du sol, de l'allonger sur l'édredon rouge et de la faire sienne, comme sept ans auparavant. Un acte rapide, dont l'intensité comblerait son désir longuement mûri.

— Non! dit-elle, devinant l'idée qui le traversait à son regard. Non et non, vous allez sagement redescendre le puits et suivre le souterrain. Si le destin le veut, nous nous reverrons.

— Claire, ayez pitié! Mes jours sont comptés. J'ai rêvé de vous si souvent! implora-t-il. Les autres femmes me laissent indifférent.

— Mais cela signifie qu'il y a d'autres femmes, voulut-elle plaisanter. William, je vous en conjure, partez!

Un bruit de moteur résonna dans la cour. On klaxonnait.

— Une voiture! Je vous en prie, disparaissez! Et ne restez pas dans la vallée. Retournez en Angleterre, vous ne serez pas heureux ici!

Claire le poussa par les épaules. Il recula, affolé, et se glissa dans le placard.

— Je vous aime! dit-il en signe d'adieu.

Elle n'était plus en mesure de l'entendre. Survoltée, elle referma vite derrière lui et verrouilla à la hâte, certaine que Jean s'était arrangé pour revenir plus tôt que prévu. Ce fut à cet instant précis qu'elle vit sur le plancher des traces de boue et d'humidité dont le dessin était significatif. Son visiteur clandestin lui avait laissé en souvenir des empreintes bien marquées.

— Oh non! Je n'aurai pas le temps de nettoyer. Peut-être que si…

Elle empoigna dans l'armoire un linge qu'elle trempa dans la carafe d'eau. Se jetant à genoux, elle essuya de son mieux la terre ocre et visqueuse. Des pas rapides ébranlaient les marches de l'escalier, puis le plancher du couloir.

— Ce n'est pas possible! gémit-elle. Si Jean voit ces traces, il va devenir fou pour de bon! Mon Dieu, aidez-moi!

Des voix s'élevèrent, suivies d'un cliquetis dans la serrure. Claire ne trouva pas d'autre solution que de s'asseoir sur les empreintes de Lancester. Malgré la panique qui la terrassait, elle avait cru percevoir un timbre féminin. La porte s'ouvrit à la volée et Bertille apparut, escortée de Léon.

— Princesse, bredouilla-t-elle, mais qu'est-ce que tu fais là?

— Je suis venue te délivrer, Clairette, rétorqua sa cousine. Merci, Léon, tu peux redescendre.

Médusée, Claire n'osait pas bouger. Elle lut dans les yeux de leur vieil ami Léon une profonde tristesse et de l'incrédulité.

— J'ai obéi à madame Bertille parce que j'étais de son avis, marmonna-t-il. C'est guère catholique de vous séquestrer, comme dit Anita. Je me suis servi d'un passe que votre papa utilisait parfois.

Sur ces mots, il s'en alla. Claire se releva doucement. Bertille la dévisageait avec perplexité.

— Que faisais-tu assise au milieu de la chambre? demanda-t-elle. Tu priais?

— Non, j'essayais d'effacer les marques de ma faute, lança Claire en reprenant le linge pour frotter le parquet. Tu te souviens du conte que nous aimions tant, *Barbe-Bleue*[15]? J'ai l'impression d'être l'épouse de ce terrible seigneur, quand elle n'arrive pas à laver la clef maculée de sang, celle de la cave où les autres femmes sont suspendues à des crochets, égorgées. Tu te souviens?

— Oh oui, j'en faisais des cauchemars! affirma Bertille. Alors, maintenant, tu compares ton grand amour à Barbe-Bleue? Jean n'est quand même pas un tyran? Si?

En quelques phrases, Claire expliqua ce qui se passait à sa cousine, jusqu'à la visite-surprise de William Lancester. Elle conclut son bref récit par des reproches.

— Tu n'aurais jamais dû lui raconter l'histoire de Jean et d'Angéla! Nous devions garder le secret, nous tous, au Moulin et au domaine. Tu vois le résultat, princesse?

---

15. Conte populaire dont la version la plus connue est celle de Charles Perrault (1628-1703), homme de lettres français, auteur des *Contes de ma mère l'Oye*.

— Mais je n'ai rien dit! Ce n'est pas moi, Clairette. Bon sang, ça, c'est signé Bertrand! Mon cher mari ne quitte pas Lancester. Sauf aujourd'hui, semble-t-il... Et, avec l'âge, Bertrand devient plus bavard que les commères du bourg.

Claire poussa un cri de dépit. Malgré tous ses efforts, les marques d'eau et de boue demeuraient visibles.

— Ne te fatigue pas, trancha Bertille. Regarde, il y a plus simple.

Elle déplaça en un tour de main le tapis en laine rouge disposé devant le lit.

— Voilà! Ni vu ni connu! Clairette, tu ne dois pas courber l'échine devant Jean. D'abord, nous allons goûter en bas, dans la cuisine. Tu vas reprendre une vie normale, puisque tu n'es pas malade.

— Bertille, tu n'as rien compris! Jean perd la tête. Je ne veux pas le contrarier de peur que son état empire. Je t'assure que c'est grave. La nuit, il me tient contre lui; le matin, il pleure en me couvrant de baisers. Je ne l'ai jamais vu aussi fragile. Oui, je suis entrée dans son jeu en acceptant d'être enfermée, de ne pas quitter cette pièce. Qu'est-ce que je deviendrai, moi, si mon mari finit dans un asile? Ce serait effroyable!

Elle se mit à pleurer sans bruit, toujours à genoux sur le sol. Exaspérée, Bertille l'obligea à se redresser.

— Ce n'est pas le bon moyen, déclara-t-elle. Claire, tu n'es pourtant pas du genre à baisser les bras! Jean t'aime si fort qu'il ne supporte pas l'idée d'être séparé de toi à nouveau, mais de là à être fou, je n'y crois pas.

Plus petite que sa cousine, la dame de Ponriant ne pouvait pas lui offrir une épaule compatissante. Cependant, elle lui caressa la joue et lui prit la main.

— Il faut te battre, ajouta-t-elle. Déjà, quand Jean rentrera, tu l'attendras sur le perron pour lui montrer que tu es libre et qu'il n'a pas le droit de se conduire ainsi. Nous serons tous autour de toi; il devra nous écouter.

— Non, non! s'écria Claire. De toute façon, j'ai besoin de me reposer. Et je ne reste pas couchée toute la journée; je couds un peu, je lis assise près de la fenêtre, mais, pour

Anita et Léon, je suis souffrante. Tu as tout gâché! Ils ont dû deviner la vérité.

— Ce ne sont pas des imbéciles, quand même! répliqua Bertille. La preuve, c'est que c'est Anita qui m'a téléphoné en me suppliant de venir ici le plus vite possible. Arrête de pleurer, je t'en prie.

Claire marcha vers le lit et s'assit. La chatte Mimi se frotta à elle en ronronnant.

— Princesse, il y a autre chose qui me rend malheureuse, expliqua-t-elle. J'ai mon retour d'âge. J'ai beau me répéter que c'est naturel, inévitable, cela me fait honte. Je me sens vieille et j'ai peur de dégoûter Jean. Même qu'il ne me désire plus. Il se contente de se lamenter, de proférer des menaces contre ce pauvre William au cœur défaillant.

Bertille se posta près de sa cousine. Elle réfléchissait avec une moue adorable.

— Lancester a le cœur défaillant à cause de toi ou bien il est vraiment malade? demanda-t-elle. Clairette, ne parle pas par énigmes, nous gagnerons du temps.

— Eh bien, les deux! Il m'aime, à ce qu'il dit, et sa santé est chancelante. C'est même très grave. Je pense qu'il est condamné. Je l'ai senti en le touchant.

Il se passa alors un phénomène discret, mais si étrange que Claire en frissonna. Elle eut l'impression qu'un souffle glacé effleurait son visage, tandis que Mimi jetait un miaulement inquiet.

— Fait-il très froid dehors? interrogea-t-elle en fixant Bertille d'un air troublé.

— Non, le vent tiède a la douceur du coton. Nous aurons un printemps précoce. Qu'est-ce que tu as?

— Rien, rien! mentit-elle. Je me tourmente tellement que mes nerfs en pâtissent.

— Au fait, décréta la dame de Ponriant d'un ton moqueur, je n'ai plus mes règles depuis deux ans et j'en suis ravie. Quel soulagement! Nous ne prenons plus de précautions, Bertrand et moi. Un seul enfant m'a suffi. Ma Clara m'a donné assez de fil à retordre. Sans compter que j'ai hérité de Félicien, un vrai garnement, comme son père! Je t'assure que tu vas très vite apprécier. Est-ce que je suis laide, couverte de rides et de verrues?

Il était difficile de résister à la gaîté de Bertille et à son sourire malicieux. Claire poussa un petit soupir.

— Tu ne dis pas ça pour me consoler? s'enquit-elle. Ou bien par pitié?

— Mais non, je n'ai jamais eu pitié de toi, même quand tu gisais dans un autre lit que celui-ci, bourrée de somnifères. Allez, viens avec moi, nous bavarderons devant une pile de crêpes. Anita a tout préparé.

Comme en réponse aux paroles de Bertille, la petite Janine fit irruption dans la chambre. C'était une jolie fillette de sept ans et demi, une réplique de la défunte Raymonde, sa mère, et de Thérèse, sa grande sœur: des cheveux blond-roux, une frimousse ronde au teint rose, des yeux couleur noisette.

— Le goûter est bientôt prêt! claironna l'enfant. Maman Nini demande s'il faut faire du thé ou du café!

— Du thé, évidemment! s'écria la dame de Ponriant.

— Du café, coupa Claire.

Cinq minutes plus tard, les deux femmes se retrouvaient dans la cuisine, assises à la grande table. Armée d'une poêle luisante de graisse, Anita ne cachait pas sa joie. Le fourneau ronflait. Il flottait une bonne odeur de lait chaud et de café frais.

— Je vais chercher papa! cria Janine. Il adore les crêpes.

— Va, ma coquine! pouffa sa belle-mère. Ton père doit être à la bergerie… Madame, une chance que votre cousine a songé à utiliser le passe. Monsieur Jean est bien étourdi, quand même, d'emporter votre clef de chambre. J'ai sorti la confiture de cerises entamée et un pot de framboises. Il y a du sucre fin, aussi.

Claire approuva distraitement, charmée de revoir le décor cher à son cœur. Chaque détail de la pièce lui était d'une infinie familiarité. Elle caressait du regard les deux larges buffets en chêne sombre aux portes ouvragées et les ustensiles en cuivre soigneusement astiqués qui ornaient les murs ocre rose de leur rutilance. La belle horloge comtoise dont le bois était peint de fleurs exubérantes faisait entendre le murmure de son balancier.

— Tout ceci me manquait, avoua-t-elle. Je revis!

— À la bonne heure! rétorqua Bertille. Moi, les émotions me donnent faim. Tant que nous sommes seules toutes les trois, mettons-nous d'accord. Officiellement, Claire a eu un malaise. Elle appelait au secours, tu m'as téléphoné, Anita, et ainsi de suite. Jean comprendra que c'est imprudent et inconscient de laisser sa femme enfermée.

— Princesse, ce n'était pas prévu, dit Claire. Nous ne devrions pas mentir à Jean.

— Il s'agira d'un pieux mensonge, trancha Bertille. Au point où nous en sommes, tous les coups sont permis.

— Bien dit, madame! s'exclama Anita. Je n'étais pas dupe, vous savez; Léon encore moins. Seulement, on n'osait pas s'en mêler. Votre cousine a raison: il faut se serrer les coudes.

Claire consentit d'un signe de tête, trop contente d'être là, à côté de Bertille. Elle dégusta une première crêpe, attentive au grésillement de la pâte dans la poêle. Janine et Léon entrèrent en riant.

« Ma maison, ma famille! songea Claire. Je voudrais tant sauvegarder notre bonheur quotidien, si serein! »

Elle avait revu William Lancester, mais cela ne lui paraissait pas important. Dans chaque fibre de son corps, dans le secret de son âme, elle avait la conviction que les jours de cet homme étaient comptés.

— Clairette, à quoi rêves-tu? demanda Bertille en lui tapotant le dos. Et tu es bien gourmande, tu commences ta troisième crêpe.

— J'ai meilleur appétit, ici, avec vous, que seule là-haut.

— Régalez-vous, madame! dit Anita. La Chandeleur est passée depuis un bon mois, mais j'ai respecté la tradition. Même que Janine a bien ri. Je n'avais pas de pièce d'or à tenir dans ma main gauche, mais j'ai pris une pièce d'un franc pendant que je faisais sauter la première crêpe. Ensuite, cette crêpe, nous l'avons bien pliée autour de notre monnaie, et en cachette de vous et de monsieur Jean nous sommes allées la déposer sur l'armoire de votre chambre, celle du maître de maison[16]. Vous verrez, le Moulin ne manquera pas d'argent cette année.

— Ma mère, Hortense, faisait exactement la même chose, fit remarquer Claire. Papa lui conseillait de prendre un louis d'or; elle refusait et préférait de la monnaie ordinaire. Mais elle la donnait ensuite à un pauvre, ce qui était censé nous attirer de bons revenus.

Léon crut bon d'ajouter de sa voix forte que le travail était un moyen plus sûr de s'enrichir.

— Peu à peu, j'ai réussi à faire des économies, précisa-t-il. Ce sera pour aider mes enfants si besoin est. Dame, Thérèse veut ouvrir son salon de coiffure à Puymoyen, ce qui n'est pas une sotte idée. Il me reste Janine, qui voudrait être maîtresse d'école, et mon pauvre Thomas. Je verse une pension à madame Simone, parce qu'il grandit et qu'il faut l'habiller et le nourrir.

Il y eut un silence gêné, comme chaque fois que Léon évoquait son fils adultérin, handicapé mental de surcroît.

— Et César, ton fils aîné? interrogea Bertille. J'ai appris par le facteur qu'il avait ouvert un garage sur la route de Vars, dans le bourg de Balzac.

— Oui, confirma Léon. Mais le fiston a vu trop grand, à mon avis; il s'est endetté pour être à son compte. Résultat, sa petite femme a pris une place de bonne au château pour aider à payer les traites.

— Suzette domestique! s'écria Claire. Quel dommage! Elle n'est guère résistante et elle est très timide. J'espère que ses patrons n'en profiteront pas. Le soir de Noël, elle m'a dit chercher une place de secrétaire.

— Plus tard, avec de la chance, elle sera peut-être la secrétaire de César! avança Anita. Son affaire de garage, c'est d'actualité. Il y a de plus en plus d'automobiles. Mais moi aussi ça me tracasse. Tout le monde ne peut pas tomber sur une dame aussi bonne et généreuse que vous, madame Claire.

Bertille tiqua, comme si cela s'adressait à elle. Depuis son mariage avec Bertrand Giraud treize ans auparavant, elle s'était montrée une bonne patronne pour son personnel.

16. Très ancienne tradition des campagnes françaises.

— Ma gouvernante ne se plaint pas, ni Maurice, déclara-t-elle. La nurse redoute de quitter le domaine, et la jeune bonne que j'emploie hérite de mes robes et de mes chapeaux.

— Anita ne parlait pas de toi! soupira Claire. Connais-tu ces gens qui habitent le château de Balzac?

— Nous y sommes allés une ou deux fois, Bertrand et moi. Des personnes très aimables, amoureuses des vieilles pierres. On nous a raconté par le menu l'historique de la propriété. C'était très intéressant. Un certain Guez de Balzac y vivait au dix-septième siècle. Un écrivain. De grands noms de la cour royale auraient séjourné là-bas. La mère du roi Louis XIII, Marie de Médicis, en avait fait son lieu de résidence favori. Enfin, je ne me souviens pas de tout, mais l'endroit est enchanteur. Cela t'aurait plu, Claire. Je crois que votre Suzette n'aura pas de soucis avec ses patrons. Si je devais choisir entre le château de Torsac et celui de Balzac, je prendrais Balzac, pour le plan d'eau et le parc. Ils sont splendides. Les écuries sont très belles, aussi. J'ai taquiné Bertrand, là-bas, en lui demandant de m'acheter un château. Ponriant semble bien modeste, auprès de Balzac!

Cette déclaration provoqua un éclat de rire général. Claire secoua la tête, ravie de voir sa cousine inchangée, toujours ambitieuse et capricieuse. Au fond, cela lui allait bien de rêver d'un cadre encore plus cossu pour sa petite personne blonde et gracieuse.

— Ne te gêne surtout pas, exige un château à ton prochain anniversaire! Il y en a tant en Charente: plus de mille manoirs, logis et châteaux[17].

— Et comment le sais-tu? s'étonna Bertille. Bertrand m'a dit la même chose. Vous m'agacez, à être plus instruits que moi.

— Nous lisons davantage, voilà! répliqua Claire, égayée.

— Au fait, en parlant de Torsac, coupa sa cousine, que devient ta demi-tante de la noblesse, Edmée?

— Tous les hivers, elle part en villégiature sur la Riviera. Nous sommes en bons termes.

---

17. On dénombre plus de mille châteaux, manoirs ou logis nobles dans le département, dont les plus connus sont La Rochefoucauld, Saveille, Bayers et Verteuil.

Le bruit d'un moteur mit fin à la conversation. C'était la camionnette de Matthieu, dont la peinture verte portait une inscription à la calligraphie harmonieuse. En lettres jaunes, il y avait écrit *Imprimerie Matthieu Roy*.

— Mon Dieu, c'est Jean qui revient! s'inquiéta Claire. Pourvu qu'il ne pique pas une de ses colères aveugles...

Ils attendirent tous, un peu inquiets.

Dans le véhicule, Jean allumait une cigarette. Pendant tout le trajet, à l'aller comme au retour, les deux hommes avaient discuté du travail en cours et des commandes qui affluaient. Mais au moment où ils avaient franchi le porche du Moulin, Matthieu s'était décidé à poser une question à son beau-père et beau-frère.

— Qu'est-ce qui ne va pas, ce soir, Jean? Dès que j'ai pris le chemin des Falaises, tu t'es crispé.

Jean rejeta une volute de fumée avant de répondre.

— Je voudrais être heureux de revoir Claire, mais je me conduis si mal avec elle que j'ai peur. Peur de la perdre encore, peur qu'elle me chasse. Je me calme quand je me couche près d'elle, que nous sommes tous les deux enfermés dans notre chambre. Et encore. J'avais envie de me confier à toi, aujourd'hui, mais ce n'est pas facile, après tout le mal que j'ai causé.

— Je parie que tu t'imagines des âneries à cause de Lancester! répliqua le jeune homme. Faustine m'en a touché deux mots. Jean, ne sois pas stupide! Ma sœur t'aime de toute son âme. Elle te l'a prouvé, il me semble.

— Je ne doute pas de l'amour de Claire, précisa Jean. Mais je suis terrifié par ce que j'éprouve à l'égard de cet homme. Des images d'une rare violence m'obsèdent. Je me vois en train de le frapper à mort. De le tuer! Je me dis que je ferais mieux de me supprimer pour éviter une tragédie. Tu peux te foutre de moi, je crois que je deviens fada, comme dirait Léon. Oui, fada, et dans ce cas il vaut mieux disparaître.

Matthieu était atterré. Il considéra Jean d'un œil angoissé. Une vague d'affection le submergea devant la réelle détresse qu'il sentait en lui.

— Ne fais pas de bêtises! Tu ne vas pas abandonner Claire, Faustine et les enfants, dit-il fermement. C'est un mauvais passage, tu peux te reprendre. Tiens, regarde sur le perron!

Une femme venait de sortir du Moulin, un foulard rose sur les cheveux, un châle en laine blanche protégeant sa poitrine. Elle leur faisait un signe de la main.

— Mais c'est Claire! s'étonna Jean. Que fait-elle dehors?

— On dirait qu'elle est guérie de cette étrange maladie qui la clouait au lit, ironisa Matthieu. Va donc la rejoindre et promenez-vous un peu dans le jardin. Tu n'as pas oublié que Claire connaît toutes les plantes? Ma sœur est une sorte de fleur rare, qui s'étiole si elle manque d'air et de soleil, de pluie et de vent. Jean, fais un effort. Je sais bien que tu l'avais enfermée à clef. Arrête ça, je t'en prie.

Jean sortit de la camionnette. Il marcha vers la maison, un faible sourire sur les lèvres.

« Ce n'est peut-être pas si difficile de vider son esprit de la jalousie et de la haine, pensait-il. Au fond de moi, il y a un tel désir d'être heureux avec Claire, ma chérie, ma bien-aimée! Comme elle est pâle, fragile! »

Elle descendit une marche, puis deux. Jean la reçut dans ses bras.

— Pardon! se confessa-t-il à son oreille. Je ne sais pas comment tu t'es échappée, mais tu as eu raison.

Il la serrait de toutes ses forces contre lui, baisait son front, la contemplait en reculant un peu. Claire poussa une plainte et l'enlaça à son tour.

— Jean, je veux que tout redevienne comme avant, comme le mois dernier. Anita vous a gardé des crêpes au chaud, du café aussi. Janine joue à la poupée, Moïse le jeune dort près de la cheminée. Bertille est là et nous avons bavardé. Jean, aie pitié!

— Non, toi, aie pitié! supplia-t-il. Pitié de ton fada de mari qui ne te mérite pas. J'ai enfin osé parler à Matthieu. Quelques mots, mais il a su me remettre les idées en place. Claire, pardonne-moi.

— Tu sais bien que je te pardonnerais presque tout!

répondit-elle en le couvant d'un regard passionné. Parce que je t'aime et que je ne te quitterai jamais, plus jamais. Et je vais te dire une chose bien triste, qui te rassurera peut-être pour de bon. William Lancester est condamné. Le cœur. Il n'a pas longtemps à vivre. Si tu avais lu sa lettre en entier, tu le saurais.

— Il a pu inventer ça pour t'attendrir, pour que tu le soignes. C'était un bon moyen de t'approcher!

— Non, c'est impossible. C'est un honnête homme; il ne jouerait pas une comédie pareille. Jean, je t'en prie, crois-moi.

— Je veux bien te croire. L'avenir le dira, de toute façon. N'en parlons plus. Je te prouverai que j'ai retrouvé mes esprits.

La journée se termina dans la paix familiale et l'harmonie retrouvée. Claire fut prise, avant le dîner, d'une fringale de tâches ménagères. Elle rinça les assiettes du goûter, éplucha des légumes pour la soupe, passa en revue le placard réservé à son herboristerie. Assis près de la cheminée, Jean l'observait.

« Cela me manquait de ne plus la voir s'affairer, constata-t-il en son for intérieur. Je connais par cœur ses gestes, sa façon de se déplacer dans une pièce, des petits pas rapides, le dos bien droit, les mains souvent nouées à la hauteur de sa taille. »

Ils allèrent avec Léon jusqu'à la bergerie, puis Claire décida de nourrir les lapins. La rangée de clapiers, exposée à l'est et protégée par un auvent, abritait une vingtaine de pensionnaires.

— Tu te rappelles, Jean, comme Faustine adorait nourrir les lapins, quand elle était petite fille? demanda-t-elle en souriant. Maintenant, c'est Isabelle et Janine qui aiment s'en charger. Au fond, je suis un peu leur grand-mère.

— Mais bien sûr, que tu es leur grand-mère! protesta Jean. Surtout celle d'Isabelle. Claire, ne brasse pas d'idées noires. Tu as élevé Faustine. Elle avait à peine deux ans quand je te l'ai confiée.

— Je sais tout ça! Mais pendant ces six jours que j'ai passés dans ma chambre j'ai eu le temps de remuer bien des souvenirs et de réfléchir à beaucoup de choses, avoua-t-elle. Mon Dieu, que l'air est doux! Jean, je voudrais tant que notre avenir ressemble à cet instant! Le parfum de la terre réchauffée est si délicieux, et l'odeur du foin aussi! Et le ciel rose derrière la cime des frênes est sublime.

Il caressa sa joue, honteux de l'avoir fait souffrir encore une fois, elle qui devait puiser sa force et sa sagesse dans la nature, elle complice des plantes médicinales, des animaux.

— J'espère, moi, ne plus avoir à implorer ton pardon, à compter de ce soir.

Claire approuva en silence. Malgré l'apparente bonne volonté de son mari et la quiétude qui les entourait, elle demeurait sur le qui-vive, ne sachant pas d'où viendrait le malheur.

*

Domaine de Ponriant, jeudi 22 mars 1928

Bertille trépignait d'impatience dans le salon. Les portes-fenêtres grandes ouvertes sur le parc laissaient entrer une brise tiède, parfumée par les innombrables narcisses des massifs entourant l'escalier d'honneur.

— Mais que font-ils à la fin? gémit-elle.

Elle attendait son mari et William Lancester qui, à son avis, mettaient beaucoup trop de temps à se préparer. Mireille, la gouvernante, vint la rejoindre, un panier en osier à la main. La vieille femme peinait à le porter.

— Madame, il y a là tout ce que vous m'avez demandé pour le voyage! Deux bouteilles thermos remplies de thé, des biscuits et du sucre dans un bocal. J'espère que vous ferez bonne route.

— Merci, Mireille, dit Bertille. Dieu sait que cela ne m'amuse guère de m'absenter une semaine...

Mireille fit une petite grimace ironique. Elle désigna le parc ensoleillé de l'index, puis la luxueuse automobile de la famille.

— Avec tout le respect que je vous dois, madame, je tiens à dire qu'au bout de treize ans à cohabiter toutes les deux je sais ce qui vous plaît ou ce qui vous déplaît. Et vous êtes ravie de passer une semaine au bord de la mer.

Sous ses allures mondaines, ses toilettes à la dernière mode, ses manières parfois brusques, Bertille demeurait simple et gentille. Elle ne se formalisa pas du petit discours de sa domestique.

— Tu as raison, j'ai hâte de me promener sur la plage de Pontaillac[18]! Et, au retour, nous devons faire visiter un logis du dix-septième siècle à monsieur Lancester, vers Fléac. J'essaie de le dissuader d'acheter ces vieux bâtiments de Chamoulard.

Elle ponctua ses paroles d'un soupir, tout en songeant: « Et je fais de mon mieux pour l'éloigner du Moulin du Loup! Léon prétend que Jean va mieux, que tout est rentré dans l'ordre, mais on ne sait jamais. Et j'en ai assez, moi, de ne plus recevoir Claire à Ponriant. Elle ne me téléphone même pas. À cause de cet entêté de William, je suis mise à l'écart. »

Mireille se retira sans bruit, car Lancester entrait dans le salon. Le papetier anglais, très distingué, arborait une mine dépitée.

— Qu'avez-vous, mon ami? interrogea Bertille. Un souci?

— Je doute de la nécessité de vous suivre à Pontaillac. Je suis un incorrigible romantique. La seule idée de ne pas respirer l'air de la vallée pendant huit jours me déprime.

— L'air que respire Claire, n'est-ce pas? Vous n'en faites pas un peu trop, William? Après tout, vous avez survécu sept ans sans la voir!

— Les circonstances étaient différentes. Pourquoi le cacher? Je souffre d'une maladie de cœur et je ne sais pas le temps qu'il me reste. Votre cousine est au courant.

— Moi aussi, soupira Bertille. Claire me l'a confié. Je suppose que votre réaction est normale. Vous avez voulu tenter votre chance une dernière fois?

— J'espérais la rencontrer, passer de bons moments à ses côtés, en tout bien tout honneur, comme vous dites en France. Maintenant que son mari connaît la vérité à mon sujet, même cela m'est interdit.

---

18. Petite ville proche de Royan, très prisée comme station balnéaire à cette époque, où l'on peut encore voir de belles villas bourgeoises.

Agacée, Bertille prit sur elle pour se montrer compatissante. À bien analyser ses sentiments, la dame de Ponriant éprouvait pourtant à son égard une sincère sympathie. En lui prenant les mains, elle le regarda intensément.

— William, menez une vie saine, tranquille, qui vous évitera des ennuis de santé. Trouvez un lieu ravissant et, au fil des semaines et des mois, la situation évoluera peut-être dans votre sens. Claire pourrait vous rendre visite, j'y veillerai. Mais je le répète, pas ici, pas dans la vallée. Cela compromettrait tout.

L'arrivée de Bertrand empêcha Lancester de répondre, mais il semblait réconforté.

— En route! s'écria l'avocat. J'ai déjà l'impression de respirer l'air marin. Vous verrez, mon ami, nous dégusterons des moules et je vous amènerai à la pêche. Notre villa, dont j'ai fait l'acquisition l'an dernier, est un véritable petit bijou. De la pierre blanche, une vaste terrasse, six chambres et un escalier qui descend directement sur la plage.

Bertille lança un coup d'œil attendri à son mari. Il avait tout d'un gamin enthousiaste malgré sa cinquantaine et son embonpoint.

— Bertrand, tu rajeunis à vue d'œil. Il te manque un seau et une pelle pour construire des châteaux de sable, se moqua-t-elle. Dépêchons-nous, je veux admirer le coucher de soleil sur l'océan. Maurice a chargé nos bagages.

Dix minutes plus tard, la longue automobile noire aux chromes étincelants franchissait le portail. Mireille avait assisté au départ depuis le perron. Elle trottina en grommelant vers l'appareil de téléphone. Elle composa le numéro du Moulin du Loup. Claire en personne décrocha.

— Madame, déclara tout bas la vieille gouvernante, votre cousine m'a demandé de vous prévenir. Ils vont séjourner dans leur villa de Pontaillac, sur le front de mer. C'était très important, je devais vous appeler tout de suite. Le monsieur anglais est avec eux.

— Je vous remercie, Mireille, dit Claire avec un soupir apaisé.

Elle coupa vite la communication. Bertille lui avait

promis d'organiser ce séjour près de Royan. Soulagée, elle se précipita vers le local de l'imprimerie. Jean, ses lunettes sur le nez, nettoyait des caractères en plomb à l'aide d'une brosse douce.

— Tu es seul? interrogea-t-elle.

— Oui, Matthieu garde les enfants. Faustine a pris le car pour Angoulême.

— Anita et moi aurions pu les garder, s'étonna Claire en posant une main caressante dans le dos de Jean, qui redressa la tête en souriant. Elle se pencha et l'embrassa sur les lèvres.

— Cet après-midi, je vais monter Junon, annonça-t-elle. Ma pauvre jument se morfond à l'écurie. Elle a besoin de se dégourdir. J'irai jusqu'au Petit-Giget[19]. Et ne t'inquiète pas, il n'y a plus personne à Ponriant.

— Comment le sais-tu? s'étonna-t-il.

— Bertille se préoccupe de mon bonheur. Elle a fait en sorte que je sois prévenue. Peu importe la manière, tu n'as plus rien à craindre. Je rêvais d'un galop sur le chemin des Falaises. Tu n'y vois pas d'inconvénients?

— Tu n'as pas besoin de ma permission, déplora-t-il. Claire, je sens bien que tu as peur de mes réactions, mais il ne faut pas. J'ai dépassé les bornes avec ma jalousie aveugle, nous en avons déjà discuté. Je ne veux plus que tu justifies tes moindres allées et venues.

Sur ces mots, Jean déposa un baiser sur la main de sa femme. Elle demeura près de lui, assise sur un tabouret, songeuse.

« Où a bien pu aller Faustine? Elle a l'habitude de me tenir au courant de ses moindres sorties. Et Matthieu aura du mal à s'occuper seul des petits. »

Néanmoins, elle renonça à prêter main-forte à son frère, cédant à un brin d'égoïsme.

«Je suis si bien ici, en compagnie de Jean. Nous déjeunerons ensemble, ensuite je sellerai Junon. »

Un frisson d'exaltation la traversa. Elle éprouva une joie infinie à l'idée de parcourir la campagne à cheval, comme elle le faisait depuis son adolescence.

---

19. Bourg situé près de la vallée des Eaux-Claires.

« Jadis, c'était notre brave Roquette que je montais, puis j'ai eu Sirius, ce superbe hongre blanc. Angéla a peint un magnifique tableau me représentant sur Sirius. Je l'ai donné à Bertille, qui l'a accroché dans sa chambre. Je ne sais pas si un jour j'aurai le courage de me l'approprier. Peut-être bien plus tard, quand je serai définitivement guérie de cette blessure et que je pourrai privilégier les souvenirs que j'ai d'elle du temps de son adolescence, vers treize ans. C'était une étrange enfant, émouvante, craintive, qui avait faim de bonheur comme nous tous. »

— Clairette? appela Jean.

— Oui?

— Tu paraissais réfléchir à quelque chose de très grave, fit-il remarquer.

— Pas du tout, je cherchais le menu de ce soir. Pour midi, Anita a préparé du chou farci et du riz. Cela te plaît?

— Je mangerais des cailloux avec plaisir si c'était à tes côtés! plaisanta-t-il.

Elle éclata de rire, ravie. Son corps, après son repos forcé, lui semblait pétiller d'énergie. De nouveau elle embrassa son mari en lui soufflant à l'oreille qu'elle l'aimait.

— Tout est bien, puisque je t'aime aussi, mais beaucoup plus! la taquina-t-il avec un sourire rayonnant.

*

Angoulême, même jour

Faustine était descendue du car place du Champ de Foire. Vêtue d'une robe droite en fin lainage et d'une veste cintrée, la jeune femme portait un chapeau à la mode en forme de cloche d'où s'échappait une lourde natte blonde. Elle venait rarement à Angoulême, mais l'animation de la ville lui était familière. Pendant toute la durée de ses études à l'École normale, elle habitait chez sa tante Blanche, près de la cathédrale. Pour une jeune fille qui avait grandi dans la vallée des Eaux-Claires, c'était une découverte constante de suivre les principales rues commerçantes et d'admirer les vitrines des magasins.

— Qu'est-ce que fabrique Thété? s'impatienta-t-elle en regardant sa montre-bracelet. Ah! celle-là! Incapable d'être à l'heure à un rendez-vous!

Au même instant, on lui tapa sur l'épaule. C'était Thérèse, en robe verte à pois blancs. Le tissu moulait ses formes généreuses, tandis qu'un sourire espiègle creusait des fossettes dans ses joues roses.

— Tu n'as pas vu que j'arrivais? claironna-t-elle. Bonjour, ma Faustine. C'est tellement gentil de m'inviter au restaurant pour fêter mon anniversaire! Tu te rends compte un peu, j'ai dix-neuf ans! Papa ne pourra plus me dire que je suis une gamine. Et il va devoir arrêter de me surveiller.

— Dis donc, tu n'es pas encore majeure! Et Léon n'a pas coutume de te dicter ta conduite, tête de mule! protesta gentiment Faustine en l'embrassant. Je croyais que tu m'avais oubliée. Je poireaute depuis trente minutes au moins. Où allons-nous?

— Je rêve d'entrer au *Café de la Paix*. On m'a dit qu'ils servent un tournedos Rossini[20] extraordinaire. C'est du filet de bœuf avec du foie gras dessus, une sauce aux truffes et au vin de Madère. Mais c'est sûrement trop cher.

— Ne parle pas d'argent le jour de ton anniversaire, enfin! Je pioche sur mes économies, ma Thété. Et, même si tu n'en as pas envie, j'espère que tu m'accompagneras à la clinique ensuite.

Thérèse fit la moue. Elle prit le bras de Faustine, et toutes les deux commencèrent à remonter la rue de Périgueux en passant devant les Nouvelles Galeries. Un homme en costume gris, la moustache arrogante, les détailla d'un regard flatteur.

— Il m'a regardée, fit remarquer Thérèse. Il n'était pas mal!

— Un peu âgé pour toi, répliqua Faustine. Au fait, tu n'as toujours pas d'amoureux?

— Non, rien de sérieux. Le samedi soir, avec mes collègues du salon de coiffure, je vais danser au bord de la Charente, dans une guinguette, histoire de m'amuser. Mais je n'ai pas encore rencontré quelqu'un qui me plaise vraiment. Peut-

20. Du nom du compositeur Rossini, qui a inventé la recette.

être que je me farde les lèvres, que je suis coquette, comme prétend papa, mais je n'ai pas l'intention d'avoir des ennuis. Tu me comprends? Si un garçon me veut et si je le veux moi aussi, ce sera après un mariage à l'église. Je dois bien ça à la mémoire de maman.

Faustine esquissa un sourire attendri. Elle avait confiance en Thérèse qui, sous ses allures modernes et ses décolletés audacieux, avait des idées bien arrêtées.

— Raymonde t'a très bien élevée, Thété! concéda-t-elle. C'était une personne pieuse, loyale, passionnée aussi et chaleureuse. Tu lui ressembles.

— Si tu savais comme elle me manque! avoua la jeune fille. Maman aurait été fière de moi, dis, Faustine? L'an prochain, j'ouvrirai mon propre salon à Puymoyen et je me suis promis d'aller au cimetière tous les dimanches pour fleurir sa tombe avec l'argent que j'aurai gagné.

— Nous sommes tous fiers de toi, ma chérie!

Thérèse avait les larmes aux yeux. Soucieuse de la distraire, Faustine lui désigna la magnifique devanture de la bijouterie *Anablet*, ornée de boiseries sculptées.

— Tu vois ce beau magasin, Thété? J'avais juste pris mes fonctions d'institutrice à l'orphelinat Saint-Martial, j'allais me fiancer à Denis Giraud quand Matthieu m'a interpellée devant cette vitrine-là. Il a critiqué le costume de velours rouge que je portais en affirmant que cette couleur ne me convenait pas. J'étais mortifiée! Si quelqu'un m'avait dit alors que je l'épouserais après la mort de Denis, je ne l'aurais jamais cru. Le destin tend les ficelles; on ne peut jamais deviner ce qu'il nous réserve.

— C'est sûr! Quand maman a traversé la cour du Moulin, elle n'a pas dû penser une seconde qu'un camion la renverserait et qu'elle en mourrait.

« Décidément, se dit Faustine, Thérèse est mélancolique, le jour même de son anniversaire. »

La jeune femme l'entraîna sur la chaussée, en direction de la rue Marengo.

— Je t'en prie, Thété, ne sois pas triste! Ta mère ne voulait qu'une chose : ton bonheur. Nous commanderons du pineau en apéritif, d'accord? J'adore le pineau, c'est fruité, frais, délicat.

— Je veux bien. Tu as raison, je brasse des idées noires, alors que tu es si gentille de m'inviter!

Elles continuèrent à marcher d'un pas tranquille, mêlées à la foule des badauds. Le *Café de la Paix*, le plus réputé de la ville, était établi en face de la mairie, un majestueux monument au beffroi gothique. Faustine y pénétra la première. Ce fut à son tour d'être nostalgique.

«Je rêvais de venir ici comme Thété, il y a une dizaine d'années. Matthieu avait bien voulu m'inviter à boire une limonade, mais à l'époque seuls les hommes fréquentaient ce lieu. Tout a changé, il y a des dames très élégantes, et elles fument en plus... »

Thérèse observait le décor luxueux, bouche bée. Les grands miroirs muraux, les colonnes en fer ouvragé, l'abondance des tables à nappes blanches, les plantes vertes, tout l'émerveillait. Une fois assise, elle examina d'un air ravi la vaisselle fine, les verres en cristal et les couverts étincelants.

— Ce que je suis contente! se réjouit-elle. Et j'ai faim, une faim de loup.

— Tant mieux! Tu n'en apprécieras que davantage ton fameux tournedos Rossini. En entrée, que désires-tu? Des huîtres? Tiens, à propos, Bertille est partie au bord de la mer avec son mari et leur invité, William Lancester. Je les ai croisés ce matin sur la place du village. Tantine me vantait les restaurants de la côte. Tout de suite j'ai eu envie de manger des huîtres.

Le déjeuner fut si bon qu'elles discutèrent à peine. Mais, au moment de commander le dessert, Thérèse s'assombrit. Elle triturait de la mie de pain, boudeuse.

— Qu'est-ce que tu as? demanda Faustine.

— Je suis désolée, mais je ne veux pas venir avec toi à la clinique. Je déteste Angéla. Elle a fait trop de mal à Claire. Je ne comprends même pas pourquoi tu y vas.

— Je la considérais comme ma sœur. Je lui ai pardonné.

— Moi, je ne lui pardonnerai jamais! trancha Thérèse d'un ton vif. Au fond, ça m'a gâché le repas, de penser à elle.

Tu caches à tout le monde qu'elle a accouché; tu as un peu honte, quand même, de t'intéresser encore à elle. Matthieu est au courant, au moins?

— Non, personne ne le sait à part toi! soupira la jeune femme. Mais je trouve cela trop triste, d'avoir un bébé et d'attendre en vain des visites. J'avais prévu depuis longtemps déjeuner en ville avec toi, pour ton anniversaire, et j'ai pensé que c'était une occasion d'aller à la clinique toutes les deux. Tu étais très amie avec Angéla, tu l'idolâtrais!

— Ce n'est plus le cas! trancha Thérèse.

Faustine se disait que Raymonde aurait réagi exactement ainsi, à brandir l'étendard de la rancœur et du mépris. C'était une nature entière et peu encline à l'indulgence.

— Je suppose que son mari lui tient compagnie, ajouta Thérèse. Cette fille, elle a trop de chance. Son châtelain l'a épousée malgré tout, et maintenant elle est riche et elle a un bébé!

— Comme bien des femmes! protesta Faustine. Que veux-tu, Angéla a eu de graves torts, mais elle a failli en mourir. Quand il m'a appris la nouvelle, Louis m'a confié que sa mère, Edmée, refuse de voir son petit-fils. Enfin, n'en parlons plus. Je prendrai un taxi; le tramway me fait peur.

La note réglée, elles sortirent. Un franc soleil illuminait les façades des maisons bourgeoises, couronnant d'or pur le cèdre du Liban planté dans le square voisin. Thérèse se serra contre Faustine qu'elle chérissait de tout son cœur.

— Je viens dimanche souffler mes bougies au Moulin. dit-elle avec un petit sourire gêné. Sûr, tu n'es pas fâchée? Merci pour ce bon déjeuner, je m'en souviendrai des années.

Faustine affirma qu'elle n'était pas contrariée du tout. Elle regarda la jeune fille s'éloigner, haussa les épaules et se mit en quête d'un taxi.

Angéla de Martignac répondit du bout des lèvres quand on frappa à la porte de sa chambre. La jeune mère berçait dans ses bras un beau poupon dont le crâne rond s'ornait d'un duvet blond. Elle ne détourna pas le regard en entendant des talons résonner sur le linoléum.

— Angie? fit une voix familière, pleine de douceur.

— Faustine! Tu es venue! Oh, merci...

Sur ces mots, Angéla éclata en sanglots. Elle avait aperçu un joli bouquet de roses et un paquet enrubanné.

— Mon petit chat, ne pleure pas! s'écria Faustine en prenant place au bord du lit. Ton fils est superbe.

— Louis a dû partir pour Poitiers. Il sera absent deux jours. Je me sentais abandonnée. Heureusement que tu es là! En plus, je dois rester hospitalisée une semaine encore.

— Calme-toi, recommanda Faustine. Ta chambre est bien exposée et tu es dans la meilleure maternité de la région. Tu ne souffres pas trop?

Lorsqu'il avait téléphoné à Faustine, Louis de Martignac avait raconté le déroulement pénible de l'accouchement. Le médecin avait pratiqué une césarienne, afin de sauver la mère et l'enfant.

— Je n'ai que vous dans la vallée à qui annoncer la naissance de mon fils, avait déclaré le jeune châtelain. J'ai envoyé un faire-part au domaine de Ponriant, mais Bertille ne s'est pas manifestée.

Les doléances du nouveau père avaient été interminables. Il avait expliqué également que sa mère demeurait intraitable. Certes, Edmée de Martignac avait daigné se réconcilier avec Claire, mais elle n'envisageait pas une seconde de tolérer Angéla au château de Torsac ni de s'intéresser au bébé. Tendre et charitable, Faustine avait décidé d'agir en cachette. D'abord, elle irait à la clinique. Ensuite, elle rendrait visite au couple dans leur maison de Villebois.

— Angie, ne pleure pas! répéta-t-elle.

— Je vais essayer! Je n'ai plus mes vrais parents et, ceux qui m'ont adoptée, je me doute qu'ils ne viendront pas. Tu imagines Claire et Jean penchés sur le berceau de mon petit Quentin?

— Vous le baptiserez Quentin? interrogea Faustine. C'est un prénom ancien qui lui va très bien.

Elles admirèrent l'enfant en silence. Peu à peu, Angéla cessa de renifler et de trembler. Ses cheveux noirs ondulaient sur ses épaules; sa poitrine ronde et ferme se devinait à travers la dentelle de sa chemise de nuit.

— Tu es ravissante! affirma Faustine. Toujours ce teint mat que je t'envie, toujours mince et gracieuse. Courage, Louis te consolera bien vite.

— Je ne croyais pas qu'un homme puisse être aussi doux, aussi patient que Louis! dit Angéla, apaisée. Il est malade de fierté d'avoir un fils. Et moi, je suis comblée. Quentin est d'une sagesse rare. Je t'en prie, Faustine, donne-moi des nouvelles du Moulin, même si je ne fais plus partie de la famille!

— Par où commencer? Alors, les chèvres ont eu des chevreaux, les poules pondent beaucoup et Janine en a trouvé une déjà sur son nid à couver. La jument et l'âne sont dans le pré le plus proche, celui derrière les étendoirs. Matthieu ne sait plus où donner de la tête, tellement il a de commandes à honorer. J'oubliais, Léon s'est blessé à un ongle. Sans Claire, il n'aurait pas pu bêcher et sarcler le jardin. Arthur, ce garnement, apprécie le pensionnat, Clara aussi. Quant à Jean, il nous a causé du souci, récemment. Si tu préfères éviter le sujet, je me tais.

Angéla déballait le paquet-cadeau. Elle poussa un cri de joie en exhibant un hochet en argent massif, finement ciselé, à boule de buis.

— Qu'il est beau! s'étonna-t-elle. Mais, Faustine, tu t'es ruinée! Il ne fallait pas!

— Ne te fais pas de souci pour ça, répliqua la jeune femme. Je n'ai pas dépensé un sou. Ce hochet, on me l'a offert pour la naissance d'Isabelle. Il dormait dans un carton, enveloppé d'un papier de soie. Je voulais te l'offrir, c'est un symbole, à mes yeux. Il revient à Quentin, Angie, car c'est un objet très ancien, le hochet des enfants de Martignac! Louis sera content de le revoir. Edmée, ta terrible belle-mère, avait eu l'extrême bonté de s'en séparer pour la roturière que je suis.

Elles se mirent à rire tout bas, retrouvant leur complicité de jadis.

— Tu es certaine que je peux le garder? s'inquiéta Angéla.

— Mais oui! Ah, Quentin se réveille! Ce bout de chou pèse quatre kilos, m'a dit son père. Ce sera un athlète! Aucun de mes enfants ne faisait un poids pareil. Ma pauvre chérie, tu as bien mérité ce hochet.

— Merci, je suis très touchée! Et enfin, Jean, pourquoi vous a-t-il causé du souci? Je voudrais tant que Claire soit heureuse, qu'ils vivent en paix, tous les deux.

Faustine résuma brièvement la situation, sans évoquer l'infidélité passée de Claire, ce qui rendait son récit bancal. Angéla sourcillait, dubitative.

— Comment peut-il être aussi jaloux sans un motif valable? s'étonna-t-elle. Vous avez vraiment pensé qu'il perdait la raison? Cela me peine beaucoup. Ne te moque pas, mais j'ai souvent prié pour Claire, de toute mon âme. J'ai pu paraître dure, froide, intraitable; en vérité, j'étais épouvantée par ce que j'avais fait. Je ne sais pas si Dieu peut écouter les prières d'une fille comme moi, mais j'ai imploré un miracle.

— Quel miracle? demanda Faustine.

— C'est un secret! coupa Angéla. Quentin a faim. Tu as vu? Il suce déjà son pouce. Je dois le faire téter. Tu ne t'en vas pas tout de suite?

— Non, je prendrai le dernier car pour Puymoyen.

Amusée par les mimiques gourmandes du bébé, Faustine assista à la tétée. Elle parla des caprices d'Isabelle, des bêtises de Pierre, qui était très bavard, de la charmante Gaby, sage comme une image. Angéla écoutait, un léger sourire sur les lèvres. Enfin, elle s'endormit, son fils assoupi à son sein.

Derrière les vitres, la lumière déclinait. Un rayon de soleil orangé dansa sur les fleurs de prunier du parc entourant la clinique.

« Chère petite Angie! songea Faustine. Je ne peux pas m'empêcher de l'aimer. Elle a imploré un miracle, et je ne saurai peut-être jamais lequel. »

Les mois à venir lui donneraient une réponse et la jeune femme se souviendrait alors des étranges paroles d'Angéla. Avant de quitter la chambre, elle rédigea un message sur le couvercle de la boîte contenant le hochet.

Je reviendrai après-demain. Tu te reposais, je n'ai pas eu le cœur de te réveiller.

Ta sœur, Faustine

Il faisait nuit quand elle arriva dans la vallée des Eaux-Claires. Parvenue à quelques mètres de sa maison, la panique l'envahit. Il y avait trois automobiles garées devant la grange et plusieurs silhouettes s'agitaient sur le chemin, dans la clarté jaune de la lampe extérieure.

— La voilà! cria Léon.

— Le Seigneur soit loué! gémit Anita.

Matthieu apparut, livide, défiguré par l'angoisse.

— Faustine! Mais où étais-tu? Gaby a été renversée par une voiture. Notre petite Gaby!

Le jeune homme poussa une sourde plainte en faisant demi-tour aussitôt.

— C'est ma faute! hurla-t-il. Et la tienne aussi! Une mère digne de ce nom ne disparaît pas une journée entière.

Faustine lutta contre le désespoir qui la terrassait. Bousculant à l'aveuglette ceux qui lui barraient le passage, même Jean qu'elle reconnut à peine, elle entra chez elle, la bouche sèche, les tempes bourdonnantes.

— Gaby n'est pas morte? s'écria-t-elle d'une voix tremblante. Maman, réponds!

Claire se tenait au chevet de la fillette, ainsi que le médecin de Puymoyen, le docteur Guérinot. La frêle Gabrielle, un bras en sang, son visage d'une pâleur effrayante, ne présentait plus aucun signe de vie. Faustine tomba à genoux, souhaitant mourir sur-le-champ.

— Maman, ce n'est pas possible! réussit-elle à articuler.

— N'aie pas peur, répondit Claire. Gaby est dans le coma, mais je la sauverai.

14
William Lancester

Vallée des Eaux-Claires, même soir

« Gaby est dans le coma! » Ces mots tournaient à une vitesse folle dans la tête de Faustine. Elle n'avait plus conscience du lieu où elle se trouvait ni des gens qui l'entouraient, excepté Claire et Matthieu. La première, parce qu'elle avait prononcé ces paroles rassurantes : « Je la sauverai. » Le second à cause des sanglots qui le secouaient, lui toujours gai, confiant en leur bonne étoile. Tout avait volé en éclats, leur paisible bonheur aussi bien que leur grand amour aussi spirituel que charnel. Il lui avait lancé des reproches sur un ton vindicatif, haineux. Pour elle, cela sonnait le glas de leur union idyllique. Mais seule comptait Gaby.

— Ma petite fille chérie! balbutia-t-elle en prenant avec délicatesse la main de son enfant. Ma toute petite!

Quelqu'un parlait, mais la jeune femme ne parvenait pas à comprendre le sens de ses paroles, hantée par la vision de Gaby, inerte et blême dans sa robe en cotonnade fleurie. Elle lui paraissait infiniment vulnérable. Ses cheveux châtains, soyeux et légers, s'éparpillaient sur l'oreiller blanc qu'une main secourable avait dû disposer en urgence sur le divan de la salle à manger.

— Si votre fille n'a pas repris connaissance demain matin, il faudra la transporter à l'hôpital. Une radiographie du crâne sera indispensable pour évaluer la gravité du traumatisme. Ce soir, ce serait encore mieux!

Le médecin s'adressait à Matthieu qui bafouilla un oui presque inaudible. Une autre voix masculine s'éleva, inconnue celle-là.

— Je suis vraiment navré. Si je peux faire quelque chose…

— Le mieux serait de vous en aller, monsieur, en laissant vos coordonnées à ces personnes! déclara le docteur Guérinot.

Claire demeurait silencieuse, les mains posées sur la poitrine de Gaby. Faustine se redressa, l'esprit moins confus tout à coup.

— Qu'est-il arrivé? s'écria-t-elle. Qui est cet homme?

Les paupières et le nez rougis, Léon s'avança en pointant un index accusateur sur l'étranger.

— Un crétin qui vadrouillait sur le chemin des Falaises en voiture, à la tombée de la nuit. C'est lui qui a renversé la petite. On se demande bien ce qu'il foutait par chez nous, brailla le domestique, bouleversé.

— Je vous en prie, n'accablez pas ce monsieur, coupa le docteur. D'autres véhicules circulent sur ce chemin, dont le mien. Sans oublier les camions de livraison qui se rendent au Moulin du Loup. C'est un regrettable accident, mais c'est un accident! Il n'y a pas eu malveillance.

— Ouais, on dit toujours ça! tonna Léon avec des larmes de rage. Ma pauvre épouse Raymonde, paix à son âme, a été tuée par un camion, elle aussi, dans notre cour. Moi, je vais finir par barricader l'accès du chemin, après le pont.

— Calme-toi, mon vieux! dit tristement Jean qui fixait comme eux tous le petit corps de Gabrielle.

Léon s'essuya le visage à l'aide de sa manche, tout frémissant d'un chagrin rétrospectif. Anita tenta de le réconforter, mais il la repoussa d'un geste brusque. Faustine, elle, s'était levée et toisait d'un œil hagard le responsable de l'accident. La jeune femme, d'ordinaire pondérée et conciliante, avait l'air d'une folle tandis qu'elle secouait l'homme par le col de sa veste.

— Qu'est-ce que vous veniez faire chez nous? Pourquoi, pourquoi? Vous avez tué ma fille, ma petite chérie, ma Gaby! sanglota-t-elle en gémissant.

— Madame, je suis désolé, si vous saviez! répondit l'homme d'un timbre de voix altéré, vibrant de compassion. Votre fille a surgi de la grange en courant et je n'ai pas pu l'éviter. J'ai freiné trop tard.

— Fichez le camp! clama-t-elle. Sortez de ma maison!

Il obéit en affirmant qu'il repasserait prendre des nouvelles. Faustine avisa alors ses deux enfants terrifiés, recroquevillés dans l'angle de la pièce. Isabelle et Pierre, assis l'un contre l'autre, assistaient impuissants à la tragédie. Personne n'avait pensé à les rassurer ni à les éloigner.

— Anita, emmène-les au Moulin et fais-les dîner, bredouilla-t-elle. Mes chéris, approchez. Vous avez entendu ce qu'a dit grand-mère Claire? Elle va sauver notre Gaby! Ne craignez rien. Maman et papa viendront vous chercher demain matin. Toi aussi, Léon, va-t'en. Anita, où est Janine?

— Chez sa mémé Jeanne, madame Faustine. Ne vous inquiétez pas, on ne l'aurait jamais laissée seule au Moulin!

— Paul, Jacques, vous feriez mieux de rentrer chez vous, ajouta Jean. Je vous tiens au courant.

Les deux ouvriers de Matthieu, Paul, un solide gaillard doux comme un agneau, et Jacques, grisonnant et voûté par une vie de labeur, s'en allèrent en soulevant leur casquette. Ils avaient vu grandir les trois enfants de leur patron et étaient très affectés.

Le docteur Guérinot toisa Matthieu et Faustine.

— J'insiste, mais à mon avis c'est plus prudent de conduire votre fille dès ce soir à l'hôpital. Si elle passe dans la nuit, je vous en tiendrai responsables! Je vous l'ai déjà proposé sans obtenir de réponse précise.

— Ma sœur juge qu'elle est mieux auprès de nous, répondit Matthieu d'une voix monocorde.

— Bien sûr, madame la guérisseuse est plus savante que moi et que tous les médecins du pays! Elle voit sans doute à travers le corps et les os! ironisa le médecin.

Claire effleura du dos de la main la joue de Gaby, puis elle se leva souplement de sa chaise. Elle s'adressa au médecin d'une voix grave et douce qui imposait le respect.

— Docteur, je sais que vous me considérez comme une sorte de sorcière, une farfelue, un charlatan en jupons! On a pris soin de me le répéter. Jamais je ne mettrai en danger ma petite-fille. Ce monsieur qui l'a heurtée m'a tout expliqué. La blessure qu'elle a au bras droit a été causée par le choc avec le capot, un choc qui l'a propulsée deux mètres plus loin. Là, elle est tombée violemment sur une pierre, ce qui a provoqué le traumatisme et son état comateux. Mais je sens qu'elle va se réveiller très vite, cette nuit, ou dans moins d'une heure. Et, par mesure de prudence, je m'engage à lui faire passer des radiographies demain.

— Très bien! Je m'en lave les mains! s'écria Guérinot en sortant. Je vous enverrai ma note d'honoraires.

Faustine se jeta au cou de Claire.

— Maman, c'est vrai? Tu en es sûre? Gaby ne va pas mourir? J'ai confiance en toi, mais il vaudrait peut-être mieux que notre petite soit hospitalisée. Si elle faisait une hémorragie cérébrale durant la nuit! Si elle s'éteignait tout doucement sous nos yeux! Matthieu, dis quelque chose, je t'en prie!

Le jeune homme demeurait prostré dans un fauteuil, les traits tendus. Il fixait sa fille avec une expression de totale détresse.

— Claire vaut tous les médecins, affirma-t-il. Ma sœur l'a dit: elle sauvera Gaby. Mais je m'en veux tellement! Je leur avais permis de jouer dans la grange. Isabelle avait entassé du vieux foin et ils sautaient au milieu. J'en ai profité pour préparer la soupe et un gâteau au fromage blanc. Je me disais que c'était amusant de te remplacer, Faustine. Cela me changeait du boulot de l'imprimerie, qui met parfois les nerfs en pelote. Et tu ne revenais pas... Je crois que Gaby avait envie de te voir, qu'elle guettait ton retour de temps en temps, sans doute en courant sur le chemin. Tu sais ce que c'est, les enfants de deux ans, ça court aussi vite qu'un cabri, ça n'a pas conscience du danger. C'était à moi, son père, de la surveiller, de prévoir une possible bêtise. Bon sang, quand j'ai entendu la voiture freiner et un bruit bizarre, j'ai cru que mon cœur s'arrêtait de battre.

Apitoyée, Claire caressa les cheveux bruns de son frère avant de se rasseoir au chevet de Gabrielle.

—J'ai besoin de calme; je dois me concentrer. Vous pouvez aller marcher un peu dehors. L'air frais vous fera du bien. Il ne faut pas créer de mauvaises ondes autour de la petite. J'ai lu des articles sur le coma. Peut-être qu'elle nous entend. Il faut lui parler, la stimuler, et vous en êtes incapables pour l'instant. Réconciliez-vous, mes enfants.

Ils obéirent, pareils à des somnambules. Claire poussa un bref soupir de soulagement. La tension qui régnait entre Matthieu et Faustine lui était perceptible et la perturbait.

— Mon petit ange, dit-elle tout bas en prenant la menotte de la fillette, Gaby, reviens parmi nous. Tu n'es qu'innocence et clarté, tu ne peux pas t'enfoncer dans les ténèbres. Gabrielle, ta maman est de retour; ton papa est triste parce que tu dors…

Elle continua à la bercer de douces paroles, en gardant la main gauche les doigts bien écartés sur sa poitrine si menue. Des courants invisibles émanaient de sa propre chair pour irradier celle de Gabrielle. Son visage penché sur l'enfant semblait rayonner d'une lumière surnaturelle.

— Les âmes de tous ceux qui ont vécu avec nous, ici, dans la vallée, te protègent, ma chérie! Ton grand-père Colin Roy, ta grand-mère Germaine, Raymonde, et Basile, qui t'aurait appris les lettres et le calcul. Reviens, mon ange!

Jean fumait une cigarette sur le pas de la porte. Il avait éteint la lampe extérieure afin de laisser dans l'ombre Faustine et Matthieu qu'il entendait discuter à quelques mètres. Une brume légère montait de la rivière. Il faisait un peu froid, après une journée de grand soleil.

« Claire la sauvera! se disait-il. Dès que je l'ai vue près de Gaby, je n'ai plus eu peur. Ma femme aux dons étranges, la femme la plus extraordinaire que j'ai rencontrée! »

C'était sa façon à lui de se réconforter, car il avait éprouvé une immense frayeur. La scène dont il avait été témoin resterait gravée dans sa mémoire.

« Mon Dieu! J'arrivais en vélo, ravi d'annoncer à Matthieu qu'un gros client avait téléphoné pour passer une nouvelle commande. Je pensais que ce serait l'occasion, aussi, de l'aider à garder les trois petits. Je sifflotais quand cette voiture grise a surgi du virage. Et Gabrielle est sortie de la grange. J'étais trop loin pour intervenir. J'ai hurlé, mais ça n'a servi à rien. Comme on regrette, dans ces moments-là, de se gâcher la vie pour des idioties! Je me souviens d'avoir imploré la Vierge Marie d'épargner ma petite-fille. »

Il rentra sur la pointe des pieds, soucieux de retourner près de l'enfant. Paupières closes, Claire semblait absente, mais ses lèvres murmuraient des mots inaudibles. Jean comprit qu'elle priait elle aussi. Il remarqua son teint livide. Elle avait le front constellé de gouttes de sueur et elle tenait la tête de Gaby entre ses mains. Ce tableau l'impressionna tant qu'il n'osa pas se manifester. Sans faire de bruit, il prit place sur une chaise et attendit.

Dehors, Faustine pleurait sans pouvoir se calmer. Elle venait de raconter à son mari ce qu'elle avait fait de sa journée. Furieux contre lui-même, Matthieu faisait les cent pas autour d'elle. Il ne put s'empêcher de rejeter à nouveau sa faute sur la jeune femme.

— Tu as rendu visite à Angéla! maugréa-t-il. Bravo! Tu avais besoin d'aller voir cette fille à la maternité? Si j'avais su, je t'aurais obligée à rester ici. Faustine, tu m'as menti et ça me dégoûte. Je croyais vraiment que tu déjeunais avec Thérèse pour son anniversaire et que tu prenais ensuite le car de quinze heures. Angéla, encore elle, toujours elle! Tu vois le résultat? Elle sème le malheur, ta prétendue petite sœur! Une traînée, voilà ce qu'elle est!

— Matthieu, je t'interdis de l'insulter! coupa Faustine. Je sais que tu es désespéré, que tu as peur pour notre Gaby, mais ce n'est pas une raison. Tu m'as parlé durement tout à l'heure, quand je suis arrivée. Depuis notre mariage, depuis la naissance d'Isabelle, je n'ai pas quitté nos enfants plus de deux heures, et c'était par nécessité, parce que j'accouchais ou que je devais te suivre en ville. Tu n'avais pas le droit de me traiter ainsi ni de me reprocher d'avoir pris une journée de répit. Cet accident aurait pu se produire en ma présence. Pendant que tu travailles à l'imprimerie, je suis seule, moi aussi, pour surveiller nos petits. Je les laisse souvent jouer sur le chemin ou au bord de la rivière.

— Mais Gaby sortait de plus en plus fréquemment de la grange avec l'idée de courir à ta rencontre, trancha-t-il. Isabelle me l'a expliqué.

— Je sais, chaque soir elle veut faire la même chose pour guetter ton retour. Je l'en empêche ou bien je sors avec elle en lui tenant la main. Tu as oublié? Hier encore, elle s'est précipitée vers toi. Matthieu, nous sommes dans le même état tous les deux, malheureux, affolés. Est-ce utile de se déchirer, de chercher un coupable?

La jeune femme sanglotait, pathétique dans la pénombre. Matthieu jeta un regard vers la fenêtre éclairée de leur maison, où ils n'avaient connu que des années de quiétude, de joies simples et de passion amoureuse.

— Tu n'aurais pas dû me mentir! lança-t-il sèchement. Je ne pourrai plus te faire confiance. Et ton attachement stupide pour Angéla m'exaspère!

— Il suffit de savoir pardonner, rétorqua-t-elle. Ou de savoir aimer. Notre toute petite fille est entre la vie et la mort, et toi, tu n'as qu'une idée : régler tes comptes! Tu me déçois, Matthieu, comme tu me déçois, ce soir, toi que j'idolâtrais!

Ils se tenaient l'un en face de l'autre, surpris de leur propre colère. Jamais ils ne s'étaient querellés et cela remontait à leur enfance.

— Toi qui m'as toujours protégée de tout!

Des images d'une netteté surprenante lui revinrent. Matthieu, en culottes courtes, la défendait contre un méchant garnement à la sortie de l'école. Puis il la prenait dans son lit, une nuit d'orage, alors que le tonnerre semblait ébranler la toiture du moulin. C'était son chevalier servant, son héros. À présent, il l'accusait de tous les maux de la terre.

— Je te déteste! s'écria-t-elle en pleurant si fort qu'elle suffoquait.

Mais Jean accourait. Matthieu se raidit tout entier, terrifié.

— Arrêtez de vous chamailler! leur dit-il. Gaby s'est réveillée et elle vous réclame. Mon Dieu, merci! Claire l'a sauvée, vous comprenez ça, Claire l'a sauvée! Venez vite! Moi, je file au Moulin annoncer la bonne nouvelle.

Ce fut à qui des deux arriverait le premier dans la maison. Faustine devança sans peine Matthieu. Elle exultait, libérée d'un poids affreux. Tout de suite, elle vit le regard limpide de sa fille, qui avait enfin ouvert les yeux.

— Maman!

— Ma chérie, mon petit amour, je suis là!

La jeune femme s'allongea sur le divan et, submergée par une émotion indescriptible, enlaça Gabrielle avec précaution. Matthieu, à genoux, couvrait de baisers le poignet et les doigts de l'enfant. De grosses larmes coulaient le long de son nez. Il suffoquait de joie.

— Bobo, papa? dit d'un ton désolé la fillette qui s'exprimait bien, surtout depuis un mois.

— Non, papa n'a pas bobo, répondit Claire. Il est très heureux parce que tu es là, avec nous. Nous avons eu très peur, ma petite chérie.

— Est-elle hors de danger? demanda Faustine tout bas.

— Je le pense, mais je vous conseille de l'emmener à l'hôpital demain. Guérinot avait raison: un coma est toujours alarmant. Mais il survient aussi en cas de choc à la tête, sous une forme légère. Je me suis renseignée là-dessus, après l'accident de Marie Fissac, la nièce du forgeron, qui était tombée d'une charrette sur la route. Elle est restée inconsciente trois jours, après quoi elle s'est réveillée. Gaby est toute jeune et en bonne santé; elle devrait vite se rétablir.

Matthieu approuva en silence. Il savait que sa sœur étudiait la médecine dans un gros dictionnaire qu'elle avait acheté en ville. Cela allait de pair avec ses activités de guérisseuse.

— Tu es livide, maman, constata Faustine.

— Ce n'est rien, l'émotion, la peur... dit simplement Claire.

Elle n'avouerait pas la somme d'énergie qu'il lui avait fallu pour stimuler les fonctions vitales de Gabrielle, le fluide invisible qu'elle était certaine d'avoir communiqué à l'enfant. C'était là un domaine très mystérieux, mal vu des scientifiques. Pourtant, la fillette avait repris des couleurs, elle souriait et réclamait du lait chaud.

— Je la veillerai cette nuit, ajouta Claire. Je vais faire du café. On ne sait jamais.

— Moi aussi, je me couche là, à ses côtés, renchérit Faustine.

— Dans ce cas, je n'ai plus qu'à déplier le lit de camp pour rester près de vous trois, avança Matthieu, embarrassé par le regard froid que lui avait décoché la jeune femme.

Claire s'était levée, rassurée de voir Gabrielle bien installée, couverte de son propre châle en laine. Elle fit chauffer du lait et de l'eau pour le café. Discrètement, elle observait le jeune couple qui n'échangeait pas un mot, chacun étant plongé dans la contemplation de leur fille.

— N'importe qui devinerait que vous êtes fâchés, vous deux, finit-elle par leur dire. C'est une réaction normale à une grosse frayeur. Faites donc la paix! Le pire a été évité!

Faustine retint une plainte en imaginant le pire dont parlait sa mère adoptive. Une voiture plus rapide, un frêle corps d'enfant privé de vie à jamais.

— Des anges veillaient sur notre Gaby! ajouta Claire.

Matthieu émergeait d'un cauchemar qui l'avait rendu à demi fou de terreur. Soudain, il se moquait profondément de tout ce qui lui semblait intolérable dix minutes auparavant. Faustine avait rendu visite à Angéla, maman d'un petit garçon. Après tout, c'était digne de sa femme, car elle était d'une générosité et d'une loyauté inouïes.

«Je ne l'aimerais pas autant, Faustine, si elle n'avait pas un grand cœur, une âme de chrétienne des premiers temps qui ne renie pas sa foi. Elle ne pardonne pas à moitié. Et au nom de quoi, nous, les hommes, nous ne devrions pas mettre la main à la pâte de temps en temps, garder nos enfants ou étendre une lessive? Je l'ai accablée alors qu'elle souffrait dans sa chair de mère. Je l'ai accusée de mentir, mais je suis sûr que, sans l'accident, elle m'aurait tout raconté ce soir.»

— Maman! Gaby bobo là!

La petite fille montrait le pansement que le médecin avait fait à son bras blessé. Entre le rire et les larmes, Faustine embrassa encore et encore l'enfant.

— Oui, je sais, mais nous allons te soigner. Tu as mal, mon ange?

— Un peu.

Claire apportait une tasse de lait qu'elle posa sur un guéridon.

— Gaby, je vais te faire boire à la cuillère. Tu ne dois pas bouger.

De plus en plus gêné par l'hostilité de sa femme, Matthieu annonça qu'il allait au grenier chercher le lit de camp.

— Va vite le rejoindre, Faustine! chuchota Claire. Il faut vous réjouir d'avoir encore Gabrielle. À quoi bon vous quereller?

— Il me reproche d'être rentrée trop tard, et surtout d'avoir vu Angéla. J'ai su qu'elle avait eu un fils, que sa belle-mère refusait de le connaître et que Louis s'absentait. J'ai eu pitié d'elle. Ce n'est pas drôle, d'être seule après un accouchement!

En temps ordinaire, jamais Faustine n'aurait été aussi directe, sachant combien Claire souffrait d'entendre ce prénom. Mais elle était bouleversée et en avait presque oublié les événements passés. Elle ne vit même pas sa mère se crisper, accuser le coup.

— Tu as agi selon ton cœur, soupira-t-elle. Je t'en prie, ne sois pas têtue, monte rejoindre ton mari. Et dis-lui qu'il n'est pas fautif. Mets-toi à sa place! Quand on se croit responsable d'une affreuse tragédie, on perd ses repères, on s'affole et on devient hargneux. Mon frère doit déjà regretter sa conduite.

Faustine s'en doutait également. Elle avait remarqué la mine penaude de son bien-aimé. Lorsqu'elle le retrouva au grenier, il lui lança un regard anxieux. Il s'apprêtait à soulever le lit de camp.

— Je ne t'en veux pas, affirma-t-elle. Si tu me pardonnes, je te pardonne. Gaby est sauvée. Rien d'autre n'a d'importance.

— Tu as raison, admit-il. Rien d'autre ne compte! Pardon, ma chérie, mille fois pardon.

Il lui tendit les bras sans oser l'enlacer. C'était à elle de choisir. Mais elle aimait tant cet homme! Depuis sa plus tendre enfance, il rayonnait dans sa vie comme un soleil fabuleux.

— Matthieu, gémit-elle en se jetant contre lui, serre-moi fort, fort. Prouve-moi que nous sommes toujours amoureux, unis pour le meilleur et pour le pire. Je t'en prie!

— J'ai eu tort, lui dit-il au creux de l'oreille. J'étais fou de chagrin et de rage contre moi-même. Faustine, j'avais tellement besoin que tu sois là, que nous affrontions ce drame tous les deux. En plus, je pensais que Gaby pouvait mourir avant ton retour et je ne sais pas si j'aurais eu le courage de t'affronter, dans ce cas. Bref, je ne me reconnaissais plus. Du coup, je comprends mieux Jean, enfin, son comportement depuis quelques semaines. Il en faut peu pour nous faire basculer dans la haine et la violence.

— Tu m'as haïe? s'inquiéta la jeune femme.

— Mais non, j'ai cédé à une colère stupide, parce que je me répétais que cet accident ne se serait jamais produit si tu avais été là, près des enfants.

Faustine l'apaisa d'un baiser sur les lèvres. Elle le dévisageait d'un air passionné.

— Je t'aime, Matthieu! Et si tu m'aimes encore, je n'ai plus qu'une envie: veiller notre petite chérie. Nous ferions mieux de descendre.

— Tout à l'heure, dehors, tu as crié que tu me détestais, fit-il remarquer.

— Je criais ça aussi, gamine, quand tu me piquais ma poupée en me promettant de la jeter dans le bief. Tu sais bien que c'est faux.

Ils scellèrent leur réconciliation d'un autre baiser. En les voyant s'embrasser, Claire sut tout de suite qu'elle n'avait plus à se tracasser à leur sujet. Mais son cœur à elle saignait doucement.

«Je ne devrais pas me plaindre ni m'attrister. Des milliers de femmes de par le monde donnent naissance à des bébés. Angéla n'est ni la première ni la dernière. Jeune comme elle est, il n'y avait aucune raison que la nature lui refuse d'être mère. Mon Dieu, que je suis sotte! Je ne penserais pas à ça si Gaby... Non, quelle horreur! Je ne peux concevoir une seconde que cette enfant nous quitte d'une manière aussi brutale.»

— Maman, appela tout bas Faustine, tu as pleuré?

— De soulagement, ma chérie. Allez, il faut établir une sorte de campement, puisque nous dormons tous ici. Le fauteuil me suffira. Je ne veux pas lâcher la main de

Gabrielle. Regardez, elle dort, mais cette fois, c'est un bon sommeil réparateur.

Jean entra au même instant, une écharpe autour du cou, vêtu d'un épais tricot de laine. Il vint à pas discrets entourer Claire d'un bras affectueux.

— Tout va bien? demanda-t-il.

— Oui, elle a bu du lait sucré et s'est assoupie. Vois ce rose à ses joues et son sourire tranquille. Notre petite est sauvée, personne ne me fera dire le contraire.

— J'ai prévenu Anita et Léon, ajouta Jean. Ils ont poussé des cris de joie. J'ai dû aussi rassurer Isabelle et Pierre. Les pauvres, ils avaient très peur pour leur sœur.

— Merci, papa, dit Faustine. Comme je suis heureuse de vous avoir tous les deux dans un moment pareil! J'ai vécu un vrai cauchemar. Désormais, je ne laisserai plus les enfants jouer sur le chemin. Ils iront derrière la grange, et je ne les quitterai pas des yeux.

La jeune femme se mit à genoux devant Claire et l'étreignit tendrement.

— Maman, quelle chance de t'avoir! Tu as ramené Gaby parmi nous. Comment te remercier?

— En remerciant Dieu qui m'a offert ce don de guérison.

Claire n'en dit pas plus. Elle était épuisée et elle avait froid. Jean s'en aperçut et il l'enveloppa d'une couverture. Paupières closes, elle plongea dans ses pensées, tandis que Matthieu et Faustine s'affairaient en silence.

« Est-ce mon destin, de venir en aide à tous, de bercer, de soigner des enfants sans jamais connaître le bonheur d'en avoir à moi? Est-ce le prix à payer pour les pouvoirs que j'utilise bien mal? J'ai apaisé la souffrance de beaucoup de gens, depuis sept ans, et d'autres phénomènes se produisent autour de moi, comme ces manifestations de l'au-delà... Nicolas, le père Maraud... Mais j'aurais préféré, peut-être, mener une existence ordinaire et, surtout, chérir un tout petit, né de Jean et de moi. »

La fatigue la terrassa. Elle s'endormit sans trouver de réponse.

*

Moulin du Loup, lundi 23 avril 1928

Claire s'était accoudée à l'une des fenêtres de la cuisine. Après plusieurs jours de soleil et de douceur printanière, une pluie fine tombait sur la vallée. Le ciel gris tendre servait d'écrin aux feuillages d'un vert vif et aux fleurs de lilas d'un mauve délicat. Les rosiers portaient déjà une multitude de boutons. Autant de promesses d'une nuée de couleurs et de parfums.

« Tout est rentré dans l'ordre, dirait-on, songea-t-elle en offrant son visage à l'air rafraîchi. Je redoutais un malheur, je le sentais rôder autour de nous. Je crois qu'il s'agissait de cet accident qui nous a causé une telle frayeur. Par chance, Gaby était rétablie au bout d'une semaine. Elle n'a aucune séquelle. »

Matthieu et Faustine avaient emmené la fillette à l'hôpital et la radiographie n'avait rien révélé, hormis un léger hématome. C'était bel et bien un coma superficiel, dû au choc et à la peur ressentie par l'enfant.

Le couple redoublait de prudence depuis le drame. Faustine et Matthieu s'aimaient encore davantage, comme pour mieux effacer ces instants tragiques qui les avaient vus s'affronter. Quant à Angéla, elle avait espéré en vain une autre visite de Faustine. Afin de ne pas contrarier son mari, la jeune femme s'était abstenue de retourner à la maternité.

« Oui, nous vivons une période bénie, reconnut Claire. Jean est devenu le compagnon parfait, prévenant, attentif, toujours affectueux. Nous avons hâte de nous coucher, le soir, pour retrouver l'intimité de notre chambre. »

Elle eut un sourire confiant. Moïse le jeune vint frotter sa grosse tête grise contre sa jupe. Le loup, aussi fidèle et intelligent qu'un chien, réclamait souvent des caresses.

— Le mois de mai approche, lui dit-elle en le grattant derrière les oreilles. Tu viendras avec moi battre la campagne. Je vais en avoir, du travail.

Cela faisait des années qu'elle attendait avec impatience le « joli mai » des chansons pour récolter les plantes qui lui servaient à préparer des tisanes et des baumes de sa composition, grâce aux vertus médicinales de ces simples ingrédients naturels que toutes les femmes de jadis apprenaient à discerner dès leur plus jeune âge.

— La végétation est en avance. Je pourrai déterrer des racines de bardane la semaine prochaine, dit-elle comme si l'animal s'intéressait beaucoup à ses paroles. Et je te chanterai cette ancienne balade que ma mère fredonnait parfois, quand elle était de bonne humeur.

Elle entonna tout bas le refrain du *Joli mois de mai*[21].

Joli mois de mai,
Quand reviendras-tu ?
Nous étions trois dames
Sous un pommier doux
Disions l'une à l'autre
Compagnes, tu dors ?

Elle se tut, égayée. De l'imprimerie lui parvenait l'écho d'une discussion entre son frère et son mari. Anita entrait dans la bergerie, tenant Janine par la main. Léon, lui, était dans le potager à biner une plate-bande de carottes.

« Si seulement William acceptait de partir d'ici ! pensait Claire. C'est la seule ombre au tableau. Cela le vexerait de m'entendre dire ça, mais tant pis ! »

Bertille avait fait de son mieux pour tenir Lancester éloigné, en prolongeant le séjour au bord de la mer d'une dizaine de jours. Lorsque la dame de Ponriant avait appris, par un courrier de Claire, l'accident survenu à Gaby, elle s'était empressée d'envoyer à l'enfant un colis contenant une boîte de bonbons et un ravissant bateau fabriqué uniquement avec des coquillages. À son retour, elle avait rendu visite à Faustine et Matthieu, afin de serrer contre son cœur la petite fille.

« Et cela lui a permis de me faire savoir la décision de William. Il tient à demeurer dans notre vallée. Je n'ose plus aller au domaine, maintenant. Heureusement, Arthur est venu déjeuner avec nous dimanche dernier. Comme il a changé ! Un grand garçon de quatorze ans. »

Claire décida qu'elle avait suffisamment rêvassé. Un

21. Chanson très populaire du XVe siècle.

tablier en toile bleue noué à la taille, elle se remit à écosser des haricots qui tremperaient toute la nuit avant d'être cuisinés. Mais cette tâche répétitive l'agaçait un peu. L'odeur familière, si particulière, de la terre humide et de l'herbe mouillée lui donnait envie de se promener.

— J'ai promis un bon plat d'escargots à tout le monde pour le repas de la fenaison, dit-elle à mi-voix. C'est le temps idéal, ils doivent sortir de leur cachette.

L'idée l'enchanta et pas une seconde elle ne se douta qu'elle regretterait très bientôt de l'avoir eue. Vite, elle enfila des bottes en caoutchouc et un imperméable. Elle prit une nasse à mailles fines dans le cellier. Claire avait sa façon bien à elle d'accommoder les « cagouilles », comme les nommaient les gens de la région. Après un long jeûne de cinq semaines, prisonnières d'une caissette en bois réservée à cet usage, elle les faisait dégorger, puis cuire dans un court-bouillon très aromatisé au persil, à la coriandre, au laurier, au thym et à la sauge. Ensuite, il fallait confectionner une sauce à base de tomates, d'oignons et de chair à saucisse. Jean en raffolait.

« J'en avais servi à William, peu de temps après son arrivée ici, il y a huit ans, se souvint-elle. Mon Dieu, le pauvre, il était horrifié. Je n'ai jamais pu le décider à y goûter! »

Elle revit la mimique de dégoût du papetier anglais et s'en amusa. Quelques minutes plus tard, elle entrait dans la bergerie.

— Anita, je vais ramasser des escargots!

— Je peux venir avec toi? lui demanda aussitôt Janine.

— Non, petite, nous avons de l'ouvrage, coupa Anita. Tu dois m'aider à pailler la litière des biquettes. Et ne ronchonne pas!

— Tu préviendras Jean, Janine! dit joyeusement Claire. Je n'ai pas voulu le déranger.

La fillette approuva en soupirant. Claire se sauva, suivie de près par Moïse le jeune. Elle ne suivit pas le chemin des Falaises, mais un sentier entre deux prairies. Dans l'une d'elles, la jument Junon et l'âne Figaro se repaissaient de pissenlits. Ils ne levèrent même pas la tête à son passage.

Elle marchait d'un bon pas, radieuse et pleine d'entrain. Les escargots étaient effectivement de sortie. Ils entreprenaient la lente ascension des piquets ou des arbustes ou traversaient un espace de terre brune. Un bâton en main, elle les dénichait le long du moindre bout de mur. Un petit bâtiment agricole au toit effondré lui en donna l'occasion. En écartant les herbes et les orties qui poussaient contre les pierres, Claire n'avait qu'à se pencher pour remplir sa nasse. Tout ceci ne l'empêchait pas de réfléchir, d'évoquer certains souvenirs liés à ce temps humide et doux, au murmure du ruisseau voisin.

« Souvent, mon cher Basile me surprenait à ramasser des escargots et il me sermonnait gentiment. Une fois, il a tiré sur mes tresses. J'avais onze ans, je crois. Je l'entends encore! "Eh, mademoiselle Roy, c'est un peu facile, ce gibier-là! Je trouve honteux de manger des bêtes incapables de s'enfuir ou de se défendre!" »

Claire se redressa, émue, attendrie.

— Et j'ai répondu: « Vous êtes bien content quand mes parents vous invitent à en déguster, monsieur Drujon, pourtant! » À cette époque, j'étais beaucoup moins familière avec lui que je l'ai été par la suite. C'était notre locataire, comme me répétait maman, et je devais être polie avec lui!

Mais elle se tut brusquement. Moïse le jeune grognait, le poil de l'échine hérissé. Une voix grave à l'accent caractéristique s'éleva à l'angle de la ruine.

— Eh bien, vous parlez toute seule, Claire, ou est-ce à cet animal qui vous accompagne?

Elle vit surgir William en ciré noir et bottes de cuir. Il portait de plus un large chapeau de feutre, orné d'une plume de faisan.

— Que faites-vous ici? demanda-t-elle, surprise et gênée.

— Je marche, comme je le faisais en Angleterre, dans les champs autour de mon cottage, répliqua-t-il. C'est bon pour le cœur, n'est-ce pas? La preuve, le mien va déjà mieux, puisque je vous revois. Vous avez meilleure mine et vous êtes moins mince, me semble-t-il…

— En effet, j'ai repris des forces et j'ai meilleur appétit, dit-elle d'un ton neutre. Vous ne devriez pas vous approcher autant du Moulin. De plus, vous êtes sur mes terres!

— *Sorry!* J'ignorais qu'il y avait une frontière invisible entre les terres de Ponriant et les vôtres! Chère Claire, n'ayez pas peur, bientôt vous serez débarrassée de moi.

Lancester fit trois pas de plus. Il aurait pu la toucher sans même tendre le bras. Elle recula un peu.

— Je suis sotte, avoua-t-elle. N'importe qui peut se promener sur mes terres. Mais vous savez bien pourquoi je me tiens à l'écart de vous.

— Oui, et pour cette raison je ne vais pas m'obstiner à rester en France. Votre cousine a fini par me convaincre que ce n'était pas une solution de vivre près de vous. J'ai quand même acheté le vieux moulin de Chamoulard et commandé des travaux. Ensuite, je le louerai. Mon ami Bertrand se chargera de gérer mes affaires. Je pensais sincèrement trouver le bonheur en devenant votre ami. Le destin en a décidé autrement, enfin vous, Claire, qui avez tout révélé à votre mari. À ce propos, je suis navré, mais Bertrand est au courant. Bertille s'est vue obligée de lui expliquer la situation pendant notre séjour à Pontaillac. Il y a eu une discussion, Bertrand ne comprenant pas pourquoi vous ne veniez plus au domaine et pourquoi j'évitais le chemin des Falaises. C'est mieux ainsi. La vérité est toujours bonne à dire, prétendez-vous en France.

Contrariée par la nouvelle, Claire secoua la tête. Nerveuse, elle ordonna à Moïse, toujours menaçant, de rentrer au Moulin.

— File à la maison! cria-t-elle.

L'animal obéit aussitôt. Il s'éloigna à foulées rapides, d'une souplesse empreinte de sauvagerie.

— Et voilà! plaisanta Lancester. Je n'ai qu'à filer moi aussi, droit vers l'Angleterre.

Le papetier souriait, amusé de son bon mot. Claire avait envie de sourire elle aussi. Cet homme était charmant, spirituel.

— J'aurais pu vous aimer! avoua-t-elle. Dans une autre existence où il n'y aurait pas eu Jean. William, je vous remercie de votre décision.

— Mes amis Giraud estiment que c'est plus correct ainsi. Et votre cousine se languit de vous. Cela ne durera pas longtemps; je repartirai au mois de juillet. Je voudrais superviser quelques travaux, d'ici là. Ces bâtiments de Chamoulard sont vétustes et dangereux. Au fait, comment va la petite fille, Gaby?

Il avait prononcé le prénom d'une façon si étrange que Claire éclata de rire.

— Elle se porte à merveille. Mais quelle peur nous avons eue, tous! Et vous, pas d'alerte du côté cœur?

— Non, c'est très calme, affirma-t-il. Sauf quand je vous regarde et que je respire votre parfum si particulier!

— Chut, taisez-vous, mon Dieu! Je fabrique mon parfum avec de la lavande anglaise, de la verveine citronnelle et de l'alcool. Faustine et Bertille se moquent de moi. Elles m'ont offert des parfums de marque, mais ils ne me plaisent pas. William, quand je vous écoute, je me dis que c'est plus prudent de ne pas vous rencontrer. Vous êtes un incorrigible séducteur.

— Et vous donc, en tenue de fermière, avec votre affreuse récolte de cagouilles! Vous appeliez ça des cagouilles, n'est-ce pas?

— Oui! Vous vous en souvenez? Comme le temps passe vite! Je voudrais bien parfois être encore la Claire de cette époque!

— Vous n'avez pas changé et je suis sûr que dans dix ou vingt ans vous rayonnerez toujours de beauté, de bonté et de sagesse. Je ne vous oublierai jamais! souffla William Lancester.

Il la contemplait de ses yeux vert pâle avec une expression de respect infini.

— J'espère que votre mari ne vous fera plus souffrir! ajouta-t-il. En tout cas, je n'en serai pas responsable. J'ai aménagé une pièce à Chamoulard. Je me cantonne là-bas jusqu'à mon départ. Nous devons aussi retourner à la villa de Pontaillac, Bertrand et moi. Vous aurez tout loisir de rendre visite à votre cousine. Quelle femme fantastique, elle aussi! Mais je n'aurais pas pu tomber amoureux d'elle au point de me tourmenter des années.

Claire comprit le message. Il l'avait vraiment aimée et pas seulement désirée.

— Encore merci de savoir vous effacer, William! répondit-elle. Moi non plus, je ne vous oublierai pas. Vous êtes un vrai gentleman! Faustine m'a appris ce mot... Et faites bien attention à vous.

Contre toute logique, elle avait la certitude qu'ils se disaient adieu. Un élan la poussa vers lui. Ils s'étreignirent chastement sans même échanger un baiser amical.

Quelqu'un les observait à distance. C'était Jean. Il serrait les poings, le souffle court. La scène qu'il voyait détruisait à une vitesse folle les jours d'amour et de complicité que Claire et lui venaient de partager.

«Elle m'a menti, trahi! pensait-il. Le temps de regagner ma confiance et elle a couru le rejoindre. Ils avaient rendez-vous, sûrement! Qu'ont-ils dit? Que vont-ils faire?»

Il était pétrifié, incapable de se montrer ou d'appeler. Une curiosité malsaine le dévorait. Il aurait presque voulu les surprendre en pleine étreinte, afin de libérer la violence démente qui le rendait frémissant, haletant. Caché derrière un roncier, il les épiait.

«Je ne suis pas de taille contre Claire, songea-t-il encore. Elle est rusée. La preuve! Qui l'a aidée à passer des messages à son amant? Anita, oui, ça ne fait pas de doute. Les femmes sont toujours d'accord pour nous berner!»

Jean craquait. Il s'abandonnait au délire de la jalousie, tandis que son esprit échafaudait mille suppositions douloureuses. Très vite, il fut persuadé que sa femme s'était arrangée pour voler le plus souvent possible vers Lancester, alors même qu'elle ne quittait guère le Moulin.

Cependant, à une vingtaine de mètres, le papetier anglais et Claire se séparaient, partant chacun d'un côté différent. Lui reprenait le chemin de Chamoulard, qui longeait un champ labouré, elle empruntait un sentier embroussaillé en direction des falaises.

«Ils ont dû s'embrasser avant! se dit-il. Je suis arrivé trop tard! C'était bien un rendez-vous, oui, mais dans le but de se voir ailleurs, à un autre moment!»

Des larmes de rage lui brouillaient la vue. Il se frotta les yeux et alluma une cigarette.

« Est-ce que je peux en vouloir à Claire? se demanda-t-il. Je ne l'ai jamais rendue heureuse, au fond. Elle le préfère à moi, ce grand type aux belles manières. »

Une petite voix intérieure lui conseillait de se raisonner, de chercher une explication, mais Jean faisait la sourde oreille. Il était cocu et ne méritait pas mieux.

« Qu'elle fasse ce qu'elle veut, je ferai celui qui ne sait rien, pourvu qu'elle reste avec moi, que je la garde! Mais lui, ce rosbif, il va comprendre. Qu'il ose la toucher encore une fois et il le regrettera. Je vais le lui dire, ça oui, de ce pas! »

Jean avait quitté l'imprimerie sur un coup de tête, dès que Janine s'était acquittée de sa mission.

— Claire ramasse des cagouilles, avait claironné la fillette.

Matthieu et Paul travaillaient sur la machine à papier, dans l'ancienne salle des piles, le Moulin du Loup produisant toujours du carton fin et des feuilles de qualité. Seul en face d'une caissette de caractères en plomb, Jean s'était autorisé une pause.

« Si je rattrapais Claire! Je lui ferai la surprise. Elle aime tant se promener avec moi! Nous irions près du ruisseau, là où nous avons des souvenirs délicieux! » avait-il décidé.

Il avait souri, troublé par d'anciennes images, surtout celle d'une superbe jeune fille aux longs cheveux bruns, à demi nue, qui s'offrait au bagnard en fuite qu'il était.

Et il l'avait trouvée dans les bras de Lancester. Leur amour passé et présent ne signifiait sans doute plus rien pour Claire. Jean resta prostré plus de vingt minutes à ruminer son chagrin et sa rage. Soudain, il poussa une plainte de bête blessée. En blouse grise maculée d'encre, la face crispée par la fureur, il s'élança vers les vieux bâtiments de Chamoulard où il savait que l'Anglais habitait depuis une semaine environ. L'épicier ambulant l'avait renseigné à ce sujet.

— Cela ne se passera pas comme ça! maugréa-t-il à mi-voix. Après ma visite, il n'aura plus envie de s'attarder dans le pays ni de toucher à ma femme! Personne ne me la prendra!

Jean fulminait, humilié, malheureux à hurler. Maurice, perché sur un vélo, le croisa en bas de la route montant au domaine de Ponriant.

— Hé! Monsieur Dumont! s'écria-t-il poliment. Où allez-vous au pas de charge?

— J'ai un compte à régler! rétorqua Jean.

Il ne pouvait pas prévoir que ces paroles-là prendraient une importance considérable dans les jours à venir.

Dans la cour du moulin de Chamoulard, sa colère vengeresse s'exacerba. Il allait enfin être confronté à son rival et ses poings le démangeaient. Depuis qu'il avait appris l'infidélité de Claire, il rêvait de l'instant où il pourrait frapper Lancester.

« J'ai trop attendu, pensa-t-il. J'aurais dû me conduire en homme bafoué et rosser ce type bien avant! Il aurait déguerpi et nous serions débarrassés. »

Tout son corps bouillonnait d'une ivresse proche de la folie. Il poussa une porte, pour se retrouver dans une vaste pièce balayée et sommairement meublée. Sur un réchaud à alcool, une bouilloire chuintait. Des biscuits garnissaient une assiette en porcelaine. Un ciré noir était posé sur le dossier d'une chaise.

— Monsieur allait boire son thé! maugréa-t-il.

Jean explora un cellier adjacent et grimpa à l'étage au risque de se briser les os, car l'escalier branlant menaçait de s'effondrer. Il commença à appeler, en vain.

— Oh! Lancester! Espèce de lâche, montrez-vous! Lancester, c'est Jean Dumont! Dumont le cocu!

Après avoir jeté un coup d'œil dans le grenier, il redescendit. Il crut percevoir des coups sourds, quelque part dans le bâtiment et il découvrit ainsi le passage conduisant à la cave. Le bruit en provenait. Pourtant, il ne vit personne. Les proportions du lieu et le plafond voûté l'auraient intéressé s'il avait été dans son état normal, mais il ne prêtait attention à rien de précis.

— Lancester! Pas la peine de vous planquer! C'est Dumont, Jean Dumont!

Un faisceau de lumière dansa sur une des parois. Jean se précipita. Il aperçut tout de suite l'entrée du souterrain et un homme de haute taille équipé d'une lampe à pétrole. Le visage de son ennemi, éclairé par le bas, composait un masque étrange qui le défigurait.

— Vous êtes bien William Lancester? interrogea-t-il.

— Oui, monsieur Dumont. Que faites-vous chez moi?

Malgré l'élocution soignée que l'accent anglais renforçait, le ton était méprisant. Jean fonça, avec un cri rauque. Il poussa Lancester en arrière et lui décocha un coup au menton.

— Arrêtez! protesta l'autre en retenant une exclamation de douleur. Vous êtes fou!

— Il y a une demi-heure, vous serriez ma femme dans vos bras, éructa Jean. Ma femme! Dites, ça ne vous a pas suffi de coucher avec elle, il y a sept ans? Vous remettez ça?

William Lancester recula prudemment. Bertille l'avait mis en garde: selon elle, Jean avait des envies de meurtre à son égard.

— Monsieur Dumont, calmez-vous! Claire me disait adieu, rien de plus. Je vais rentrer en Angleterre au début de l'été. Vous n'avez rien à craindre de moi, enfin! Vous pouvez me croire. Même si j'avais eu l'intention de la reconquérir, Claire n'aime que vous! Malgré ce que vous lui avez fait! Il n'y a pas de quoi être fier, tromper une personne comme elle! Vous devriez croupir en prison, pour avoir déshonoré votre fille adoptive!

C'en était trop pour Jean. Il frappa encore, à l'aveuglette. Lancester, encombré par la lampe qu'il n'osait pas lâcher, ne savait plus comment se protéger, encore moins se défendre. Son nez saignait, sa lèvre supérieure aussi.

— Monsieur, je vous en prie, écoutez-moi! hurla-t-il. Je vous dis la vérité.

— Vous aimez Claire et ça, je ne le supporte pas!

— Qui n'aimerait pas votre épouse? gémit l'Anglais. Oui, je l'aime! Mais je n'ai aucun espoir, comprenez-vous?

Jean respirait très fort, prêt à cogner de nouveau. Lancester fit l'erreur de prendre la fuite. Il se mit à courir, courbé en avant, dans le souterrain humide dont il ignorait la longueur et l'orientation.

— Espèce de lâche! rugit Jean.

Les propos de Lancester l'avaient cependant ébranlé, car ils sonnaient juste. Il se rua sur ses traces, sans vraiment savoir ce qu'il ferait s'il le rattrapait.

— Revenez, si vous êtes un homme digne de ce nom! cria-t-il.

Un grondement bizarre lui répondit. Cela ressemblait à l'écho d'un immense frémissement du sol et provenait de l'effondrement des masses de rochers, de sable, de terre accumulées au-dessus d'eux. Ensuite, il y eut un appel terrifié.

— *Help*[22]*! Help!*

C'était la voix de William Lancester. À travers une pluie de gravats, Jean distingua le halo de la lampe. Il comprit trop tard ce qui se passait.

— Bon sang! Un éboulement! s'exclama-t-il, saisi d'épouvante.

L'instant suivant, il était plaqué contre le corps de son rival, tandis que le chaos régnait autour d'eux. Cela ne dura qu'une minute, mais pour les deux hommes cela parut une éternité.

— *My God!* geignit l'un.

— Mon Dieu, nous sommes enterrés vivants! ajouta l'autre.

*

Moulin du Loup, même jour

Après avoir quitté William Lancester, Claire continua sa promenade plus d'une heure. Elle prit enfin le chemin du retour. Sa nasse était bien garnie d'escargots à la coquille d'un brun strié de gris et luisante d'humidité. Elle entra dans la cour du Moulin sans hâte, heureuse à l'idée de la paisible soirée qui s'annonçait, mais un peu attristée par ses adieux au papetier anglais.

«Je ne le reverrai pas vivant, se disait-elle. Je ne sais pas dans combien de temps son cœur le trahira. Peut-être qu'il aura la chance de vivre encore quelques années.»

Elle n'y croyait pas, certaine qu'il allait mourir bientôt. C'était une sorte de pressentiment dont elle ne pouvait se défaire.

«Est-ce que j'aurais pu le guérir? Non, c'est impossible. Les maladies cardiaques sont trop graves.»

---

22. À l'aide, en anglais.

Matthieu fermait la porte de l'imprimerie; Paul enfourchait sa bicyclette. Elle salua le jeune ouvrier et s'approcha de son frère.

— Vous terminez tôt! s'étonna-t-elle.

— Jean nous a lâchés, répliqua Matthieu. Je pensais qu'il était avec toi. Janine prétend qu'il est parti te rejoindre, il y a un moment déjà. Dis donc, tu as chassé la cagouille! C'est bien, ça, on va se régaler. Bonsoir, sœurette, je file vite à la maison. Faustine sera contente de me voir arriver en avance. Je l'aiderai à préparer le dîner.

Mal à l'aise, Claire répondit d'un petit sourire complice. Elle embrassa le jeune homme et s'éloigna en direction de l'appentis où Léon fendait du bois.

— As-tu vu Jean? lui demanda-t-elle tout bas.

— Non, pas depuis ce midi, marmonna-t-il. Je me dépêche, Anita a besoin de moi, ensuite.

Elle vida le contenu de la nasse dans la caisse grillagée où les escargots allaient jeûner longuement. Chacun de ses gestes lui paraissait ralenti, à cause de l'inquiétude qui montait en elle.

« Mon Dieu, il serait parti à ma recherche! songea-t-elle. Mais pourquoi? J'espère qu'il ne va pas recommencer à me surveiller… »

Dans la cuisine, Anita tempêtait. Elle avait fait brûler les pommes de terre. La casserole semblait irrécupérable.

— Ah! Madame, je suis bien navrée! Voyez un peu ce désastre. J'ai eu la sottise de vouloir m'occuper de deux choses à la fois, la cuisson des patates et le repassage à l'étage. Je suis bonne pour une deuxième corvée d'épluchage, si on veut manger.

— Laisse ça, Anita! coupa Claire. Fais cuire du vermicelle à la place. Où est monsieur Jean?

— Je me disais que vous étiez ensemble. Janine lui a fait la commission, que vous partiez ramasser des cagouilles. Peu après, j'ai vu votre mari qui sortait de l'imprimerie.

— Il a pris quelle direction?

— La même que vous, je crois. Et votre loup, il est revenu par ce sentier, celui qui sépare vos prés.

Claire fit un effort pour ne pas s'affoler. Elle se lava les mains et monta jusqu'à sa chambre.

« Si seulement Jean m'attendait ici! espéra-t-elle en ouvrant la porte. Peut-être qu'il est entré dans la maison et qu'il se repose! »

Mais la pièce était vide.

— Où est-il? s'interrogea-t-elle à voix haute.

Frileuse, elle enfila un gilet de laine et redescendit. Anita lui lança un regard intrigué.

— Ne vous tracassez pas, madame, votre mari va rentrer pour la soupe, dit-elle gentiment. Vous avez dû vous manquer et il vous cherche encore.

— Quand même, soupira Claire, c'est la demie de six heures. Il fait déjà sombre; Jean ne traînerait pas si longtemps dehors.

Elle se posta devant la grosse cuisinière en fonte noire et réchauffa ses mains. En silence, elle essaya de se rassurer.

« Il a pu retourner sur ses pas et rendre visite à Faustine! Depuis l'accident, il a souvent envie de voir Gaby, de jouer avec elle. Et Isabelle le retient, dans ce cas. Toujours prête à accaparer son grand-père, cette coquine. Ou bien il est allé au village s'acheter du tabac! Mais oui, que je suis bête de m'en faire comme ça. Jean est sûrement à Puymoyen en train de bavarder au café. »

Claire s'accrocha de toutes ses forces à cette idée, alors que son intuition lui dictait le contraire. Elle commençait à imaginer le pire. Jean l'avait vue en compagnie de Lancester et il était quelque part, furieux, malheureux.

— Je dois dire quelque chose à Faustine, déclara-t-elle. Je vais lui téléphoner. Elle se plaint d'avoir très peu d'appels. Ah, le progrès! On discute dans cet appareil, mais il n'y a pas si longtemps on se déplaçait à la moindre occasion et c'était bien plus gai.

Anita haussa les épaules. Pour sa part, dès qu'elle le pouvait, elle utilisait avec fierté et jubilation le téléphone. Claire bavarda quelques minutes avec Faustine, et reposa le combiné sur le support en cuivre, désappointée.

« Jean n'est pas chez eux! »

Afin d'échapper à l'angoisse pernicieuse qui l'envahissait, elle entreprit de nettoyer la casserole noircie par les légumes carbonisés. Elle frottait, frottait, et le restant de sa vie elle se souviendrait de ces instants où son bonheur chèrement reconquis s'apprêtait à basculer dans une tragédie intolérable.

Le clocher du bourg sonna sept coups, aussitôt imité par la grande horloge du Moulin. Jean ne revenait pas. Léon entra et quitta ses sabots en caoutchouc. Janine, qui jouait à l'étage, dévala les marches.

— Papa! cria la fillette en se ruant vers son père.

— Ma beauté, claironna Léon, as-tu été sage, au moins? Quand je pense qu'à l'automne tu iras à l'école. Hein, ma fille?

C'était une scène familière. Rien n'avait changé. Anita allumait les lampes. Une bonne odeur de bouillon brûlant au vermicelle flottait dans l'air. Mais Claire était incapable de se calmer.

— Ma petite Janine, demanda-t-elle soudain, est-ce que Jean t'a parlé avant de quitter l'imprimerie?

— Non! répliqua l'enfant en riant. Je lui ai dit que tu ramassais des cagouilles et je suis repartie à la bergerie. Mais on l'a vu passer, maman Nini et moi. Il sifflait.

— C'est vrai, ça. Où il est passé, notre Jeannot? s'étonna Léon qui sirotait un verre de vin rouge. D'habitude, il trinque avec moi.

— Eh bien, expliqua Claire, il a voulu me rejoindre, et, ne me trouvant pas, je suppose qu'il est monté au village. Il ne va pas tarder. Jean fume beaucoup, ces temps-ci, il a dû manquer de tabac.

— Je crois pas, coupa Léon. Je lui en ai rapporté trois paquets hier.

— Moi, je mets le couvert, dit Anita. Monsieur Jean a sans doute eu besoin d'autre chose à l'épicerie. Ne vous creusez donc pas la cervelle pour rien.

Une demi-heure s'écoula. Claire n'avait pas bougé, toujours debout près de la cuisinière, le visage blême, les traits tirés. Léon et Anita n'osaient plus lui adresser la parole. Un silence pesant s'installa. Janine était impressionnée par l'attitude étrange des adultes qui l'entouraient.

La sonnerie métallique du téléphone les fit sursauter. Claire s'empressa de décrocher, en priant de toute son âme pour entendre la voix de son mari. Mais c'était Bertille.

— Nous sommes très inquiets, Bertrand et moi. William devait venir dîner au domaine et il a disparu. Maurice a fait un saut à Chamoulard, il n'y a personne. Il paraît que la bouilloire était vide, mais encore brûlante, toute l'eau évaporée, comme si Will préparait du thé et était subitement sorti. Sans son ciré. Clairette, tu ne l'aurais pas vu? Il ne s'est rien passé? Je ne peux pas te cacher ce que je sais... Maurice a croisé Jean, qui avait l'air furieux et lui a dit qu'il avait un compte à régler! Tu comprends pourquoi je suis inquiète?

— Oui, gémit Claire, plus morte que vive. Je comprends.

Les battements sourds et précipités de son cœur résonnaient dans tout son corps, surtout à ses tempes. Elle craignit de s'évanouir.

— Je viens immédiatement, balbutia-t-elle en coupant la communication.

Léon se leva et remit sa casquette.

— Je vais démarrer la camionnette, madame. Je sais pas où je dois vous conduire, mais je vous conduis.

— Merci, Léon, dit-elle précipitamment. Je dois monter à Ponriant. Rien de grave, mais dépêchons-nous.

Claire se chaussa et sortit. Elle se mouvait péniblement au sein d'un univers cotonneux et terrifiant. Ses lèvres formulaient des prières muettes afin de conjurer le sort. Lorsqu'elle se hissa sur la banquette du petit camion, une légère douleur au ventre la surprit. Elle l'attribua à la peur panique qui la submergeait et l'oublia immédiatement.

« Mon Dieu, faites que Jean n'ait rien commis d'irrémédiable, implorait-elle, les yeux fermés. Mon Dieu, par pitié, je n'aurais plus la force de vivre sans lui. Je vous en prie, mon Dieu! »

— Nous sommes arrivés, madame, dit Léon d'un ton neutre. Je vous attends ou je rentre souper au Moulin?

— Tu peux rentrer, on me raccompagnera.

— Dites, qu'est-ce qu'il a encore fait, Jeannot? Depuis

toutes ces années qu'on se connaît, vous et moi, vous pouvez bien me dire la vérité.

Elle aurait volontiers sangloté sur l'épaule de Léon, leur plus fidèle ami, mais elle se contint.

— Jean n'a rien fait du tout! répliqua-t-elle d'un ton angoissé. Rentre vite.

Il la regarda marcher dans l'allée de graviers blancs menant à l'escalier d'honneur du domaine, frêle silhouette solitaire dans la nuit encore pâle. Sur le perron se tenaient Bertille et Bertrand, mais aussi trois gendarmes.

15
Un mal pour un bien

Souterrain du moulin de Chamoulard, même soir

Jean avait pris la mesure exacte de la catastrophe. La voûte du souterrain, une construction sûrement très ancienne, s'était effondrée sur plusieurs mètres. L'air était irrespirable, tant la terre avait été remuée en s'écroulant, mêlée de pierres et de morceaux de mortier.

— Nous sommes dans un sale pétrin! remarqua-t-il, encore étourdi.

Les deux hommes se trouvaient dans l'obscurité totale. La lampe avait dû se briser. Jean fouilla ses poches et en extirpa un briquet à essence qu'il alluma aussitôt. Ce qu'il vit à la lueur de la flamme lui causa un véritable choc. William Lancester gisait sur le sol, parmi les gravats. Son visage était souillé de poussière grisâtre, ce qui faisait ressortir le sang de ses plaies au nez et au front. Il avait l'air très mal en point, les cheveux épars et les paupières mi-closes.

— Oh! lança Jean en lui touchant l'épaule. Vous m'entendez? Vous avez parlé il y a un instant! Monsieur…

La violence destructrice de l'éboulement et ses épouvantables conséquences avaient dissipé la colère et la soif de vengeance de Jean. Devant le corps inerte du papetier, il cédait à un effroi sacré. Cela lui était déjà arrivé pendant la dernière guerre, lors d'une offensive. Jean avait buté du pied contre le cadavre d'un soldat allemand, réduit à l'état de dépouille horrible. L'homme n'avait presque plus rien d'humain. Celui qu'il considérait comme un ennemi à exterminer au moment de l'assaut, entouré des camarades de son bataillon, devenait une victime de plus. Il ne s'était jamais accoutumé à cette boucherie; il en faisait encore des cauchemars, dix ans après.

— Mon Dieu, ce n'est pas possible! gémit-il. Tout est ma faute! Ce pauvre type n'avait pas demandé à mourir. Qu'est-ce que j'ai fait, mon Dieu?

Il dut éteindre le briquet qui lui brûlait les doigts. Quand les ténèbres eurent repris leur densité oppressante, une main le saisit au poignet.

— Dumont? La lampe, cherchez la lampe! Je souffre trop, je ne peux pas bouger.

— Bon sang! jura Jean en sursautant. Comment vous sentez-vous?

— J'ai très mal au dos, c'est quand je suis tombé.

Jean avait maintenant un besoin désespéré de secourir son rival. Il commença à explorer le sol autour de lui, à tâtons, soucieux d'économiser son briquet.

— La lampe doit être cassée et hors d'usage! expliqua-t-il. Mais vous avez raison, il faut essayer de la trouver, au cas où elle fonctionnerait encore un peu. Ce n'est pas rassurant, ce noir total, n'est-ce pas?

— Non, mais le pire pour moi, c'est le manque d'air! bredouilla Lancester. Je ne peux pas respirer à mon aise. Nous allons y rester.

— Il y a de l'air, sinon la flamme de mon briquet n'aurait pas tenu aussi longtemps, coupa Jean. Calmez-vous, ne paniquez surtout pas! Nous nous en tirerons.

Malgré leur peur et la gravité de la situation, ils étaient tous les deux conscients de l'étrangeté de ce dialogue presque amical au sein d'une nuit opaque. Tout avait basculé en quelques secondes. La hargne, la jalousie mutuelle, cela n'avait plus d'importance, pas plus que la fuite insensée de William ou les coups de Jean.

— Je vais rallumer mon briquet, déclara ce dernier. J'irai plus vite.

De nouveau une petite flamme brilla. Jean discerna un monticule de terre brune mêlée à des fragments de roche. Cela l'intrigua.

« Nous devrions être écrasés, ensevelis. Qu'est-ce qui nous a protégés? » se demanda-t-il.

Il aperçut enfin une poignée métallique émergeant d'un tas de sable grossier. Fébrilement, il dégagea la lampe. Par chance, elle était tombée par terre sans se renverser.

— Je pense qu'elle devrait marcher! s'écria Jean. Cela nous fera du bien, hein, d'y voir un peu mieux? Ensuite, je vais m'occuper de vous!

Cela aurait pu passer pour une menace, si le ton n'avait pas été réconfortant et chaleureux. Surpris du changement radical de son compagnon d'infortune, Lancester éprouva pour lui un début de sympathie.

— J'avais rempli le réservoir de la lampe, dit-il en haletant. Si le pétrole n'a pas coulé, nous aurons de la lumière pendant un certain temps.

— Voilà, triompha Jean. Le verre est brisé, mais la mèche a pris.

Ils eurent l'impression de retrouver la vue.

— Un petit miracle! soupira le papetier.

— Le miracle, c'est que nous soyons encore vivants. Qu'est-ce que vous faisiez dans ce souterrain? interrogea Jean. Je regrette bien, à présent, de ne pas vous avoir trouvé ailleurs, dans la cour ou la cuisine.

Sur ces mots, il étudia attentivement le décor chaotique qui les entourait. En levant la main, il toucha la voûte, à l'endroit où elle ne s'était pas écroulée.

— Regardez! dit-il. Nous sommes juste en dessous d'un énorme pan de rocher. Combien avons-nous parcouru de mètres, à votre avis?

— Je n'en sais rien! rétorqua Lancester. Je n'ai pas pris garde à la distance, je n'avais qu'une idée: vous échapper. Je ne suis pas quelqu'un de violent, je ne me suis jamais battu, même pas à l'école. Et vous aviez un air terrifiant. J'ai beau être condamné, je n'avais pas envie de mourir étranglé.

Jean le fixa intensément, malade de confusion. Le papetier anglais n'avait plus rien du personnage odieux qu'il exécrait depuis plusieurs mois. Il en avait fait dans son imagination un être détestable, un séducteur sans scrupules, mais il était maintenant confronté à un presque sexagénaire qui lui inspirait une sincère compassion. Avec d'infinies précautions, il l'aida à s'asseoir, le dos appuyé à la paroi.

— Vous êtes réellement condamné? s'enquit-il. Claire m'en a parlé, mais je croyais que vous aviez inventé ça afin de mieux l'attendrir.

— Hélas! Non, pas du tout! Quand j'ai entendu le verdict du médecin qui m'avait examiné, à Londres, je me suis décidé à revenir en France. Je n'en avais plus pour longtemps et je voulais revoir Claire, la seule femme qui m'avait fait oublier ma chère Janet, mon épouse. Ne le prenez pas mal, mais j'espérais passer mes derniers mois ici, en ami de votre famille. Le destin en a décidé autrement. Quand je suis arrivé au domaine de Ponriant, j'ai vite su que vous étiez au courant, à mon sujet, ce qui m'interdisait toute approche de Claire. Seulement, les gens sont bavards, en France! Bertrand Giraud m'a raconté l'histoire d'Angéla et là, oui, j'ai voulu tenter ma chance, persuader votre femme de vous quitter.

William se tut. Il tâtonnait à l'intérieur de sa veste. Jean garda le silence afin d'assimiler ce qu'il venait d'entendre.

— C'était de bonne guerre, finit-il par reconnaître. Je viens de comprendre une chose, en vous écoutant. Je crois que je suis devenu à moitié fou de jalousie, parce qu'au fond de moi j'estimais que Claire avait le droit de vous choisir, vous, à cause du mal que je lui ai fait. Elle a un grand cœur, et tant d'amour en elle. J'ai reçu son pardon comme une bénédiction... Mais est-ce que je mérite une femme comme elle? Non! Conscient de ça, j'étais persuadé de la perdre, qu'elle volerait vers vous et me fuirait.

— Il n'y a aucun risque! déclara Lancester d'un ton triste. J'ai dû admettre qu'elle n'aimait et n'aimerait que vous, Jean Dumont, tant qu'elle aurait un souffle de vie. Ah, tenez, de quoi nous revigorer!

Le papetier anglais tendit à Jean une petite bouteille plate, sertie de cuir.

— Du whisky, dit-il. J'en ai toujours sur moi. Les docteurs prétendent qu'en cas de crise cardiaque cela peut me sauver.

— Ah! s'écria Jean. Nous sommes les rois, alors! Merci bien!

Il assortit son exclamation d'un large sourire, dévoilant des dents impeccables, d'un blanc nacré. Ses yeux d'un bleu pur, ourlés de longs cils noirs, étaient pleins de bienveillance. Malgré la terre qui souillait son visage et ses cheveux bruns en bataille, il parut à William d'une extrême séduction.

« Quel bel homme ! songea-t-il. Je n'ai jamais vu un regard pareil ! Voilà donc celui que Claire adore. Ce n'est guère surprenant. »

Ils burent chacun une rasade d'alcool. Jean observa plus attentivement l'espace étroit qui les emprisonnait. Il se souvint : il y avait eu une série de grondements successifs et le bruit particulier des éboulements de terrain, ce qui laissait présager le pire.

« On dirait que le mauvais sort nous a préparé une fin atroce, pensa-t-il. Il aurait mieux valu être tout de suite écrasés ou étouffés. Là, nous sommes prisonniers de roches et de terre. Mais je suis sûr que l'air circule. »

Cependant, il garda ses conclusions pour lui. Lancester arrivait à discuter, mais il semblait assez faible.

— Que diantre faisiez-vous dans ce souterrain ? Quant à moi, je vous dois des explications. Cet après-midi, j'ai suivi Claire et je l'ai vue avec vous. Je me suis fait des idées, celles des gens jaloux incapables de raisonner. Elle était dans vos bras, à un moment. Bon sang, la douleur que j'ai ressentie ! J'ai essayé de me maîtriser. Impossible ! Je l'avoue, j'avais envie de vous anéantir.

Lancester eut un petit rire teinté d'amertume.

— Finalement, vous avez réussi à me mettre hors d'état de nuire. Mais vous êtes pris au piège avec moi. Nous sommes dans la même galère, une expression bien française, n'est-ce pas ?

Jean sortit son paquet de cigarettes et en alluma une, après en avoir proposé à son compagnon d'infortune qui avait refusé d'un signe de tête.

— J'avais lu que les Britanniques cultivent le flegme et l'humour noir, vous m'en donnez la preuve ! dit-il à Lancester.

— Je peux me résigner à mourir dans ce trou de rats. Mais vous êtes un peu plus jeune que moi et vous avez des gens qui vous aiment, dehors. Claire, votre fille, vos petits-enfants. Je vous détestais aussi, à l'époque où je m'étais établi dans votre vallée. J'avais la conviction d'avoir découvert un paradis. Le Moulin, la rivière, les falaises, toutes ces jolies femmes que je croisais. Faustine, votre servante Raymonde, Claire, bien sûr, et Bertille, une créature tellement étrange. Savez-vous ce qu'elle a fait, pendant notre séjour à Pontaillac? Je ne prisais guère les balades sur la plage, en plein vent, alors elle m'a donné à lire votre œuvre sur les colonies pénitentiaires. Sur le coup, cela m'a choqué. Mais elle a insisté, en me disant que cette lecture me serait utile, à titre d'information. Je vous considérais jusqu'alors comme un homme égoïste, peu soucieux de veiller sur sa famille et sur son épouse. Il faut me comprendre. Il y a sept ans, bientôt huit, Claire luttait seule contre de gros ennuis d'argent, et vous étiez en Belgique. Plus récemment, j'avais appris votre conduite inqualifiable vis-à-vis de votre fille adoptive. Je vous jugeais très mal, en conséquence. Mais ce livre... J'ai été bouleversé par votre enfance et les conditions inhumaines dans lesquelles vivaient les jeunes colons, de futurs bagnards.

Jean leva la main, pour supplier Lancester d'en rester là.

— Je vous en prie, n'en dites pas plus. Ces pages m'ont coûté des efforts terribles. Elles m'ont poussé à évoquer une tragédie dont je ne suis pas encore remis.

— Votre frère? murmura le papetier.

— Oui, mon petit frère et cet homme ignoble que j'ai tué, son bourreau. Je ne regrette pas mon geste, ça non. Ceux qui s'en prennent à un enfant innocent, qui le détruisent par perversité, ceux-là doivent être punis d'une manière ou d'une autre. À ma majorité, je devais partir pour le bagne de Cayenne. Mais je me suis enfui de La Couronne et j'ai échoué dans cette vallée. Des années ont passé. Je suis resté un type violent, et vous en faites les frais.

William Lancester poussa une plainte. Il ouvrit la bouche et la referma en esquissant une grimace.

— Qu'avez-vous? s'écria Jean.

— Je respire mal, je vous l'ai dit. La flamme de la lampe brûle-t-elle encore?

— Mais oui, voyons! Allons, du cran. Plus vous vous

agiterez, plus vous aurez l'impression de suffoquer. Buvez encore un peu de whisky.

Jean porta la bouteille aux lèvres de Lancester qui avala une gorgée en roulant des yeux affolés.

— Merci, ça me soulage! soupira-t-il. Je ne suis pas un héros, moi.

— Moi non plus! répliqua Jean avec un sourire.

— Si! Bertille m'a confié vos exploits pendant la guerre, votre dévouement envers vos camarades de tranchée, vos articles qui dénonçaient les abus de vos supérieurs. Bien avant, vous aviez sauvé Léon de la noyade, et d'autres matelots, au large de Terre-Neuve.

— Comment le savez-vous?

— Dans le pavillon de Ponriant, j'ai trouvé un manuscrit au fond d'un tiroir, le récit du naufrage du *Sans-Peur*, le morutier sur lequel vous étiez engagé, dit Lancester. Je l'ai parcouru. Ensuite, j'ai posé des questions à Bertille. Jean, vous permettez que je vous appelle Jean, vous êtes un homme bon et généreux. Cela ne sert plus à rien de tricher, de se haïr, puisque nous sommes condamnés à mourir ici, tous les deux. Vous êtes bien d'accord? Il n'y a pas d'issue; voici notre tombe! Quel paradoxe! Si nous n'avions pas été dans l'obligation de discuter ensemble, nous serions restés sur nos positions respectives.

Jean se mordilla le poing, soudain effaré. Il n'avait pas encore accepté l'inéluctable. Il se reprocha d'avoir perdu un temps précieux en longs discours.

— Mais ça ne sera pas notre tombe, voyons! décréta-t-il. On va nous rechercher. Je suppose que Bertrand connaît ce souterrain. Une équipe bien outillée pourra déblayer. Mais nous allons sans doute devoir patienter.

— Patienter? ironisa le papetier. Avez-vous pensé à la faim et à la soif? Et la lampe, elle finira par s'éteindre.

— Vous avez raison, je ferais mieux d'inspecter notre prison, car pour l'instant c'est une prison, pas une tombe. Ayez confiance, William, je vous sortirai de là.

Bizarrement, Lancester fut réconforté. Il émanait de Jean une énergie et une foi communicatives.

*

Domaine de Ponriant, même soir

Claire avait la bouche sèche et les jambes tremblantes en serrant la main du brigadier de gendarmerie. Les deux autres policiers la saluèrent en soulevant d'un doigt la visière de leur képi. Elle adressa un regard de reproche à Bertille, comme si celle-ci l'avait trahie.

— Bonsoir, madame Dumont, dit le brigadier. Je suis navré, mais je dois vous interroger au sujet de votre mari. Monsieur Giraud et son épouse craignent qu'il ne soit mêlé à la disparition de leur ami, William Lancester.

— Et pourquoi donc? dit-elle d'une voix peu assurée. C'est grotesque! Bertille, Bertrand, avez-vous perdu l'esprit?

Elle se sentait misérable, entourée de personnes respectables. L'avocat avait occupé les fonctions de maire à Puymoyen pendant trois ans et il faisait figure de notable dans le pays, ainsi que Bertille, très généreuse quand il s'agissait de bonnes œuvres.

— Ne vous alarmez pas, madame, ajouta le gendarme, respectueux. Mais un témoignage a poussé monsieur et madame Giraud à nous prévenir. Leur domestique, Maurice, a croisé votre mari près du moulin de Chamoulard. Monsieur Dumont portait sa blouse de travail. Il paraissait en colère et lui aurait dit qu'il avait un compte à régler.

Un frisson d'épouvante secoua Claire. Apitoyée, Bertille voulut la prendre par le bras pour la conduire à l'intérieur.

— Non, je n'entrerai pas! protesta-t-elle. Nous pouvons discuter ici, sur ce perron. Jean n'a rien fait de mal. Il doit être au village, à l'heure qu'il est.

— Ma chère Claire, coupa Bertrand blême de contrariété, si vous ne savez pas où se trouve Jean, nous devons songer au pire. Il a pu se débarrasser du corps de William après l'avoir tué. Bertille m'a rapporté des paroles sans équivoque. Jean aurait parlé d'éliminer notre invité. Du moins, il a affirmé ressentir des pulsions meurtrières.

Derrière la vitre de la porte-fenêtre, la gouvernante et la nurse observaient la scène. Elles avaient des mines anxieuses et un regard affolé. Claire refoulait des larmes de honte et de dépit. Sans répondre, elle maudit en silence le destin qui avait placé Lancester sur son chemin, ce paisible après-midi de printemps où elle était si contente de ramasser des escargots.

— Il faut comprendre la gravité de la situation, madame Dumont, reprit le brigadier. Il est huit heures du soir, à présent, et monsieur Lancester a disparu, ainsi que votre mari, il me semble. Nous allons fouiller le moulin de Chamoulard. Je vous demanderais de nous accompagner.

Bertille pleurait sans bruit, le visage abattu. Elle aurait donné cher pour ne pas imposer une telle épreuve à sa cousine, sa sœur de cœur. Elles avaient toujours été solidaires et complices, se protégeant l'une et l'autre.

— Les mots ne signifient pas forcément qu'on passera aux actes un jour! dit enfin Claire. Jean a peut-être tenu ce genre de propos, mais je le connais. Il est incapable de tuer quelqu'un.

— Désolée, madame, de vous contredire! trancha le gendarme. Son passé prouve le contraire. Je ne nie pas que monsieur Dumont a eu une conduite exemplaire depuis son procès en 1902, mais c'est un individu qui a déjà commis un crime.

Claire fut touchée en plein cœur. Elle fixa l'homme de ses grands yeux noirs, d'un air profondément surpris.

— Vous êtes bien renseigné, brigadier! constata-t-elle avec dépit, en scrutant cette fois la face empourprée de Bertrand Giraud. Je pense que l'ancien avocat de mon mari s'est cru obligé de vous parler de son passé.

— Ma chère amie, pardonnez-moi, s'excusa ce dernier. Il faut reconnaître que Jean a tellement changé ces dernières années.

Elle haussa les épaules, accablée. Elle aurait voulu sortir un superbe discours qui aurait prouvé l'innocence de Jean, mais elle doutait également.

« S'il m'a vue dans les bras de William, il a pu devenir très impulsif et mettre ses menaces à exécution. Mon Dieu, non, pas ça! » implora-t-elle en silence.

D'un pas hésitant, Claire alla s'appuyer à la balustrade qui délimitait la terrasse. Un souvenir lui revint. Un autre soir, des années auparavant, on célébrait ici les noces de Faustine et de Denis, ainsi que celles de Corentine et de Matthieu. De bien tristes noces pour deux des quatre jeunes gens, ce que personne ne soupçonnait.

«J'avais dansé une valse avec William. Je portais une belle robe en velours prune et un collier de perles. J'étais heureuse et Jean se souciait peu de moi. Il bavardait avec Victor Nadaud. Il y avait eu un feu d'artifice, ensuite, qui avait enchanté Angéla. Mon Dieu! Si on nous avait dit, alors, ce qui se passerait! Matthieu a divorcé pour épouser Faustine, Denis étant mort. Et Angéla, cette douce adolescente si fière d'être demoiselle d'honneur, a séduit Jean.»

Claire éprouva à nouveau une sorte de douleur dans le ventre, mais légère, quasiment imperceptible. Elle n'y prêta aucune attention, trop malheureuse pour se soucier de son corps.

— Madame Dumont? appela le brigadier. Si vous voulez bien nous suivre...

Des silhouettes l'entouraient. Elle reconnut Maurice, tout penaud d'avoir dû témoigner contre Jean, du moins le crut-elle, puis Bertrand, équipé de bottes de cheval et d'une lampe à pile.

— Je préfère rester là! déclara Bertille d'une petite voix. Je ne servirai à rien. Clairette, reviens ici, après. Tu pourras dormir chez nous. Il faut que nous discutions de tout ceci.

— Oh non! s'écria Claire. Sûrement pas!

Elle se retint d'en dire davantage, chaque parole pouvant être entendue des gendarmes et interprétée en bien ou en mal. Cela l'empêcha de couvrir sa cousine de reproches. Très digne, elle suivit les hommes jusqu'à Chamoulard. Ses pensées étaient moroses.

«Les terrains que j'ai offerts à Jean pour notre mariage dépendaient jadis de ce vieux moulin qui tombe en ruine. La rivière les en sépare. Mon Dieu, je dois être forte, si l'on découvre William mort ou à l'agonie. Dans ce cas, Jean doit être loin, horrifié par son geste, car il n'est pas un assassin. Il se laisse dominer par la violence et je n'ai pas su le soigner.»

Claire découvrit la pièce aménagée par le papetier

anglais. En peu de jours, il avait réussi à la rendre agréable et chaleureuse, grâce à des rideaux de lin beige, des murs chaulés et des bouquets de fleurs. Le brigadier examina le ciré posé sur le dossier d'une chaise, puis la théière où une boule en argent contenait du thé.

— De toute évidence, ce monsieur avait mis de l'eau à chauffer sur le réchaud, qui n'était pas éteint quand Maurice est venu aux nouvelles. La bouilloire était vide, le contenu s'étant évaporé. On peut donc en déduire que monsieur Lancester a été dérangé par un visiteur.

— Quel malheur! bredouilla Bertrand.

Maurice put s'approcher de Claire. Il lui chuchota à l'oreille:

— Excusez-moi, madame, je suis navré! Je n'avais pas le choix. Monsieur Giraud m'a tiré les vers du nez et aussitôt après il a téléphoné à la gendarmerie.

— Je ne t'en veux pas, Maurice, sois tranquille, répliqua-t-elle tout bas. Tu as dit ce que tu avais à dire.

Au même instant, Faustine et Matthieu entrèrent. Ils avaient la même expression de chagrin et d'incrédulité.

— Nous sommes venus te soutenir, dit la jeune femme. J'ai confié les petits à Léon. Il les conduit au Moulin.

— Courage, sœurette! dit Matthieu. J'ai su ce qui se passait en téléphonant à Bertille. Jean accumule les conneries. Je n'aurais jamais dû quitter l'imprimerie aujourd'hui.

Claire puisait du réconfort dans l'étreinte affectueuse de Faustine.

— Papa va réapparaître. Pourquoi aurait-il tué Lancester? Il s'était promis de ne jamais retourner en prison.

— Je sais, ma chérie, soupira Claire, secouée de gros sanglots, mais il a pu commettre l'irréparable, par jalousie, par haine. Mon Dieu, quelle tragédie!

Les gendarmes descendirent dans la cave, suivant les conseils de Bertrand qui les guidait.

— Allons-y! maugréa Matthieu. Si on ne trouve rien, ce sera bon signe.

Le brigadier et ses hommes inspectèrent minutieusement les lieux et s'arrêtèrent devant l'entrée du souterrain.

— William avait prévu le condamner très bientôt, précisa l'avocat. Je n'ai jamais jugé utile d'explorer ce passage. L'eau s'infiltre et la voûte menaçait de s'effondrer.

Le faisceau d'une lampe éclaira la galerie. Tous aperçurent un mur chaotique de gravats, de terre et de pierres.

— Il y a eu un éboulement! répliqua le brigadier. Enfin, peut-être qu'on a provoqué un éboulement. Je ne serais pas surpris de découvrir le corps de monsieur Lancester là-dessous. Et regardez par terre, on voit des empreintes de chaussures. Il y en a même deux différentes. Sans nul doute, celles de Jean Dumont et de sa victime. Il faudra commencer à déblayer demain matin, au lever du jour.

Claire serra très fort la main de Faustine. Leur cauchemar commençait.

*

Souterrain du moulin de Chamoulard, même soir

— Que faisiez-vous dans ce souterrain, alors que vous reveniez d'une promenade? demanda Jean à Lancester pour la troisième fois. Je m'interroge, vu les conséquences. Je suis responsable de tout ceci, mais je voudrais remonter le temps et ne pas être descendu dans votre cave.

William Lancester poussa un long soupir avant de répondre.

— J'étais triste, déçu, très nerveux! expliqua-t-il. J'avais tenu Claire dans mes bras, mais c'était un adieu. Je lui avais dit que je repartirais en Angleterre au début de l'été, mais en fait j'avais pris une autre décision. Je comptais m'en aller la semaine prochaine. Pendant que l'eau du thé chauffait, j'ai eu l'idée d'examiner l'état du souterrain; j'avais contacté un terrassier et un maçon afin de le murer définitivement. C'est une chance qu'aucun enfant du pays ne se soit égaré à l'intérieur. Un propriétaire a la charge d'entretenir un lieu, même s'il s'apprête à plier bagage.

— Je comprends, concéda Jean. C'était une décision raisonnable.

Il ne pouvait s'empêcher d'admirer l'élocution soignée

de Lancester et sa maîtrise parfaite de la langue française. Son accent britannique apportait une touche mélodieuse à ses phrases.

— Et vous avez surgi, fou furieux, un vrai taureau! ajouta le papetier. Quelle sottise j'ai faite, en courant droit devant moi!

— C'est ma faute! déplora Jean. Mon vieux, je m'en voudrai jusqu'à la fin de mes jours.

— Dans ce cas, vous n'aurez pas longtemps à regretter votre conduite. Nous sommes enterrés vivants. C'est drôle, votre façon de me parler. Cela sonne bien français, « mon vieux », comme si nous étions de bons camarades.

— Je vous appréciais, à l'époque où vous habitiez la maison de Basile.

— Maintenant, votre fille y a fait son nid! fit remarquer Lancester. J'ai froid, pas vous?

Tout de suite, Jean ôta sa blouse grise et en couvrit les épaules du papetier. Il le frictionna par la même occasion.

— Votre cœur, pas d'alerte? s'inquiéta-t-il.

— Non, mais j'ai soif et faim. Fouillez mes poches de veste, je n'en ai pas la force. Je crois que j'avais une boîte de pastilles à la menthe sur moi.

Jean trouva les bonbons. Il en donna deux à Lancester et en croqua un.

— Le sucre revigore, dit-il. Nous tiendrons le coup, avec du whisky et des douceurs. Par contre, si nous dormons, j'éteindrai la lampe pour économiser le pétrole. J'ai baissé la mèche au maximum, déjà.

Sur ces mots, Jean se redressa. Une fois debout, il constata que sa tête touchait presque le rocher qui les avait sauvés. Il se pencha pour observer les amas de terre et de pierres qui les emprisonnaient.

— Que faites-vous? demanda Lancester.

— Ce que j'aurais dû faire avant de discuter! Il se peut qu'il y ait moyen de déblayer. Un passage de la taille d'un soupirail nous suffirait. Je suis résistant, capable de brasser ce fatras des heures durant si nécessaire.

— Si c'était possible de rejoindre la cave, oui! Mais

j'ignore où débouche le souterrain. Bertrand n'en a aucune idée non plus.

Sans lui répondre, Jean continua ses investigations. Il jura et pesta souvent, puis il poussa un cri de victoire.

— Là! Regardez, j'ai pu passer mon bras. L'air circule par ici! Il y a du travail avant de pouvoir se faufiler, mais j'y arriverai.

— Vous vous épuiserez pour rien, c'est du mauvais côté! protesta Lancester. Je souffre trop, de toute façon. Je ne suis pas en état de vous aider.

Jean reprit sa place près de la lampe et alluma une autre cigarette, l'air satisfait.

— Il faut réfléchir! commença-t-il. Sous le Moulin du Loup, il existe aussi un souterrain en très bon état de conservation. Mon beau-père, Colin Roy, gardait le secret. On y accède par un puits vertical, dissimulé dans le placard d'une chambre. Le passage voûté, assez semblable à celui-ci, n'est pas très long, car il rejoint ensuite des galeries naturelles qui aboutissent dans la Grotte aux fées. Imaginez un peu une théorie plausible. Ce souterrain-là peut communiquer avec celui du Moulin du Loup. Aux siècles précédents, les papetiers étaient des gens aisés. Ils ont dû faire creuser des passages, mais dans quel but? Peut-être pour s'y réfugier ou aller d'une cave à l'autre! Qui sait s'il n'y avait pas sur l'emplacement du domaine un fortin ou un château? J'ai logé plusieurs mois chez Victor Nadaud, un préhistorien féru d'archéologie et d'histoire. Il m'a appris beaucoup de choses. Bref, peu importe le côté où nous sortirons de ce piège! L'essentiel est d'en sortir.

— Vous, Jean, mais pas moi! décréta William Lancester. Et vous devez y parvenir, pour Claire. Elle vous aime tant; il ne faut pas la laisser seule. Elle aurait tant de peine.

Ils se turent, chacun plongé dans ses pensées et traversé par la douce et belle vision d'une femme brune au visage de madone, au regard de velours noir.

« Il l'aime vraiment! songea Jean. Il ne veut pas qu'elle soit malheureuse. »

« Je mourrai en paix si elle retrouve cet homme, se disait Lancester, qu'il puisse la protéger et la choyer encore des années. S'il savait que j'ai emprunté le souterrain qui mène à leur chambre! J'ai eu des torts, moi aussi, à l'égard de Jean. »

À voix haute, il ajouta:

— Jean, ce sera très pénible pour moi de rester seul dans ce trou, mais vous m'avez redonné espoir. Si vous pouvez ramener des secours, j'aurai une chance de revoir l'Angleterre. J'ai haï ma patrie à la mort de mon épouse. Janet était une personne exquise, adorable. Très prude et pieuse. J'ai cru perdre l'esprit quand je l'ai vue sur le sol de notre cottage, assassinée après avoir été violée. J'avais avoué cela à Claire.

— Mon Dieu! souffla Jean. Comme vous avez dû souffrir!

Ses dernières préventions vis-à-vis de William Lancester furent balayées par cette affreuse révélation. Livide sous son masque de poussière, il crispa les mâchoires, les poings noués.

— Et vous n'avez pas cherché à vous venger? lança-t-il.

— Non, j'ai fui, selon mon habitude. J'ai voyagé en Europe, j'ai essayé d'oublier. En somme, nos destins se ressemblent, Jean. Nous étions tous les deux blessés par la vie, et Claire a illuminé notre détresse.

— Elle a fait mieux encore, dit Jean. Sans elle, je serais un illettré, j'aurais croupi au bagne de Cayenne. Bon, assez causé, je me mets au boulot. Vous pouvez me parler, pendant que je déblaie, ce sera un peu comme si j'avais la radio. C'est le rêve de Claire, d'avoir un poste de radio. Je voulais lui en acheter un pour son anniversaire, mais le magasin d'Angoulême où je suis allé me renseigner m'a dit qu'on captait encore très mal les émissions. Si nous habitions vers Paris, ce serait différent, ça fonctionne mieux là-bas. Enfin, il suffit d'être patient, à la vitesse où les inventions en tous genres se développent...

William écoutait, enthousiasmé par la vitalité de Jean. C'était quelqu'un d'attachant, de fascinant. Il le vit s'attaquer à la montagne de gravats et repousser à pleines mains, par l'étroite ouverture qu'il avait trouvée, la terre lourde et humide, les pierres anguleuses et pesantes.

— J'ai trimé dur, gamin. L'hiver, à la colonie pénitentiaire de La Couronne, on devait bêcher le sol gelé, les doigts engourdis par le froid. Le soir, on avait droit à une soupe de feuilles de chou et à une tranche de pain rassis. Et du mépris en guise de sel, des insultes, des brimades. Mais c'est du passé. Depuis, j'ai vécu comme un pacha le plus souvent. Seulement, ça ne s'oublie pas, on reste marqué, et endurant.

— Je suppose que cela forge le caractère, déclara Lancester. Vous paraissez en acier, de corps et d'âme. Moi, je n'ai jamais été bien courageux.

Une quinte de toux l'obligea à se taire. Il porta une main à sa poitrine en grimaçant.

— Eh! Mon vieux, qu'est-ce qui vous arrive? s'écria Jean.

— Rien, rien, ne vous inquiétez pas! Je voudrais sortir d'ici, respirer l'air frais de la nuit. Et puis je suis fatigué. Je ne peux même pas vous aider. Quand il y a eu ce bruit affreux, je n'ai pas compris que tout s'effondrait; j'ai avancé encore. Ensuite, ça a été l'enfer. J'ai reçu un morceau de rocher sur l'épaule et je suis tombé. Ma jambe gauche me fait mal. J'ai l'impression d'avoir été roué de coups.

— Sans compter les miens! tenta de plaisanter Jean. Il faut désinfecter vos plaies avec de l'alcool. Laissez-moi vous soigner.

— Le plus urgent est de prévenir quelqu'un, coupa le papetier. Je vous en prie, ne vous souciez pas de moi. Ce qui me ferait du bien, c'est un peu d'eau. Le whisky ne désaltère pas.

— Il y a forcément de l'eau!

Jean se démena de plus belle, mais il fit vite un constat amer : le passage qu'il espérait dégager demeurait trop étroit pour lui et, de plus, en tâtonnant, il se heurtait à une sorte de mur. Il n'avoua pas la chose à William Lancester.

« La moindre contrariété dans notre position deviendrait facteur de risque. Il se dit condamné, malade du cœur; je dois lui éviter de se tourmenter. »

— Vous creusez depuis plus d'une heure, constata son ancien rival en exhibant une montre de gousset. Reposez-vous. Ce serait prudent d'éteindre la lampe, de ne pas gaspiller le pétrole...

— D'accord! soupira Jean, épuisé. Vous avez une montre? N'oubliez pas de la remonter.

— Je viens de le faire. C'était la montre de mon père, une belle pièce de bijouterie en argent massif. Si jamais je ne me réveillais pas, demain matin, elle vous sera utile. Il est déjà vingt-deux heures quinze!

Jean nota l'altération des traits de Lancester. Malgré les conditions désastreuses où ils se trouvaient, il décida de l'installer le plus confortablement possible pour la nuit. Ce furent des instants étranges, où il eut pour le papetier les gestes précis et doux qu'il prodiguait aux pèlerins handicapés, à Lourdes.

— J'ai ôté les cailloux sur le sol, sur votre droite. Vous serez mieux. Allongez-vous, couché sur le côté, disait-il gentiment.

Il enleva son tricot en laine et le roula en guise d'oreiller, disposant sa blouse comme une couverture.

— Demain matin, nous ne verrons pas la clarté rose et or de l'aube, gémit Lancester. Ce sera épouvantable de s'éveiller dans l'obscurité.

— Mais non, je rallumerai la lampe. Moi aussi, j'ai sommeil. Ayez confiance, nous nous en tirerons, et Claire sera bien épatée de nous voir devenus amis! assura Jean. Bon sang, si je revois le soleil sur les falaises, si je peux embrasser ma femme, ma fille et mes petits-enfants, je ne me plaindrai plus jamais!

Après cette déclaration enflammée, il souffla la mèche de la lampe. Les ténèbres lui parurent d'une densité inouïe. Il s'étendit près du papetier, un bras replié sous sa tête. Le noir angoissant et leur isolement invitaient aux confidences.

— Savez-vous, Lancester, que je prends ce soir la mesure de mes fautes? C'est l'occasion de faire mon mea-culpa! Si je vous avais tué, ce serait encore pire. Je crois que j'aurais mis fin à mes jours aussitôt après. Déjà, je m'en veux tellement de vous avoir poussé dans ce piège... Mais il n'y a pas que ça. Je n'ai pas vraiment rendu Claire heureuse. Autant être franc. Pendant la guerre, j'ai fréquenté des prostituées et je ne m'en suis pas caché, à mon retour. J'estimais qu'un soldat a le droit de prendre du plaisir, étant quotidiennement en passe de mourir déchiqueté par un obus ou mitraillé. En fait, nous les hommes, nous pensons avoir le droit de tromper nos épouses, mais dans le cas contraire nous voici indignés, trahis, déshonorés. Je me souviens, quand j'ai senti une attirance pour Angéla, de m'être vite trouvé des excuses. C'était sur le bateau qui nous conduisait au Canada. J'étais fier de susciter l'amour d'une fille si jeune et si attirante. J'ai payé cher mon coup de folie. Claire a failli y perdre la vie. Je l'ai suppliée de me pardonner, une fois l'orage passé, et elle a juste accepté de m'héberger au Moulin. Lors d'une querelle, elle m'a jeté au visage son adultère avec vous, William. Vous m'appelez Jean, je peux vous appeler ainsi! Bref, je n'ai pas pu admettre son infidélité à elle. Depuis deux ans, cela me rongeait le cerveau et le reste! Au nom de quoi une femme ne peut-elle pas céder au désir, si nous le faisons, nous?

Jean attendit. William Lancester fut long à répondre.

— Vous au moins, vous êtes honnête, dit-il tout bas. Je n'ai jamais eu le cran de me regarder dans un miroir et de reconnaître mes torts. Même envers vous, Jean, j'ai eu des torts. Je n'avais pas à courtiser une femme mariée. Mais j'ai eu aussi des pensées abjectes, après la mort de Janet. Vous serez le seul à le savoir. Je souffrais d'insomnie, hanté par la tragédie qui m'avait frappé. Et un soir, je me suis surpris à éprouver du soulagement, parce que ma chère épouse était morte après le viol odieux qu'elle avait subi. En effet, je me demandais si j'aurais pu lui témoigner un amour charnel si elle avait survécu; celle que je respectais avait été souillée, possédée par deux autres hommes, des brutes, des crapules, comme vous dites en France. Ces pensées, j'en ai eu une si grande honte que je ne me supportais plus. D'où mes voyages dans toute l'Europe. C'était moi que je fuyais. Je ne vaux pas cher, n'est-ce pas?

— Je suis certain que vous auriez su la chérir après l'ignominie dont elle avait été victime. Vous étiez sous le choc, rien d'autre! dit Jean.

— Mon Dieu, comme vous êtes indulgent! répliqua faiblement Lancester.

Après ces aveux d'une franchise totale, ils gardèrent le silence. Ni l'un ni l'autre n'avait conscience de la tension nerveuse qui les rendait exaltés, avides de se dévoiler, de ne plus tricher. Si un prêtre avait pu les rejoindre par on ne sait quel prodige, sans doute auraient-ils confessé le bon et le mauvais de leur existence.

Mais seule régnait la nuit opaque, infinie, sans un bruit, hormis celui de leur respiration. Jean s'endormit le premier; William Lancester résista, attentif à une douleur sourde dans sa poitrine. Puis il s'apaisa, résigné. Il avait la conviction de ne jamais revoir le ciel immense, les arbres, les fleurs, toutes les beautés du monde, et il évoqua le radieux visage de Claire pour se protéger du désespoir et de la peur.

*

Moulin du Loup, même soir

Minuit venait de sonner à la grande horloge de la cuisine. Claire observait le balancier en cuivre d'un air hagard. De toute son âme elle avait souhaité voir Jean réapparaître, mais, plus le temps passait, plus elle perdait espoir.

« Il faut qu'il revienne, mon Dieu, qu'il entre tout de suite dans la maison et qu'il me rassure! Je lui ferai jurer qu'il n'a pas touché à un cheveu de William. Et il jurera! »

— Patronne, vous me faites de la peine, assura Léon. Venez boire un remontant avec nous.

— Mais oui, madame, ça ne vous sert à rien de regarder votre horloge. Si monsieur Jean entre dans la cour, Moïse ira vers la porte en remuant la queue. Votre loup, il est plus fidèle qu'un chien. Vous me le répétez assez souvent.

— Je sais, Anita! soupira Claire d'un ton harassé.

Elle se dirigea vers une des fenêtres et, le front contre la vitre, scruta les environs. La lumière extérieure faisait briller les pavés vernis d'humidité. On voyait très bien le porche et l'amorce du chemin des Falaises.

— Les gendarmes n'ont rien trouvé, ajouta Léon. Pas de victime, donc pas de coupable!

— Tais-toi! s'écria-t-elle. Anita et toi, vous me prenez pour une idiote? Lancester a disparu, un éboulement a condamné le souterrain et Jean ne se manifeste pas. Tout l'accuse, surtout le témoignage de Maurice.

Claire ferma les yeux. Des images la hantaient. Il y avait

les mimiques suspicieuses de Bertrand Giraud, qui, en notable et homme de loi, tirait des conclusions bien hâtives, mais aussi l'expression terrifiée de Bertille. Sa cousine avait la certitude que Jean avait tué Lancester. Quant aux gendarmes, ils étaient encore plus affirmatifs. Le brigadier avait sondé la masse énorme de terre et de roches à l'aide d'une longue barre en fer dénichée dans l'ancienne salle des machines du moulin de Chamoulard.

« Il prétend qu'il faudra déblayer sur plusieurs mètres, une dizaine au moins! se dit-elle. Pas une seconde il n'a envisagé un accident. William a pu être enseveli, mais Jean n'en est pas responsable. Oui, mais, dans ce cas, où est-il? »

Elle en aurait hurlé de panique et de chagrin. Léon se leva de sa chaise et vint la chercher. Il la prit par les épaules.

— Si vous ne voulez pas un verre de gnôle, buvez au moins votre tisane, elle va être froide! ronchonna-t-il. On ne vous croit pas idiote, mais Jeannot, il est capable du pire comme du meilleur. Matthieu a dit la même chose, tout à l'heure, quand il vous a ramenée.

Elle consentit à s'asseoir à la table, près d'Anita qui tricotait. La chatte Mimi dévala l'escalier et se mit à miauler en se frottant aux chevilles de Claire.

— Pauvre petite bête! déclara Léon. On dirait qu'elle veut vous consoler.

— Les animaux ressentent nos émotions. J'ai bien besoin de réconfort! C'était horrible d'assister aux investigations des gendarmes, entre Maurice et Faustine. Matthieu cherchait des indices de son côté, en douce! Rien ne prouve que Jean soit allé chez Lancester.

Anita hochait la tête sans donner son opinion. Claire réalisa soudain que l'épouse de Léon aurait dû poser des questions, notamment la question de base: pourquoi Jean aurait-il tué le papetier anglais?

« Que je suis sotte! pensa-t-elle. Anita n'a pas l'air étonnée parce qu'elle a deviné la vérité. Elle a dû déduire que j'avais une aventure avec William! »

Elle voulut se défendre sans même être attaquée.

— William est un ami, quelqu'un de courtois et de

cultivé! Il a des manières affectueuses, il fait de grands discours flatteurs et cela a rendu Jean fou de jalousie. C'est absurde, je sais, mais de là à commettre un meurtre, non, je suis sûre que non!

— La jalousie, ça ne se contrôle pas, rétorqua Anita avec un regard à Léon. Un homme jaloux, il voit de la tromperie partout. Dans les journaux, il y en a plein, des affaires de crime passionnel.

Pour Anita, la presse faisait figure d'encyclopédie universelle. Elle ne doutait jamais de la véracité des articles publiés et y trouvait des exemples édifiants qu'elle citait volontiers.

— Je le connais, mon Jeannot, trancha Léon. Il cogne dur et il n'aime pas partager. Je donnerais cher pour le voir débarquer, là, à cet' heure. Coupable ou pas, on pourrait le raisonner. Au fond, c'est étrange qu'il ne se montre pas.

— Bien sûr, c'est bizarre! dit Claire.

Elle n'osa pas leur avouer que son mari l'avait sans doute surprise dans les bras de Lancester. Ce n'était qu'une étreinte amicale, un adieu, mais elle n'avait aucune envie d'en parler. Elle but une gorgée de la tisane qu'elle s'était préparée, à base d'anis et de fenouil, des plantes qui soignaient les problèmes digestifs. Dans la voiture de Matthieu, blottie contre Faustine, elle avait de nouveau ressenti d'étranges maux de ventre. Craignant des coliques causées par l'anxiété, elle prévenait le mal.

« Ce n'était pas une douleur, en fait, je n'ai jamais eu ce genre de symptômes », avait-elle songé.

— Comptez-vous veiller toute la nuit? s'inquiéta Léon. Vous avez une petite mine, patronne. Autant vous coucher. Demain, il fera jour, comme le serinait ma défunte mère. Avec un peu de chance, monsieur Lancester sera retrouvé bien vivant et Jean aussi.

— Si seulement c'était possible! répliqua Claire d'une petite voix. Tu as raison, je monte me coucher.

Mais on frappa deux petits coups secs à la porte. Anita allait ouvrir, mais Bertille entra, un foulard noué sur ses cheveux d'un blond argenté.

— Clairette, s'exclama-t-elle, je t'en prie, écoute-moi. Je suis désolée. Je n'ai pas eu le choix.

— Tais-toi! Il n'y avait pas urgence à prévenir les gendarmes. Ton mari et toi, je ne veux plus vous voir, plus jamais, et vous allez me rendre Arthur.

Elle éclata en sanglots convulsifs.

— Je vous ai pardonné bien des choses, mais cette fois je crois que j'en serai incapable.

La dame de Ponriant se précipita vers sa cousine et l'étreignit en couvrant son front et ses joues de baisers.

— Pleure, ma chérie, pleure à ton aise! J'aurais tellement voulu t'épargner ça.

— Fiche le camp! bredouilla Claire en essayant de se dégager. Tu as toujours détesté Jean. Il n'était pas dupe de tes ruses et il n'a pas succombé à tes charmes! Mais moi, je l'aime, j'ai besoin de lui, tu entends? Je veux qu'il revienne!

Léon fit signe à Anita. Ils se retirèrent sans bruit, renonçant aux ultimes tâches de la soirée, à savoir garnir le fourneau d'une bûche et fermer les volets. Soulagée d'être seule avec Claire, Bertille la libéra et la regarda droit dans les yeux.

— J'aurais écharpé Bertrand si j'avais pu! expliqua-t-elle. Quand Maurice nous a rapporté ce qu'il avait vu chez William, il s'est affolé. Mais il y a pire, Clairette! Regarde!

Elle sortit de sa poche de manteau un gros crayon à mine de graphite. Claire le reconnut aussitôt. Jean avait gravé ses initiales sur le bois peint en rouge.

— C'était à l'entrée du souterrain, juste avant le mur de gravats, enfoui dans la terre! précisa Bertille.

— Mais tu as refusé de nous suivre à Chamoulard! Quand es-tu allée là-bas?

— Bertrand s'est couché tôt, il avait la migraine. Maurice m'a emmenée tout à l'heure, et ensuite il m'a conduite jusqu'ici. Tu m'as fait tant de peine, à me toiser comme si j'étais une traîtresse... Je ne sais pas ce que j'espérais comprendre ou trouver. Et voilà! Je suis navrée, ma chérie, mais je pense que Jean s'est enfui après avoir provoqué l'effondrement du souterrain.

— Et comment aurait-il fait? interrogea Claire en examinant le crayon. Il n'avait pas de dynamite sur lui, mon assassin de mari! Vous l'accusez tous sans preuve!

Elle renifla et essuya les larmes qui brouillaient sa vue.

— Bertrand m'a dit que la structure du passage voûté présentait des fissures inquiétantes, que de l'eau s'infiltrait et qu'en déplaçant quelques pierres tout pouvait s'écrouler. Je t'accorde que cela semble dur à admettre et, pour le moment, l'unique preuve, je l'ai dissimulée à la police! Mais je suis malade d'angoisse au sujet de William. Il s'est passé quelque chose de grave, inutile de se leurrer, Clairette.

— Hélas! J'en suis persuadée moi aussi. Oh! Princesse, aide-moi, par pitié, je n'en peux plus! Si vraiment Jean a tué William, les gendarmes le traqueront, ils le mettront en prison s'il n'est pas condamné à la guillotine. Et moi, j'en mourrai! Ce sera la fin de tout, notre famille sera salie à jamais, l'imprimerie fera faillite, mes petits-enfants seront traînés dans la boue. Mon Dieu, je n'en peux plus! Le sort s'acharne sur nous, sur moi surtout! Je croyais avoir enfin droit au bonheur, un bonheur tout simple, mais non!

Toujours debout, Bertille attira Claire contre elle. Elle eut peur de voir sa cousine s'écrouler, tant elle était à bout de résistance nerveuse.

— Est-ce que tu pourrais dormir avec moi? implora Claire. Je n'ai plus que toi! Peut-être qu'à ta place je n'aurais pas su quoi faire non plus, confrontée à un époux avocat épris de justice. Ne me laisse pas.

— J'avais renvoyé Maurice; je comptais te tenir compagnie de toute façon. Viens, montons dans ta chambre.

Depuis leur adolescence, les deux cousines avaient l'habitude de partager leur lit, leurs secrets et leurs chagrins. Nageant en plein cauchemar, Claire n'aurait rejeté Bertille pour rien au monde. Ses griefs envolés, elle puisa une fragile satisfaction presque animale à s'allonger près d'elle, dans la clarté rose de sa lampe de chevet. La chatte se lova au creux de l'édredon.

— Assure-moi que je reverrai Jean et qu'il ne me quittera plus.

— Je ne suis pas le vieux père Maraud, pour énoncer des prédictions! répliqua Bertille. Et je n'aime pas promettre. Cela dit, tout au fond de mon cœur, je ne parviens pas à croire Jean coupable. Pour l'unique raison qu'il t'adore. Il ne ferait pas une chose qui vous séparerait pour toujours.

Claire versa encore quelques larmes. Elle avait niché sa tête sur l'épaule de Bertille qui lui caressait les cheveux.

— J'en suis malade, princesse! Et malade tout court. Cela me tracasse, mon ventre me joue des tours. Je pense que ce sont mes nerfs qui provoquent ça. Tu vas me croire folle, mais on dirait que j'ai une bête, à l'intérieur, qui s'agite.

— Qu'est-ce que tu racontes, Claire? s'étonna sa cousine en se redressant. Fais voir! Ce sont sûrement des gaz, désolée d'être si terre à terre.

Sur ces mots, elle repoussa le drap et les couvertures. La chemise de nuit de Claire, en fine cotonnade, moulait son corps aux formes plus rondes ces dernières semaines. Le ventre légèrement bombé présentait une courbe douce. Bertille posa sa main en dessous du nombril et appuya un peu. Elle perçut nettement un mouvement furtif, suivi d'un autre, plus net.

— Mais... mais... Clairette! Tu n'es pas malade, tu es enceinte! s'écria-t-elle. De quatre mois environ, à mon avis. Les bébés se manifestent à cette période, et c'est très bizarre, la première fois.

— Moi, enceinte! riposta Claire. Non, c'est impossible!

*

Souterrain du moulin de Chamoulard, le lendemain

En se réveillant, Jean avait cherché dans un geste machinal, sur la table de chevet, la pendulette qui leur donnait l'heure, à Claire et à lui. Puis il s'était souvenu du lieu où il se trouvait. L'obscurité totale l'oppressait. Pourtant, par souci de préserver le pétrole, il décida de ne pas allumer la lampe. Il se servit de son briquet pour avoir un peu de lumière.

— Cette fois, je dois réussir! murmura-t-il.

Lancester dormait encore. Sans l'écho léger de son souffle, Jean aurait pu le croire mort. Il s'approcha et examina son visage maculé de sang séché et de poussière jaunâtre.

« Il a les lèvres craquelées et les narines pincées, songea-t-il. Il se plaignait de la soif, hier soir. Ce sera pire aujourd'hui. Moi aussi, j'ai soif, et j'ai faim, surtout. »

Mais il n'osa pas fouiller le papetier pour prendre la boîte de pastilles à la menthe. Il but une gorgée de whisky et eut aussitôt la nausée.

— Je ferais mieux de bosser! se reprocha-t-il.

Avec une volonté farouche, il s'attaqua au tas de pierres mêlées de terre qui, à son sommet, comportait une sorte d'étroite galerie. Il poussait en avant les gravats, afin de ne pas encombrer l'espace déjà réduit où ils étaient emmurés. Le temps ne comptait plus. Jean déblayait, grattait, brassait des fragments de roche, des racines parfois, les ongles cassés, les doigts écorchés, engourdis par l'effort. Une toux rauque le fit sursauter, suivie d'un appel apeuré.

— Jean? Jean, où êtes-vous?

— Je n'ai pas pu m'échapper!

— Je vous en prie, allumez la lampe! supplia Lancester. J'entendais du bruit, mais dans ce noir je ne savais pas ce qui se passait.

— Je trime, mon vieux! Encore un peu de patience et nous partirons en exploration, dit Jean sur un ton cordial.

Il s'empressa d'allumer la lampe. Le premier geste de William fut de regarder sa montre.

— Huit heures du matin! annonça-t-il. J'ai beaucoup dormi, mais je me sens encore plus mal qu'hier. Vous n'avez rien à manger? Et de l'eau?

— De la boue, j'ai de la boue à vous proposer. Sucez une de vos pastilles, William, cela vous fera saliver et vous nourrira. Puisque vous êtes réveillé, je vais examiner votre jambe et votre épaule.

— Non, ce n'est pas la peine! Dites-moi plutôt où en sont vos travaux de terrassement!

— Je vous l'ai dit: en forçant, on arrivera à se faufiler. J'ai pu éclairer, avec mon briquet; je crois que le souterrain se poursuit, mais sur la gauche. Cela confirme mon idée, la galerie peut communiquer avec une des grottes de la vallée, ou la crypte de l'église du bourg, ou le Moulin du Loup!

Lancester se redressa sur un coude. Il grelottait.

— Jean, je suis désolé, mais vous irez seul! Je n'ai pas la force de me livrer à des acrobaties, ni même de marcher. Cela me tuerait, je le sens. Mais je vous fais confiance pour ramener des secours. Vous êtes tellement plus robuste que moi, plus courageux.

— Je serais bien incapable de vous abandonner ici! William, une fois franchi le passage difficile, il suffira d'avancer. Je vous soutiendrai. De l'autre côté, nous trouverons de l'eau. Et on doit déjà faire des recherches. Je serai tranquille en vous voyant dans un bon lit d'hôpital. Ensuite, vous déciderez de rentrer en Angleterre ou de rester dans la vallée. J'ai réfléchi et votre présence ne me dérangera plus. Je suis guéri. Maintenant, je n'ai qu'une envie, être heureux, chérir ma femme et ma famille.

Jean paraissait sincère. Son menton et ses mâchoires bleuies par la barbe naissante de même que son visage constellé de sueur et de boue faisaient ressortir le magnétisme de ses yeux et son sourire bienveillant.

— Je vous remercie, dit Lancester. Mais si je m'en sors vivant, je retrouverai avec joie ma patrie et les quelques amis que j'ai là-bas. Jean, mettez-vous en route. Pensez à Claire. Elle doit s'inquiéter. Vous avez disparu en même temps que moi et elle est sans nouvelles.

— Il se peut que je revienne plus vite que prévu! répliqua Jean. Si je me heurte à un cul-de-sac, je rebrousserai chemin. Je vais vous laisser mon briquet, comme ça vous pourrez mieux voir, de temps en temps. Et je voudrais vous dire encore une fois que je suis un fichu imbécile. Pardonnez-moi, je me suis conduit en brute aveuglée par la jalousie. Vous pourriez être chez vous, devant un bon thé chaud, et je vous ai mis en danger.

— Chut! fit le papetier. Vous entendez? Comme des chocs, du côté de la cave. Il faut appeler au secours, quelqu'un tente de dégager le souterrain.

Jean hurla de toutes ses forces. Il ramassa une pierre et la cogna contre le rocher au-dessus d'eux. Personne ne répondit.

— Vous avez raison! s'écria-t-il. Je ferais mieux de chercher une issue rapidement. Si je peux alerter ceux qui creusent par là, nous gagnerons du temps.

Il disposa à la hâte le flacon d'alcool près de Lancester et lui donna son briquet.

— Non, gardez-le, Jean! La lampe peut s'éteindre. Comment la rallumerez-vous?

— Elle ne s'éteindra pas, voilà tout. Je crois en ma bonne étoile, qui m'a sauvé au large de Terre-Neuve, alors que j'aurais dû me noyer dans un océan glacé. Et Claire doit prier pour moi. Croisons les doigts, je vais peut-être trouver une issue très vite. Lancester, vous êtes un type bien! Ne pensez plus que vous avez séduit ma femme, c'est le contraire. Elle vous a accordé un peu d'elle-même, de son plein gré, sûrement parce qu'elle vous en jugeait digne à une époque où, moi, je la fuyais. J'en ai assez de me donner des excuses. La guerre et ses atrocités avaient tout bouleversé, j'avais besoin de prendre le large, de vivre loin de cette vallée.

William voulut s'asseoir. Jean l'aida à nouveau.

— Serrons-nous la main! proposa le papetier. Au cas où je ne vous reverrais pas dans ce monde-là, je vous dis adieu et bonne chance. Un peu plus tôt, un peu plus tard, quelle importance, je vous l'ai dit, j'étais condamné. Vous aussi, vous êtes quelqu'un de bien, malgré vos incartades. Personne n'est parfait, n'est-ce pas? Moi le premier. Ma douce Janet pourrait en témoigner: je n'étais pas toujours patient avec elle. Adieu, mon ami…

— Non, pas adieu, mais au revoir! rectifia Jean. Tenez bon, je vous sauverai. Ayez confiance!

Il en aurait pleuré. Lancester lui désigna la lampe, puis l'étroit passage où il devait s'engager.

— Que je sois sauvé ou non, vous le serez, vous! certifia-t-il. Dans les livres saints, on appelle ça la rédemption. Partez vite, à présent.

Jean hocha la tête. Il prit la lampe et commença à ramper sur les gravats. Le moindre geste malhabile pouvait éteindre la flamme si ténue, ce qui le forcerait à revenir en arrière. Il progressait lentement, haletant, le dos meurtri par les aspérités du rocher. Il dut se glisser vers l'inconnu, après avoir basculé sur une pente douce. Ses pieds s'enfoncèrent dans une boue argileuse.

— Oh! Lancester! appela-t-il. Je suis passé, j'ai réussi! Tenez bon, mon vieux!

Ce furent les dernières paroles qu'entendit William Lancester. Il grelottait, allongé par terre, une fulgurante douleur vrillant sa poitrine et ses bras.

— Adieu, Jean Dumont! murmura-t-il. Adieu, Claire…

16
Un parfum de rédemption

Moulin du Loup, mardi 24 avril 1928

En s'éveillant, Claire vit tout de suite les cheveux pâles et frisés de Bertille qui lui tournait le dos. Elles s'étaient endormies bien trop vite, alors qu'elles avaient à peine discuté, épuisées par une journée éprouvante.

— Si, tu es enceinte, avait répété sa cousine en riant de surprise, Dieu t'a exaucée, enfin!

— C'est impossible, avait-elle protesté, incrédule. Souviens-toi: j'avais consulté un gynécologue et il m'avait dit que j'avais des organes féminins trop petits, que cela empêchait mon corps de garder un fœtus. Et je suis trop vieille pour être mère, j'ai mon retour d'âge!

Ce à quoi Bertille avait rétorqué qu'une grossesse causait aussi l'arrêt des règles.

— Tu verras bien, dans quelques mois, si tu n'accouches pas d'un beau bébé! avait-elle ajouté en bâillant. Tu n'as jamais revu de médecin. Tes organes ont pu se développer. La science n'est pas toujours infaillible!

Cette conversation obsédait Claire. Elle fixait le plafond de sa chambre en essayant de réfléchir de façon logique.

« Pourquoi cela m'arriverait-il maintenant? s'interrogea-t-elle. Et Jean qui n'est pas là! J'espérais tant qu'il revienne dans la nuit, qu'il me rassure! »

En fait, elle n'osait pas y croire, à cet enfant tardif, encore moins se réjouir. Bertille s'étira et, vivement, lui fit face, une joue enfouie dans l'oreiller.

— Bonjour, ma Clairette! Alors, est-ce que le bébé a bougé, ce matin?

— Princesse, arrête de me donner de faux espoirs! En fait, je ne sens plus rien du tout. C'était nerveux, j'en suis sûre. Je ne peux pas être enceinte. Je n'ai pas eu de nausées ni de vertiges, je ne me suis pas évanouie.

— Mais, Claire, certaines femmes n'ont pas ces symptômes-là! Pour ma part, je n'ai pas eu de nausées ni de malaises. Et comment reconnaîtrais-tu un état dont tu ignores tout? Quand on a senti une fois un bébé bouger dans son ventre, après on n'a plus aucun doute. Toi, tu es une novice en la matière!

Claire secoua la tête. En d'autres circonstances, elle aurait accepté le miracle. Là, elle s'obstina à nier.

— Non, tu te trompes! J'ai ressenti ça dès que tu as téléphoné pour m'apprendre la disparition de William et vos soupçons. Ce sont mes nerfs. Jean semblait plus sensé depuis un mois, mais je vivais dans la peur d'une rechute. Hier, je n'ai pas eu l'occasion de tout te dire. J'ai rencontré William et il m'a fait ses adieux en me serrant dans ses bras. Jean, lui, me cherchait et je suis sûre qu'il nous a vus ensemble, qu'il s'est imaginé des choses.

— Mon Dieu! dit Bertille. Tu seras obligée de raconter ça aux policiers! Clairette, c'est horrible. Jean s'est vengé, et il a dû s'enfuir aussitôt. Les hommes sont d'un égoïsme! Il savait bien le mal qu'il te ferait en cédant à ses instincts de tueur.

— Ne dis pas des stupidités! s'écria Claire. Je refuse de juger mon mari coupable tant qu'il n'aura pas avoué son crime, tant que je n'aurai pas vu le corps de William.

— Si Jean est en cavale, il n'est pas près de passer aux aveux, mais je crains que les gendarmes retrouvent ce pauvre Will très vite. Ce matin, ils viennent à Chamoulard avec une équipe d'hommes du village. Ils vont déblayer le souterrain et, à plusieurs, ce sera l'affaire d'une journée ou un peu moins.

— Personne n'a pensé à une chose, coupa Claire. Et si Jean était mort lui aussi? Je crois qu'il a rendu visite à William et que cela s'est mal passé; mais ils peuvent être tous les deux sous les décombres.

Sur ces mots, Claire, désespérée, ferma les yeux. Elle aurait voulu revenir en arrière, ne jamais être allée se promener.

« Si seulement j'étais restée à la maison, rien ne serait arrivé. J'aurais goûté avec Jean. Le soir, nous aurions bavardé tous les deux. Peut-être que j'aurais quand même ressenti ces étranges mouvements dans mon ventre. Et peut-être que j'aurais été assez calme et sereine pour me poser les bonnes questions. »

Bertille essuya du bout du doigt les larmes qui coulaient le long des tempes de Claire.

— Oh! Je n'ai pas mérité ça! Si vraiment je suis enceinte et que Jean soit mort, ou vivant après avoir tué William, je ne pourrai jamais garder cet enfant. De toute façon, mon corps va le rejeter à cause des malformations que j'ai! Il ne grandira pas! Mon Dieu, comme je suis malheureuse!

Une violente crise de sanglots suivit ce cri de bête blessée. La dame de Ponriant se contenta de bercer sa cousine contre elle. Les mots étaient vains, vu la gravité de la situation. Claire se calma enfin.

— Je vais m'habiller et je viendrai avec toi. Nous n'avons qu'à assister aux travaux de déblaiement. Quand tout sera résolu, je contacterai la sage-femme de Vœuil, Odile Bernard, pour qu'elle m'examine. J'aime bien cette personne. Elle est sérieuse et gentille. Je me fierai à son diagnostic.

— Et que feras-tu si elle confirme que tu es enceinte?

— J'aviserai. Je connais des tisanes efficaces qui délivrent les femmes d'un fruit non désiré. Tout dépendra de Jean. S'il est innocent, nous élèverons ce petit ensemble.

Claire se leva, les traits durcis, les gestes secs. Épouvantée par ce qu'elle venait d'entendre, Bertille tenta de la fléchir.

— Tu as rêvé toute ta vie d'avoir un bébé bien à toi! Dieu t'a accordé ce cadeau, j'en suis convaincue. Tu dois garder ton enfant! Je t'en supplie!

— Le fils ou la fille d'un criminel? Oh non! trancha Claire d'un ton hostile. Pour que ses premières années soient salies par la réputation de son père? Non et non! Tant que je n'ai pas consulté Odile, je considère qu'il n'y a pas de grossesse et je te prierai de n'en parler à personne.

Une heure plus tard, elles entraient dans la cave du moulin de Chamoulard. Il y régnait une agitation de ruche.

Bertille dénombra six gendarmes, deux robustes gaillards du bourg, plus le maire et son adjoint, et un des fermiers de Ponriant venu en renfort. Des gravats jonchaient le sol pavé, presque en face de l'entrée du souterrain. Bertrand Giraud était présent, bien évidemment, escorté de Maurice. Quelques curieux descendus de Puymoyen, alertés par la rumeur qui avait pris naissance la veille au soir, se tenaient à l'écart, mais ne perdaient rien du spectacle.

Claire salua tous les gens qu'elle fréquentait d'ordinaire, en constatant avec une douloureuse amertume qu'on la dévisageait sans grande amabilité.

« Ils oublient vite que je les ai soignés, que je leur ai donné de mon temps et de mon énergie! songea-t-elle, amère. Si Jean est coupable, je deviendrai la brebis galeuse du pays. »

Bertille se rapprocha de son mari. Ils se mirent à discuter tout bas, puis elle revint près de sa cousine.

— De pire en pire, Clairette! Bertrand a donné au brigadier le signalement précis de Jean. Les gendarmeries d'Angoulême et des villages autour sont sur le pied de guerre.

— Mais c'est de la folie! répondit-elle. Je ne comprends pas pourquoi tout le monde tire des conclusions hâtives. Tu pourras dire à ton cher mari que je ne lui pardonnerai jamais. Il s'en mordra les doigts si Jean est innocent!

Au même instant, un homme se dirigea vers elles. La cave était éclairée par une série de lampes de chantier suspendues à un fil de fer. Sous cet éclairage blafard, Claire scruta la maigre figure du personnage, dont la silhouette lui était familière. Il souleva son chapeau de feutre brun et s'inclina. Très élégant, mais entièrement vêtu de noir, il avait un regard jaune, un rictus de fouine et un nez pointu d'où dépassaient des poils gris.

— Comme on se retrouve, madame Dumont! déclara-t-il en tendant une main gantée de cuir fin. Ne faites pas cette mine, vous n'avez pas pu m'oublier. Aristide Dubreuil, chef de la police départementale. J'étais sûr que nous nous reverrions un jour.

Claire dédaigna la main tendue. Elle se souvenait très bien de la dernière fois où elle avait eu affaire au sinistre policier. C'était après la guerre, quand la terreur s'installait dans la vallée des Eaux-Claires à cause d'une suite de crimes odieux commis sur des adolescentes. Dubreuil avait poussé ses investigations jusqu'au Moulin du Loup, car il soupçonnait Jean.

— Monsieur Dumont aurait encore fait des siennes, m'a-t-on dit! insinua-t-il. Quel dommage! Sous votre protection, il était devenu un honnête citoyen. Un riche citoyen, qui plus est! Mais les mauvaises graines ne produisent jamais rien de bon. Où est maître Giraud, l'ancien avocat de votre mari? Venez, maître, expliquez donc à la cousine de votre épouse pourquoi vous m'avez appelé en urgence!

Dubreuil fit signe à Bertrand, mais celui-ci n'osa pas s'approcher, car Bertille le foudroyait de ses prunelles grises. Le policier eut un geste excédé, puis il se concentra uniquement sur Claire.

— Madame Dumont, selon ce que nous trouverons dans ce souterrain, mes hommes fouilleront votre moulin et ses dépendances de fond en comble. Vous jouez les offusquées, mais ce ne serait pas la première fois que vous aideriez Dumont à nous échapper. Aussi, je vais d'abord vous interroger.

Claire ne sentait plus ses jambes. Une sueur froide perlait à son front. Bertille redouta un malaise et la força à s'asseoir sur une caisse.

— Depuis quand votre mari a-t-il disparu et dans quelles circonstances? commença Dubreuil. Quels étaient ses rapports avec monsieur Lancester? Un de vos amants, à ce qu'il paraît.

— C'est faux! se défendit-elle. Si vous écoutez les ragots, à présent, vous n'avez pas fini de poursuivre des innocents.

— Donc, maître Giraud, avocat à la Cour, est un menteur. Il m'a tout expliqué. La jalousie forcenée de votre mari et les propos menaçants qu'il aurait tenus à l'encontre de William Lancester. Un crime passionnel de plus, puisque, l'âge aidant, je peux estimer passionnel le geste meurtrier de Dumont sur l'île d'Hyères, quand il a tué le surveillant Dorlet d'un coup de pelle. Savez-vous, chère madame, que des études sont en cours sur l'influence néfaste des colonies pénitentiaires sur des enfants. Elles ont fermé, d'ailleurs, l'une après l'autre. Mais Dumont est devenu un être violent et le restera. Passons! Dites-moi quand votre mari a quitté le Moulin du Loup.

— Hier après-midi. J'étais sortie pour ramasser des escargots, après deux jours de pluie. Ma domestique, Anita, et sa fille, Janine, m'ont dit que Jean avait pris le même sentier que moi. J'en ai conclu qu'il voulait me rejoindre, mais je ne l'ai pas vu. Je n'ai aucune nouvelle de lui depuis. Je l'ai attendu hier soir, en vain.

Aristide Dubreuil alluma un cigare. Il jubilait, car Claire avait tout d'une femme aux abois qui refuse de dire la vérité, toute la vérité.

— Bien, bien! grommela-t-il. Maurice, l'employé des Giraud, affirme avoir croisé Dumont sur la route menant au moulin de Chamoulard, propriété de Lancester. Jean Dumont paraissait furieux. Il portait une blouse grise, n'avait pas de chapeau et marchait vite. Il a prononcé ceci: «J'ai un compte à régler!» L'examen de la cuisine de Lancester nous prouve que ce monsieur est rentré d'une balade, son ciré étant humide, et qu'il voulait se faire du thé.

— Peut-être! admit Claire.

— Vous n'auriez pas rencontré par hasard votre ancien amant, hier après-midi, Ce qui aurait provoqué la colère légitime de votre époux? insista Dubreuil.

Bertrand se tenait à un mètre. Il attendait la réponse, comme le policier et un des gendarmes. Claire aurait voulu s'évanouir, échapper à l'étau qui se resserrait sur elle. Gênée, Bertille eut le malheur de toussoter. Elle s'éloigna, du rose aux joues, ce que Dubreuil interpréta comme une attitude de fuite.

— Madame Dumont, décréta-t-il plus durement, abandonnant son ton mielleux, ce n'est pas un jeu de cache-cache, il y a sans doute mort d'homme. Dites ce que vous avez fait hier!

— Eh bien, oui, j'ai rencontré monsieur Lancester, mais ce n'était pas un rendez-vous, avoua-t-elle. Il m'a informée de son prochain départ pour l'Angleterre. Ce n'est qu'un ami.

De plus, il est condamné par une maladie de cœur. Je lui ai fait mes adieux. Il n'y a rien de honteux à ça!

— Tout dépend de la manière! ironisa le policier.

— Il m'a prise dans ses bras, rien d'autre. Ensuite j'ai continué mon chemin. Il se peut, en effet, que mon mari ait assisté à la scène et se soit mépris sur sa signification.

— L'affaire est simple. Reste à trouver les preuves, déclara Aristide Dubreuil en levant les bras au ciel.

Il retourna jeter un coup d'œil du côté des travaux de déblaiement. Un détail l'embarrassait. Comment Jean Dumont avait-il réussi, seul, à provoquer un tel effondrement?

Il observa en fumant le va-et-vient de ceux qui creusaient. Il espérait apercevoir une chaussure, un bas de pantalon, ou bien un crâne chevelu, sans doute fendu, mais les pierres et la terre brune ne semblaient rien dissimuler.

— Il faudra des heures, monsieur! lui dit le maire, qui avait retroussé ses manches et ôtait quelques cailloux de belle taille.

— Engagez d'autres hommes! maugréa Dubreuil. Je veux que ce soit dégagé avant ce soir.

Claire pleurait, recroquevillée sur son siège de fortune. Bertille se tenait debout à ses côtés. Bertrand essayait d'expliquer sa conduite, mais elle ne répondait pas et fuyait son regard.

— Princesse, je n'avais pas le choix! répéta-t-il pour la dixième fois. J'ai assisté à tant de procès, j'ai étudié tant de dossiers criminels que, là, c'était évident. Jean a disparu à la même heure que notre ami Will. Je suis navré pour Claire, mais la justice doit être rendue. Je ne peux pas trahir mon serment pour couvrir quelqu'un de ma famille qui, de plus, a un lourd passé. Reconnaissez toutes les deux que Jean avait tous les mobiles pour se débarrasser de son rival.

— Au fond, je ne vous en veux pas, Bertrand, vous avez agi en votre âme et conscience, fit une petite voix tremblante, celle de Claire. Ce malheur qui nous frappe, je le sentais rôder autour de nous depuis le retour de William. Jean lui-même m'avait prévenu, il avait peur de la folie qui le prenait. Mon Dieu, je voudrais juste rentrer chez moi, maintenant. Croyez-vous que je peux m'en aller?

— Non, coupa l'avocat, on vous soupçonnerait de chercher à avertir Jean, dans le cas où vous le cacheriez.

— Mais je ne sais pas où il est! protesta-t-elle. Là, vous délirez! Demandez à Bertille, elle a dormi dans mon lit. Je n'ai pas bougé de la maison hier soir.

Claire poussa un soupir et ne prononça plus un mot. Elle vit Dubreuil interroger d'autres personnes. Une heure s'écoula ainsi. Matthieu fit son apparition, ainsi que Faustine.

— Maman chérie, dit la jeune femme en lui prenant la main, nous sommes allés au Moulin, et Léon nous a appris que tu étais ici. J'ai confié les enfants à Anita. Je ne te quitte plus. Tu es toute pâle! Et glacée!

— Que se passe-t-il? questionna Matthieu. Tantine, donne-moi des nouvelles, je vois bien que ma sœur n'en est pas capable.

La dame de Ponriant résuma la situation.

— Merde! jura-t-il. Quelle pagaille! Bon sang, où est Jean? Ce serait le moment qu'il se pointe, cet idiot! Quoi qu'il ait fait, il vaut mieux qu'il se constitue prisonnier.

— Petit frère, gémit alors Claire, je t'en supplie, serre-moi fort! Je suis seule, si seule, face à tous ces gens qui me regardent de travers. Cette fois, notre famille est touchée de plein fouet. On nous méprisera, on nous reniera…

Secouée de sanglots, elle ne put continuer. Apitoyé, Matthieu l'aida à se lever et l'enlaça avec tendresse.

— Ne désespère pas, chuchota-t-il à son oreille. Dieu est de ton côté, toi qui as la foi et qui as reçu tant de dons. Ne perds pas confiance en la Providence, sœurette.

Cela ressemblait peu à Matthieu, athée et féru de sciences exactes, de dire ce genre de choses. Claire en fut réconfortée et se blottit plus étroitement contre lui. Là, elle se mit à prier.

*

Souterrain du moulin de Chamoulard, même jour

Jean progressait prudemment dans le dédale du souterrain. Il ne savait plus depuis combien de temps il avançait, mais le décor ne changeait pas. Il pataugeait sur un sol argileux, souvent glissant, parsemé de flaques d'eau. Les parois étaient en grossière maçonnerie, ainsi que la voûte arrondie. Parfois, il remarquait la présence de blocs rocheux, qui, trop imposants, avaient été insérés dans la construction.

Doté d'un bon sens de l'orientation, il tentait de se repérer par rapport au moulin de Chamoulard, mais c'était difficile.

« Si je compare avec notre souterrain, qui relie la grotte au corps de logis, le tracé du début est pratiquement le même, calculait-il. Donc, j'ai dû passer sous la rivière! Mais il y a une différence. En face de Chamoulard, les falaises sont bien plus basses et obliquent vers le nord. »

Malgré sa hâte de se retrouver à l'air libre, il vouait une admiration respectueuse à ceux qui avaient mené à bien un pareil ouvrage.

« Combien de temps ont-ils creusé le sol? se demandait-il. Et qui travaillait ici? Je pense qu'ils apportaient les pierres nécessaires au fur et à mesure pour vite consolider la galerie. Plus personne ne ferait ça, maintenant que nous disposons d'outils efficaces. »

Au départ, il voulait compter ses pas pour avoir une idée approximative de la distance parcourue, mais il avait renoncé. Cela le distrairait et il ne tenait pas à tomber ni à lâcher la lampe.

« Pourvu que je trouve vite une issue! » se dit-il en faisant une courte halte, le temps de fumer une cigarette.

Quelques mètres plus loin, Jean fut confronté à un sérieux dilemme. Le souterrain se divisait en deux. Il s'aperçut aussi que la maçonnerie cédait la place à de la roche, qui gardait les traces de nombreux coups de pioche.

— Bon sang, par où aller? La droite ou la gauche? soupira-t-il. Quand donc ce supplice s'achèvera-t-il?

Selon lui, la galerie de gauche pouvait rejoindre une des grottes de la vallée, en aval du pont sur les Eaux-Claires. Mais celle de droite lui sembla en meilleur état. Le sol était plus sec, et un anneau en fer, scellé à la hauteur de sa poitrine, l'intrigua.

— Je ne sais pas ce qu'on attachait là, mais c'est une

preuve que ce passage était fréquenté. J'ai peut-être plus de chances d'aboutir sous un bâtiment, se dit-il à voix basse.

Jean se concentra, soucieux de se remémorer la configuration du paysage sur chaque berge de la rivière.

« Personne n'en a parlé, à ma connaissance, mais une ou deux maisons de Puymoyen peuvent posséder un souterrain. Colin Roy avait bien caché l'existence de celui du Moulin! »

Il craignait de perdre un temps précieux s'il faisait un mauvais choix. La vision de Lancester étendu sur le sol, le visage ensanglanté, le regard trouble, l'obsédait. À présent, il n'avait qu'un but: le sauver. Ensuite, il pourrait revoir Claire et lui confier sa part de responsabilité dans leur dramatique mésaventure.

— Droite ou gauche? Je connais un peu les grottes. J'aurais vite fait d'être dehors, si je déboulais dans une des cavernes! J'ai même une chance de retrouver le souterrain qui mène à notre chambre! Ce serait formidable!

Le silence de ce monde ténébreux commençait à l'oppresser. Il regretta de manquer à ce point de l'instinct propre aux animaux, certain qu'un chien ou un loup saurait où aller.

— Bon, disons la galerie de gauche! décida-t-il.

Au bout d'une trentaine de pas, il eut un autre souci. La flamme de la lampe diminuait, se tordait, se ranimait, faiblissait à nouveau. Jean vérifia qu'il y avait assez de pétrole, mais il fit ainsi un constat affolant. La mèche était très courte, presque entièrement consumée.

— Non, ce n'est pas possible! s'écria-t-il.

Il se mit à courir, oubliant toute prudence, pataugeant bientôt dans une eau boueuse qui lui montait jusqu'aux genoux. La roche se resserrait autour de lui et la voûte baissait inexorablement.

— Bon sang! J'aurais dû prendre à droite! pesta-t-il, envahi par une panique viscérale.

Une sorte de faiblesse le terrassa. Depuis la veille, il n'avait rien mangé ni bu, hormis quelques gorgées d'alcool. Durant des heures, il avait déblayé des gravats avec une énergie décuplée par la détermination qui le caractérisait, quand il s'agissait de se battre.

— Du calme, du calme, se dit-il. Je dois rester calme! Je ferais mieux de revenir en arrière, tant que j'y vois encore un peu.

Mal assuré sur ses jambes, Jean voulut reculer avant de faire demi-tour. Son crâne heurta un pan de rocher. Sonné, il tenta de garder l'équilibre, mais son pied droit glissa et il tomba de tout son poids en arrière dans une sorte de mare boueuse. L'eau éteignit aussitôt la flamme déjà si menue.

— Mon Dieu! Pas ça! implora-t-il.

Jean se redressa de son mieux, maudissant sa maladresse. Une nuit dense le cernait, l'obscurité la plus parfaite qu'il ait connue.

— Claire! cria-t-il. Claire, au secours, je n'en peux plus! Mon amour, mon tendre amour!

Il l'appelait, elle qui portait si bien son prénom, femme de lumière, sage et douce, généreuse et tendre. Il évoqua son visage radieux lorsqu'elle lui souriait, l'éclat de sa peau dorée, le rose de ses lèvres.

« Je te reverrai, ma Clairette, ma Câlinette! se promit-il. Je ne mourrai pas ici, dans le noir. »

Il était étourdi, endolori. Les bras écartés, les mains tendues, pareil à un aveugle, Jean continua à marcher en revenant sur ses pas. Peu à peu, il devint attentif au moindre bruit. Là, des gouttes s'écoulaient de la roche, faisant un léger « floc » en se dispersant dans les flaques qui jonchaient le sol. Plus loin, un infime frémissement d'ailes l'alerta.

— Des chauves-souris! bredouilla-t-il.

Son unique préoccupation était de retrouver l'endroit précis où le souterrain se divisait en deux galeries. Cette fois, toujours à tâtons, il suivrait l'autre passage, à condition de pouvoir le localiser. Il finit par se guider en effleurant la paroi sur sa gauche.

— Mon Dieu, aidez-moi! dit-il, le souffle court. Basile, Lucien, Germaine, aidez-moi!

Luttant contre la peur larvée que lui inspirait le noir total, Jean rameutait ses chers disparus. Il les imagina réunis autour de lui. C'était insensé, mais cela lui redonna courage.

Il aurait pu appeler également William Lancester, qui avait

rendu l'âme une demi-heure après son départ. Le papetier anglais avait senti sa fin approcher. Il avait griffonné quelques lignes sur une page du calepin qui ne le quittait pas, afin de laisser une sorte de testament. Il n'avait pas fini d'écrire qu'une douleur inhumaine s'était emparée de lui et l'avait torturé de façon insupportable. En même temps, une angoisse folle avait inondé son esprit devant l'horreur de cet espace exigu qui devenait sa tombe. Une syncope l'avait délivré de la souffrance, dont il ne s'était pas réveillé, faute de soins appropriés.

Il gisait sur le dos, le visage à demi recouvert par la blouse de Jean, une expression de terreur figée sur ses traits blafards, les bras en croix.

Aristide Dubreuil le découvrit dans cette posture sinistre juste avant la tombée de la nuit. Les hommes embauchés pour déblayer le souterrain avaient fait une pause en milieu de journée pour casser la croûte dans la cour du moulin de Chamoulard. Ils avaient besoin de reprendre des forces, car il fallait tirer avec des cordes un énorme pan de rocher qui bloquait la galerie.

Enfin, vers sept heures du soir, un cri avait retenti :

— Y a quelqu'un ! Un cadavre !

Entourée par Faustine et Bertille, Claire n'avait pas bougé de la cave. Matthieu s'était proposé pour remplacer un adolescent blessé au poignet par la chute d'une pierre.

— Oh non ! Mon Dieu ! s'exclama-t-elle en joignant les mains. Et si c'était Jean !

— Courage, maman ! balbutia Faustine, pâle comme un linge.

— Oui, du cran, Clairette ! lui ordonna Bertille.

Pendant ce temps, Dubreuil étudiait ce qu'il estimait être la scène du crime. La lampe à pile électrique que tenait un des gendarmes jetait une clarté crue sur le mort et c'était un atroce spectacle.

— Une plaie frontale qui a beaucoup saigné et qui remonte à plusieurs heures, détailla le policier. Le nez est tuméfié également et porte des traces de sang. Notez, messieurs, le rictus d'intense frayeur, le regard révulsé. La rigidité cadavérique[23] est complète, ce qui ferait remonter l'heure du décès à la soirée d'hier. Nous pouvons en déduire que Jean Dumont a tué Lancester, puis a provoqué l'effondrement de la voûte du souterrain, sans doute en descellant des pierres déjà instables. Ensuite, il s'est caché quelque part ou il s'est enfui. J'ai une autre théorie à vérifier, il a peut-être voulu déguiser son crime en accident.

Dubreuil exultait. Il gardait à Jean une rancœur tenace qui lui avait causé des maux d'estomac pendant des années. Jamais il ne s'était interrogé sur la source de cette haine sourde, et il citait à toute occasion le cas Dumont, comme il le surnommait, pour déplorer la clémence de la justice envers les assassins.

— Je me souviens, disait-il lors des dîners mondains auxquels on le conviait souvent, un forçat en cavale, un meurtrier, a été gracié en 1902 par le président de notre République.

Dans sa frénésie de victoire, il piétina allégrement le sol autour du cadavre, ordonnant à tue-tête de vite transporter Lancester hors du souterrain, de la cave.

— Couchez-le sur un drap au milieu de la cour! aboya-t-il.

C'était un bon limier, mais un piètre enquêteur. Trop rapide à tirer des conclusions, il passait outre les détails. Mais un des gendarmes se pencha et ramassa un objet brillant.

— Monsieur, dit-il en rattrapant Dubreuil, regardez ça. Les initiales, un J et un D! Jean Dumont!

— Quel imbécile! rétorqua le chef de la police. Il laisse sa signature, en plus!

Un adolescent du village passa devant Claire en courant. Il héla son père:

— C'est l'Anglais! Il est tout raide.

Bertille étouffa une exclamation horrifiée. Faustine se signa avant de prendre sa mère adoptive par l'épaule.

---

23. Les moyens d'investigation de l'époque manquaient de précision. La rigidité cadavérique intervient au bout de deux heures et est complète après six heures environ. Là, il s'est écoulé presque une dizaine d'heures depuis le décès, ce qui peut prêter à confusion pour juger de l'heure exacte de la mort de Lancester.

— Maman, tu as entendu? Ça y est, ils ont trouvé William Lancester. Mon Dieu, pourvu que ce ne soit pas papa qui l'a tué! Je ne peux pas le croire.

La jeune femme se mit à pleurer. Claire se leva, soutenue par la main secourable de Matthieu qui venait de la rejoindre, le teint blême, les mâchoires crispées.

— Ce n'est pas beau à voir! lança-t-il. Je t'en prie, sœurette, ne regarde pas. Les voilà!

Quatre hommes portaient le cadavre. Dubreuil surveillait l'opération. Il fit un geste en direction de Claire.

— Madame Dumont, approchez donc!

Comme hypnotisée, elle lui obéit, malgré les dénégations de son frère et de Bertille. Très digne, tête haute, elle fixa avec insistance la triste dépouille du papetier. Cet homme avait su la charmer. Il lui avait offert des bibelots ravissants, des sachets de lavande anglaise qu'elle avait conservés en souvenir… Des années auparavant, elle avait ri et plaisanté avec lui sous la tonnelle d'une auberge.

« Ses doux yeux gris-bleu sont éteints, songea-t-elle. Sa voix ne chuchotera plus des paroles un peu désuètes à mon oreille. Mon Dieu, le pauvre malheureux! Il était si romantique et si gentil! »

La vue du sang séché, d'un brun sombre, la poussière souillant ses joues et ses lèvres, tout cela la bouleversait. Elle aurait voulu faire la toilette du mort afin de lui redonner une apparence correcte, lui qui était si distingué, si soigné.

— Vous pouvez constater les plaies sur le visage! décréta Dubreuil. William Lancester a été frappé, on ne peut le nier. Un médecin légiste l'examinera dès que son corps sera à la morgue d'Angoulême.

Claire effleura de l'index la tempe du défunt. Elle retenait ses larmes, mais tremblait tout entière.

— Sa mort pourrait être accidentelle, avança-t-elle d'un ton neutre. Se trouvait-il sous les gravats? Avez-vous bien cherché? Et si mon mari était là, lui aussi, enseveli? C'est une hypothèse qui ne vous a pas traversé l'esprit, bien sûr?

— Non, madame, trancha le policier, pour la bonne raison qu'on a dû traîner le corps sans vie de monsieur Lancester, avant l'effondrement de la voûte, dans une sorte de cavité qu'une roche protégeait. Ce n'est pas très malin, puisque nous avons atteint cette zone en une dizaine d'heures. Et l'assassin a signé son œuvre. Tenez! Voyez-moi ça!

Dubreuil tendit vers elle sa paume ouverte, où reposait le briquet en argent de Jean.

— Je pense que vous reconnaissez ceci? dit-il.

— Oui, j'ai offert ce briquet à mon mari en 1920, à Noël. J'y avais fait graver ses initiales. Il était ravi.

Claire détourna le regard. Elle observa rêveusement les pavés maculés de terre de la cave, le temps d'évoquer ce doux soir de Noël.

« Faustine avait été attaquée la veille par des loups. Elle était enceinte d'Isabelle. Nous l'avions installée dans la cuisine, sous notre protection. Elle jouait les princesses, appuyée sur ses oreillers. Matthieu lui avait acheté le fameux appareil photographique qui a tant servi depuis. Raymonde était morte en avril de la même année et nous avions essayé de choyer ses enfants. »

— Madame Dumont, grogna Aristide Dubreuil, votre mari a oublié son briquet sur le lieu du crime, une fatale négligence, avouez-le. Vous devez aider la police, à présent! Si vous savez où se cache Dumont, vous avez intérêt à parler, et vite! Mes hommes vont fouiller le Moulin du Loup et vos terres, même s'il y a fort à parier que l'assassin est déjà loin.

— Monsieur, répondit Claire froidement, je peux vous jurer que j'ignore où se trouve mon mari. Je vous l'accorde, il est venu ici, à Chamoulard, puisque son briquet était près du corps de William Lancester, mais je ne l'ai pas vu depuis hier, ni moi ni personne de notre famille.

Le regard noir de Claire exprimait une profonde détresse, mais une totale sincérité. Dubreuil fut ébranlé. Bertrand s'en mêla, soucieux de rester équitable.

— N'accablez pas madame! s'écria-t-il. Si on considère l'affaire dans son ensemble, un mari jaloux qui tue son rival ne va pas se présenter devant son épouse. De plus, Jean Dumont a souvent répété que jamais il ne retournerait en prison. S'il est coupable, il a dû s'enfuir hier soir. En prenant un train en gare de Ronsenac, il a pu regagner Angoulême et trouver un abri ailleurs.

Claire n'en espérait pas tant de la part de l'avocat.

— Est-ce que je rêve? dit-elle. J'ai bien entendu: s'il est coupable? Bertrand, avez-vous pris le temps de réfléchir?

— Chère amie, la présomption d'innocence existe et je dois en tenir compte! répliqua-t-il. Reste à savoir si Jean avait de l'argent sur lui, puisque Maurice atteste qu'il l'a croisé vêtu de sa blouse grise, en tenue de travail.

Aristide Dubreuil écoutait. Il les interrompit d'un geste de la main.

— La blouse qui enveloppait le cadavre de Lancester, précisa-t-il. Nous la gardons comme pièce à conviction.

Cette fois, Claire crut s'évanouir. Ses oreilles bourdonnaient, et une sueur glacée mouilla son front. Matthieu, qui se tenait près d'elle la prit dans ses bras.

— La blouse de Jean? ânonna-t-elle. Sur le corps de William? Non, non, je ne veux pas, c'est faux, vous vous trompez! Je ne veux pas!

— Emmenez-la dehors! vociféra Dubreuil.

Ce furent pour Claire des instants confus, noyés dans un brouillard de sensations pénibles. Elle avait envie de vomir, mais son estomac était vide. Ses jambes la portaient à peine. Bertille et Faustine, alarmées, recommandaient à Matthieu de ne surtout pas la lâcher.

Finalement, après être sortis de la cour du moulin de Chamoulard, ils l'étendirent sur l'herbe humide. Elle gémissait, ivre de chagrin.

— Là, là! chuchota Bertille. Je t'en supplie, Clairette, reprends-toi. Je suis désolée, tellement désolée!

— Oui, ne te laisse pas abattre! renchérit Faustine. Tout à l'heure, je me suis affolée. Papa n'a pas pu faire un acte aussi odieux, je t'assure. Il y a forcément une explication. Maman, si tu savais comme il aimait jouer avec les petits. Il me disait toujours qu'il ne pouvait pas se passer d'eux! Il savait bien qu'en commettant un acte pareil il se priverait de cette joie, de toi et de nous tous!

Mais Claire ne répondit pas. Elle s'enfonçait dans un

univers cotonneux, délicieux, où se perdaient les images affreuses, les certitudes intolérables. C'était un monde de lumière et de bonté. Une musique céleste la berçait, des couleurs fantastiques la ravissaient. Cernée d'un halo d'or étincelant, la face ridée du vieux père Maraud se dessina, d'une précision étonnante. Il souriait d'un air confiant.

« Eh bien, ma petite Claire, disait-il d'une voix douce, tu cueilleras le plus beau fruit de ta vie à la fin de l'été! Sois forte, ne te fie pas aux apparences... »

Aussitôt la vision s'effaça, tandis qu'un magnifique cheval blanc galopait sur un chemin de nuages.

— Claire! Qu'est-ce que tu nous fais, là? hurlait Matthieu.

Sous l'effet d'une série de légères claques sur les joues, elle reprit connaissance. De l'eau froide ruisselait dans son cou.

— Mais, pourquoi? geignit-elle. J'étais si bien, là-haut...

Bertille se jeta par terre et l'étreignit. La dame de Ponriant sanglotait, éperdue de frayeur.

— Clairette chérie, ne meurs pas! implora-t-elle. Reste avec nous.

Faustine pleurait également, à genoux près de Matthieu. Il faisait nuit. Claire ouvrit grand les yeux pour contempler le ciel d'un bleu profond, piqueté d'étoiles scintillantes. Encore basse sur l'horizon, une lune toute ronde commençait sa lente ascension.

— Dubreuil et son peloton de gendarmes partent au Moulin du Loup! dit son frère. Je les accompagne, histoire de faire en sorte qu'ils ne terrorisent ni Léon et Anita, ni les enfants.

— Nous te suivons, ajouta Bertille. Maurice va nous y conduire en voiture! Nous avons tous besoin d'un bouillon chaud et d'un café bien sucré. Inutile de s'attarder ici; ils vont emmener le corps de William.

— Jean est innocent, annonça Claire. Je le sais, maintenant.

Personne n'osa la contredire.

*

Jean était bien loin d'imaginer le drame qui se jouait à Chamoulard. Il venait de s'allonger sur le sol boueux pour la troisième fois, à bout de forces, ses nerfs soumis à rude épreuve. Il s'inquiétait encore pour William Lancester, mais le sort du papetier passait petit à petit au second plan.

— Je suis fichu! s'écria-t-il avec effroi. Oui, fichu, je vais crever dans ces galeries, comme un rat!

L'obscurité lui était devenue insupportable. Il ne savait plus depuis combien de temps il errait dans ce labyrinthe souterrain. Souvent, il pataugeait dans des galeries où l'eau affleurait ses mollets.

— Peut-être que je suis passé dix fois devant l'anneau; je n'ai plus aucun repère! J'ai tourné en rond, sans doute. J'ai dû refaire plusieurs fois le même trajet.

Dans le noir, les parois rocheuses lui paraissaient toutes identiques. Aucune odeur particulière ne lui indiquait un chemin préférable à un autre. Il avait appelé, au cas où il serait revenu sur ses pas et que Lancester l'entendrait, mais sa voix résonnait en vain.

— C'est le pire cauchemar qui soit, marmonna-t-il. Je suis foutu. Tu entends ça, Claire? Ton Jean va mourir de faim ici, alors que la Grotte aux fées est peut-être toute proche. Qui sait, au-dessus de ma tête, à l'air libre, il y a peut-être mon cabanon, celui de mon verger…

Il respira à pleins poumons, juste pour se convaincre qu'il était encore vivant. Parler tout haut le réconfortait. Surtout s'il s'adressait à Claire.

— Dis, tu te souviens, Câlinette, des jours où nous déjeunions sur l'herbe devant le cabanon? Tu emportais de bonnes choses, du chou farci qui se découpe comme du pâté quand il est froid. Et du fromage de tes chèvres, que tu salais et poivrais. Le pain était tiède parfois, grâce au soleil. Et on se régalait.

Il en salivait, torturé par la faim, presque étonné d'avoir été cet homme paisible, marié à la femme qu'il adorait.

— J'avais hâte, souvent, de me coucher près de toi. Nos draps sentaient la lavande. Tu dénouais tes cheveux, tes si beaux cheveux bruns, soyeux, qui dansaient sur tes seins.

Claire, je t'en prie! Je veux te revoir, profiter de chaque minute à tes côtés. Il faut que tu m'aides. Mon Dieu, je ne me plaindrai plus jamais si je te retrouve, ma Claire, mon amour...

Il se reprocha ses égarements aussi bien que ses colères. Comme dédoublé, il méprisait ce Jean qui avait désiré Angéla, qui avait été égoïste, avide d'un plaisir somme toute superficiel. Il ne comprenait plus la violence démentielle qui s'était emparée de lui dès le retour en France de William Lancester.

— Je ne suis qu'un sale type! hurla-t-il. Au fond, je mérite ce qui m'arrive. J'ai fait trop de mal et je suis puni.

Mais cette pensée le révolta. Il voulait bien expier encore des années et des années, à condition d'échapper aux ténèbres.

— Pas comme ça! gémit-il. Non, pas comme ça!

Un bruit infime répondit à sa plainte. Cela ressemblait à la respiration haletante d'une bête. Tout de suite, Jean sentit une odeur forte, celle des sauvagines de tous poils, fouines, martres, putois. Les renards aussi dégageaient de tels effluves, assez désagréables. Il se tourna alors pour se coucher à plat ventre et entendit nettement des trottinements. Le mystérieux visiteur poussa un couinement aigu, menaçant.

« Si cet animal circule par ici, c'est qu'il y a une issue quelque part, peut-être toute proche », pensa-t-il, plein d'espoir. Cependant, il déchanta aussi vite qu'il s'était réjoui. Les terriers abondaient dans les broussailles au pied de la ligne de falaises et dans les bois voisins.

— Barre-toi, saleté! cria-t-il. Je n'ai pas de lampe, je ne peux même pas te suivre!

De nouveau s'éleva un grognement perçant, qui aurait pu passer pour le miaulement d'un matou en colère. Jean ramassa une pierre à tâtons et la lança de toutes ses forces dans la direction de la bête. Celle-ci détala, à l'instant précis où le projectile cognait le rocher en produisant une étincelle. Cela n'avait duré qu'une infime fraction de seconde, mais Jean se précipita à quatre pattes vers le point d'impact.

— Du silex! C'était du silex!

Il chercha fébrilement la bonne pierre, se souvenant à peu près de sa forme anguleuse et de son poids. Enfin, il serra dans sa main droite un gros caillou qu'il cogna contre la paroi. Une étincelle, puis deux, trois. Les ténèbres étaient si intenses que la moindre source de clarté semblait resplendissante. Au bout de plusieurs essais, Jean finit par distinguer une galerie qu'il croyait n'avoir pas empruntée. Un détail le frappa : le sol était sec, contrairement à l'endroit où il se trouvait, tapissé d'argile humide. Il s'acharna, afin de ne pas se tromper.

— Les murs sont maçonnés! s'exclama-t-il, heureusement surpris. J'ai assez inspecté chaque passage depuis des heures, je suis sûr que c'était de la roche, pas des pierres taillées.

Il enfouit le silex dans sa poche de pantalon, en le bénissant de lui avoir apporté une aide aussi précieuse. Puis il s'élança avec une folle espérance dans le cœur. Par prudence, il laissa courir ses doigts le long de la galerie qu'il suivait, afin de vérifier qu'elle était toujours bâtie par la main de l'homme.

Bientôt, Jean eut la conviction qu'il gravissait une pente douce et cela le rassura.

— Depuis que j'ai quitté Lancester, je descendais ou je restais sur du plat, je n'ai jamais eu l'impression de monter. Là, si.

Un peu plus loin, il crut qu'il avait des hallucinations, car il avait l'impression qu'une faible luminosité bleuâtre ruisselait sur lui. Bientôt, il distingua l'espace autour de lui. Il se trouvait dans une vaste salle voûtée, de proportions surprenantes, creusée dans le rocher. La clarté provenait d'un soupirail fermé par des barreaux. Il aperçut, hébété, un coin de ciel nocturne, la lune cerclée d'un halo jaune et quelques étoiles, tandis qu'un air frais au parfum de buis le bouleversait. C'était la senteur particulière de la vallée, celle des buis centenaires qui poussaient patiemment près des falaises, leurs petites feuilles vert sombre ne craignant ni les rigueurs de l'hiver ni les chaleurs de l'été.

— Sauvé! Je suis sauvé! s'exclama-t-il, au bord des larmes. Ô, mon Dieu! Merci!

Jean se promit de ne jamais oublier cet instant-là, pareil à une seconde naissance. La rédemption dont lui avait parlé William Lancester, il la percevait dans chaque fibre de son corps. Au prix de cette épreuve, il estimait s'être racheté de ses fautes passées et de sa sottise de mâle jaloux.

— Merci, mon Dieu! répéta-t-il.

La première émotion passée, Jean s'empressa de chercher une issue. En explorant les lieux à pas rapides, il découvrit sur le sol des casques en fer rouillés qui, selon lui, dataient de la dernière guerre[24].

— Mais où suis-je?

Puis il vit une trouée dans la muraille rocheuse et des marches taillées dans la pierre. Il se rua dans l'escalier, un rire silencieux sur le visage. Chaque marche le menait vers une nouvelle vie où il redeviendrait le héros de jadis, où il chérirait Claire de toute son âme, sans plus jamais la faire souffrir.

Il parvint enfin dans une sorte de cour pavée. Un large pan de tour se dressait en face de lui. Le parfum des buis tout proches lui sembla grisant, même entêtant. Il franchit un muret derrière lequel s'étendait un jardin. À quelques vingtaines de mètres, une belle demeure aux proportions imposantes lui apparut, présentant au clair de lune sa belle façade de calcaire. Des rochers parsemaient le parc, planté de rosiers, de buis et de lilas.

Jean en resta bouche bée. Il était certain d'être à proximité de Puymoyen, mais il n'avait jamais vu cette maison. Une fenêtre était illuminée. Sans penser à son apparence, il s'avança. Infiniment soulagé, impatient de réclamer des secours pour sauver Lancester, il approcha d'une porte surmontée d'un fronton en pierre, orné d'étranges sculptures. Grâce à la lune, il considéra, perplexe, les deux diables se faisant face sous une autre frise à motifs de fleurs.

« Et si c'était le château du Diable? s'interrogea-t-il. Il y a une impasse dans le village qui porte ce nom-là, la rue du Château-du-Diable! Basile nous en avait parlé, un soir

24. On parle ici de la Première Guerre mondiale.

d'hiver où tout le monde veillait au Moulin. Il y aurait eu là, à l'époque de la guerre de Cent Ans, une forteresse occupée par les diables rouges, comme les surnommaient les gens du pays [25]. »

Il en fut consterné, lui qui avait traité Lancester de rosbif.

— Rien ne change, malgré les siècles qui passent, marmonna-t-il en frappant. Les étrangers sont objet de haine et de mépris. Cela dit, jadis les Anglais avaient envahi l'Aquitaine…

Plongé dans ses pensées, Jean sursauta quand le battant s'entrouvrit sur une jeune femme aux yeux très bleus et à la chevelure auréolée d'un flot de lumière. Elle lança une exclamation étouffée et recula, angoissée, en détaillant avec effarement l'individu qui la dérangeait à huit heures du soir. Il était hirsute. Ses cheveux, sa peau et ses vêtements étaient maculés d'argile et de poussière.

— Mademoiselle, je vous en prie, ne craignez rien! s'écria Jean. Je me suis égaré dans les grottes, enfin, dans un souterrain aussi, et j'ai besoin de votre aide. Un de mes amis est pratiquement emmuré vivant. Si vous aviez un appareil téléphonique… Je ne vous importunerai pas longtemps. Il faut prévenir ma famille.

Son récit et son langage qui témoignaient d'une bonne éducation et d'une instruction évidente rassurèrent la jeune femme. Cependant, elle hésitait encore à introduire un inconnu chez elle. Le regard limpide de Jean, suppliant et amical, la décida.

— Eh bien, entrez, monsieur…?

— Jean Dumont, j'habite le Moulin du Loup. Mon épouse est très connue dans le pays; son père était papetier. Et son frère, Matthieu Roy, a ouvert une imprimerie.

— Gisèle Devinaud, dit la fille avec douceur. Je suis désolée, mon père a acheté cette demeure l'année dernière et je n'ai pas eu l'occasion de rencontrer beaucoup de monde. Il y a tant de travaux à effectuer sur ce château du

25. La guerre de Cent Ans couvre une période de cent seize ans (1337-1453), pendant laquelle la France et l'Angleterre s'affrontent lors de nombreux conflits entrecoupés de trêves plus ou moins longues.

Diable! C'est le nom que lui donnent les gens du village. Entrez, vous êtes sûrement assoiffé. Nous avons demandé une ligne de téléphone, mais elle n'est pas encore installée.

Jean la suivit et, à peine à l'intérieur, il vit son reflet dans un miroir.

« Mon Dieu! Avec une allure pareille, j'ai dû la terroriser! »

En fait, il avait même du mal à se reconnaître. Gisèle Devinaud, bien que surprise par son aspect, lui offrit un verre d'eau coupée de vin, puis du vin pur. Son père la rejoignit, alarmé d'avoir entendu une voix masculine. C'était un très bel homme, d'une taille respectable, doté des mêmes yeux très bleus que sa fille. Jean se présenta à nouveau.

— Si je ne peux pas appeler chez moi, je dois partir le plus vite possible! déclara-t-il. Il y a eu un effondrement dans un souterrain qui part de la cave du vieux moulin désaffecté de Chamoulard. William Lancester, qui venait de l'acheter, est prisonnier des décombres. Je n'ai pas de temps à perdre. Déjà, j'ai erré toute la journée sous terre. Ma lampe était devenue inutilisable.

Stupéfait et compatissant, monsieur Devinaud proposa de le reconduire en voiture. Jean accepta.

— Il ne reste du château que des caves et la salle voûtée d'où part l'escalier, expliqua le propriétaire une fois au volant. Je me suis renseigné sur mon acquisition. Après la forteresse qui s'élevait là pendant la guerre de Cent Ans, on a construit l'actuel logis. Quant à son nom un peu étrange, certains disent qu'il viendrait d'une vieille légende. Au début, cela impressionnait ma fille, mais nous nous en amusons à présent. La maison est superbe et la vue, splendide, depuis la terrasse.

Environ deux kilomètres séparaient le château du Diable du Moulin du Loup. Jean frémit de joie en se retrouvant, sain et sauf, sur le chemin des Falaises. Ils passèrent devant chez Faustine et Matthieu, mais tout était éteint.

— Ma fille loge ici, dit Jean. Elle a trois enfants adorables. J'espère que nous nous reverrons, puisque nous sommes presque voisins.

Jean préféra descendre de la voiture à quelques mètres

du porche. Il salua les Devinaud et s'éloigna au pas de course. Il ne fut pas vraiment étonné de voir dans la cour plusieurs véhicules, dont un fourgon de gendarmerie.

« Claire s'est affolée. Elle a fait le nécessaire pour lancer des recherches! » songea-t-il.

Mais, à une vitesse étonnante, son instinct d'ancien paria tira une sonnette d'alarme. Confronté à une situation extrême, il n'avait pensé qu'à survivre et à sauver William Lancester. Tout à coup, il réalisait qu'ils avaient disparu ensemble et qu'il avait proféré des menaces en parlant du papetier anglais, ceci à plusieurs reprises.

Mais tout alla très vite et il n'eut guère le temps de s'étendre sur ces réflexions. Moïse le jeune avait jappé, dévalant le perron. Un cri avait retenti, en provenance de l'imprimerie, et aussitôt une escouade de gendarmes avait surgi de la pénombre. Jean n'eut même pas l'occasion de se débattre, encore moins de s'enfuir. Aristide Dubreuil se précipitait sur lui, un revolver à la main, tandis qu'on lui passait des menottes.

— Jean Dumont, je vous arrête pour le meurtre de William Lancester, déclara Dubreuil d'une voix dure.

— Comment ça? Mon Dieu, il est mort? Le malheureux!

— Gardez vos simagrées et vos dons de comédien pour votre procès! coupa le policier.

Des silhouettes se profilèrent sur le perron. Abasourdi, Jean les identifia une à une : Faustine, Matthieu, Léon, Anita, Bertille et Claire. Elle serrait un châle sur ses épaules en le fixant d'un air pitoyable.

— Claire! hurla-t-il. Claire, il faut me croire, je n'ai rien fait de mal! Je suis innocent, tu entends, innocent!

Elle échappa à ceux qui tentaient de la retenir et dévala les marches. Le visage livide, ses longs cheveux défaits, elle voulut forcer le barrage des gendarmes.

— Jean, ils ont trouvé William mort dans le souterrain, couvert de ta blouse! Il y avait aussi ton briquet! Mais je te crois, mon amour, je te crois!

Dubreuil poussa une clameur de rage. Il aurait volontiers repoussé Claire d'une bourrade, mais le geste l'aurait desservi.

— Claire, écoute-moi! s'égosilla Jean. Quand je l'ai quitté, Lancester n'était pas mort, juste blessé à la jambe à cause de l'éboulement. Je suis parti chercher du secours et je me suis perdu dans les grottes. Je ne l'ai pas tué! Je te le jure sur mon frère, oui, sur Lucien!

Exaspéré, Aristide Dubreuil frappa Jean sur la bouche. Du sang jaillit de sa lèvre supérieure. Claire hurla.

— Sale brute, vous ne respectez pas la loi! Mon mari vient de vous expliquer ce qui est arrivé. Si c'était un assassin, il ne serait pas revenu ici se jeter dans vos ignobles pattes!

Matthieu ceintura sa sœur et l'entraîna en arrière.

— Calme-toi! lui souffla-t-il à l'oreille. Tu envenimes les choses à jouer les hystériques. Bon sang, il y a une justice, sur cette terre! Et si Jean dit la vérité, il sera vite libéré. Tu vas te retrouver en prison, toi aussi, si tu insultes le chef de la police.

Claire approuva en sanglotant. Elle se cramponna au bras de son frère. Déjà on emmenait Jean. Il dut s'asseoir dans le fourgon noir aux vitres renforcées de grilles métalliques. Quand le véhicule démarra au ralenti, elle agita la main, et son mari lui répondit d'un sourire confiant.

— Jean, appela-t-elle, reviens vite!

Il hocha la tête. Alors, Claire désigna son ventre, du bout des doigts, en dessinant une bosse significative. Mais il ne comprit pas le message, car il contemplait surtout son beau visage tourmenté, ses yeux de velours noir et ses lèvres roses. C'était une précaution, au cas où on le tiendrait coupable malgré tout. Jean, condamné au bagne dès l'âge de quinze ans, ne se faisait guère d'illusions sur son sort. Après avoir clamé son innocence, il cédait au pessimisme. Plus le fourgon avançait, plus il comprenait le danger. Ce danger avait un nom : Aristide Dubreuil.

Le gendarme qui conduisait avait emprunté la petite route de Vœuil pour rejoindre la voie reliant Angoulême à Bordeaux, mieux éclairée que d'autres rues des faubourgs. La lune était à son zénith quand ils traversèrent le village de La Couronne.

Jean grimaça, bourrelé d'amertume. Il s'était enfui à l'aube de ses vingt et un ans de la colonie pénitentiaire établie sur cette commune.

« Et j'ai fini par m'aventurer dans la vallée des Eaux-Claires où m'attendaient l'amour et la liberté. Ce soir, je fais le chemin en sens inverse. Je perds la femme que j'aime encore plus fort que jadis, et on va me remettre en prison! »

Il appuya son front à la vitre. Sous le coup d'une poignante émotion, son cœur se mit à battre la chamade. Des ruines grandioses, fantastiques, se dessinaient au clair de lune, celles de l'abbaye de La Couronne. Il observa les colonnes aériennes, les arches de pierre ouvertes sur le vide du ciel étoilé, les gigantesques pans de mur démantelés par la folie ignorante des hommes qui s'en servaient comme d'une carrière[26]. Des larmes roulèrent le long de ses joues.

« Je m'étais caché dans ces ruines, le soir de mon évasion. J'avais l'impression d'être protégé, que c'était un lieu tellement beau et extraordinaire qu'il ne pouvait rien m'y arriver de mauvais. Mon Dieu, vous qui m'avez pardonné tant de fautes, ne m'abandonnez pas! Je vous en prie, aidez-moi... »

Jean ferma les yeux. Une heure plus tard, on claquait sur lui la lourde porte d'une cellule.

---

26. L'abbaye de La Couronne, fondée au XIIe siècle par Lambert et les religieux de La Palud, a subi d'importantes déprédations pendant la guerre de Cent Ans, puis elle a été classée au patrimoine des Monuments historiques en 1903. Le moulin du Verger, (devenu le moulin du Loup dans ces ouvrages) a été édifié au XVIe siècle par les moines de cette abbaye, distante d'une douzaine de kilomètres.

17
Sur le banc des accusés

Moulin du Loup, même soir

— C'est une arrestation arbitraire, affirma Claire en regardant tous ceux qui l'entouraient. Aristide Dubreuil a abusé de ses pouvoirs. Il déteste Jean et il veut sa perte. Si seulement nous avions eu affaire à un nouveau chef de la police, il aurait quand même réfléchi avant d'agir.

Ils étaient assis autour de la grande table, sous la lampe à abat-jour en porcelaine rose. Il y avait là, en plus de Claire, Matthieu et Faustine, Léon et Anita, ainsi que Bertille qui avait demandé à Maurice, son chauffeur, de prendre part au débat et de boire un verre avec eux.

— Vous avez entendu les explications de Jean? reprit Claire d'un ton fougueux. Elles sonnent juste! Son apparence aussi prouve qu'il a dit la vérité. Il avait tout d'un homme qui a passé la journée à ramper dans les souterrains ou les grottes de la vallée.

— Je te l'accorde, coupa Matthieu. La version de Jean peut tenir la route, mais il s'est quand même bel et bien retrouvé avec Lancester dans cette cave. Il a pu le blesser grièvement, s'affoler et décider de monter une mise en scène.

— Tu exagères! lui dit Faustine. Papa est incapable d'une telle machination. Et vu son expérience du bagne et de la prison, s'il avait tué William Lancester, il ne serait pas revenu ici. Il se serait enfui! De toute façon, je n'y crois pas. Il est innocent. Maman a raison.

— J'obtiendrai un droit de visite, ajouta Claire, heureuse du soutien de sa fille adoptive. Jean me racontera en détail tout ce qui est arrivé, et Dubreuil devra reconnaître son erreur.

Bertille, il faut que tu supplies Bertrand de le défendre. Il a besoin d'un avocat!

— Ce ne sera pas Bertrand, soupira sa cousine. En 1902, il avait pu plaider la cause de Jean parce qu'ils n'avaient aucun lien de parenté. Mais là, c'est différent, ils sont de la même famille. Je t'aiderai, ma chérie. Nous allons trouver quelqu'un de bien. Je te prêterai l'argent nécessaire.

Pour une fois, Claire ne protesta pas. Elle but d'un trait son verre de vin blanc. La vision de son mari dans le fourgon des gendarmes ne s'effaçait pas de son esprit. Elle s'accrochait à une certitude: Jean, bien vivant, rentrait au bercail et il n'avait rien à voir dans la mort de Lancester.

— Il avait l'air heureux, dit-elle d'une voix douce. Je l'ai bien regardé quand il s'est avancé dans la cour. Il semblait apaisé, serein. Je vous l'assure, il n'était plus le même que ces dernières semaines. Un assassin n'a pas ce visage!

Léon hocha la tête. Il doutait un peu de l'innocence de son vieil ami.

— La jalousie, quand ça vous prend, ça peut mener à des gestes terribles. Les preuves sont contre lui.

— Toi aussi, Léon, tu le trahis? s'insurgea Claire. Toi qui connais Jean depuis plus de vingt ans!

Elle fixa Bertille d'un air furieux.

— Vous pouvez en effet payer les dépenses du procès, si procès il y a! dit-elle. Tout ça est votre faute, à ton mari et à toi! Sans votre hâte à prévenir la police, nous n'en serions pas là. Vous avez conclu tout de suite au pire. Enfin, surtout Bertrand, qui aurait dû se montrer prudent avant de crier au meurtre. Pour un avocat, il a manqué de discernement.

— Mais reconnais donc, Claire, qu'il y avait des éléments troublants! protesta Bertille. Jean lui-même m'avait confié sa peur de faire une bêtise, en m'expliquant qu'il avait des pulsions de violence. Tu me l'as confirmé par la suite. Je n'ai pas pu m'empêcher de raconter ce que je savais à Bertrand. C'est mon époux, mon compagnon, et j'étais très anxieuse. Tu aurais fait pareil à ma place. On ne sait jamais de quoi les gens sont capables, même ceux qu'on côtoie tous les jours. Personne ne pensait non plus que Jean aurait pu se laisser séduire par Angéla!

La pique cruelle n'atteignit pas Claire. Elle était au-delà de ces considérations. Depuis son évanouissement, un profond bouleversement s'effectuait en elle. L'expérience lui laissait un goût étrange de paradis, d'amour infini. Les paroles du père Maraud, son sourire confiant, le cheval blanc sur les nuages, elle interprétait toutes ces visions comme un signe favorable. Certaine désormais d'être enceinte, elle allait se battre pour garder un père à son enfant, et ce père, c'était aussi l'homme qu'elle adorait depuis des années, envers et contre tous.

— Ne te fatigue pas, Bertille, lança-t-elle froidement. Vous tous ici, vous avez été témoins d'une scène épouvantable, il y a environ deux ans. Angéla confessait à grand bruit sa liaison avec Jean. Mais souvenez-vous de sa réaction à lui! Il n'a pas nié, il semblait terrassé, l'image même de la culpabilité. Il a tenté aussitôt d'implorer mon pardon. Il n'a pas hésité à partir, tête basse et honteux. Moi, je vous le dis bien haut, si Jean avait commis ce crime, il n'aurait pas cherché à le cacher. Même s'il avait agi sous le coup de la fureur, une fois confronté à son geste, il aurait eu de terribles remords et se serait livré. Mon mari est quelqu'un de bien, malgré ses fautes. Qui n'a pas une faute à se reprocher? Réfléchissez bien!

Elle dévisagea tour à tour Léon, Anita, Matthieu et Faustine, en insistant davantage quand elle croisa le regard de Bertille.

— Nous n'avons rien fait de très grave, maugréa Léon.

— Tu as la mémoire courte, mon pauvre ami, répliqua Claire. Après la guerre, tu as menti à Raymonde, tu ne lui as pas dit que tu avais vécu avec une femme en Allemagne, dans la ferme où tu étais prisonnier. As-tu oublié Greta? Elle a ramené votre fils en Charente, alors que la police te soupçonnait d'être le sadique qui violait des fillettes dans notre vallée! Ce n'était pas très agréable, je pense, d'être accusé à tort?

Rouge comme un coq, Léon courba le dos, sans oser répondre. Matthieu lui décocha une bourrade amicale. Le jeune homme restait silencieux, mais il se revoyait lors de cette nuit d'horreur, lorsqu'il avait découvert son frère Nicolas, défiguré, vivant telle une bête fauve dans une grotte.

Et c'était lui, Nicolas, le responsable des crimes odieux perpétrés autour de Puymoyen.

« Il voulait me tuer, songeait-il. Je me suis débattu, la lampe s'est brisée et le feu a pris. Je ne saurai jamais si Nicolas était juste assommé et si la morsure des flammes ne l'a pas ranimé. Ce qui impliquait une mort atroce, brûlé vif. Par ma faute! Au moins, je lui ai évité un procès, et la guillotine, sûrement. Sans compter que Claire et moi portons le poids de ce secret. »

Anita, elle, préféra se lever et mettre de l'eau à chauffer. Elle parlait peu de son passé. Mais il lui revint à l'esprit une période difficile où elle volait à l'étalage dans les rues de Barcelone, à seize ans à peine. Un garçon l'avait déjà séduite et elle avait dû avorter en cachette de ses parents. Cet acte contre nature l'obsédait encore et hantait son cœur de femme autant qu'il heurtait sa grande piété.

Faustine jouait avec une serviette de table qu'elle pliait et dépliait. Elle ne se sentait pas concernée par les propos de Claire. Pourtant, des images traversèrent soudain sa mémoire. Durant sa brève union avec Denis Giraud qui la maltraitait et abusait de ses droits de mari, combien de fois avait-elle eu envie de le frapper, ou de le voir s'effondrer, victime d'une maladie fatale?

«Je n'en pouvais plus de sa violence et de sa perversité! pensa-t-elle. L'être humain est assoiffé d'harmonie et de paix, ce qui peut le pousser à détruire tout sur son passage. Est-ce que papa a cédé à ses plus bas instincts? Non, impossible! »

Quant à Bertille, elle se tenait très droite sur sa chaise, ses yeux verts rivés aux prunelles sombres de sa cousine. Elle avait la conviction que Claire la désignait, elle et elle seule, dans son petit discours. Elle s'était souvent qualifiée de pécheresse. «J'ai trompé mon premier mari, ce malheureux Guillaume, mort lors des premiers combats, en 1914. L'épouse de Bertrand s'est éteinte en me haïssant, car je lui volais celui qu'elle aimait, et, cet homme que je désirais tant, je l'ai trahi en me jetant dans les bras de Louis de Martignac, mon cadet de vingt ans. Certes, j'ai des fautes à me reprocher, mais Claire exagère. Jean a très bien pu tuer William dans un accès de fureur! »

Autour de cette table, dans la vaste cuisine du Moulin du Loup, Maurice rêvassait. Il ne prêtait pas attention à l'ambiance pesante qui venait de s'installer. Il avait l'habitude de passer ses soirées seul dans le petit logement que Bertrand Giraud lui octroyait près des écuries du domaine, et cela le gênait d'être mêlé aux discussions de la famille. C'était un jeune homme sérieux et travailleur, qui vouait un vif attachement aux animaux. Bref, s'il avait eu l'idée de chercher une faute à son actif, il n'aurait rien trouvé.

— Et bien sûr, toi, Claire Roy, tu es irréprochable! persifla Bertille d'une voix douce. Toute ta vie, tu nous donneras des leçons? Je suis désolée, je vais rentrer chez moi! Maurice, nous partons. Ce genre de conversation à sens unique n'aboutit à rien de bon. Avant de juger d'une affaire, il faut en posséder tous les éléments.

Elle faisait allusion à la brève romance qui avait uni Claire et le papetier anglais, dont Léon et Anita ignoraient tout. Après son départ, un silence embarrassé s'installa.

— Il faut patienter, maintenant, soupira Matthieu. La police va prendre la déposition de Jean et tirer des conclusions. Nous allons dormir ici, sœurette, si cela ne te dérange pas. Tu es d'accord, Faustine?

— Oui, j'allais te le proposer.

Sachant ses trois enfants endormis dans la chambre de la petite Janine, elle était soulagée par la décision de son mari.

— Je monte me coucher! dit-elle. Demain matin, les petits seront contents de nous voir à leur réveil. Maman, sois forte, ils vont libérer papa, j'en suis certaine.

Léon et Anita la suivirent à l'étage. Matthieu resta seul avec Claire. La chatte sur ses genoux, elle contemplait la lucarne rouge du fourneau où un feu de chêne rougeoyait.

— Clairette, sincèrement, au fond de toi, tu as la conviction que Jean est innocent? demanda-t-il.

— Hier soir et ce matin, j'étais en enfer; je le soupçonnais. En même temps, j'avais très peur qu'il soit mort dans le souterrain, et cela me désespérait. J'ai imaginé le pire, oui, je l'avoue, mais depuis que je l'ai revu je n'ai plus aucun doute. Jean n'a pas tué William. Dieu ne l'aurait pas permis!

Et sais-tu pourquoi? Un miracle s'est produit, et au nom de ce miracle je dois avoir foi en la Providence, je dois avoir foi en Jean! Je suis enceinte, je porte un enfant de lui.

La nouvelle sidéra le jeune homme. Pour lui, la stérilité de sa sœur était un fait admis depuis des années. Il craignit un instant un début de démence, causée par trop d'émotions.

— Claire, ne raconte pas n'importe quoi! dit-il, suffoqué.

— As-tu déjà senti bouger tes petits, dans le ventre de Faustine? interrogea-t-elle.

Il fit oui d'un signe de tête. Claire se leva et se posta devant son frère.

— Le bébé s'agite beaucoup ce soir, pose ta main, là, dit-elle d'une voix radoucie. Je ne comprenais pas ce qui m'arrivait, je n'avais eu aucun symptôme particulier.

Matthieu hésitait. Timidement, il appuya ses doigts à l'endroit indiqué par Claire. Il voulait en avoir le cœur net. Un mouvement furtif lui fit froncer les sourcils. Un léger soubresaut, sous son pouce, acheva de le convaincre.

— Je ne tiens pas à ébruiter mon état, avoua-t-elle. J'aurais tellement voulu pouvoir me réjouir, partager ce bonheur avec Jean! J'ai cru que c'était le retour d'âge et j'en ai souffert. Mais non, c'est un miracle! J'attends un enfant...

Faustine était redescendue pieds nus pour prendre une carafe d'eau. Elle avait entendu les dernières paroles de Claire.

— Maman? pouffa-t-elle nerveusement en s'approchant. Qu'est-ce que tu as dit? Oh! Maman chérie! C'est merveilleux! Que je suis heureuse!

— Moi qui voulais garder le secret encore quelques semaines! rétorqua Claire avec un petit sourire. Je ne peux même pas savourer cette joie-là, ce miracle! Jean ne le sait pas et s'il est condamné cela le désespérera de ne pas pouvoir élever ce petit.

La jeune femme étreignit sa mère adoptive. Elle lui caressait les cheveux, éblouie.

— Tu as raison, c'est un miracle, et il y en aura un autre, car papa sera innocenté. La justice triomphera, tu verras! Tu dois être encore plus courageuse, avoir confiance.

— Merci, ma chérie! Je t'en prie, n'en parle à personne

encore. Je le disais à Matthieu. Je m'en suis aperçue hier seulement, quand il a bougé pour la première fois. Et encore, Bertille a dû insister pour que j'accepte l'évidence.

Ils discutèrent un bon moment de l'extraordinaire nouvelle à voix basse, puis ils montèrent se coucher. Une fois seule dans sa chambre, Claire s'allongea tout habillée. Elle avait envie de rire et de pleurer. Mais elle finit par prier, les mains jointes dans la pénombre.

« Mon Dieu qui m'avez accordé tant de bienfaits, de joies et le don de guérir, je vous en supplie, ne m'abandonnez pas! Protégez cet enfant, celui de Jean. Quoi qu'il arrive, ce petit être a le droit de vivre et d'être heureux! Dans son sang coulera le sang de tous mes ancêtres. Il sera l'héritier du Moulin. Mon Dieu, redonnez-lui son père. »

*

Angoulême, vendredi 25 mai 1928

Matthieu avait déposé Claire devant la prison Saint-Roch en lui donnant rendez-vous dans un restaurant de la place du Champ de Foire.

— Courage, sœurette! avait-il dit. Tu as tellement attendu ce moment! Transmets mes amitiés à Jean.

Elle avait acquiescé de façon imperceptible, distraite, malade d'impatience de revoir enfin son mari. Il lui avait fallu un mois pour obtenir un permis de visite et, sans l'appui de Bertrand Giraud, ses démarches n'auraient pas abouti. Un mois abominable à se ronger les sangs, à s'interroger sur l'enquête en cours, sans jamais avoir de nouvelles.

Dix jours après son incarcération, Jean lui avait écrit une longue lettre dans laquelle il expliquait méticuleusement tout ce qui s'était passé dans le souterrain.

Claire avait eu ce courrier grâce à la bienveillance de l'avocat de Jean, un certain Pierre Pressigout, fraîchement sorti de la faculté de droit de Poitiers.

Elle en avait fait la lecture à la famille rassemblée, et le récit vivant et précis avait ébranlé tout le monde. Claire en avait été confortée dans son idée. Elle souffrait d'autant plus d'être séparée de son mari. Sa seule consolation était de partir à l'aube dans la campagne, escortée de Moïse le jeune, et de cueillir ses plantes médicinales. Le loup ne furetait pas, demeurant à ses côtés, comme s'il ressentait sa tristesse et son chagrin.

— Rien n'avance, rien ne bouge, répétait-elle chaque matin. Dubreuil le fait exprès. Il veut me rendre folle, ôter à Jean toutes ses chances de se justifier.

Bertrand Giraud, peut-être par souci de se racheter, avait réussi à lui donner quelques renseignements. Il s'était confondu en excuses, mais sans prendre le parti de Jean.

— Le juge d'instruction se range derrière les arguments du chef de la police à cause du casier judiciaire de Jean[27]. De plus, l'autopsie de Lancester a révélé des marques de coups sur le visage. Certes, il a succombé à un arrêt du cœur, mais Dubreuil estime que les coups sont la cause directe de l'accident cardiaque. On peut donc supposer que Jean s'est affolé et a causé le décès de son rival. Bref, il a pu mettre sur pied un plan qui le faisait paraître innocent. Si le procès tarde trop, s'il n'y a aucune preuve en sa faveur, Jean risque une condamnation à vie ou la peine de mort. Je suis navré, ma chère amie, mais je préfère être franc et ne pas vous cacher la gravité de la situation.

Claire refusait d'admettre cette éventualité. Elle pleurait beaucoup ou cédait à des crises de colère impuissante.

— Mon avocat de mari est du genre pessimiste, disait Bertille pour la rassurer. Si Jean est innocent, il s'en tirera.

Les deux cousines s'étaient réconciliées après une bouderie d'une semaine. Bertille était plus souvent au Moulin qu'au domaine, et Claire ne s'en plaignait pas. Elle avait besoin des deux époux, l'un pour ses conseils et ses appuis dans le milieu juridique, l'autre pour sa générosité, son humour et sa vitalité.

Mais, ce jour-là, Claire était seule devant la large porte de la prison surmontée de créneaux en pierre grise. Cela donnait au bâtiment l'allure d'une forteresse, ainsi que les grands murs d'enceinte qui s'étendaient d'un côté sur le

27. Le casier judiciaire fut proposé par Arnould Bonneville de Marsangy, magistrat, en 1848. Il fut institué en 1850.

boulevard Thiers, de l'autre le long de la rue Saint-Roch[28]. Elle tenait à la main le document qui l'autorisait à rencontrer son mari au parloir. On la fit entrer et on la conduisit dans une étroite pièce sombre, coupée en deux par un grillage. Un gendarme se posta derrière elle. Il y eut des bruits de pas et des cliquetis de clefs. Tout ça, elle le percevait dans une sorte de brouillard, envahie par un malaise indéfinissable.

Soudain, Jean apparut, en gilet de laine grise et en pantalon de toile, des vêtements qu'elle lui avait fait donner par l'avocat. Barbu, les cheveux un peu plus longs, il lui sembla pâle et amaigri.

— Claire! s'exclama-t-il. Claire, ma chérie!

Il la regarda et, sous l'éclat de ses yeux bleus, elle se ranima, reprenant courage. Ils durent s'asseoir, tous les deux gênés, comme intimidés.

— As-tu eu ma lettre? demanda-t-il. Je voulais tellement que tu connaisses la vérité! J'ai mis des heures à l'écrire.

— Je l'ai lue et relue, dit-elle avec tendresse. Je m'endors en la serrant contre mon cœur. Tu dis de si belles choses, à la fin!

— Claire, je suis si heureux que tu sois là. Mais nous avons peu de temps. J'ai beaucoup réfléchi, je n'ai que ça à faire ici. Même si je n'ai pas tué Lancester, je suis responsable de sa mort. Je t'ai tout expliqué dans ma lettre, mais je me revois sans cesse arrivant chez lui, l'appelant sur un ton de forcené et le forçant à s'enfuir dans le souterrain. Au procès, je n'ai pas l'intention de mentir. Je relaterai les faits exacts. Je dois expier encore une fois. William était quelqu'un de bien. J'espérais vraiment le sauver. C'est pour lui que j'ai parcouru toute cette distance sous terre dans le noir, mais j'ai échoué.

— Mon amour, tu as fait ce que tu as pu, dit-elle, tout bas. Je t'en prie, ne t'accable pas de reproches. La vérité triomphera. Je voudrais que tu reviennes à la maison très vite. Tu me manques.

Jean s'aperçut qu'elle pleurait. Bouleversé, il posa ses doigts sur le grillage. Claire l'imita et ils échangèrent furtivement une très chaste caresse.

---

28. La maison d'arrêt d'Angoulême, construite en 1858, a été mise en service en 1889.

— Tu es très belle, remarqua-t-il. Tu as une nouvelle robe, et cette coiffure te va à merveille.

Elle avait natté ses longs cheveux bruns et avait attaché les tresses au-dessus de son front, ce qui composait une sombre couronne qui lui donnait une allure de reine.

— Pardonne-moi, Claire! ajouta Jean. Je veux que tu le saches, je ne t'ai pas suivie, ce jour tragique, pour te surveiller, mais pour te rejoindre et me promener avec toi.

— Chut! fit-elle. Je sais tout cela, tu me l'as écrit! Peut-être que j'aurais réagi de la même façon, en te découvrant dans les bras d'une autre. Les épreuves de ce genre ont du bon. Nous pouvons parler librement, à présent. Si je t'avais vu embrasser Angéla, qui sait si je n'aurais pas été d'une violence irrépressible.

Jean la fixa avec une expression douloureuse, effarée.

— Et moi, Claire? Qu'est-ce que j'aurais fait si la voûte du souterrain ne s'était pas effondrée? J'avais frappé Lancester. Il était terrifié. Je me pose la question chaque nuit, car je ne dors presque pas. Je crois que j'aurais pu le tuer, et sachant cela je me dis que je mérite la prison. Pourtant, dès qu'il a appelé au secours en anglais, ma fureur aveugle est retombée. J'ai couru vers lui, pour l'aider. Mais sans cet éboulement, je pense que j'aurais son sang sur les mains, sa mort sur la conscience.

Ces paroles épouvantèrent Claire. Elle s'enflamma, pleine d'une passion contenue:

— Non, Jean! Tu aurais songé à ta famille, à ta fille, à tes petits-enfants, à moi aussi. Au fond de toi, une voix t'aurait murmuré que William était malade du cœur, qu'il était plus âgé que toi, moins vigoureux, et tu aurais eu honte de le frapper.

— Je ne le saurai jamais, soupira-t-il. On dirait qu'une puissance supérieure a voulu m'empêcher de commettre l'irrémédiable. Mais pourquoi Dieu serait-il aussi indulgent avec un type comme moi?

— Ce ne sont pas les êtres irréprochables, que Dieu veut ramener à lui! répliqua-t-elle. Je suis bien placée pour ne rien comprendre aux tours que nous joue parfois le destin!

Claire souhaitait annoncer sa grossesse à Jean. Elle ne savait pas comment s'y prendre. D'abord, elle avait décidé de ne rien lui dire pour ne pas l'attrister davantage, mais elle n'en pouvait plus de ne pas partager avec lui ce bonheur, ce miracle.

— Le destin! reprit-il. Nous le forgeons nous-mêmes. J'avais acquis une certaine notoriété dans la vallée, mais mon passé de paria m'a rattrapé. Plus personne ne me fera confiance.

— Ne *nous* fera confiance! rectifia Claire. Déjà, pendant le déblaiement du souterrain, ceux du village qui travaillaient dans la cave me regardaient de travers. Le facteur n'entre plus boire son petit verre de vin... Matthieu a perdu deux gros clients. J'ai croisé devant l'église une femme que j'ai soignée pendant un an; elle m'a évitée et n'a pas répondu à mon bonjour. Mais je m'en moque. Nous avons pris soin de protéger notre nom et notre famille, mais il y a eu trop de secrets. Tu seras innocenté et nous serons heureux, tellement heureux!

— Ma Claire chérie, tu ne changes pas! Je t'ai fait souffrir d'innombrables fois et tu as su me pardonner. Quand je me suis réfugié dans la vallée, après mon évasion, tu n'étais qu'une adorable jeune fille et tu m'as caché et nourri, tu as pris de grands risques pour le bagnard en cavale que j'étais. Cela date de trente ans environ et nous voilà revenus au point de départ. Je suis sous les verrous, en attente d'un procès, mais tu me soutiens, tu me défends! Tu es la personne la plus admirable que je connaisse et la plus charitable. Je t'en supplie, prépare-toi au pire. Mon avocat me l'a dit et redit: j'ai beau avoir été gracié jadis, j'ai déjà tué un homme. Cela pèsera lourd dans la balance.

Claire jeta un œil inquiet à sa montre. Les minutes filaient. Elle releva la tête et contempla Jean. C'était toujours son amour, son amant, l'étrange garçon au regard bleu qui l'avait faite femme sur le sable de la Grotte aux fées.

— Jean, dit-elle d'un ton très doux, nous n'avons pas le choix, tu dois quitter le tribunal libre et lavé de tout soupçon. J'ai besoin de toi, si tu savais à quel point!

— Ma chérie, il va te falloir être forte. Ils ne vont pas me lâcher comme ça. Dubreuil veut ma perte.

— Et moi, je veux que notre enfant ait un père! Jean, je

suis enceinte. J'aurais préféré te le dire ailleurs, dans notre jardin, ou notre lit, mais…

— Qu'est-ce que tu as dit?

— Tu te souviens, quand j'étais si dépitée à cause de mon retour d'âge? Ce n'était pas ça du tout. Je n'avais plus mes règles parce que j'attendais un bébé. Il bouge, Jean, un vrai chaton turbulent, ou un cabri!

Elle avait chuchoté pour ne pas être entendue des gendarmes qui les surveillaient. Jean écarquillait les yeux, bouche bée, et cela lui donnait un air très jeune.

— Cela date de Noël, je crois, de notre réconciliation, ajouta-t-elle. Il naîtra en septembre, la saison des récoltes et des fruits mûrs. Un vrai miracle, n'est-ce pas, que Dieu nous accorde? Alors, tu comprends, mon Jean, j'ai besoin de toi.

De grosses larmes coulaient sur les joues de son mari, qu'il ne pensait même pas à essuyer. Il dévisageait Claire d'un air halluciné, tout en prenant conscience de ce que signifiait cette révélation.

— Tu portes mon enfant, un petit né de notre amour! bredouilla-t-il. Mon Dieu, merci! Tu as raison, c'est un miracle. Comment est-ce possible, ma tendre chérie? Montre-moi, on ne voit rien, avec ta robe.

Elle se leva doucement et tendit le tissu sur un ventre à la courbe douce, encore discrète, mais indéniable. Un rire en grelot lui échappa, qui résonna entre ces murs austères. Ce fut pour Jean comme une promesse de soleil, de campagne fleurie et verdoyante, sous un ciel enfin serein, d'une limpidité de cristal. Il tressaillit de tous ses membres.

— Tu ne pouvais pas me rendre plus heureux! Je crois que mon cœur va éclater. Oh, Claire, ma tendre chérie!

Il faillit se jeter sur le grillage, pris d'une envie folle de la serrer contre lui, de poser son front entre ses seins.

— Jean, n'aie pas peur, tu seras chez nous pour sa venue au monde, assura-t-elle en tremblant d'exaltation. Bientôt, je consulterai Odile, la sage-femme de Vœuil. Mais je me sens très bien. Sais-tu que je n'ai aucun désagrément. Sauf ton absence. Mon amour, garde espoir, je t'en supplie.

— Je vais prier pour nous trois, dit-il, émerveillé.

Elle se tut et lui adressa un large sourire, fier et tendre à la fois. Le temps qui leur était accordé était écoulé. On emmena Jean qui la fixait avec adoration.

Claire se retrouva devant la prison. Elle était comme ivre, submergée par des émotions trop intenses.

«Jean était tout près de moi, mais je ne pouvais pas le toucher. Je ne pourrai jamais oublier l'air qu'il a eu en apprenant qu'il serait papa en septembre. Mon Dieu, merci! Nous sommes séparés, mais cet enfant que je porte, que j'aime si fort déjà, ce petit être nous réunira, j'en suis certaine!»

Elle priait en silence, les yeux levés vers un défilé de nuages blancs et cotonneux que le vent chaud convoyait sur un fond d'azur. Les premières hirondelles survolaient les toits de tuiles roses des maisons les plus proches.

D'une démarche hésitante, elle s'éloigna en se retournant souvent pour regarder la prison et ses hauts murs grisâtres.

— Au revoir, Jean! balbutia-t-elle. Je t'aime, mon amour. Nous t'aimons si fort!

Discrètement, elle caressa son ventre. Pour la première fois, Claire s'émerveilla corps et âme de cette vie qui s'épanouissait en elle. C'était une sensation inouïe, une joie si parfaite qu'elle se mit à pleurer.

«Je t'ai attendu si longtemps, mon enfant chéri! songea-t-elle. Tu seras une étoile, une lumière éblouissante, j'en suis sûre. Grâce à toi, ton père trouvera enfin la paix.»

*

Moulin du Loup, mercredi 20 juin 1928

C'était la veille du procès de Jean. Claire n'avait pas revu son mari depuis sa visite à la prison d'Angoulême. Elle avait beau implorer l'avocat d'intercéder, il n'y avait pas eu moyen d'obtenir une autre permission de le voir. Cela faisait environ un mois et elle se désespérait.

— Ils font exprès, tous ces hommes de loi, de traiter un innocent en dangereux criminel! déclarait-elle chaque matin en fixant le calendrier. C'est une histoire de fous, une injustice flagrante.

Matthieu et Faustine avaient étalé sur la table de la cuisine les derniers journaux qui retraçaient l'affaire Dumont. Certains gros titres, publiés par une presse avide de scandale, les désolaient.

— Regarde ça, maman, soupira la jeune femme. *L'ancien forçat assassine son rival, un respectable gentleman anglais!* C'est outrancier. Décidément, nous aurions mieux fait de ne pas acheter ces torchons!

— Et dans celui-ci, ils font carrément du mélodrame! s'écria Matthieu. *Le bagnard repenti frappe de nouveau, par amour! Un sujet de la reine d'Angleterre tué au cœur de la campagne charentaise!*

— Encore plus idiot! renchérit Faustine. *Crime passionnel dans la paisible vallée des Eaux-Claires, pour les beaux yeux d'une guérisseuse!*

— Assez! hurla Claire en tapant du pied. Je ne veux plus rien entendre. Matthieu, jette cette paperasse au feu, par pitié. Jean passe aux assises, vous comprenez ce que cela signifie? On va le juger pour meurtre. Il risque la peine de mort ou des années de prison. Bertrand a eu la gentillesse de me livrer une partie du dossier alors qu'il n'avait pas le droit de le faire. Il n'y a aucune preuve en faveur de Jean. Les jurés vont le condamner. Je suis appelée à témoigner, vous aussi, Bertille, ainsi que Maurice. Et aussi cette jeune femme qui habite le château du Diable avec son père.

— Je ne sais pas si cela nous portera chance, grommela Léon. Moi aussi, j'ai reçu ma convocation. Je dirai ce que j'ai à dire.

— Jean affirme qu'il a laissé William vivant, en lui promettant de revenir avec des secours, précisa Claire. C'est impossible à prouver, hélas! Ce qui me chagrine le plus, c'est que personne ici ne semble vraiment croire à l'innocence de Jean. Ni toi, mon propre frère, ni toi, Léon, son ami! Heureusement, Faustine est de mon côté.

— J'ai beaucoup réfléchi et je conclus à un accident, répondit Matthieu avec prudence. Il n'y a peut-être pas eu une volonté de tuer de la part de Jean, mais un tragique accident…

Un pas léger dévala l'escalier. C'était Thérèse. La jeune

fille avait pris deux jours de congé à l'occasion du procès. Elle refusait de donner son avis sur Jean, mais elle entourait Claire d'une tendre affection et se rendait utile en se chargeant de menus travaux. Elle s'occupait surtout des enfants, car Faustine ne quittait guère le Moulin. Il lui fallait distraire et surveiller Isabelle, Janine, Pierre et Gabrielle.

— Une grosse voiture arrive, claironna-t-elle. Je crois que c'est Bertille!

Sa saine fraîcheur et sa blondeur ensoleillaient ces jours difficiles, où une tension pénible gâchait l'atmosphère familiale.

— Ma Thété, soupira Claire, je suis bien contente que tu sois là. Tu me rappelles tant notre chère Raymonde. Aussi jolie, aussi travailleuse.

— Je t'en prie, ne me surnomme plus Thété! protesta-t-elle en souriant. Mais je suis fière de ressembler à maman.

Sur ces mots, elle courut sur le perron. Bertille descendait de la luxueuse automobile récemment achetée par Bertrand. Elle marchait à pas lents, dans une éblouissante toilette en organdi mauve: une robe très droite, une capeline assortie et des bas blancs.

— Thérèse! dit-elle. Quelle bonne surprise! Demande à Maurice de m'apporter mon ombrelle, je l'ai oubliée sur la banquette arrière. Je voudrais boire un thé dehors. Les roses sont si belles et parfumées, cette année.

La jeune coiffeuse ne discuta pas. Bertille, malgré tout, tenait à savourer chaque instant. On cédait à ses exigences, pour admettre ensuite qu'elle avait raison. La moindre petite joie était bonne à prendre.

— Bonjour, Maurice! lança Thérèse d'une voix chantante.

— Bonjour, mademoiselle! répliqua-t-il en soulevant sa casquette.

Cela faisait dix ans qu'ils se croisaient dans la vallée ou au village. Mais ce fut la première fois qu'ils se virent vraiment. D'ordinaire très bavarde, Thérèse en perdit la parole; Maurice, lui, chercha si longtemps quelque chose à dire de pertinent qu'il se sentit idiot.

— Vous avez bien changé. Et en beauté! Une vraie fille de la ville! parvint-il enfin à balbutier.

— Merci! répondit-elle, le rose aux joues. L'an prochain, j'ouvre mon salon de coiffure à Puymoyen. Il faudra m'envoyer des clientes!

— Je ferai de mon mieux, assura-t-il. Ma mère et ma sœur, sans doute…

Il lui tendit l'ombrelle. Elle le remercia encore. Dès cet instant, ils surent qu'ils se reverraient le plus souvent possible. Thérèse le salua et monta les marches du perron comme si elle allait droit au paradis.

Une heure plus tard, Bertille eut gain de cause. Anita servit le thé à l'ombre du vieux tilleul. Claire avait oublié combien c'était agréable de profiter de l'ombre douce des feuillages. Des abeilles bourdonnaient sur les fleurs de l'arbre.

— Je suis dans mon fauteuil en osier, dit Bertille. Je hais ce fauteuil et je l'adore. Quand j'avais ton âge, Thété, je passais des heures ici, à cette place, pour observer l'activité du Moulin, de même que l'arrivée et le départ de mon oncle Colin. Claire, elle, virevoltait et courait partout; moi, je maudissais mes jambes mortes et inutiles.

— Pourquoi racontes-tu ça? coupa sa cousine. Nous le savons par cœur!

— C'est une sorte de parabole, précisa Bertille. J'étais infirme et Dieu m'a guérie. Tu te croyais stérile et tu attends un bébé. Peut-être que Jean aura droit à un petit miracle, lui aussi! Nous en avons tellement discuté, Bertrand et moi, que je ne sais plus où j'en suis. Une chose est sûre, on peut tuer par amour.

— Oh oui, soupira Thérèse en frémissant d'exaltation.

Faustine haussa les épaules. Elle contemplait la nappe rose brodée de motifs en coton blanc, le service à thé en porcelaine blanc et or, le plat rond en terre cuite vernissée garni d'un clafoutis aux cerises.

— Où sont les enfants? demanda-t-elle tout à coup.

— Léon les a emmenés rendre visite à Thomas à l'institution Marianne! répondit Anita. Le petit a dix ans aujourd'hui. Il sera content de voir son père. Et ça leur fait une balade, ils seront moins agités ce soir. Je vais m'amuser, demain, à garder tout ce petit monde!

— Maurice déposera la nurse à midi avec Félicien, précisa Bertille. Vous ne serez pas seule pour veiller sur eux. Au fait, Corentine arrive ce soir au domaine, avec son mari Joachim et son fils Samuel. Ils tiennent à assister au procès. Nous n'avons pas vu Samuel depuis deux ans. C'est un garçon très sage et très studieux.

— Ce n'est pas un spectacle, une cour d'assises! fit remarquer Claire, contrariée. Décidément, certains points de notre vie seront livrés en pâture à la foule, à des gens qui n'ont pas à les connaître.

Elle n'en dormait plus ou très mal. Le lendemain, sa courte liaison avec William Lancester serait dévoilée. Jean aurait le rôle du mari trompé avide de vengeance.

— Corentine! dit Faustine d'un ton songeur. Elle nous a régulièrement invités à Paris, Matthieu et moi, mais nous n'avons jamais pu trouver le temps de faire le voyage.

— Et c'est très bien ainsi! trancha Claire. Vous n'avez jamais été amies, il me semble. Au fait, où est passé Matthieu?

Le jeune homme avait disparu. Elles ne s'en inquiétèrent pas outre mesure, le loup Moïse étant introuvable aussi.

— Il a dû se promener le long du bief, dit Faustine. Le procès le rend nerveux, maman. Il se tracasse pour toi. C'est à cause du bébé. Il a peur que tu te rendes malade et que cela ait des conséquences sur ton enfant.

Bertille fit la moue. Elle fulminait, parce que cet événement exceptionnel, la grossesse de sa cousine, ne pouvait pas être au centre de leurs préoccupations. Elle aurait voulu acheter de la layette, un berceau, couvrir Claire de cadeaux. Mais le procès de Jean constituait une menace qui monopolisait toutes leurs pensées.

— La sage-femme m'a examinée vendredi dernier, répliqua Claire. Je vais bien et le bébé aussi. Si Jean était libéré, j'irais encore mieux!

— Courage, maman chérie! intervint Faustine. Quand les jurés entendront le récit de papa, ils comprendront qu'il est sincère. Au pire, il aura une condamnation pour coups et blessures!

— Quel optimisme! ironisa Bertille. Tout dépend aussi

de l'avocat. Selon Bertrand, Pierre Pressigout est doué. Il a préparé sa défense avec soin.

— Sans nous tenir au courant! déplora Claire. Moi, je veux que Jean soit là pour l'accouchement. Je ne suis plus très jeune, quand même, et c'est un premier enfant. C'est la seule chose qui inquiète la sage-femme.

Elle se tut, émue, et but une gorgée de thé. Faustine, Bertille, Thérèse et Anita la regardaient avec une soudaine angoisse. Claire représentait le pilier de leur existence. Elles l'avaient toujours vue vaillante, active, gaie et dévouée. Sa silhouette svelte, sa démarche gracieuse, ses longs cheveux bruns et son beau visage semblaient faire partie intégrante du paysage de la vallée. Claire était l'âme du Moulin du Loup, la femme ardente et généreuse qui parcourait les chemins au galop pour visiter les fermes et les hameaux afin de soigner les plus pauvres, les plus faibles, les plus désespérés.

— Ne dis pas de sottises! s'exclama Bertille. Tu as le don de guérir, tu connais ton corps et tout se passera bien.

— Si Jean est à mes côtés, oui! rétorqua sa cousine.

Thérèse fit diversion. Il restait deux parts de clafoutis. Elle jeta un œil sur l'automobile des Giraud, garée devant l'imprimerie. Assis au volant, la portière ouverte, Maurice fumait une cigarette.

— Je pourrais offrir du gâteau à Maurice! proposa-t-elle. Cela le fera patienter.

— C'est le propre d'un chauffeur d'attendre, trancha Bertille. Je ne peux pas toujours le convier à notre table. Mais, si cela te fait plaisir, vas-y! Il ne te quitte pas des yeux, en plus. Le pauvre, c'est un grand timide.

Elle eut un sourire malicieux. Les joues en feu, Thérèse se leva précipitamment et garnit une assiette de clafoutis. Son audace la stupéfiait. Elle se dirigea vers la voiture.

— Tenez, Maurice, il y en a de trop! dit-elle, son cœur battant bien trop fort.

— C'est gentil, ça! répondit-il, lui aussi rougissant. Mais il ne fallait pas vous déranger.

— Oh, je ne tiens pas en place. Avec ce procès, tout le monde est sur les nerfs.

Ils discutèrent à voix basse, sous le regard amusé de Bertille. Claire les observait aussi.

— Il y a de l'amourette dans l'air! chuchota Faustine, qui n'était pas dupe de l'attitude insolite de Thérèse.

— Ils sont bien assortis, fit remarquer Anita en commençant à débarrasser. Il serait temps qu'elle se marie, Thété, et surtout qu'elle ne mette pas la charrue avant les bœufs, belle comme elle est!

— Thérèse a du caractère et c'est une fille sérieuse, dit Claire, amusée de l'image évocatrice de sa domestique. Si tu avais connu sa mère! Raymonde n'a accordé que des baisers sur la joue à Léon tant qu'elle n'a pas eu la bague au doigt.

Cet intermède leur fit oublier un moment l'imminence du procès. Mais les heures s'écoulèrent, inexorables. Le lendemain matin, ils se mettaient tous en route pour Angoulême, excepté Anita qui avait la garde d'une joyeuse tribu d'enfants.

*

Angoulême, le lendemain, jeudi 21 juin 1928

Claire fixait obstinément la façade du palais de justice d'Angoulême, un imposant monument aux allures de temple grec, avec son fronton triangulaire et ses grandes colonnes cannelées. Le grand escalier en pierre de taille était envahi par une foule assez élégante, attirée par l'importance du procès. Faustine serra plus fort le bras de sa mère adoptive. La jeune femme, en robe de mousseline grise à col blanc, sa somptueuse chevelure blonde coiffée en chignon, étudiait chaque visage autour d'elle, se demandant qui de leurs relations serait présent dans la salle d'audience.

— Nous ignorons le nom des témoins, souffla-t-elle à l'oreille de Claire. Bertrand n'a pas pu avoir le renseignement.

Matthieu les rejoignit au même instant. Le jeune homme était très pâle et avait les traits tirés.

— Je viens de parler à maître Pressigout, dit-il très vite. Je sais enfin qui a été appelé à comparaître. Léon, qui n'a aucun lien de parenté avec Jean, Bertille, Maurice, Bertrand, et ces gens du château du Diable, madame Devinaud et son père. Et, tenez-vous bien… Angéla! Je suis encore sous le choc! Claire, comprends-tu ce que ça signifie? Dubreuil a mené de nombreux interrogatoires et quelqu'un de notre entourage a dû lui vendre la mèche. Jean est foutu!

Claire crut qu'elle allait s'évanouir. Elle fit non de la tête, en se cramponnant à Faustine.

— Personne n'a de preuves formelles au sujet d'Angéla, nota-t-elle la bouche sèche, la voix altérée. Et cela n'a aucun rapport avec le crime dont on l'accuse.

— Je m'affole peut-être pour rien, dit Matthieu. L'avocat de Jean ne semble pas très inquiet. Une vraie carpe, ce type, je n'ai rien pu apprendre de plus.

— Il se moque bien du sort de papa! ajouta Faustine. Bertrand aurait su le défendre, mais ce blanc-bec aux manières raffinées, je n'en pense rien de bon.

Bertille approchait, suivie par Bertrand et un couple. La dame de Ponriant, d'ordinaire très coquette, s'était habillée en noir, un ensemble en soie d'une rigueur monacale. Mais cela faisait ressortir ses cheveux de fée, fins, frisés, d'un blond lunaire. Elle embrassa Claire et Faustine.

— Corentine et Joachim sont là! dit-elle à voix basse. Finalement, Samuel est resté à Paris, chez ses grands-parents.

Matthieu se retourna et lança un coup d'œil intrigué à son ancienne maîtresse. Corentine avait beaucoup changé. Mince, presque maigre, elle portait un pantalon et une veste en lin sur une chemisette blanche. Ses cheveux roux étaient coupés à la garçonne, lui donnant une allure androgyne. Quant à Joachim Claudin, qui avait exercé comme médecin à Puymoyen pendant environ deux ans, il avait grossi et arborait un front dégarni.

— Quelle désolante affaire! soupira Corentine. Mon père m'a tout exposé, mais je serais bien en peine de trancher. Je ne voudrais pas être à la place des jurés. Décidément, la vallée des Eaux-Claires aura été le cadre de nombreux drames. Mais… Faustine, que tu es jolie! Je me demandais qui était cette jeune dame si élégante. Et tu as trois enfants! On ne le dirait pas. Moi, Samuel me suffit! Matthieu, que je suis contente!

Très parisienne, le ton haut, l'accent pointu, Corentine ne laissait pas à ses interlocuteurs l'occasion de répondre. Mais Bertrand coupa court aux salutations d'usage.

— Dépêchons-nous, c'est l'heure. Ma chère Claire, du cran! Dans votre état, soyez forte, pas de malaise au moment du verdict, si jamais il était prononcé ce soir. En principe, vous ne serez pas appelée à la barre.

Corentine étudia la silhouette de Claire. Elle avait appris la nouvelle par Bertille et était effarée. Un premier bébé à quarante-sept ans, cela lui paraissait insensé et risqué. Le cas aurait été différent si c'était le petit dernier d'une femme ayant déjà eu plusieurs enfants.

Ils se dirigèrent tous ensemble vers l'escalier. Claire jeta un regard plein de détresse à la place du Mûrier où se dressait le palais de justice. L'endroit était serein et plaisant. Un cercle de tilleuls ombrageait le bassin qui trônait au centre, et le chuchotis de la fontaine lui rappela le doux murmure de leur rivière, dans la vallée. Deux cafés avaient disposé des tables en terrasse dont les nappes blanches étincelaient au soleil.

« Comme ce serait agréable de déjeuner là avec Jean, sans avoir de soucis, sans ce poids sur le cœur! songea-t-elle. Mon Dieu, protégez-nous! »

Elle allait devoir subir l'examen curieux de l'assistance, être livrée en pâture à l'opinion publique. D'un geste nerveux, elle lissa sa robe droite en cotonnade fleurie qui révélait un ventre bien rond. Une épaisse tresse brune descendait le long de son dos.

Léon, Thérèse et Maurice arrivaient. Ils la rejoignirent alors qu'elle arpentait la galerie extérieure du tribunal en priant, ses beaux yeux noirs rivés au clocher de l'église la plus proche, dédiée à saint André et dont l'architecture simple lui avait plu. Des tourterelles volaient d'un toit à l'autre.

— Patronne, vous êtes blanche à faire peur, dit Léon d'une voix pâteuse. Ne vous rendez pas malade, ça n'en vaut pas la peine. Le Jeannot, il nous en cause, du tracas!

Il tremblait, sa tignasse d'un blond-roux soigneusement lissée à la brillantine.

— Vous êtes en retard, leur reprocha Claire. Je n'osais pas entrer sans vous dans la salle d'audience. Pourtant, j'ai hâte de revoir Jean...

— Désolée, madame, dit Maurice, je devais conduire Léon et mademoiselle Thérèse, mais il y a eu un imprévu. Une amie de madame Bertille a reconduit Arthur et Clara au domaine; ils sont en congé jusqu'à lundi. Cette dame ne savait pas que mes patrons étaient absents. Sur le conseil de Thérèse, j'ai confié les enfants à Anita.

Claire approuva, incapable de prêter attention à l'incident.

— Ils sont grands, maintenant, dit-elle. Ils aideront Anita à garder les plus petits. Venez vite!

Elle réussit à retrouver Faustine et Matthieu. Le box de l'accusé était encore vide. Le juge présidait, entouré d'autres magistrats. Elle eut l'impression que rien n'avait changé depuis le premier procès de Jean. Les avocats dans leur large tunique noire prenaient place, les boiseries luisaient sous la lumière vive du matin dispensée par les hautes fenêtres, les gens murmuraient, impatients.

Soudain, il y eut des coups de maillet frappés par le président de la Cour, suivis d'une vive rumeur qui s'éleva parmi l'assistance. Des gendarmes amenaient Jean. Il toisa les innombrables visages levés vers lui en se souvenant d'un jour d'octobre 1902 où il avait affronté la même situation.

« Faustine n'était qu'un bébé de deux ans à peine, mon cher Basile m'avait adressé un clin d'œil et Claire, que je n'avais pas vue depuis cinq ans, semblait au supplice, comme aujourd'hui... » se dit-il en la voyant assise entre Matthieu et sa fille.

Le silence se fit. Un discours suivit, prononcé par le président de la Cour. Les événements ayant entraîné l'arrestation de Jean Dumont furent exposés avec concision.

— Monsieur Dumont, déclara ensuite le magistrat, selon votre déposition, il n'y a pas eu de meurtre. Pouvez-vous nous donner une autre version des faits et gestes qui vous sont imputés?

Jean se tenait très droit, auréolé de boucles brunes semées d'argent aux tempes. Son regard bleu exprimait une totale sincérité quand il raconta ce qui s'était réellement passé. Les jurés l'écoutèrent attentivement, mais aucun ne demanda à l'interroger.

— Vous prétendez avoir laissé William Lancester bien vivant dans le souterrain, reprit le magistrat, tout en reconnaissant que vous l'aviez auparavant frappé deux fois au visage!

— Oui, je vous l'ai dit! J'étais sujet à des crises de jalousie et en arrivant chez lui j'avais l'intention de le mettre en garde, qu'il ne s'approche plus de mon épouse. Je me suis emporté et je l'ai frappé, je l'admets, mais je ne l'ai pas tué. Nous nous sommes quittés bons amis. N'importe quel mari soupçonneux aurait pu se comporter de la même façon. Cela se produit sûrement partout dans le monde à l'heure qu'il est!

Des rires s'élevèrent dans la salle. Claire baissa la tête. Ce qu'elle avait entendu jusqu'à maintenant lui ôtait tout espoir. Jean disait la vérité, mais qui le croirait? Son récit avait un côté rocambolesque qui le desservait.

— Maman, murmura Faustine, tante Blanche est là avec Victor Nadaud. Je t'en prie, ne te retourne pas. J'ai aperçu aussi Angéla et Louis de Martignac.

— Ne crains rien, ça m'est égal, tant que je vois Jean! répliqua-t-elle tout bas.

Le président de la Cour évoqua alors le passé de l'accusé.

— On peut difficilement adhérer à cette histoire fantaisiste, monsieur Dumont. Dès l'âge de dix-huit ans, vous avez été condamné par la juridiction de Toulon à trente ans de travaux forcés au bagne de Cayenne pour le meurtre du dénommé Dorlet. Vous avez été inculpé aussi pour l'usage de faux papiers afin d'échapper à la justice. Le chef de police Aristide Dubreuil vous dépeint comme un habile manipulateur, et surtout un individu sans scrupules, aux mœurs débridées.

— Ce policier croit aussi que j'ai pu en quelques minutes provoquer l'effondrement du souterrain de Chamoulard, peut-être en claquant des doigts, répliqua Jean. Je vous ai précisé que c'était un ouvrage très ancien, dont la voûte menaçait de s'effondrer, et William Lancester avait prévu d'en faire murer l'entrée. Nous avons été surpris tous les deux par les éboulements et, dans de telles conditions, les animosités n'ont plus cours.

— Dans ce cas, pourquoi ne pas avoir creusé un passage du côté de la cave du moulin de Chamoulard? s'enquit le juge. Votre prétendue errance dans le dédale des souterrains peut être considérée comme une fuite devant le geste irréparable que vous aviez commis.

— Je n'ai pas creusé de ce côté-là pour la simple raison qu'il n'y avait aucun courant d'air et que j'estimais la quantité de gravats beaucoup trop importante. Je répéterai ma conviction : si je n'avais pas éteint la lampe par maladresse, je serais arrivé dehors bien plus tôt. William Lancester m'avait encouragé à chercher une issue. Il se sentait faible et, si je suis parti, c'était dans l'espoir de le sauver.

— J'aimerais vous croire, marmonna le président avant de s'entretenir à voix basse avec un des assesseurs placés à sa gauche.

Il appela à la barre le premier témoin. C'était Bertille.

— Vous jurez de parler sans haine et sans crainte, de dire toute la vérité, rien que la vérité!

Elle jura, le teint crayeux, certaine que Claire la suppliait en silence de mentir.

— Madame, le brigadier de la gendarmerie de Puymoyen a pris votre déposition le soir de la disparition de monsieur Lancester. Vous disiez être très inquiète, car le mari de votre cousine, Jean Dumont, avait proféré des menaces à l'encontre de votre invité et ami, monsieur Lancester, et que votre employé Maurice Gaillou avait croisé Jean Dumont sur le chemin menant à Chamoulard en fin d'après-midi. Pouvez-vous nous répéter la nature de ces menaces?

— Ce n'étaient pas vraiment des menaces, répondit-elle. Jean, que je connais depuis des années et qui aime passionnément ma cousine, m'a confié les tourments que lui causait la jalousie. Il paraissait effrayé.

— Effrayé par quoi, madame? insista le magistrat.

Au supplice, Bertille évitait de regarder Jean. Elle ne put s'en empêcher, comme si elle le priait de lui pardonner. Mais il souriait.

— Effrayé par sa propre violence, ajouta-t-elle enfin. Je veux dire par là qu'il avait des pulsions de colère à l'égard de William Lancester qui s'obstinait à courtiser son épouse.

— Madame Claire Dumont, qui avait eu une relation adultère avec la victime, précisa le président.

Blanche Dehedin toussa bien fort. Elle ignorait la chose et suffoquait d'indignation.

— Quelle personne admirable, cette Claire! persifla-t-elle à l'oreille de Victor.

Son mari lui lança un coup d'œil outré pour l'exhorter à se taire. Mais il était également sidéré. Il se souvint avec mélancolie de l'époque où il se languissait d'amour pour la belle Claire Roy qui, elle, ne rêvait que de Jean.

— J'avais rapporté à mon époux, maître Bertrand Giraud, l'essentiel de la conversation. Aussi, quand notre ami William a disparu, et que notre domestique, Maurice, nous a dit avoir croisé Jean dans l'après-midi, nous nous sommes affolés. Jean lui avait crié qu'il avait un compte à régler. D'où nos conclusions un peu hâtives.

— Pouvez-vous préciser le fond de votre pensée, madame Giraud?

— Volontiers! répliqua Bertille, moins nerveuse. Nous n'avions pas alors la version des faits de Jean, qui, à la réflexion, est plus logique que celle que nous imaginions. D'abord, il n'a pas pu provoquer l'effondrement du souterrain. Ensuite, je l'ai rarement senti aussi sincère. En mon âme et conscience, je pense que tout s'est déroulé exactement comme il l'a décrit. Jean a beaucoup de défauts, mais il a une grande qualité : s'il se juge coupable, il en assume les conséquences.

Après avoir répondu à une autre question, Bertille se retira. Sa beauté, son langage soigné et sa prestance avaient fortement impressionné les jurés et la Cour. Maurice lui succéda. Le jeune homme rapporta d'un ton neutre ce qu'il savait. Jean n'ayant pas démenti ses propres paroles, qu'il avait rapportées avec exactitude, on le renvoya vite à son siège.

Dans la salle, Aristide Dubreuil commençait à déchanter. Insensiblement, Jean Dumont faisait pencher la balance du côté du doute. Il semblait de plus si sincère qu'il aurait convaincu de son innocence les plus incrédules. Claire perçut aussi un changement d'atmosphère. Elle serra la main glacée de Faustine.

— Si ce n'était la honte d'être traitée de femme adultère en public… souffla-t-elle. Je crois que les accusations de la police perdent de leur poids.

— Mais oui! renchérit sa fille. N'est-ce pas, Matthieu?

— Peut-être bien, marmonna-t-il.

Au fond, il doutait encore et s'en tenait à son idée d'une mort accidentelle, néanmoins causée par Jean. La Cour cita enfin à comparaître les propriétaires du château du Diable. Madame Devinaud et son père expliquèrent avec minutie la visite de Jean.

— Ce monsieur était couvert de boue et d'argile; ses mains étaient en fort mauvais état, dit la demoiselle du château. Il nous a demandé si nous possédions un téléphone, car il voulait prévenir sa famille et secourir un ami, prisonnier d'un éboulement dans les souterrains. Il paraissait très affecté, très anxieux, au point de refuser, tant il était pressé, de quoi se restaurer un peu. Il n'a accepté qu'un verre d'eau. Pour qui connaît les cavités naturelles et galeries souterraines de la vallée des Eaux-Claires, le récit de son parcours, une fois privé de lumière, est tout à fait cohérent. Mon père et moi l'avons reconduit au Moulin du Loup. Je pense que monsieur Dumont a eu beaucoup de chance de retrouver une sortie et qu'il aurait pu mourir d'épuisement sans jamais revoir la lumière du jour. S'il avait tué quelqu'un, il n'aurait eu aucune raison de solliciter notre aide.

Des femmes séduites par la prestance de Jean et son regard d'azur crièrent qu'il fallait le libérer et que c'était un héros. Le président menaça de faire évacuer la salle, ce qui ramena le calme.

Claire porta les mains à son ventre. Le bébé s'agitait.

« N'aie pas peur, mon tout petit, lui dit-elle en son for intérieur. Ton père ne sera pas condamné. C'est impossible maintenant! »

Le témoignage de madame Devinaud lui semblait très favorable. Mais c'était au tour d'Angéla de Martignac de prêter serment. Quand Jean la vit approcher de la barre, il eut un mouvement de recul. Elle pouvait l'envoyer au bagne jusqu'à sa mort si elle avouait leur liaison, car il ferait figure de père incestueux, de pervers. Les jurés n'auraient pas de pitié pour un homme mûr capable de coucher avec une jeune fille.

Angéla aurait voulu s'envoler. Elle souffrait d'être le point de mire de dizaines de personnes, surtout de Claire.

La jeune femme avait des formes plus épanouies. Ses cheveux noirs et très bouclés étaient coupés court. Très élégante dans une robe en soie beige, les mains gantées de blanc, elle affronta la Cour.

— Regarde-la! maugréa Blanche Dehedin. Une fille de rien, une catin de la pire espèce. Et on lui donne du madame de Martignac!

— Jean n'aura que ce qu'il mérite si elle ose dire la vérité, renchérit Victor Nadaud. Mais parle un peu moins fort, à la fin!

Le président commença son interrogatoire. Jean ferma les yeux; Claire se signa.

— Madame de Martignac, pouvez-vous nous dire pourquoi vous avez coupé toutes relations avec votre famille d'adoption, les Dumont? Un témoin que nous entendrons après vous, sur l'insistance de la police, a confié que vous étiez en froid.

— Je me suis simplement mariée, affirma Angéla. Mon époux et moi voyageons beaucoup, mais j'écris très souvent à Faustine Roy, ma sœur.

— Durant la période où vous habitiez le Moulin du Loup, Jean Dumont n'a-t-il pas eu à votre égard une conduite licencieuse?

— Mon père adoptif m'a toujours montré de l'affection et de la gentillesse, dit Angéla d'une voix douce. Je n'ai pas souvenir de querelles avec ma mère ni de désaccord entre eux. Ils m'ont offert un foyer, payé des études et poussée dans la voie que j'avais choisie, l'enseignement.

— Pourtant, à dater de janvier 1926, vous avez résidé chez monsieur et madame Giraud jusqu'à la date approximative de votre mariage, insista le magistrat.

— J'étais malade et logée dans le pavillon du domaine. Cette mesure était nécessaire pour éviter de contaminer les enfants.

La jeune femme ne perdait pas pied. Elle se moquait bien de faire un faux témoignage. Pour sauver le bonheur de Claire, elle aurait menti même sous la torture. Malgré les sermons de Louis, Angéla tenait à prouver sa gratitude à celle qui demeurait sa seconde mère. Elle lui avait fait tant de mal! Cette occasion qui lui était offerte de réparer un tant soit peu ses torts était encore bien peu de chose à son goût.

— Le juge est bien renseigné, souffla Matthieu à Faustine. Il y a un traître dans la famille.

Claire était infiniment soulagée, mais elle pensait comme son frère. Quelqu'un avait dû insinuer à Dubreuil qu'il y avait eu des relations honteuses entre Jean et sa fille adoptive. Mais le président renonça à obtenir des aveux spectaculaires.

Léon témoigna, bredouillant, rouge de gêne. Ses déclarations confuses sapèrent l'opinion de plus en plus favorable des jurés.

— Jean, c'était mon meilleur ami, mon seul ami. Seulement, il a toujours été jaloux. Un homme, ça tient à son honneur, m'sieur le juge! Et puis, monsieur Lancester, il passait pour un prétentieux au village. De toute façon, je n'ai pas à me mêler de la vie de mes patrons. Je suis comme vous, j'ai pas de preuves.

Claire fut consternée. Léon avait bu, elle le constatait trop tard. Jean secoua la tête. Il avait redouté le témoignage d'Angéla, mais c'était son bras droit, son frère de cœur qui le trahissait en le soupçonnant. Il se crut perdu.

La Cour annonça la suspension de l'audience. Le procès reprendrait à treize heures. Claire sortit telle une somnambule. Lorsque Léon vint à sa rencontre, devant le restaurant où ils devaient tous déjeuner, elle le foudroya d'un regard furieux.

— Judas! cria-t-elle. Je ne veux plus te voir!

Et elle éclata en sanglots.

18
En attendant Jean…

Angoulême, palais de justice, même jour

L'audience avait repris. Thérèse fut appelée à la barre, ce qui stupéfia Claire et les siens. Jean lui-même marqua un temps de surprise.

— J'espère que ce n'est pas Thété qui a fait des révélations sur notre famille! avança Faustine.

— Dubreuil est capable de tout pour envoyer Jean au bagne, affirma Matthieu. Il a dû fouiner partout.

« Non, Thérèse ne peut pas nous avoir trahis! s'effara Claire en silence. Pas elle! »

La jeune fille jura à son tour et répondit d'une petite voix aux questions de la Cour. Elle s'efforça de réparer le témoignage catastrophique de son père, alors que c'était bien elle qui avait trop parlé au policier. Il l'avait attendue un soir devant le salon de coiffure où elle travaillait et l'avait interrogée d'un ton jovial.

— Mademoiselle, demanda le président, pouvez-vous nous en dire plus sur les raisons qui ont poussé Angéla Dumont, épouse de Martignac, à quitter le domicile familial?

— Angéla a obtenu un poste d'institutrice à Torsac où habitait son fiancé, Louis. Ensuite, elle a été logée par madame Giraud au domaine de Ponriant.

Par chance, le juge n'en savait guère plus, malgré les propos équivoques d'Aristide Dubreuil lors d'un dîner entre notables angoumoisins.

— Avez-vous vu, à l'époque où vous demeuriez au Moulin du Loup, des scènes attestant du comportement violent de Jean Dumont? questionna-t-il encore.

— Non, protesta Thérèse avec fermeté. Pour moi, Jean Dumont est l'homme qui a sauvé mon père de la noyade, au large de Terre-Neuve. Je ne pense pas qu'il ait pu tuer William Lancester, même sous le coup de la colère.

Jean poussa un soupir de soulagement; Claire aussi. Elle remercia la jeune fille d'un petit sourire lorsque celle-ci revint s'asseoir.

— La Cour souhaite entendre à présent madame Claire Dumont! clama le président.

Claire se leva, d'abord tremblante et apeurée. Mais, plus elle avançait vers la barre, plus son courage revenait. Jean lui adressa un clin d'œil et lui envoya un baiser du bout des doigts. De l'assistance monta une rumeur d'approbation.

— Madame Dumont, nous vous écouterons à la demande d'un des jurés. Vous avez dit à monsieur Dubreuil, dans le cadre de son enquête, que votre mari vous avait sûrement vu faire des adieux assez tendres à William Lancester, votre amant. Pensez-vous que cette vision ait pu causer une fureur vengeresse chez l'accusé?

— Oui! répondit Claire. Je ne vais pas répondre le contraire, puisque mon mari l'a avoué lui-même. Je préciserai cependant que la brève aventure que j'ai eue avec monsieur Lancester date de huit ans environ, et que, sans l'insistance de ce dernier, qui tentait de me reconquérir, rien ne serait arrivé. Je n'ai qu'une conviction: mon mari est innocent. Comme l'a dit ce matin ma cousine Bertille Giraud, Jean n'est pas du genre à cacher ses fautes, ni à les déguiser en accident. S'il avait causé la mort de William Lancester, il me l'aurait dit. J'ajouterai aussi que monsieur Dubreuil n'a pas poussé très loin ses investigations sur le terrain.

— Mais si, madame! coupa le magistrat. La victime a été trouvée couverte par la blouse de travail de Jean Dumont, qui a de plus oublié sur place son briquet.

— Mon mari a précisé qu'il avait laissé ce briquet à William Lancester pour qu'il ait de la lumière. S'il l'avait emporté, il aurait peut-être pu rallumer la lampe et sortir plus vite du souterrain. De plus, Jean revenait au Moulin pour nous prévenir. Un coupable se serait enfui.

— Objection, Votre Honneur! s'écria l'avocat général. La police estime que Jean Dumont venait chercher des vêtements propres et de l'argent pour s'enfuir à la faveur de la nuit. Il a été pris au piège, monsieur Dubreuil et ses hommes étant au Moulin du Loup pour fouiller les bâtiments et le corps de logis.

— Je sais que Jean est innocent! répliqua Claire.

Elle était glacée et ses oreilles bourdonnaient. De toutes ses forces, elle résista au malaise qui l'affaiblissait. La foule l'observait avec perplexité. On s'étonnait de sa dignité et de sa beauté. Des femmes s'interrogeaient sur son âge. Certaines avaient pitié, étant donné sa grossesse. Blanche Dehedin, en sa qualité de sœur jumelle de l'accusé, ne décolérait pas. Elle venait de constater elle aussi l'état de Claire.

— Dieu aime les brebis galeuses! dit-elle avec mépris. Par quel sortilège porte-t-elle un enfant?

— Par pitié, tais-toi! intima son époux.

Au moment où elle sortait un mouchoir pour essuyer des larmes de rage, elle croisa le regard de Jean. Son frère semblait la supplier de déposer les armes, de ne plus détester celle qu'il adorait.

— De quoi te plains-tu! souffla Victor Nadaud. Tu auras un neveu ou une nièce. Réconcilie-toi avec Jean et Claire.

— Jamais! Cette femme l'a poussé au crime par sa conduite scandaleuse! répondit-elle tout bas.

Mais l'idée fit son chemin en elle. L'enfant à venir appartenait à la respectable branche des Dehedin, une riche famille de verriers normands. Jean pensait la même chose, tout en se remettant du choc que lui avait causé la vision de Claire, avec son ventre joliment bombé et ses seins plus lourds prêts à nourrir leur bébé. Il en aurait pleuré de joie.

« Je voudrais tant la tenir dans mes bras! songeait-il. Mon Dieu, qu'elle est pâle! Il faut qu'elle sorte de la salle. Ma petite femme chérie, ma Câlinette, sans ma folie, ma stupidité, nous serions tous les deux au Moulin du Loup, à savourer le plus bel été de notre vie. »

Il la vit regagner son siège, tout de suite entourée d'affection par Faustine et Matthieu. À partir de cet instant, Jean ne prêta plus attention qu'à Claire. Il la fixait avec passion. Elle reprit des couleurs et se mit à respirer mieux. Elle le regarda à son tour. Ils ne se quittèrent plus des yeux, tissant un fil d'amour invisible, mais invincible entre eux deux.

Bertrand ne témoigna pas, sa déposition figurant au dossier. Il avait réussi à faire valoir sa charge d'avocat pour éviter de comparaître. Ce fut enfin le réquisitoire de l'avocat général. Jean écouta à peine.

— Messieurs les jurés, monsieur le président, vous avez devant vous au banc des accusés un homme que je qualifierais d'arriviste, d'opportuniste. Par quel tour de passe-passe Jean Dumont a-t-il été gracié il y a vingt-quatre ans? On peut se le demander. Après avoir commis, adolescent, un crime odieux, sur la personne d'un représentant du gouvernement français, le prévenu s'est évadé d'une colonie pénitentiaire et, sous une fausse identité, il a épousé une brave femme dont il a eu un enfant. Cela lui a permis de jouir d'une terre fertile, en Normandie, et d'échapper à la loi. Sa première épouse étant décédée, il a jeté son dévolu sur une autre héritière, Claire Roy. Après avoir coulé des années tranquilles et réussi à berner la justice lors d'un précédent procès, il n'a pas hésité à tuer de sang-froid un honorable citoyen britannique qui souhaitait arracher une malheureuse créature, soumise et docile, aux griffes de Dumont. Je serai bref… Il nous apparaît évident que l'accusé, après avoir assassiné William Lancester, a maquillé son geste en accident. Tout n'est que mise en scène : son errance dans les ténèbres d'un réseau de souterrains, sa visite chez des voisins qu'il ne connaissait pas du tout, donc faciles à duper, son apparition soudaine au Moulin du Loup. Jean Dumont ne mérite pas de retrouver la liberté. Nous ne devons lui accorder ni indulgence ni même le bénéfice du doute. C'est un être violent, vindicatif, et les témoignages que nous avons entendus le prouvent. Il est redouté, puisque personne n'a osé dévoiler sa vraie nature, celle d'un criminel récidiviste. Je réclame en conséquence une peine sévère, la prison à perpétuité, afin de protéger sa famille et d'éviter qu'il fasse une autre victime.

Un terrible silence suivit ces derniers mots. Claire avait l'impression d'évoluer en plein cauchemar. Elle adressa une pensée émue à William, qui reposait au cimetière de Puymoyen, dans une concession acquise par Bertrand Giraud. Il restait au papetier un lointain cousin en Angleterre, mais celui-ci avait refusé de se porter partie civile, et même de faire le voyage.

« Mon Dieu, rendez-moi mon mari! pria-t-elle de toute son âme. Si seulement William pouvait ressusciter et venir témoigner en faveur de Jean! »

Claire cessa de fixer son bien-aimé, sa résistance nerveuse étant soumise à trop rude épreuve. Cela devenait insoutenable. Elle avait une folle envie de courir vers lui, de l'emmener hors de ces murs, vers leur vallée. Son regard parcourut la foule, scruta avec dédain le maigre visage de l'avocat général et, noyé de larmes contenues, se perdit ensuite dans le vague. Dans cette brume de chagrin, elle vit soudain Nicolas, son demi-frère, à l'âge de l'adolescence, rieur et complice. Cela ne dura qu'une seconde, mais elle éprouva une merveilleuse sensation de délivrance, comme si les puissances divines volaient à son secours.

— Maman, dit doucement Faustine, tu es blanche à faire peur. Nous ferions mieux de quitter la salle.

— Oh non, tout ira bien désormais, répondit Claire avec un sourire lumineux.

L'avocat de la défense, maître Pressigout, prit enfin la parole. C'était un jeune homme de haute taille, aux cheveux bruns et au teint mat. Il comptait beaucoup sur cette plaidoirie pour montrer ses talents d'orateur.

— On veut nous imposer le portrait d'un abominable tueur, Jean Dumont, qui ne reculerait devant rien pour satisfaire sa soif de vengeance. Je dirais que nous avons ici un homme victime lui aussi d'une équation impossible à résoudre. Nous devons le croire ou nier ce qu'il affirme. Mais l'évidence est là: il n'y a aucune preuve contre lui, ni non plus en sa faveur. Revenons à la mort accidentelle, je dis bien, accidentelle du surveillant Dorlet sur l'île d'Hyères, où des enfants privés du soutien de leurs parents étaient parqués comme des bêtes, affamés, maltraités et livrés à des violences contre nature. Ce fut le cas de Lucien Dumont, le jeune frère de l'accusé. Oui, Jean Dumont a été inculpé du meurtre de Dorlet… Mais je rappellerai les faits exacts. On obligeait l'adolescent qu'il était à creuser la tombe de son cadet, dont l'innocence avait été salie, brisée, bafouée. Dorlet, que je qualifierais de monstre à l'apparence humaine, a frappé Jean Dumont dans le dos pour l'exhorter à creuser plus vite, tout en l'insultant. Fou de chagrin, révolté, Jean Dumont a donné un coup de pelle à Dorlet qui en est mort, la plaie s'étant infectée à cause de la chaleur et des déplorables conditions d'hygiène. Oui, plus tard, Jean Dumont, la veille de sa majorité, s'est enfui de la colonie pénitentiaire de La Couronne, pour éviter d'être conduit au bagne de Cayenne. Sans doute estimait-il l'injustice trop grande! Et il ne manquait pas de courage, comme nous le prouve sa conduite les années suivantes. Jean Dumont a sauvé un matelot de la noyade. Pendant la guerre, il s'est illustré par sa vaillance et son dévouement à ses camarades de tranchée. Bien sûr, un homme de cette trempe peut se montrer jaloux. Notons cependant qu'il s'est inquiété de ce défaut propre à la gent masculine et qu'il n'a rien prémédité, quand, un soir d'avril, il a cru assister à une étreinte amoureuse entre son épouse et un ancien amant qui se savait condamné par la médecine. Oui, nous le savons, William Lancester souffrait d'une maladie cardiaque. Le seul tort de Jean Dumont, et il l'a reconnu lui-même, c'est d'avoir frappé son rival. Ce genre de bagarres entre coqs, nous en sommes coutumiers, mais bien peu se terminent par un décès. De plus, un vrai criminel n'aurait pas commis autant d'erreurs. Laisser sa blouse et son briquet gravé à ses initiales, ce n'était pas très futé de la part d'un assassin. Aussi, messieurs les jurés, je vous demanderais de bien réfléchir, car le sort d'un innocent est entre vos mains. Et celui d'un père! En l'absence de toute preuve concrète et de témoignage formel, je demande pour mon client l'acquittement pur et simple.

Le jeune avocat se tut. Le président déclara que la Cour allait délibérer. Claire se retourna, sous le coup d'un pressentiment. Mais elle ne vit que le visage crispé d'Angéla, qui aussitôt baissa la tête.

— Sortons prendre l'air, proposa Matthieu. Il n'est que seize heures. Les débats ont été menés tambour battant. Le président de la Cour m'a paru pressé de conclure. Il doit être embarrassé; les jurés aussi. Clairette, tu tiens bon?

— Oui, tu as raison, une petite promenade me fera du bien, à condition que je puisse éviter certaines personnes, comme Blanche, par exemple, soupira-t-elle.

« Tous ceux qui ont compté pour moi ou qui ont joué un rôle dans ma vie sont là, pensait-elle; Blanche, la sœur de Jean, apparue un après-midi d'automne, qui voulait me ravir l'amour de Faustine; son malheureux mari, Victor Nadaud, que nous appelions le préhistorien, féru d'archéologie et que j'ai failli épouser, mais qui ne me plaisait pas assez; Angéla, qui a menti avec brio; Louis, mon petit-neveu. Je ne connaîtrai sans doute jamais leur fils. Je ne peux pas renouer des liens avec celle qui m'a brisé le cœur. Non, cela ne m'a pas trop ébranlée de la revoir, mais je ne veux pas lui parler. Quant à Léon, il avait témoigné au premier procès de Jean en 1902 et il avait ému l'assistance en racontant le naufrage du *Sans-Peur*. Mais ce matin il m'a bien déçue. Comment a-t-il osé se présenter ivre au tribunal? »

— Maman, viens, insista Faustine.

— Non, finalement, je préfère attendre dans la salle, dit-elle avec douceur. Sortez, tous les deux.

— Je vais fumer une cigarette dehors, dit Matthieu. Claire, pardonne-moi, je t'ai peinée en soupçonnant Jean. Maintenant, je le crois innocent.

Bertille se précipita près d'elle dès que le jeune couple s'éloigna.

— Tu étais contente de ma déposition? demanda-t-elle à sa cousine. Je n'ai pas voulu travestir la vérité.

— Ne t'inquiète pas, princesse! Tu as été admirable.

— Ne te vexe pas, mais je rejoins Corentine et Bertrand à l'extérieur. Il fait chaud, ici, je reviens vite.

— Va. Je voudrais prier un peu, seule! affirma Claire.

Elle n'en eut pas le loisir. Aristide Dubreuil vint se pencher sur son épaule.

— Dumont ne s'en tirera pas, j'y ai veillé, affirma-t-il. Vous et votre famille, vous me répugnez. Cela ne gêne personne de se parjurer, on dirait.

— Pourquoi haïssez-vous autant mon mari? répliqua-t-elle. Il ne vous a pas causé de tort. Vous n'êtes pas impartial, monsieur Dubreuil!

— Madame Dumont, j'ai soixante ans et l'expérience qui va avec mon âge! J'ai coincé bien des crapules, mais les sales individus que j'envoyais en prison ne trompaient pas leur monde. Jean Dumont aurait dû croupir à Cayenne. Il veut passer pour un héros, alors qu'il a du sang sur les mains et bien d'autres choses à se reprocher. Ne niez pas, vous êtes la mieux informée sur ce point.

Le policier s'en alla, laissant Claire le cœur serré. Elle redouta une autre visite, celle de Blanche, mais la sœur de Jean discutait à voix haute avec une de ses amies de la bonne société angoumoisine.

— Mon frère n'est qu'une victime, disait-elle, espérant être entendue de Claire. S'il avait suivi mes conseils, il ne serait pas accusé à tort. Mais que voulez-vous, ma chère, accablé d'une femme infidèle, lui si soucieux de son honneur, il n'a pas su se maîtriser.

Blanche Dehedin assortit ces paroles d'un regard méprisant en direction de Claire, qui se domina. Ce n'était ni le lieu ni l'heure de se défendre, encore moins de provoquer un scandale.

« Qu'elle me salisse, cette vipère! songea-t-elle. Je la tiendrai à l'écart de mon enfant; ce sera sa punition. »

Elle put enfin prier, en s'isolant de tout ce qui n'était pas une ardente supplique.

« Mon Dieu, protégez Jean, je vous en prie. Vous m'avez offert tant de grâces déjà, accordez-moi encore celle-ci. »

Elle s'interrogea. Pourquoi avait-elle vu Nicolas? C'était peut-être une hallucination, au fond, causée par ses nerfs survoltés. Elle ne pouvait s'empêcher de douter, à nouveau anxieuse, effrayée à l'idée de perdre Jean pendant de longues années.

Le verdict fut annoncé une demi-heure plus tard. Les délibérations avaient été très rapides. Jean semblait moins confiant, mais il ne regardait que Claire. Elle fermait les yeux, livide, en tenant la main de Faustine. Après le discours d'usage, le juge prononça la sentence. Jean Dumont était condamné à trente ans de prison pour l'assassinat de William Lancester.

Des exclamations outrées fusèrent de part et d'autre. Une femme cria à l'erreur judiciaire. Claire hurlait à l'intérieur de son corps un interminable « non » qui la déchirait. Jean serait un vieillard, une fois sa peine purgée.

— Jean! bredouilla-t-elle.

— Il faut faire appel! déclara Faustine, furieuse, désespérée.

Le condamné demeurait bouche bée. Il ne parvenait pas à accepter ce qu'il avait entendu.

— Je suis innocent! clama-t-il. Ce procès n'est qu'une mascarade!

Gênés, les jurés s'agitèrent. Les magistrats qui s'apprêtaient à se retirer s'immobilisèrent. Une femme vêtue de blanc, l'air bouleversé, remontait, escortée d'un adolescent, l'allée centrale jusqu'à la barre. Claire frémit de tous ses membres. Elle avait reconnu son demi-frère, Arthur, et la nurse de Bertille, *miss*[29] Margaret. Deux gendarmes les encadraient.

— Qu'est-ce qui se passe? s'étonna Matthieu.

Après un aparté avec l'avocat de la défense et le président de la Cour, la nurse fut autorisée à parler. Elle le fit avec un charmant accent anglais et une autorité qui en imposait.

— Je suis entrée au service de madame Giraud l'an dernier, dit-elle, sur la recommandation de monsieur William Lancester, qui était un ami de mes parents, des commerçants de Londres. Ce jour, pendant le procès, je gardais les enfants de la famille, Félicien, Isabelle, Pierre et Gabrielle, mais aussi Clara, la fille de mes patrons, et ce garçon, Arthur. Il a déjoué ma surveillance, ainsi que mademoiselle Clara, et ils sont allés explorer le souterrain de Chamoulard pour voir l'endroit où on avait retrouvé le corps de monsieur Lancester. Madame Giraud et madame Dumont avaient espéré leur cacher ce drame, mais ils ont lu les journaux qui étaient rangés sur un des buffets du Moulin du Loup, où tous les détails de

29. Mademoiselle, en anglais.

l'affaire sont publiés. Heureusement, un ouvrier agricole de monsieur Giraud les a obligés à sortir et les a ramenés sous ma garde. Je les ai réprimandés. C'est très dangereux, car la galerie déblayée tient seulement par un coffrage en planches. Arthur m'a alors tendu une page de carnet qu'il avait ramassée là-bas, sous une pierre. C'était écrit en anglais. Ni lui ni Clara ne le pratiquent. Moi si, bien sûr! En plus, j'avais reconnu l'écriture de monsieur Lancester. J'ai un courrier de lui pour la comparaison. Dès que j'ai lu ce qui était noté, j'ai commandé un taxi pour venir au tribunal.

Miss Margaret reprit son souffle. Elle s'appliquait pour ne commettre aucune faute de français. Sans laisser à la Cour le temps de prendre la parole, elle traduisit à voix haute le message rédigé par Lancester juste avant de mourir.

Il est neuf heures du matin. Jean Dumont vient de partir après s'être creusé un passage parmi les gravats. C'est un homme plein de qualités et au grand cœur. Il m'a promis de ramener vite des secours, mais la douleur dans ma poitrine augmente. Je crois que je ne reverrai plus le soleil. Je lègue tous mes biens à des œuvres de charité, aux bons soins de mon ami Bertrand Giraud.

— Et c'est signé de sa main, William Jack Lancester! trancha *miss* Margaret. On voit qu'il tremblait, qu'il avait du mal à tenir son crayon. Je tiens à la disposition de la justice la lettre dont j'ai parlé, pour prouver que c'est bien la même écriture.

La nurse tendit le bout de papier à l'avocat général. Jean cacha son visage entre ses mains. Il pleurait, infiniment soulagé. Son innocence était établie. Bientôt il serait libéré et lavé de l'accusation de meurtre.

Claire se leva et courut vers Arthur. Il se retrouva dans ses bras.

— Merci, petit frère, d'être toujours aussi désobéissant, aussi curieux et fouineur! Merci! Je suis tellement heureuse!

Dans la salle, le vacarme était assourdissant. Chaque personne de l'assistance tenait à donner son avis, à contredire son voisin, à commenter ce coup de théâtre inattendu. Après bien des coups de maillet et appels au calme, la Cour se retira pour de nouvelles délibérations.

Une vingtaine de minutes plus tard, Jean était condamné à six mois de prison, dont quatre mois de sursis, pour coups et blessures sur la personne de William Lancester. Bertrand Giraud, exalté, prit Claire par l'épaule.

— Ma douce amie, je vous promets que je ferai en sorte qu'il soit libre avant la naissance du bébé. Mon Dieu, que je suis content! Et maître Pressigout vous obtiendra vite un permis de visite, ne vous en faites pas!

Elle le remercia d'un sourire. Sa joie n'était pas complète. Les gendarmes avaient déjà emmené Jean et elle n'avait même pas pu lui dire un mot ni le toucher.

— Clairette, c'est merveilleux! s'exclama Bertille. Tu devrais danser la gigue pour fêter l'événement. Jean sera au Moulin à la mi-août, on en fait le pari! Cela te laisse juste le temps de finir la layette et de chercher des prénoms. Ce soir, champagne pour toute la famille, Arthur compris!

L'adolescent savourait son succès. Une mèche raide, d'un châtain doré, barrait son front. Vêtu d'un pantalon et d'une chemisette, il avait la dégaine d'un enfant qui avait grandi trop vite, toujours soucieux de s'amuser. Nul n'aurait pu imaginer qu'il se réjouissait de son rôle. Jean lui serait redevable le restant de ses jours. Jean, son ennemi secret. Arthur, virtuose au piano, bon élève, gardait au mari de Claire une rancune tenace. Cela remontait à sa petite enfance. Jean ne tolérait pas sa présence au Moulin du Loup, il le réprimandait pour des vétilles et le chargeait toujours des corvées les plus ingrates. Pour cette raison, le jeune garçon avait préféré vivre au domaine de Ponriant.

— Mais oui, Arthur aura le droit de boire du champagne! s'écria Claire. Tu m'as fait le plus beau cadeau du monde, mon chéri.

— Je me suis dépêché de porter ce papier à *miss* Margaret! J'étais sûr que c'était important! Je voulais te revoir sourire, ma Claire! dit Arthur d'un ton câlin.

Il était sincère au moins sur ce point. Claire l'avait élevé et choyé. Elle l'embrassa encore et encore, comprenant pourquoi Nicolas lui était apparu. «Arthur est son petit frère, son véritable frère, ils sont nés tous les deux de papa et d'Étiennette. Nicolas voulait me prévenir que les choses s'arrangeraient.»

Euphorique, Faustine l'entraîna sur la vaste terrasse du palais de justice. Le ciel était d'un bleu lavande, semé de nuages légers d'un blanc rosé. Les hirondelles lançaient leurs cris aigus. Le clocher de l'église Saint-André sonna sept coups argentins.

«Jean, je n'ai plus qu'à t'attendre, pensa Claire, grisée par l'air tiède et parfumé du mois de juin. Et je t'attendrai le cœur en fête, grâce à Dieu!»

*

Moulin du Loup, dimanche 24 juin 1928

Claire venait de cueillir un gros bouquet de roses pour décorer la table dressée sous le vieux tilleul du jardin. Elle avait invité à déjeuner Bertille et Bertrand, ainsi que *miss* Margaret. Anita et Thérèse travaillaient depuis le petit matin à préparer un succulent repas.

— Es-tu contente? demanda Arthur d'une voix encore flûtée.

L'adolescent, assis sur l'herbe, posa le roman qu'il lisait. Il adressa à sa sœur un sourire malicieux.

— Bien sûr que je suis contente! Mais si Jean était là, je serais encore plus heureuse.

D'un geste instinctif, Claire posa une main sur son ventre, qu'une large robe en mousseline bleue dissimulait un peu. Le regard d'Arthur s'assombrit. Il avait du mal à accepter l'arrivée d'un bébé, uniquement parce que cet enfant était celui de Jean.

— Alors, il reviendra bientôt! fit-il avec une moue désabusée.

Changeant tout à coup de sujet, il s'empressa d'ajouter:

— As-tu besoin de moi? Clara descend en bicyclette du domaine; j'ai envie d'aller à sa rencontre. Il fait si beau, aujourd'hui!

Arthur s'exprimait avec un brin d'affectation, en collégien bien éduqué. Attendrie, Claire le vit s'éloigner sur le chemin des Falaises. La personnalité de son demi-frère la déconcertait souvent.

« Il est tellement doué pour la musique! Bertille pense qu'il en fera sa profession. Si papa le voyait, il serait bien fier! »

L'image de son père bien-aimé traversa sa pensée. Elle se retourna vers la grande porte de la salle des piles, comme si le maître papetier allait apparaître, sanglé de son tablier en cuir, ses cheveux de neige attachés sur la nuque. Bouleversée, elle calcula qu'il aurait très bien pu connaître l'enfant qu'elle portait.

« Papa est mort trop jeune! » déplora-t-elle.

L'apparition de Thérèse en jupe rose et corsage blanc l'arracha à ses souvenirs. La jeune fille rayonnait.

— Claire, demanda-t-elle, Anita voudrait savoir si elle râpe de la muscade dans la purée de navets.

— Oui, et une pincée de ciboulette émincée pour couronner le tout! Oh, que j'ai faim! Dis-moi, Thété, tu me parais bien gaie! Tu n'aurais pas un amoureux?

— Pas du tout, mais je ne peux rien te cacher, c'est en bonne voie! Maurice me plaît beaucoup. Nous avons rendez-vous à cinq heures, ce soir, sur le pont.

— Notre fameux pont! se récria Claire. Tu te rappelles? Quand tu étais petite, nous attendions toutes les deux, assises sur le muret du pont, le retour des pensionnaires. Bertrand ramenait Denis et Matthieu d'Angoulême.

— Et si je m'impatientais, tu me chantais: *Une souris verte, qui courait dans l'herbe...*

Elles éclatèrent de rire. Léon sortit au même instant de la bergerie, tête basse, l'air penaud. Il évitait soigneusement Claire depuis le procès. Elle le boudait avec obstination.

— Pauvre papa! soupira Thérèse. Il s'en veut. Tu devrais faire la paix avec lui.

— Je le laisse ruminer sa sottise. On ne vient pas témoigner fin saoul! Sans Arthur et *miss* Margaret, Jean était perdu.

Anita se pencha par une fenêtre de la cuisine. Elle leur fit signe.

— Enfin, madame, est-ce que je mets de la muscade? Je cuis, moi, devant mes fourneaux.

Claire rentra à regret dans la maison. Il faisait un temps splendide, un franc soleil, mais une brise fraîche soufflait. Une bonne odeur de viande rôtie l'accueillit.

— J'ai mis le gigot d'agneau au four, précisa Anita, il est presque midi. La laitue est égouttée et les radis sont lavés.

— Je te fais confiance, coupa Claire. Repose-toi un peu.

Sur ces mots, elle déambula dans la pièce en imaginant le jour où Jean aurait repris sa place à la maison. Elle avait l'impression d'être séparée de lui depuis une éternité, et surtout de ne pas avoir partagé avec son mari le miracle de sa grossesse.

« Je m'en suis aperçue le soir de sa disparition, ça fait plus de deux mois. Mon Dieu, pourvu qu'il soit libéré à temps! »

En passant près d'un buffet, elle prit une enveloppe déjà décachetée et relut la courte lettre qui se trouvait à l'intérieur. C'était la troisième fois en deux jours. Elle commençait à connaître le texte par cœur.

Claire, je te souhaite d'être très heureuse, la plus heureuse du monde, maintenant que Jean est innocenté et que vous allez avoir un enfant à chérir. Je voudrais te demander encore pardon pour le mal que je t'ai fait. Afin de réparer ma faute, durant toute ma grossesse, j'ai prié pour toi, en suppliant Dieu d'accorder un miracle et de te procurer l'immense joie d'être maman. Peut-être bien qu'il m'a exaucée… Je t'envoie aussi une photographie de Quentin, mon petit ange. Avec toute mon affection et mon respect.

Angéla

Claire avait rangé dans l'album de famille le petit cliché représentant Quentin de Martignac, un poupon de quatre mois aux joues rebondies et aux yeux noirs. Elle ne voulait plus de haine, plus de rancœur. Ce bref courrier empreint d'un sincère repentir l'avait profondément touchée.

« Qui sait si les prières d'Angéla n'ont pas eu plus de force que les miennes? » s'interrogea-t-elle, rêveuse.

Le ronronnement d'un moteur dans la cour la fit sursauter. Elle s'empressa de sortir pour saluer ses invités.

Nimbée de soleil, Bertille descendit la première de l'automobile. Cette fois, elle ne portait plus de noir, mais une toilette couleur ivoire, brodée de perles du décolleté à la taille. Mince, vive, rieuse, elle ouvrit son ombrelle. Clara arriva, perchée sur sa bicyclette. À treize ans, elle demeurait menue et d'allure enfantine, mais on devinait une énergie de fer sous ses traits angéliques. Elle avait hérité des cheveux fins et frisés de sa mère, d'un blond plus prononcé cependant.

— J'ai semé Arthur! fanfaronna-t-elle. Aussi, il s'est arrêté chez Matthieu et Faustine pour les inviter à prendre le dessert ici, avec nous. Je crois qu'il espère boire encore du champagne.

Miss Margaret s'approcha à son tour de la table, ravie par le bouquet de roses et la vaisselle ancienne. Intimidée, la nurse avait quitté ses vêtements blancs pour enfiler une jolie robe en soie grise.

Thérèse disposait les hors-d'œuvre sur la table. Bertille s'installa dans son fauteuil en osier. Bertrand Giraud, lui, se précipita vers Claire et lui prit les mains, un geste presque fraternel qu'il s'était rarement autorisé.

— Ma chère amie, je n'ai que des bonnes nouvelles. J'ai passé la journée d'hier en ville, en compagnie de mon confrère, Pierre Pressigout, qui est très satisfait de la fin heureuse de l'audience. Venez vous asseoir, nous bavarderons en dégustant du pineau. J'en ai apporté une bouteille, un cru dont vous me direz certainement du bien!

L'avocat contempla le doux visage de Claire, d'une beauté émouvante. Il pouvait lire sur ses traits combien elle avait souffert, mais aussi la volonté farouche d'oublier tout ce qui pouvait nuire à son bonheur présent.

— Le sinistre Aristide Dubreuil va quitter la région, déclara-t-il. Cela ressemble fort à une destitution, vu la façon expéditive dont il a mené l'enquête. Il serait muté en Bretagne.

— Bon débarras! s'écria Bertille.

— Oh oui, je ne vais pas le plaindre! renchérit Claire.

— J'ai appris que la Cour, pendant les secondes délibérations, avait avancé une théorie selon laquelle Jean aurait pu dicter le message qui l'innocentait à Lancester, sous la menace, ajouta Bertrand. Par chance, Will avait employé sa langue maternelle, sans doute dans le souci d'être précis, car il écrivait bien en français, mais cela lui prenait du temps. Mais attention, ce détail a sauvé Jean. En toute logique, s'il avait ordonné à sa prétendue victime de rédiger ces mots, Will pouvait le dénoncer en anglais. Enfin, trêve de discussions, les jurés et le président de la Cour ont vite admis l'authenticité du document.

L'ombre du tilleul dispensait une clarté vert et or qui conférait aux trois femmes attablées un teint de pêche mûre. *Miss* Margaret, de carnation laiteuse, couronnée d'une chevelure rousse et bouclée, n'en était que plus charmante, malgré un nez un peu fort et des lèvres trop étroites.

— Je vous remercie encore, mademoiselle Margaret, lui dit Claire. Vous avez agi avec intelligence et sang-froid. Je me souviendrai toute ma vie de votre entrée dans la salle. J'ai d'abord cru qu'un des enfants était gravement malade. Dès que vous avez parlé du souterrain, j'ai repris espoir pour mon mari.

— Mon père cite toujours ce proverbe, répliqua la nurse. Il vaut mieux laisser courir dix coupables que de punir un innocent! Je ne connaissais pas monsieur Dumont. Je ne l'avais jamais vu, mais je voulais rétablir la vérité.

Bertrand s'impatientait. Il profita du silence revenu pour tendre à Claire un permis de visite.

— Pour après-demain, mardi, précisa-t-il. Ayez confiance, je remue ciel et terre pour que Jean bénéficie d'une mesure d'exception et soit libre fin juillet. Je ferais tout pour me faire pardonner. Je m'en veux, je me suis fié aux apparences, alors que Jean nous a prouvé bien souvent qu'il avait le cran d'assumer ses fautes.

— N'en parlons plus! conclut Claire. Jean me manque et j'ai hâte d'être près de lui, ici. Mais c'est un beau dimanche, un jour de fête. Je préfère discuter layette ou cuisine.

Arthur les rejoignit. Il prit place à côté de Clara, très droit, l'air sérieux.

— Faustine et Matthieu viendront comme convenu pour le dessert. Anita a fait son merveilleux gâteau au chocolat. Les petits se régaleront.

Amusée par les manières de son demi-frère, Claire lui servit un doigt de pineau.

— Notre héros a le droit de déguster ce nectar, plaisanta-t-elle. Je ne pensais pas te féliciter un jour pour une fugue et une désobéissance notoire. Cela dit, et sans vouloir relancer le débat, je ne comprends pas pourquoi William Lancester n'a pas gardé ce bout de papier sur lui. On l'aurait trouvé aussitôt et Jean n'aurait pas fait de prison. Arthur m'a dit que la page du calepin était sous une pierre, près d'une boîte de pastilles à la menthe.

— En effet, répondit Bertrand. J'en ai déduit que c'était une précaution de William, au cas où on le retrouverait bien plus tard. Je vous passe les détails relatifs à certains processus naturels… S'il gardait sur lui ce feuillet, il risquait fort d'être endommagé. Il pensait sans doute qu'on prendrait plus de soins à fouiller son dernier refuge. Là encore, Dubreuil a échoué; il doit s'en mordre les doigts! Tout est bien qui finit bien, même si je suis très affligé par le décès de notre cher ami Lancester.

— L'amant de ma sœur! pérora Arthur, ce qui faillit lui valoir une gifle de Bertille.

Mais elle se retint, soucieuse de ne pas gâcher l'harmonie de leur aimable réunion.

— Veux-tu te taire! gronda-t-elle néanmoins. Voilà les dégâts causés par les journaux et les bavards.

Clara Giraud riait sous cape. Arthur lui avait promis qu'il dirait cela bien fort pendant le repas. Il avait gagné son pari. Mais Claire, outrée, le réprimanda à son tour:

— Arthur, les histoires des adultes ne te concernent pas. Nous sommes en petit comité. Je veux bien excuser ta sottise, mais évite à l'avenir ce genre de déclaration! Plus tard, tu verras que la vie n'est pas toujours simple, que nous sommes confrontés à des événements qui nous dépassent. Tu as déjà fait des tiennes, sur le plan de la délation. Tiens-le-toi pour dit!

Vexé, l'adolescent piqua du nez dans son assiette. Clara

et lui, six mois auparavant, s'étaient promus justiciers et avaient envoyé à Edmée de Martignac une lettre dénonçant la liaison de Jean et d'Angéla. La châtelaine, horrifiée, refusait depuis cette révélation de recevoir sa belle-fille, dont les origines et la conduite lui paraissaient déplorables et scandaleuses. Le jeune couple s'en accommodait, même si Louis, en son for intérieur, regrettait d'être en froid avec sa mère. L'intervention de Claire n'avait rien changé, à un détail d'importance près : Edmée s'était résignée à ne pas déshériter son fils et à garder le secret.

Le repas se déroula dans une atmosphère sereine. *Miss* Margaret raconta avec humour comment elle avait rencontré William Lancester dans la luxueuse boutique de ses parents, des marchands de thé et d'épices fines.

— C'était un gentleman, un amoureux des belles choses. Je suis navrée qu'il n'ait pas pu mener à bien son projet de vendre de la porcelaine anglaise en France, soupira-t-elle.

— J'en suis désolée, moi aussi! s'écria Bertille. Heureusement, Will m'a offert un service à thé ravissant, une véritable merveille. Les motifs représentent des brins de muguet. Les anses des tasses sont comme de la dentelle.

Faustine et Matthieu arrivèrent main dans la main, précédés par leurs trois enfants endimanchés. Isabelle courut vers Janine, qui jouait à la balle près du perron. Le petit Pierre, du haut de ses quatre ans, se jeta sur Moïse le jeune. Le loup lui vouait une véritable adoration. Quant à Gabrielle, fascinée par le plastron perlé de la robe de Bertille, elle voulut aussitôt se percher sur ses genoux.

« Ma chère famille! pensait Claire. Je les aime tant, tous, et ils me prouvent si souvent leur tendresse et leur attachement! Ma belle Faustine ne m'a pas lâché la main une seule fois pendant l'audience du procès, et Matthieu s'est confondu en excuses, lui aussi, comme Bertrand, parce qu'il avait cru Jean coupable. Jean, mon amour, mon chéri, je voudrais que tu sois là, près de moi. Mardi, je te reverrai... Nos doigts se caresseront à travers la grille du parloir, et nous ne nous quitterons pas des yeux. C'est bien peu, mais c'est beaucoup aussi. »

Bertrand ouvrait du champagne qui était au frais dans un seau d'eau. Le bruit sec que fit le bouchon en se libérant la ramena sur terre. Bertille éclata de rire, imitée par la petite Gaby.

— Il faut trinquer encore! claironna la dame de Ponriant. À Jean, et au bébé que nous attendons tous avec impatience. Fille ou garçon, à votre avis?

— Jean a toujours rêvé d'avoir un fils, dit Claire, mais je crois que je serais enchanté si c'était une fille.

Thérèse n'avait pas déjeuné avec eux. Elle s'approcha de la table pour apporter les coupes en cristal.

— Thété, reste, ne te sauve pas, dit Claire. Et va chercher Léon et Anita. Dis à ton père que je lui pardonne. Il sait bien que je ne peux pas me passer de lui, c'est le meilleur palefrenier, le meilleur bûcheron et mon associé pour notre production de miel.

Cinq minutes plus tard, Léon prenait sa patronne et amie dans ses bras. Il était au bord des larmes.

— J'me voyais déjà flanqué à la porte, bredouilla-t-il. Je suis si couillon, aussi! Qu'est-ce qui m'a pris de picoler le jour du procès et de soupçonner mon Jeannot?

— Tu étais comme nous tous, mon brave Léon, remarqua Claire. Apeuré et inquiet. Tu imaginais le pire.

— Mais toi, maman, tu as cru papa innocent tout de suite, coupa Faustine. Moi, j'avoue avoir passé des nuits blanches à me tourmenter, envahie de doutes affreux.

— J'ai douté également, reconnut Claire. Mais j'ai eu foi en l'immense bonté de Dieu. Il nous accordait un bébé, un tout-petit à chérir. Jean était sûrement innocent, pour ça.

Bertille fit une moue narquoise. Elle avait entendu un autre son de cloche un matin, lorsque sa cousine prétendait qu'elle ne garderait pas l'enfant d'un assassin. Mais c'était du passé. Le présent avait les splendides couleurs du bouquet de roses, la douceur de l'ombre tiède du vieux tilleul et le subtil pétillement du vin de champagne. C'était une belle journée d'été où le malheur n'avait plus qu'à tirer sa révérence.

*

Moulin du Loup, vendredi 3 août 1928

Claire était confortablement installée dans une chaise longue, près du mur de la maison qu'un superbe rosier rouge recouvrait entièrement. Après la floraison de juin s'annonçait déjà celle de septembre, comme le prouvait la multitude de boutons verts dévoilant une fine tranche de couleur.

Sur les conseils d'Odile Bernard, la sage-femme qui devait l'accoucher, Claire se reposait beaucoup et mangeait peu.

— Madame, lui avait-elle expliqué lors du dernier examen, les futures mères font parfois des erreurs déplorables pendant leur grossesse. Elles s'alimentent plus que de raison sous le prétexte de manger pour deux et elles accouchent d'énormes poupons qui ont bien du mal à quitter leur nid douillet. Et souvent, elles continuent toutes leurs activités, ce qui provoque des douleurs dans le dos et des contractions avant le terme. Nous allons mettre toutes les chances de notre côté.

Cet enfant qui grandissait en elle, Claire l'aimait de toute son âme. Elle lui parlait, caressait son ventre, toujours étonnée quand le bébé semblait répondre d'un mouvement furtif juste sous sa main ou d'un discret coup de pied.

Le Moulin du Loup était très silencieux, cet après-midi-là. Claire en profitait pour tricoter, à l'ombre d'un parasol blanc. Elle se répétait souvent la phrase que le père Maraud lui avait chuchotée : « Tu cueilleras le plus beau fruit de ta vie à la fin de l'été. »

Bien sûr, c'était encore à l'occasion d'une vision, si bien que Claire s'interrogeait sur la véracité de ces mots.

— Cela se produit chaque fois que je suis angoissée ou fatiguée, comme au tribunal, se dit-elle à mi-voix. Si c'était moi qui provoquais tout ça? Oh, tant pis, à quoi bon me creuser la cervelle? Je porte un fruit, de ça je suis sûre et certaine.

Anita repassait à l'étage; Janine était invitée chez Faustine où elle retrouvait avec plaisir sa camarade de jeux favorite, Isabelle. Matthieu était parti livrer une commande de cartons à Cognac, dans le pays des vignes. Léon, lui, travaillait au potager qui n'avait jamais été aussi beau. Tomates, aubergines, potirons, cornichons, haricots et pommes de terre promettaient des rangées de conserves et des potages savoureux.

«Jean sera là fin août, quand il aura purgé sa peine, songea Claire. Peut-être qu'il aura envie de rattraper le temps perdu. Il faudra récolter les pommes et vendanger.»

Malgré les bonnes paroles de Bertrand Giraud, Jean n'avait pas été libéré en juillet. Claire avait eu deux permis de visite, mais, à la demande de son mari, elle n'était allée le voir qu'une fois.

— C'est trop dur de ne pas pouvoir te toucher, te caresser, ma chérie, avait-il expliqué. Et puis, tu sembles fatiguée, le trajet en voiture pourrait provoquer l'accouchement plus tôt que prévu. Je serai bientôt là, attends-moi chez nous.

Elle avait obéi parce qu'elle éprouvait la même sensation de frustration, à être séparée de lui par une grille, à ne pas pouvoir l'enlacer ni l'embrasser.

— Ce ne sera plus long, maintenant, assura Claire à la chatte Mimi couchée à ses pieds, comme elle l'aurait fait pour un être humain.

Pourtant, dès qu'elle entendit le bruit d'un moteur, elle se redressa, sur le qui-vive. Bertille était au bord de la mer avec Arthur et Clara; Matthieu ne devait rentrer qu'en fin de journée. Son cœur se mit à battre la chamade. Mais elle n'osa pas se lever, préférant demeurer assise.

— Si c'est Jean, mes jambes trembleront trop, je ne pourrai pas marcher, balbutia-t-elle.

Une femme très distinguée s'avançait dans la cour, l'aperçut et se dirigea vers elle en s'appuyant sur une canne. C'était Edmée de Martignac.

— Bonjour, Claire! Que vous êtes bien installée! s'écria-t-elle.

— Edmée? Vous auriez dû me prévenir; je ne suis pas très présentable.

La châtelaine de Torsac prit place sur une chaise de jardin. Son regard gris-bleu se fixa sur le ventre proéminent de Claire.

— Alors, c'est vrai! soupira-t-elle. J'ai appris par une carte postale de mon fils que vous étiez enceinte. Je voulais m'en assurer de mes yeux.

Elle souriait sans véritable chaleur, le visage toujours émacié, sa peau fine et poudrée d'une pâleur extrême. Un chapeau de paille d'Italie dissimulait à demi son chignon bas, d'un gris argenté.

— J'ai lu les journaux, aussi, au mois de juin, ajouta-t-elle. Mon Dieu, quand donc votre famille cessera-t-elle d'attirer l'attention? Nous sommes parentes. Sachez que je ne m'en vante pas. Et vous portez l'enfant de cet homme! Je vous l'accorde, il a été innocenté, mais tout de même condamné pour coups et blessures. De plus, la presse a fait état de votre vie privée. Claire, j'ai de l'affection et de l'estime pour vous, mais je ne vous comprendrai jamais. Comment pouvez-vous l'aimer encore? Sans oublier votre âge! A-t-on idée d'être mère aux portes de la cinquantaine?

Légèrement agacée et un peu déçue, car elle avait espéré le retour de Jean, Claire ne répondit pas immédiatement.

— Avez-vous terminé, Edmée? demanda-t-elle enfin. Je suis heureuse! Ne gâchez pas mon bonheur! Dieu m'a fait un cadeau inouï et inestimable en me permettant d'être mère. J'ai souffert durant des années d'être stérile. J'avais honte, je me sentais pareille à une infirme. Pour ce qui est de mon âge, je connais des femmes qui ont des enfants sur le tard et n'en font pas toute une histoire. J'en ai discuté avec le docteur Joachim Claudin, qui a exercé ici, à Puymoyen, il y a quelques années. C'est l'époux de Corentine Giraud. En tant que médecin, il m'a dit que la nature se moque des lois scientifiques et de la logique. Il a déjà été confronté à ce genre de cas, une grossesse imprévue, inespérée. Je n'ai pas l'impression d'être vieille ni usée. Mon corps ne me trahira pas.

— Taisez-vous, enfin, vous devenez impudique! protesta la châtelaine d'un air gêné.

— Et je vous rappelle, ma chère Edmée, que vous avez eu votre fille Marie aux portes de la quarantaine! lança Claire non sans malice. Je ne l'ai pas vue souvent, cette demoiselle. Elle a dû changer!

— En effet, Marie fêtera ses dix-sept ans au mois d'octobre. C'est une ravissante jeune fille qui se destine à la médecine. Comme si c'était un métier de femme... Elle prétend que vous êtes à l'origine de sa vocation. Cela vous étonne? Elle n'a pas oublié que vous l'avez guérie, quand elle était atteinte d'une fièvre paratyphoïde.

Touchée, Claire eut un doux sourire. Mais Anita venait aux nouvelles.

— Madame a de la visite, j'ai vu une voiture dans la cour. J'ai porté de l'eau fraîche à votre chauffeur, madame de Martignac. Voulez-vous du thé ou de la citronnade?

— De la citronnade pour moi, Anita, dit Claire.

— Pour moi aussi, répondit Edmée avec un soupir. Il fait trop chaud à mon goût aujourd'hui. Pourtant, j'ai commandé un taxi et je suis venue.

Cela sonnait comme un reproche. Déconcertée, Claire ne sut que répondre.

— Il ne fallait pas vous déranger, dans ce cas! finit-elle par répliquer.

— J'ai si peu de vraies amies! déclara Edmée, prête à pleurer. Je ne savais pas à qui me confier et dans mon désespoir j'ai pensé à vous. Claire, je n'en peux plus. Louis me manque beaucoup, je n'ai jamais vu mon petit-fils et ce matin j'ai su qu'ils allaient partir plusieurs mois aux États-Unis. C'est injuste! Toujours à cause de cette fille, ma belle-fille.

— Mais pourquoi partent-ils?

— Son talent de peintre! rétorqua Edmée d'un ton hargneux. Là-bas, elle sera exposée et sa carrière prendra son envol. Autant de sottises qui la rendront encore plus prétentieuse. Louis m'a expliqué tout ceci dans une lettre qui accompagnait la carte postale dont je vous ai parlé. Il m'écrit, puisque je refuse de lui adresser la parole ou de le recevoir. Qu'il divorce et nous obtiendrons la garde de Quentin.

La voix de la châtelaine se brisa sur ce prénom. Anita revenait, un plateau à bout de bras. Elle le posa sur une petite table et s'éloigna aussitôt.

— Edmée, dit Claire avec fermeté, vous vous faites du mal pour rien! Ce petit Quentin, vous brûlez de l'embrasser, vous vous languissez de le connaître. Louis adore Angéla, ils sont heureux, ils forment un couple uni. Vous n'êtes pas de taille à détruire leur union. Cessez donc de lutter pour une cause perdue. Quand leur départ est-il prévu?

— En novembre.

— Cela vous laisse du temps, assura Claire. Mettez votre fierté, vos principes et vos rancœurs de côté et invitez-les au château. Je suis persuadée qu'après quelques minutes pénibles vous serez tous penchés sur Quentin à vous extasier ensemble. Dieu nous a enseigné le pardon des offenses. Je l'ai assez pratiqué pour vous affirmer que c'est le chemin du bonheur.

Edmée de Martignac hocha la tête. Elle hésitait encore, mais Claire eut la certitude qu'elle suivrait ses conseils. Après avoir bu du bout des lèvres son verre de citronnade, la châtelaine prit congé.

— Je vous souhaite bonne chance, ma petite Claire, dit-elle gentiment. Donner vie à un enfant n'est pas une partie de plaisir, j'en sais quelque chose. Que ce soit pour Louis ou Marie, j'ai cru mourir de douleur. Je vous en prie, prévenez-moi quand le bébé sera né.

Claire promit, soulagée de se retrouver seule. Le taxi parti, elle s'allongea, épuisée. Un merle chantait dans les branches du sapin planté près de la bergerie. La rivière chantonnait. Un vent chaud agitait les feuilles du rosier centenaire. La chatte s'étira et poussa un miaulement très doux, comme pour exprimer sa satisfaction. Le calme était revenu.

— Toi aussi, Mimi, tu apprécies l'harmonie, lui dit Claire d'une voix douce. J'étais si tranquille, à rêver… Pourvu que personne d'autre ne vienne nous déranger!

Elle se remit à son ouvrage de tricot, une petite brassière en laine blanche.

— Si c'est un garçon, j'enfilerai du ruban bleu au col, dans les jours que voilà, et du ruban rose si c'est une fille! J'espère qu'Edmée deviendra raisonnable. Elle rendrait triste n'importe qui. Or, je n'ai pas envie de tristesse.

Claire parlait à mi-voix. Ses longs cheveux bruns noués à la hâte d'un cordon de soie ruisselaient sur ses épaules.

Vêtue d'une large robe en cotonnade fleurie, elle avait le teint hâlé, les bras et les mollets dorés par le soleil. Bertille et Faustine la taquinaient souvent parce qu'elle s'entêtait à ne pas suivre la mode, mais elle était ainsi et n'avait pas l'intention de changer. Envahie par une soudaine gaîté, elle fredonna une vieille chanson du temps passé, que son père avait chantée à son mariage.

De bon matin, je me suis levé
Vive les garçons papetiers,
De bon matin, je me suis levé
Vive la feuille blanche!
Vive les garçons papetiers
Qui font leur tour de France[30] *!*

Le bébé s'agita. Elle éclata de rire et plaqua ses paumes de chaque côté de son nombril. La joie infinie qui la submergea en percevant des soubresauts lui donna envie de pleurer.

— Danse, mon petit chéri! lui dit-elle tendrement. Danse, mon petit amour!

Des mains se posèrent sur ses yeux. Surprise, elle poussa un cri et essaya de se libérer. Ses doigts se rivèrent à d'autres doigts, chauds et joueurs.

— Matthieu? Non! Mon Dieu! Jean?

Claire reçut un baiser dans le cou en guise de réponse. Des lèvres tendres et avides se posèrent sur les siennes un court instant. Jean tomba à genoux près de la chaise longue et étreignit sa femme avec une infinie délicatesse.

— Jean, tu es libre! Merci, mon Dieu! Jean, mon amour!

Il ne pouvait pas dire un mot, trop ému, mais il la regardait avec une expression passionnée. Elle se perdit dans le bleu pur de ses yeux brillants de larmes. Toujours silencieux, il caressa doucement son ventre.

— Jean, quel bonheur!

— Oui, c'est le plus beau jour de ma vie. J'ai pris le car jusqu'à Puymoyen et suis descendu dans la vallée par le

30. Ancienne chanson de l'Angoumois, province réputée pour ses moulins à papier.

raccourci, ton sentier. On m'a libéré grâce à Bertrand, qui s'est démené comme un diable. Claire, j'étais caché derrière le buisson de chèvrefeuille et je t'observais. Tu es si belle, si lumineuse! Et joyeuse comme un pinson! Je peux enfin te toucher, sentir ta peau et tes cheveux... Oh, ma chérie, le cauchemar est terminé, nous sommes tous les deux, non, tous les trois.

— Vite! s'exclama Claire. Vite, il bouge, mets tes mains là, à droite. Ton enfant te salue à sa manière.

Jean étouffa un sanglot. Sous ses mains, un petit être lui manifestait son appétit de vivre et lui prouvait son existence. Jamais il n'aurait imaginé pouvoir contempler Claire enceinte, épanouie, comblée par ce miracle qu'elle avait tant imploré.

— Je ne vous quitte plus! dit-il. Plus jamais.

Claire lui caressa le front et les tempes. C'était son bien-aimé, son époux devant Dieu et les hommes. Du passé elle ne voulait retenir que les jours heureux et les nuits éblouissantes.

— Je t'aime tant, Jean!

— Je t'aime encore plus! répondit-il en posant sa tête sur son ventre, qu'il embrassa avec ferveur.

Anita, qui venait chercher le plateau, les vit ainsi. Elle recula sur la pointe des pieds. Claire et Jean n'avaient besoin de rien. Ils s'étaient retrouvés en ce beau jour d'été.

19
Les beaux jours d'été

Moulin du Loup, samedi 11 août 1928

C'était une chaude nuit d'été. Par la fenêtre grande ouverte de leur chambre, Claire et Jean contemplaient un quartier de lune qui semblait comme accroché à la cime d'un grand frêne. Une chouette poussait des cris aigus, semblables à un aboiement. Le murmure de la rivière faisait écho au chant monotone des grillons.

— Tu es revenu depuis huit jours exactement, dit-elle tout bas. Les plus beaux jours de ma vie. Les plus doux, les plus parfaits!

— En es-tu sûre? demanda-t-il. Nous avons souvent été très heureux tous les deux, bien des nuits et bien des jours. Je n'oublierai jamais la joie que j'éprouvais, la semaine suivant notre mariage.

— Peut-être, mais ce n'était pas vraiment pareil, répliqua-t-elle tendrement en caressant la joue de son mari. D'abord, nous sommes trois maintenant. Cela change tout. Je sais ce que ressent une femme qui porte l'enfant de son amour. C'est une impression unique. Souvent, j'en pleure toute seule, mais de bonheur. Jean, je suis sottement fière d'être enceinte, comme le serait une jeune mariée.

Ils échangèrent un baiser extasié. Jean posa une main sur le ventre arrondi de Claire. Il ne s'en lassait pas. Chaque soir, lorsqu'ils se couchaient, le même rituel se répétait. Elle s'allongeait en chemisette légère et, bouleversé, presque malade de tendresse, il admirait son corps épanoui. Le bébé bougeait, comme s'il était ravi de susciter l'attention conjuguée de ses parents.

— Tu as raison, nous sommes trois, renchérit-il. J'ai rêvé sans fin de ces moments-là, en prison. Le matin, quand je m'éveillais, je pensais immédiatement à notre enfant. Du coup, je me mettais à prier pour être innocenté et libéré. J'ai perdu un temps précieux, ma chérie. Dire que tu as été seule tous ces mois, et par ma faute en plus!

— Chut! trancha-t-elle. Je ne veux plus rien entendre de triste ou de trop sérieux. Jean, mon amour, jamais je n'aurais imaginé que je serais enceinte à mon âge. Mais on ne peut pas en douter, vu l'état dans lequel je me trouve. Et la naissance approche. Mon Dieu, j'ai tellement hâte de voir ce petit! Tu verras, ce sera un fils, le fils que tu as tant espéré.

— Crois-tu? Peu importe, Clairette. Garçon ou fille, cet enfant, je l'adorerai, parce qu'il me viendra de toi.

La voix de Jean tremblait. Il se redressa, se pencha et effleura de ses lèvres le ventre de Claire.

— Je ne suis pas trop déformée? interrogea-t-elle très bas.

— Oh non, tu es magnifique! Un beau fruit gorgé de sève, un jardin au mois de mai.

— Tu deviens poète! le taquina-t-elle.

Ils se turent un instant, plongés dans leurs pensées. Dans la grande maison silencieuse s'éleva soudain un ronflement sonore.

— C'est notre brave Léon, dit-elle en riant. Anita commence à se plaindre, elle n'arrive pas à dormir. Nous pouvons toujours tenter d'être romantiques, voici une drôle de musique qui brise le charme.

Jean répondit d'un nouveau baiser, sur le front de sa femme cette fois-ci. Il revit Léon pendant le procès, fin saoul, écarlate, bredouillant, qui témoignait contre lui sans s'en rendre vraiment compte. Son vieil ami s'était excusé à plusieurs reprises depuis sa libération, mais il subsistait un malaise entre les deux hommes.

« Moi qui croyais que Léon serait mon unique défenseur, pensa-t-il, le seul à ne pas me considérer comme un criminel! Faut-il que je l'aie déçu pour qu'il en vienne à me juger aussi mal! »

La luminosité bleuâtre de la lune dessina le profil de

reine de Claire et argenta sa chevelure éparse sur l'oreiller. Jean chassa toute amertume de son cœur.

— Mon cher trésor, dit-il d'un air extasié, tu as sommeil?

— Un peu, avoua-t-elle. Je dois me reposer. La sage-femme insiste beaucoup sur ce point. Comme sur l'autre point qui nous rend moroses…

Odile Bernard avait prescrit l'abstinence au couple. Jean s'en accommodait, car il se souciait en priorité de la santé de Claire et de celle du bébé.

— Il faut écouter cette sympathique jeune femme, dit-il. Nous nous rattraperons plus tard. Et puis nous avons triché, n'est-ce pas?

Claire approuva avec un air faussement coupable. Ils n'avaient pas pu s'empêcher de faire l'amour deux fois déjà, en privilégiant les folles caresses et certains baisers audacieux qui décuplaient le plaisir.

— Bonne nuit, mon chéri! conclut-elle. Et demain, comme prévu, nous rendons visite à monsieur Devinaud et à sa fille. Te rends-tu compte, je suis née dans la vallée, je suis allée à l'école à Puymoyen, et je n'ai jamais vu le château du Diable. C'est assez étrange, quand même! Je me souviens que des camarades de classe allaient rôder devant le portail. Elles en parlaient dans la cour de récréation comme si c'était un exploit.

— Il suffit d'un nom pour impressionner les gamins ou les idiots, répondit Jean. Pour ma part, je pense que ces gens ont été très aimables et très serviables. Ne t'inquiète pas, nous irons demain, je te l'ai promis. Je tiens à les remercier.

— Anita fera une tarte aux pommes, parfumée à la cannelle, bredouilla Claire, somnolente. Tu devrais leur apporter une bouteille de cidre.

— Oui, ma chérie! Dors, tu n'en peux plus. Je veille sur toi. Pardon… Je veille sur vous.

Jean esquissa un sourire. La respiration de Claire se fit plus régulière. Il continua à la regarder, saisi d'un respect immense, d'un amour encore plus intense. Il s'interrogea sur le mystère de leur destinée qui avait provoqué leur rencontre, trente ans auparavant, en leur imposant bien des épreuves. Désormais, ils pouvaient suivre le même chemin, main dans la main.

« La vie m'a comblé, songea-t-il, étonné. Un enfant de Claire! Mon Dieu, quelle bénédiction! Il me paraît déjà bien loin, le temps où je tenais Faustine dans mes bras, pas plus grosse qu'une poupée. Ensuite, j'ai pu choyer Isabelle, Pierre et Gaby, mais là, ce bébé, ce sera le mien, le nôtre! »

Il ne parvenait pas à réaliser l'imminence de l'événement. Comparé à ce miracle, rien n'avait d'importance. Comme il faisait cette constatation, un souvenir récent lui revint. Le dimanche 5 août, soit deux jours après son retour, il avait tenu à remercier Arthur. L'adolescent était passé au Moulin, en compagnie de Clara et de Bertille, après un séjour au bord de la mer. Jean l'avait entraîné près du bief, afin de discuter avec lui en tête-à-tête.

— Je te dois une fière chandelle, Arthur! avait-il déclaré. Je n'ai pas toujours été conciliant avec toi, mais nous serons de bons amis, à l'avenir. Si tu n'avais pas découvert ce papier dans le souterrain, j'aurais été condamné à trente ans de prison. Merci de tout cœur.

— Je l'ai fait pour Claire, avait dit sèchement le garçon. Rien que pour Claire. Elle ne méritait pas de souffrir encore. Ce n'est pas la peine de me remercier.

Arthur s'était éloigné, raide, presque furieux. Jean en avait gardé une impression déplaisante.

« On récolte ce qu'on sème, se dit-il après s'être remémoré l'incident. Je n'ai jamais témoigné d'affection à ce gosse. De toute façon, depuis qu'il vit au domaine de Ponriant, il prend de grands airs. Cela s'arrangera un jour ou l'autre. J'ai envie de resserrer le cercle familial. Je me sens si différent de celui que j'étais il y a encore quelques mois! Sans doute la rédemption dont parlait ce malheureux Lancester. »

Incapable de fermer l'œil, Jean se berça de bonnes et sages résolutions. Bientôt, il dissiperait le malaise qui planait entre Léon et lui, et tous deux comme naguère travailleraient au verger et à la vigne. Il renouerait également des liens d'amitié avec Bertrand Giraud et avec Matthieu.

« Et le bonheur régnera, ici au Moulin comme au domaine! »

Claire s'agita dans son sommeil. Il se blottit près d'elle, ivre de joie.

— Ma chérie, balbutia-t-il, plus jamais je ne te ferai du mal, plus jamais je ne te ferai pleurer.

*

Le Petit Rochefort, dimanche 12 août 1928

Jean s'était garé sur la place du Petit Rochefort, un hameau proche du village de Puymoyen. Il aida Claire à descendre de la voiture, qui menaçait de tomber en panne à chaque trajet.

— Nous aurions pu venir à pied! protesta-t-elle. Une femme enceinte n'est pas malade.

— Tu accouches dans un mois environ ou dans trois semaines. Cela n'aurait pas été prudent de marcher par cette chaleur. J'ai choisi le moyen le plus sûr et le plus pratique pour toi.

— Je l'admets, répondit-elle, touchée par sa sollicitude constante.

— Le soleil tape dur; prends donc ton ombrelle!

— Non et non! pouffa Claire. Je ne suis pas Bertille, pour veiller à la blancheur de mon teint. Jean, comme c'est bizarre! Je ne suis pas venue ici depuis si longtemps! Regarde ce puits, je le reconnais, il est magnifique. Mon père m'amenait ici, quand j'étais fillette.

D'un pas tranquille, elle se dirigea vers le puits communal, dont l'ouverture munie de grilles était protégée par un gracieux édifice en pierres blanches qui faisait sa particularité. En forme de dôme, l'élégante construction se terminait par une pointe, elle aussi en calcaire[31].

Chargé d'un panier en osier, Jean rejoignit Claire. Il scruta les profondeurs du puits d'où s'élevait un parfum ténu d'eau fraîche.

— Je me demande bien pourquoi on n'a jamais fait appel à moi, au Petit Rochefort! soupira-t-elle. J'ai parcouru

---

31. Le puits du Petit Rochefort existe toujours, dans le village du même nom.

la vallée et les collines voisines, mais je n'ai pas eu à venir jusque-là.

— Et Colin, que venait-il y faire? interrogea Jean.

— Il livrait des rames de papier en calèche à la ferme-école de monsieur Rivaud. C'était un établissement réservé aux élèves de l'École normale d'Angoulême et à ceux du Grand Séminaire. Il fallait former ces jeunes gens à la vie rurale. J'avais treize ans quand la ferme-école a cessé de fonctionner, en 1893. Mon Dieu, cela me semble si loin[32]!

Elle eut un geste de lassitude, ce qui inquiéta un peu Jean. Vêtue d'une robe ample en percale beige, elle offrait ses bras et ses mollets hâlés au vent chaud. Elle avait natté ses longs cheveux bruns. Il lui trouva cependant les traits tirés et les joues pâles.

— Tu te sens bien? questionna-t-il. Je peux te conduire en voiture devant la grille du château. Il y a au moins cinq cents mètres! C'est toi qui voulais marcher un peu. Sinon, je ne me serais pas garé sur la place.

— Mais je me sens bien! Dépêchons-nous, j'ai annoncé notre visite à monsieur Devinaud pour seize heures. C'était drôle, d'écrire une adresse pareille, le château du Diable! Je me suis souvenue ce matin que ma mère et ma grand-mère m'interdisaient de m'en approcher. Je n'ai jamais désobéi, tant j'avais peur de croiser un démon cornu.

Jean la prit par la taille en riant. Ils suivirent une allée ombragée qui les conduisit à un portail dont les montants en pierre représentaient des diables grandeur nature, telles des sentinelles peu engageantes. Claire fronça les sourcils, stupéfaite.

— Tu ne m'en avais pas parlé, de ces sculptures-là! fit-elle remarquer.

— Je suis arrivé par les souterrains et, quand monsieur Devinaud m'a raccompagné en voiture, je n'y ai pas pris garde.

Un gros chien-loup à la fourrure brune et touffue se rua vers la grille en aboyant.

— Satan! Satan, tais-toi! fit une voix douce.

Gisèle Devinaud avait aperçu ses visiteurs. Elle ouvrit le portail en leur adressant un sourire radieux.

---

32. Authentique. La ferme-école aurait été construite sur l'emplacement d'un château signalé par l'abbé Michon, historien local.

— Entrez, je vous en prie, dit-elle. N'ayez pas peur du chien. Malgré son nom, il est très gentil. Mais cela ne l'empêche pas d'être bon gardien.

— Heureusement que je ne suis pas tombé sur lui le soir où je vous ai dérangée! déclara Jean.

— Oui, par chance, il était enfermé dans la grange.

Claire observait Gisèle Devinaud. C'était devenu une de ses manies de détailler une personne, surtout son visage. L'examen fut positif. La jeune femme lui plaisait.

— Vous serez mieux au frais, madame Dumont, avança la demoiselle. Mon père a délaissé ses outils de sculpteur pour préparer de la citronnade. C'est amusant de penser que nous sommes presque voisins et que je ne vous connais pas du tout.

— Eh bien, ce sera chose faite, répliqua Claire en caressant le chien. Vraiment, il s'appelle Satan?

— Eh oui, cela nous amusait, mon père et moi, de lui donner ce nom. Il n'a qu'un an, malgré sa taille imposante.

Jean, lui, étudiait la disposition du vaste jardin, abondamment arboré. Des bosquets de buis dispensaient leur senteur si particulière, qui l'avait tant frappé après les heures de cauchemar passées sous terre. Il remarqua des blocs rocheux qui affleuraient parmi l'herbe sèche.

Guidée par leur hôtesse, Claire entra dans le corps de logis. Elle avait noté d'autres sculptures de diables sur le fronton triangulaire et s'en étonnait en silence. Elle n'était pas au bout de ses surprises. Monsieur Devinaud les accueillit dans un grand salon. La cheminée en pierre blanche s'ornait d'autres sculptures de diables remarquablement représentés.

— Madame Dumont, quel plaisir de vous recevoir! dit le maître des lieux. Je vois que vous êtes déroutée par mes œuvres. Si, si, je le lis dans vos yeux.

— Un peu, concéda Claire. Ce n'est pas courant dans nos campagnes de mettre le malin à l'honneur. Ma mère employait ce terme, le malin…

— Cela ne vous met pas mal à l'aise, au moins? s'alarma Devinaud. Dans votre état… Nous pouvons nous installer sur la terrasse, il y a un parasol.

— Non, ne vous inquiétez pas! assura-t-elle. Au fil des

années, j'ai acquis la certitude que le diable ou le malin vit surtout dans les âmes ingrates, habitées de mauvaises pensées, de certaines personnes.

Cette réplique parut séduire monsieur Devinaud et sa fille. Claire l'avait assortie d'un faible sourire. Elle était gênée, au fond d'elle-même, car à cause du procès ses hôtes n'ignoraient rien du passé de Jean et du sien.

« Comme tous ceux qui ont assisté à l'audience, ils savent que j'ai trompé mon mari, que je suis une femme adultère, songeait-elle. Cela date de huit ans, mais ils pourraient me mépriser. »

La jeune et jolie Gisèle ne paraissait pas du tout sur la défensive, et son regard lumineux n'exprimait aucun dédain. Elle offrit des sièges au couple et disposa un plateau garni de verres sur un guéridon.

— Mon père et moi sommes enchantés d'avoir de la visite, car c'est assez rare, leur expliqua-t-elle. Vous nous êtes très sympathiques. J'ai lu les journaux, monsieur Dumont, après votre arrestation, et je n'ai pas cru une seconde que vous étiez coupable. Hélas! Les gens sont si prompts à accuser, ici comme ailleurs.

— La méfiance règne partout, avec ou sans preuve tangible, souligna monsieur Devinaud d'un ton affligé. Nous en avons fait les frais, ma fille et moi, depuis que nous habitons cette maison. D'une part, nous sommes étrangers au pays; d'autre part, je m'entête à orner notre petit domaine d'une figure redoutée, celle du diable! Il fallait bien justifier le nom de cette paisible demeure. Mon humour a déplu, on y a vu autre chose, une affinité avec le diable, sans doute.

Ému par tant de franchise, Jean hocha la tête. Tout en évitant de jouer les curieux, il étudiait discrètement les tableaux décorant les murs, qui représentaient le château du Diable au siècle précédent et des paysages de la vallée.

— En tout cas, dit-il enfin, j'avais hâte de vous remercier de vive voix. Votre témoignage au procès m'a réconforté. Je ne connais rien de pire que d'être jugé coupable quand on est innocent.

— Je vous comprends, renchérit Gisèle. En plus, votre épouse attendait un enfant. Le petit dernier, je suppose?

— Oh non! s'exclama Claire, mon premier enfant. Une sorte de miracle, une grâce divine. La nature m'a refusé ce grand bonheur durant des années avant de se décider à faire mentir les diagnostics des médecins.

Monsieur Devinaud la félicita. Claire et Jean se lancèrent dans l'énumération précise des membres de la famille, sans oublier les Giraud de Ponriant.

— J'ai croisé madame Giraud une fois, au bord de la rivière, raconta la jeune femme. J'allais au moulin du Petit Rochefort, par curiosité. Cette dame, votre cousine, donc, se promenait avec sa fille en bicyclette. Je les ai trouvées si belles, toutes les deux!

— Bertille m'a toujours fait songer à une fée! précisa Claire. Ces fées des légendes, malicieuses et radieuses.

— Quelle jolie comparaison! affirma Gisèle Devinaud. Moi, les gens d'ici me soupçonnent de pratiques effrayantes.

— Comment ça? protesta Claire.

Elle imaginait difficilement la chose. La jeune femme, blonde et polie, souriante et illuminée de très beaux yeux bleus, n'évoquait en rien une créature maléfique. Claire la contemplait discrètement quand un magnifique chat siamois sauta sur les genoux de Gisèle et s'y coucha.

— Je vais vous raconter; je suis sûre que vous en rirez avec nous, commença celle-ci en caressant le gracieux animal. Avant de me coucher, je promène Satan dans le parc, puisque je l'enferme souvent le soir, comme je vous l'ai déjà dit. En fait, c'est une précaution, car je crains qu'il ne s'échappe. L'automne dernier, une nuit de pleine lune, je me suis attardée sur la terrasse. Le paysage était vraiment sublime. La vallée des Eaux-Claires, nimbée d'argent et d'ombres bleues, était d'une beauté rare. Nous avons tous besoin de beauté, n'est-ce pas? Je rêvais, subjuguée par l'infini du ciel et la chanson de la rivière. Les chouettes s'appelaient... Bref, l'ambiance était vraiment singulière! Mon chien en a profité pour disparaître. Je suppose qu'il courait après un lapin de garenne ou un chat en maraude. Mais j'ai été obligée de le chercher, puis de l'appeler. Cela m'a permis de constater que j'étais surveillée. Il y avait des gens embusqués derrière le mur d'enceinte et quelqu'un près de la grille. Un peu contrariée et inquiète pour le chien, j'ai appelé plus fort. « Satan! Satan! Dépêche-toi, je t'attends! » Je n'ai pas eu conscience de l'effet que pouvait produire ce genre de nom, qui résonnait dans le silence. J'ai entendu crier: « Elle invoque le démon! J'ai bien peur! Vite, allons-nous-en! » Et ce fut une vraie débandade! Je devais avoir affaire à des jeunes du bourg en quête d'émotions fortes. Il y a aussi des gens qui longent le mur d'enceinte en disant, avec cet accent si particulier du pays: « Holà! Qui c'est-y qui peut habiter là-dedans? » Je sens qu'on me considère mal, au village. Bientôt, on me traitera de sorcière.

— Mais non! coupa son père. En fait, je l'avoue, ce lieu inspire une sorte de crainte superstitieuse. Le mot diable ne perdra jamais sa force négative.

— Il paraît que ce nom remonte à l'époque de la guerre de Cent Ans, quand les Anglais occupaient la forteresse établie ici, sur cette pointe rocheuse, avança Jean. On les surnommait les diables.

— En effet, souligna monsieur Devinaud, il existait sûrement un château rudimentaire, au Moyen Âge. Il aurait été détruit, puis reconstruit au début du seizième siècle[33]. Les vestiges de la tour qui subsistent datent de cette période, ainsi que la salle voûtée où vous avez vu les casques militaires, de véritables pièces de musée. Mais, ce nom de château du Diable, il serait dû à plusieurs légendes tout aussi anciennes.

— Mon père est intarissable sur le sujet, fit remarquer Gisèle. Nous aimons beaucoup cet endroit, cette maison. Grâce à vous, monsieur Dumont, nous avons eu la preuve qu'un réseau de souterrains existe dans la falaise. Nous comptions mieux explorer la salle voûtée, déjà profondément creusée dans le roc, mais nous n'avions pas encore pris le temps de le faire. Il y avait tant de travaux urgents, pour rendre le logis confortable!

— Et ces vieilles légendes, que disent-elles? demanda aimablement Claire, de plus en plus détendue et curieuse.

33. La seigneurie de Rochefort a appartenu, de 1503 à 1599, à différentes familles de la région.

Elle avait l'impression d'avoir enfin rencontré des gens capables de défier les convenances, de dépasser certains préjugés.

— Le diable y joue le premier rôle, répondit monsieur Devinaud avec un fin sourire. La tradition populaire rapporterait que le malin s'opposait à la moindre construction sur les ruines de son domaine, sans doute les ruines de la forteresse. Il démolissait la nuit ce que les hommes bâtissaient le jour. Mais on prétend aussi que ce lieu, notamment une grotte, servait de repaire à une bande de faux-monnayeurs. Des étrangers décidèrent de s'approprier leur cachette pour y construire un château. Là encore, ce qui était édifié le jour s'effondrait durant la nuit, mais les coupables étaient invisibles, du moins impossibles à apercevoir. Ils se sauvaient soit par la vallée, soit par le plateau. Bref, cela a suffi pour donner naissance au patronyme de château du Diable. Et moi, j'ai eu envie de justifier ce vocable au parfum de soufre par mes sculptures. Tant pis si cela nous attire quelques soucis, nous n'avons rien à nous reprocher[34].

Jean approuva d'un large sourire. Il déballa la tarte aux pommes confectionnée par Anita, et offrit la bouteille de cidre qu'il avait apportée. Mais Claire demeurait songeuse.

— Les superstitions sont vivaces dans les campagnes, dit-elle à ses hôtes. Chaque fois que je découvre une pauvre chouette clouée à la porte d'une grange, cela me brise le cœur. Jeune fille, j'ai adopté un louveteau. Enfin, un sang-mêlé, le rejeton de mon chien et d'une louve. Un chasseur avait abattu ce couple hors norme. Ce serait une longue histoire à vous conter, j'espère avoir l'occasion une prochaine fois. Vous viendrez au Moulin du Loup, n'est-ce pas?

— Avec grand plaisir! s'enthousiasma Gisèle. J'imagine que vous avez été critiquée, d'élever un louveteau...

— Oh oui, même si mon Sauvageon était un animal exceptionnel, intelligent, fidèle, dévoué. Il a vécu plus de vingt ans. Et il a eu des petits avec une louve. Je les ai adoptés, eux aussi. Il me reste Moïse, un mâle d'une dizaine d'années.

---

34. Le château du Diable est un lieu réel. Ces sculptures furent réalisées à partir de 1937 par monsieur Boeglen, mais, pour les besoins de la fiction, cette date a été avancée.

Mais, dès qu'une brebis manquait ou qu'un poulailler était dévasté, on accusait les loups du Moulin.

La conversation se poursuivit. Jean ne tarda pas à évoquer le don de guérisseuse de Claire. Monsieur Devinaud parut très impressionné, mais sa fille eut un sourire mystérieux.

— J'avais entendu parler de madame Claire et de sa science des plantes, dit-elle. Mais j'imaginais une dame bien plus âgée, qui aurait logé au village. Je suis flattée de faire votre connaissance, car je n'avais pas fait le rapprochement, même au procès.

— Et à cette triste occasion, dit Claire, j'ai vu les visages se fermer, les regards se modifier. Ma réputation se ternissait à la vitesse de la lumière. Il faut dire aussi que notre famille a toujours fait montre d'un brin d'anticonformisme. Mon père, le maître papetier Colin Roy, s'était attiré les foudres du maire de Puymoyen, parce qu'il avait loué une maison à Basile Drujon, un anarchiste notoire, mais surtout un homme instruit et d'une vive intelligence.

— Je voudrais tout connaître de votre passé, déclara Gisèle. Il faudra revenir souvent; j'aurai enfin une amie dans le pays.

— Si vous souhaitez une seconde amie, coupa Jean, je vous présenterai ma fille, Faustine. Elle était enseignante et elle a dirigé l'institution Marianne pour orphelines. Vous voyez, une grande bâtisse située en contrebas du domaine de Ponriant.

La discussion allait reprendre, mais Claire poussa un petit cri de douleur.

— Excusez-moi, dit-elle en réprimant une petite grimace, très pâle. Je crois qu'il vaudrait mieux rentrer, Jean.

Tout de suite, il s'alarma. Claire se penchait en avant, l'air affolé.

— Madame, demanda Gisèle, voulez-vous que je coure chercher le médecin du bourg?

— Non, ce n'est pas la peine, protesta-t-elle. Le docteur Guérinot et moi ne sommes pas en très bons termes. J'ai ressenti une douleur étrange, mais c'est terminé.

— Désolés de prendre congé précipitamment, dit Jean. Mon épouse ne se repose pas assez. Mais nous tenions tant, tous les deux, à cette visite!

— Nous vous raccompagnons au portail, intervint monsieur Devinaud. Nous avons été ravis de faire plus ample connaissance, ma fille et moi-même.

Claire quitta le château du Diable au bras de Jean en cachant vaillamment la sourde angoisse qui l'envahissait. Elle n'avait jamais souffert des contractions propres à un accouchement, mais elle ne pouvait pas se tromper.

« Non, pas si tôt! Il est trop tôt! se répétait-elle, au bord des larmes. Mon enfant chéri, mon tout-petit, je t'en prie, reste encore à l'abri... »

Le soir, un violent orage éclata. Le tonnerre grondait et des éclairs zébraient le ciel d'encre au-dessus des falaises. Une pluie diluvienne s'abattit enfin.

Allongée dans sa chambre, Jean à son chevet, Claire poussa un soupir de soulagement.

— Je n'ai pas eu mal depuis mon retour au Moulin. C'était une fausse alerte, Jean. Et le bébé a bougé; tout ira bien.

Elle voulait s'en persuader. Thérèse et Maurice se mariaient dix jours plus tard, et Claire tenait à être de la fête.

— Je danserai à la noce de Thété, affirma-t-elle. Jean, ne fais pas cette mine contrite. Il n'y a aucun souci.

Il lui étreignit les mains et les couvrit de baisers.

— Je te crois, mais j'ai eu si peur, ma chérie! confia-t-il.

— N'aie pas peur, Dieu est de notre côté. Quant au diable, il se tient sagement dans sa prison de pierre, au château, chez nos nouveaux amis.

Cette fois, Jean prit le parti d'en sourire.

*

Village de Puymoyen, vendredi 17 août 1928

Perché sur une échelle, un marteau à la main, Léon essayait de fixer un panneau sur l'encadrement fraîchement repeint de la boutique. On pouvait y lire *Chez Thérèse, Coiffure pour dames.*

— Papa, un peu plus droit, à gauche, claironna la jeune fille, plantée sur le trottoir.

— Bon sang, je comprends rien à ton charabia. Je penche à droite ou à gauche? grommela Léon.

— La pancarte est de travers. Penche-la sur la gauche. J'aurais mieux fait de demander à Maurice; il est plus dégourdi que toi.

Madame Rigordin, l'épicière, vint aux nouvelles. Jadis ronde et très brune, elle avait maigri et portait une coiffe sur son chignon gris.

— Vous en faites, du tintouin! A-t-on idée, aussi, Thérèse, de travailler la veille de ses noces? Ton fiancé doit se languir.

— Maurice vient de partir chez ses parents, au Petit Fresquet, répliqua l'interpellée. Il les ramène demain matin. Chacun dans sa famille avant le mariage, mais après nous ne nous quitterons plus!

— Si ton mari passe ses journées dans ton salon, il fera fuir les clientes! plaisanta l'épicière. Hé! Léon, ton panneau est encore de travers, tu as bu un coup de trop, ma parole!

La vieille femme s'éloigna en ricanant. Thérèse haussa les épaules. Elle ne portait qu'une blouse en coton rose, serrée à la taille par une ceinture blanche. Cela mettait en valeur sa poitrine arrogante et ses jambes bien galbées.

— Tu n'as pas honte de t'habiller aussi court? pesta Léon. Et puis j'en ai marre, de ton bazar. M'dame Rigordin a raison, il n'y a pas le feu pour bricoler. Tu te maries demain!

— Je veux entrer dans l'église l'esprit en paix, papa! s'écria-t-elle. J'ouvre mon commerce mardi prochain. Ça ne me laisse pas trop de temps.

Une silhouette féminine familière approchait, un panier au bras. Deux enfants suivaient, qui se chamaillaient. Thérèse reconnut avec joie Faustine, Isabelle et Pierre.

— Je viens admirer ton salon de coiffure, ma Thété! dit la jeune femme en riant. Comme il me manquait du sucre et du café, je suis montée à pied au bourg. J'ai confié Gaby à Anita. Mais que c'est joli! Regarde, Isabelle, ces belles lettres sur la porte vitrée. Est-ce que tu peux lire ce qu'il y a d'écrit?

Faustine n'avait pas oublié son expérience d'institutrice. Elle regrettait souvent de ne plus enseigner. Isabelle apprenait ses lettres depuis la fin du printemps en prévision de la rentrée scolaire. La fillette était inscrite à l'école du village.

— C'est dur, maman, se rebiffa-t-elle.

— Allons, fais un effort, pour montrer à Thérèse! insista sa mère.

— « Coupe à la garçonne », claironna Isabelle. « Ondulations au fer ». Voilà, le reste, je ne sais pas.

— C'est déjà bien, s'extasia Léon en descendant de l'échelle. Bonjour, Faustine, toujours en beauté!

Ils s'embrassèrent en vieilles connaissances. La jeune femme n'avait pas de souvenirs sans Léon. Il lui était apparu, avec sa maigre carcasse dégingandée et sa tignasse rousse, alors qu'elle n'avait que deux ans. Depuis, il incarnait pour elle un genre d'oncle d'adoption dont l'affection et le dévouement ne s'étaient jamais démentis.

— Je te félicite, Isabelle, déclara-t-elle. Ce fameux reste, que tu aurais pu déchiffrer, je vais te le lire : « Shampoings et parfumerie ».

— Viens plutôt visiter, coupa Thérèse. Ce que je suis fière de mon salon, Faustine! J'avais économisé pendant trois ans, mais sans le coup de pouce de Bertille je n'aurais pas pu faire repeindre la devanture ni acheter du si beau mobilier et un sèche-cheveux électrique. Le dernier modèle de chez Calor[35]. Si tu connaissais le prix!

Enchantée par l'union de Thérèse et de son domestique, Bertille avait offert une somme d'argent à Thérèse en guise de cadeau de noces. Cela datait d'une quinzaine de jours.

Ils entrèrent dans le magasin, lui aussi repeint du même vert pastel que les boiseries extérieures. Isabelle et Pierre déboulèrent en riant, excités par cet endroit bizarre où flottaient diverses odeurs, celles du plâtre frais, de l'eau de Cologne et de l'encaustique.

— Il y a un petit logement à l'étage, expliqua Thérèse. Une cuisine et une chambre, plus un réduit pour la toilette. Maurice rentrera là tous les soirs. Mais il garde sa place au domaine.

Faustine effleura du doigt le rebord d'un meuble supportant une vitrine qui renfermait des flacons de parfum bon marché. Elle aperçut aussi des bocaux en verre coloré contenant du coton et des instruments de coiffure, bigoudis,

35. Un modèle manuel de sèche-cheveux a été créé en 1926 par un ingénieur de la maison Calor, Léon Thouillet.

pinces, épingles à chignon. La pièce contenait des chaises paillées, un lavabo qui dispensait aussi de l'eau chaude et une table où s'alignaient des paniers en fine vannerie, garnis du matériel indispensable, ciseaux et peignes en corne.

— Le maire pense que j'aurai vite une clientèle, ajouta la jeune fille. Les femmes qui veulent se faire couper les cheveux ou avoir des crans, elles prennent le car pour Angoulême. Je leur éviterai le trajet.

— Je parie que tu gagneras bien ta vie, assura Faustine. Mais tu ne devais pas essayer ta robe de mariée, aujourd'hui?

— C'est fait. Je l'ai cousue moi-même. Tout le monde aura la surprise.

Elle se tut, éblouie d'avoir atteint son rêve, celui de posséder son propre salon de coiffure. C'était dans l'air du temps, depuis l'apogée de la coupe à la garçonne. Des salons ouvraient dans toute la France[36].

Isabelle jouait avec une brosse que son petit frère tentait de lui arracher des mains.

— Veux-tu poser ça! ordonna Thérèse. Elle est neuve et réservée aux clientes. Allez, venez voir l'arrière-boutique.

La pièce adjacente, plus sombre, servait pour l'instant de rangement. Des cartons s'y entassaient ainsi qu'une malle. Léon, qui ronchonnait des imprécations quasiment inaudibles, ouvrit une porte vitrée donnant sur un jardinet envahi d'orties et de ronces.

— Je vais nettoyer ce fouillis, indiqua-t-il. On se revoit ce soir, Faustine, puisque Thété dort au Moulin. Claire a insisté, on mange une bonne omelette à l'oseille tous ensemble.

Léon se munit d'une faucille et sortit. Les enfants collèrent leur nez au carreau pour observer ce qu'il faisait.

— Ton père n'est pas très gentil avec toi! fit remarquer Faustine. Il devrait être content. Tu t'es tellement démenée pour en arriver là!

— Papa ne trouve rien à redire sur mon salon de coiffure, mais il trouve que le mariage est précipité. Il me soupçonne d'être enceinte. Je l'ai su en discutant avec Anita. Pourtant,

---

36. Quarante mille salons vont s'ouvrir en 1928 et dans les années suivantes.

je peux te jurer que Maurice n'a eu droit qu'à des baisers. Ils verront bien, tous autant qu'ils sont, que je n'aurai pas d'enfant l'an prochain, ni l'année d'après.

— Tu ne peux pas en être certaine, répliqua Faustine.

— Je ferai ce qu'il faut pour ça, crois-moi! Je ne suis pas pressée de pouponner. Le travail d'abord! Mais ça tombe bien que tu sois là. Si on pouvait causer toutes les deux, sans les petits? J'ai du café dans une bouteille thermos. Je l'ai fait sur mon réchaud à alcool. Je suis équipée!

Cependant, la jolie Thérèse paraissait préoccupée. Faustine envoya Isabelle et Pierre jouer sur la place du bourg en leur recommandant de ne pas s'éloigner.

— Qu'est-ce que tu as, ma Thété? interrogea-t-elle. Un souci?

— Je n'ai que toi à qui me confier, confessa la jeune fille. Voilà, je sais ce qui se passe dans un lit, entre un homme et une femme, mais on m'a dit que j'aurais très mal, la première fois. Ma patronne, à Angoulême, elle nous a raconté que le soir de ses noces elle a souffert le martyre et a beaucoup saigné. J'ai peur, et je me dis que Maurice va se moquer de moi. Il croira que je suis une vraie oie blanche.

— Il n'y a pas un garçon plus gentil que Maurice à des kilomètres à la ronde, Thété. Et il est fou amoureux de toi; il ne se moquera pas. Sois tranquille, si c'était aussi affreux que ça, la planète serait dépeuplée. Moi, j'ai eu mal, la première fois, mais ça n'a pas duré. Ensuite, cela devient très agréable, si agréable qu'on voudrait recommencer le plus souvent possible.

Thérèse semblait rassurée. Elle se réfugia dans les bras de celle qui lui avait servi de grande sœur.

— Merci, Faustine, je te fais confiance!

— Dis-moi la vérité, tu ne regrettes pas ta décision? Quand j'ai appris que vos bans étaient publiés à l'église, cela m'a surprise. Vous avez brûlé les étapes, c'est vrai. Tu ne connais pas bien Maurice, encore…

— Je le connais depuis toujours, Faustine, se récria la jeune fille. Je l'ai croisé environ une fois par semaine depuis qu'il travaille au domaine. Bertille m'a répété que c'était un homme sérieux! Il ne boit pas, il ne fume pas, il n'est pas dépensier. Et il me plaît, je l'aime. Je n'avais jamais ressenti ça pour aucun garçon. Dès que je pense à lui, je rougis, j'ai le cœur qui bat très vite.

— Alors, je te souhaite d'être très heureuse, ma petite Thété!

— Hier, je suis allée prier sur la tombe de maman. J'aurais tellement aimé qu'elle puisse voir mon salon de coiffure, les rideaux en dentelle, le sèche-cheveux, et aussi qu'elle soit là pour mon mariage!

— Raymonde doit veiller sur toi et se réjouir d'avoir une fille aussi belle et courageuse. Je vais à l'épicerie, maintenant. N'aie peur de rien, ma chérie, surtout pas de l'amour.

Faustine embrassa Thérèse avec tendresse. Elles se séparèrent en riant.

Le soir, ce fut Claire qui eut droit à un entretien en tête-à-tête avec la future mariée. Thérèse lui rendit visite dans sa chambre, où elle se reposait avant le repas.

— Alors, ma Thété, tu n'es pas trop angoissée? demanda Claire tout de suite.

La jeune fille s'assit au bord du lit. Elle souriait, mais il y avait au fond de ses yeux une sorte de panique enfantine.

— Non, ça va! dit-elle d'une petite voix mal assurée. Et toi? J'ai eu tant à faire ces dernières semaines que je n'ai pas pu venir souvent au Moulin.

Claire avait ses deux mains posées sur son ventre arrondi. Elle souriait aussi, mais d'un air extatique.

— J'ai hâte de voir mon bout de chou, mon amour de bébé! La sage-femme m'a recommandé de m'allonger régulièrement, de me coucher tôt, parce que j'ai déjà de petites douleurs. La naissance est prévue pour fin septembre. Parle-moi de ton salon de coiffure. Faustine m'a dit que c'était ravissant. Je sais tout, la peinture vert clair, les rideaux en dentelle, du matériel moderne... C'est une excellente idée, vraiment. Quant à Maurice, il te rendra heureuse, j'en suis certaine.

— Ce sera une rude journée pour toi, demain, s'inquiéta Thérèse.

— Mais non, je suis aussi fière et émue que si j'étais ta mère, Thété. Le destin m'a choyée en m'entourant d'enfants que j'adore, même si ce ne sont pas les miens par le sang.

— Claire, dit timidement la jeune fille, j'ai besoin de tes conseils.

— Je t'écoute!

— Ne te fâche pas, promis?

— Promis!

— Voilà, je ne veux pas avoir de bébé dans l'immédiat, pas avant cinq ans au moins, le temps d'établir une clientèle et de mettre des sous de côté. J'ai dépensé toutes mes économies, et aussi l'argent que Bertille m'a offert en cadeau de noces. Tu m'imagines, enceinte? Alors que je serai toujours debout, du matin au soir, et que je manipule des teintures et des éthers! Et je dois être coquette, à la mode. Il y a bien des moyens d'éviter une grossesse, sans que mon mari le sache?

Sidérée, Claire garda le silence. Elle comprenait les raisons de Thérèse, mais elle avait tellement souffert d'être stérile pendant des années que les paroles de la jeune fille lui semblèrent d'abord insensées.

— Nous t'aiderons, Thété, si tu as un enfant très vite, dit-elle d'une voix tendue. Ta grand-mère habite le bourg, elle peut s'occuper du petit. Et Maurice a le droit de devenir papa.

Au bord des larmes, Thérèse secoua la tête.

— Je suis très amoureuse de Maurice, mais je ne veux pas de bébé. Je me disais que toi, comme tu es guérisseuse, que tu connais les plantes, tu pourrais m'aider! Je t'en supplie, Claire!

— Je peux te donner un ou deux conseils, à condition que tu expliques ton choix à Maurice. Sinon, ce serait malhonnête de l'épouser. Les hommes ont leur mot à dire. Jean a souffert de ne pas avoir un enfant de moi. Cela l'a poussé à me tromper, j'en suis convaincue. J'ai beaucoup réfléchi. Je pense que la nature l'incitait à chercher une fille plus jeune, capable de lui donner une descendance.

Thérèse fit la moue. Elle n'avait pas pardonné à Jean l'histoire d'Angéla.

— J'en discuterai avec Maurice, soupira-t-elle, mais demain

soir c'est notre nuit de noces, et je redoute ce qui va se passer. Je peux tomber enceinte aussitôt. Faustine m'a un peu rassurée, sur un point, pas sur l'autre…

La détresse de la jeune fille ébranla Claire. Elle lui prit les mains en la regardant droit dans les yeux.

— Raymonde t'aurait tiré l'oreille, si tu lui avais demandé ce genre de conseils, mais je veux bien t'aider. Il y a une pauvre femme, du côté de Vœuil, qui a eu dix enfants. Son corps est usé, elle m'a suppliée de lui éviter une nouvelle grossesse. Réponds-moi avec précision. Quand as-tu été indisposée pour la dernière fois?

— Cela vient juste de s'arrêter, avant-hier. Juste à temps, je n'aurais pas voulu me marier dans cet état. Chez moi, par chance, au bout de trois jours, plus rien.

— Dans ce cas, tu ne risques pas de concevoir, assura Claire. La femme est sensible à la course de la lune, Thérèse. J'ai appris ça dans un vieux livre qui appartenait au père Maraud, le rebouteux. La période de fécondité se situerait au milieu du cycle menstruel. Cet ouvrage a dû être édité sous le manteau. Les textes vont à l'encontre des principes de l'Église catholique. N'empêche, madame Despis, la mère de famille dont je te parlais, s'est avouée bien soulagée. Elle n'a pas eu d'enfant cette année. Sinon, d'un commun accord avec Maurice, vous pouvez utiliser d'autres méthodes. Je suppose qu'il a un peu d'expérience, il saura quoi faire. Et s'il t'aime sincèrement, il peut être content d'avoir sa petite épouse pour lui tout seul. Par contre, Thété, je te préviens, si tu te retrouvais enceinte, ne cherche pas à te débarrasser de l'enfant. C'est un grave péché. Et l'avortement que pratiquent certaines bonnes femmes est un acte barbare. On en meurt souvent.

Thérèse ouvrit de grands yeux effarés. Elle ressemblait tant à sa mère, Raymonde, que Claire eut un pincement au cœur.

— Je ne ferai jamais ça, Claire! s'écria-t-elle. Oh, j'ai bien de la chance de vous avoir, Faustine et toi. Je ne suis pas à l'aise avec ma belle-mère. Et Anita me paraît prude, sévère. D'ailleurs, depuis qu'elle a épousé papa, elle aurait pu avoir un bébé, non?

— Léon se retire à temps, il ne répand pas sa semence,

chuchota Claire, gênée d'en venir à des détails aussi hardis. Mais je crois qu'en règle générale Dieu et la nature décident qui doit naître ou ne pas naître. J'en suis le plus bel exemple. Sinon, j'aurais été maman bien avant!

La conversation l'avait épuisée. Elle demanda à Thérèse de la laisser quelques minutes.

— Descends, Thété, c'est ton dernier soir de jeune fille et nous allons trinquer à ton mariage. Je vous rejoins vite.

Une fois seule, Claire fixa un point invisible du plafond. Elle caressa son ventre, espérant percevoir un mouvement du bébé.

— Est-ce que tu dors, mon petit ange? interrogea-t-elle tout bas. Sois gentil, fais-moi un signe. Tu n'as pas bougé aujourd'hui.

Ses mains insistaient, flattaient l'arrondi de son flanc à travers le tissu. Enfin, elle sentit un infime déplacement, d'une hanche à l'autre. Toujours attentif à sa santé, Jean entra au même instant. Il la vit illuminée d'un doux sourire, si belle qu'il en eut le souffle coupé.

— Tu n'es pas trop lasse? dit-il en s'approchant du lit. Je suis désolé de ne pas être monté plus tôt, mais j'ai aidé Léon à mettre du vin en bouteille pour le banquet.

— Ce n'est pas grave, mon amour. Thérèse avait besoin de bavarder.

Il l'enlaça avec d'infinies précautions. Claire lui était devenue si précieuse qu'il aurait volontiers passé chaque minute de son temps auprès d'elle.

*

Puymoyen, le lendemain, samedi 18 août 1928

L'union civile avait eu lieu tambour battant à la mairie du village. Léon menait à présent sa fille Thérèse à l'autel. Vêtu d'un costume neuf, les cheveux gominés, il bombait le torse, fier comme un coq. La mariée était ravissante dans sa longue robe blanche, le visage dissimulé par un nuage de tulle.

L'église Saint-Vincent était ornée d'une floraison neigeuse de lys, de marguerites et de roses. Une musique céleste résonnait grâce à la générosité de Bertille Giraud.

Arthur, très élégant avec sa cravate à jabot ivoire, jouait de façon magistrale la *Marche nuptiale* de Mendelssohn[37] sur l'harmonium flambant neuf dont Bertrand avait fait l'acquisition pour l'église de sa commune.

— Les Giraud doivent avoir leur domestique à la bonne, pour faire autant de frais! chuchota la vieille Jeanne à l'oreille de Claire qui se serait bien passée de ce voisinage.

Cependant, c'était la grand-mère des enfants de Léon et elle paradait au premier rang des bancs, sa coiffe amidonnée se balançant au rythme de ses hochements de tête.

— Maurice est entré à leur service à l'âge de seize ans, dit Faustine. Ils l'apprécient, en effet. Et Thérèse fait partie de notre famille.

Le soleil filtrait à travers les vitraux, lançant des rayons colorés sur les chapiteaux finement ouvragés des travées situées sous le clocher.

— Tu me jures que tu te sens bien? demanda Jean pour la troisième fois à Claire. Bertille te l'a fait remarquer, tu es pâle comme un linge.

Elle lui imposa le silence d'un froncement de sourcils. Le prêtre, entouré des enfants de chœur, accueillait la jeune mariée. Maurice, debout devant l'autel, tremblait d'émotion. Il n'avait jamais été aussi bien habillé de sa vie et osait à peine bouger. Ses cheveux étaient soigneusement lissés et divisés par une raie du côté droit; sa moustache avait été taillée de frais. Il portait un nœud papillon noir et une redingote en velours gris, que Bertille avait dénichée dans les penderies du domaine.

— Qu'ils sont beaux, tous les deux! souffla encore Faustine à sa mère adoptive. Maurice semble au paradis!

— Pourtant, je crois qu'il aura du fil à retordre avec Thété! C'est une femme de caractère, comme Raymonde.

Elles se sourirent, amusées. La cérémonie religieuse débuta. Arthur jouait en sourdine un prélude de Chopin[38]. Jeanne se mit à renifler, ce qui agaça Bertille, éblouissante

37. Félix Mendelssohn, chef d'orchestre et compositeur allemand (1809-1847).

38. Frédéric Chopin: célèbre compositeur et pianiste virtuose, né en Pologne (1810-1849).

dans une toilette de mousseline beige. La dame de Ponriant profitait de chaque fête pour s'acheter une nouvelle robe et les accessoires assortis.

Claire laissa son esprit vagabonder. Elle connaissait si bien l'église Saint-Vincent qu'elle contemplait uniquement la gracieuse silhouette de Thérèse. La jeune fille venait de relever son voile. Promues demoiselles d'honneur, Isabelle et Janine, nimbées de soie rose, se trémoussaient de fierté. «J'aurais voulu que ce soit le père Jacques qui officie, songeait-elle. Ce cher père Jacques, témoin de tous les drames qui ont frappé notre famille... Mon Dieu, Arthur a un talent extraordinaire. Pourtant, il est si jeune! »

Bercée par la musique, Claire céda à un peu de mélancolie. Entre ces murs épais, sous la nef du gros clocher carré, tant d'autres messes avaient été célébrées, pour des obsèques ou des noces.

«J'ai assisté à l'enterrement d'Édouard Giraud, ici, juste après les funérailles de son épouse Marianne, le grand amour de mon cher ami Basile. Ensuite, ce fut maman, la si sévère Hortense qui a sacrifié sa vie pour mettre Matthieu au monde. Tout ce sang sur les draps, je n'ai jamais pu oublier. »

Cela la ramena au présent et, comme si son corps faisait écho à l'horreur de ce souvenir, une douleur sourde vrilla son ventre.

C'était supportable, la sage-femme lui avait même dit de ne pas s'inquiéter.

«Je me suis mariée là deux fois: avec Frédéric Giraud, d'abord, et j'étais désespérée de l'épouser; ensuite avec Jean. Il pleuvait, mais j'étais la plus heureuse de la terre! »

Claire se remémora encore quelques baptêmes en se promettant de feuilleter son album de photographies dès le lendemain. Mais on la secouait par le bras.

— Maman, dit Faustine tout bas, j'aime mieux te prévenir, je crois avoir reconnu Angéla sur le dernier banc, près de la porte. Elle est avec Louis.

— C'est impossible, protesta Claire. Thérèse ne l'a pas invitée, elle n'a même pas envoyé de faire-part. Tu dois te tromper.

— Après tout, Thété était son amie, sa confidente. Elles étaient très proches…

— Tout à l'heure, quand les mariés remonteront l'allée pour sortir, va lui dire de disparaître. C'est déplacé de sa part de s'imposer ainsi. Ils n'ont pas leur place parmi nous. Et ne me regarde pas comme ça, ma chérie, je n'ai pas envie de la revoir. Ni de faire des politesses! J'ai plaidé leur cause auprès d'Edmée, sûrement bien en vain.

Faustine n'insista pas. Claire suivit la fin de la cérémonie avec attention, afin de ne pas penser à la présence indésirable de son ancienne rivale. Enfin, la marche nuptiale retentit à nouveau sous les doigts légers d'Arthur. César s'éclipsa, abandonnant sa jeune épouse, Suzette, enceinte de six mois.

Un lâcher de colombes était prévu sur le parvis de l'église, à l'ombre d'un tilleul centenaire, et le frère de la mariée devait s'en occuper avec l'aide d'un cousin de Maurice.

Thérèse avait hâte d'être à l'extérieur. Au bras de son mari, cette fois, elle avança d'un pas vif vers la lumière dorée de ce bel après-midi d'été. La fête allait commencer. La jeune fille voulait danser, boire du champagne et se laisser admirer. Sa chevelure d'un blond foncé resplendissait, autant que ses lèvres bien rouges. Son regard couleur noisette pétillait de joie.

Des enfants jetaient du riz sur leur passage. Les commentaires élogieux fusaient de toutes parts.

— Je suis l'homme le plus comblé du monde, dit Maurice avec un sourire radieux. Je t'aime tant, Thérèse!

— Et moi donc! répliqua celle-ci.

Claire les félicita d'un sourire sans se lever pour suivre le mouvement général. Jean s'en étonna. Faustine s'était éclipsée.

— Viens, ma chérie, il est temps de sortir, nous aussi, dit-il tendrement.

— Non, attends un peu, coupa-t-elle. Je t'en prie, je n'ai pas envie d'être bousculée.

— Mais tu vas manquer l'envol des colombes, ça te plaisait de voir ça, non!

— Jean, Angéla était là, dans l'église. J'ai envoyé Faustine lui dire de partir.

L'énoncé de ce prénom le fit taire immédiatement. Il resta à côté de Claire, en fixant le christ en croix avec une expression de profonde détresse.

Pendant ce temps, Faustine saluait Louis de Martignac. Le jeune châtelain était seul.

— Mais que faites-vous ici? lui demanda-t-elle à mi-voix. Vous auriez pu penser à ma mère et à mon père! C'est fort embarrassant pour eux. Il faut partir, Louis!

— C'était une idée d'Angéla, avoua-t-il. Ne vous inquiétez pas, elle est allée se réfugier dans notre voiture. Elle tenait à participer, en toute discrétion, au mariage de son ancienne amie. Et elle a un cadeau pour elle.

— Il aurait fallu l'envoyer à Thérèse, avec quelques lignes de félicitations. Je suis navrée, Louis, j'ai su pardonner à Angie ce qu'elle a fait, mais ma famille demeure hostile, ce qui est compréhensible. En plus, maman accouche le mois prochain, elle est nerveuse et fatiguée. Et votre fils, où est-il?

— Chez nous, à Villebois. Sa nourrice le garde. Angéla n'a plus de lait. Elle est de nature fragile. Faustine, si vous pouviez intervenir! Thérèse et Claire pourraient au moins lui dire un mot ou lui faire un geste de la main. Je vous assure que l'on vit plus heureux en pratiquant le pardon des offenses, comme je l'ai fait par amour. Et, en retour, j'ai reçu encore plus d'amour!

Il n'avait rien perdu de ses manières affectées, de son éloquence facile. Faustine retint une exclamation de colère.

— Mais enfin, il n'y a aucune raison que j'importune maman avec une pareille demande, ni Thérèse, qui est aux anges. Louis, ne soyez pas têtu, emmenez Angéla. Je vous rendrai visite, moi, pour embrasser votre petit Quentin. Je l'ai vu à la maternité, il a dû bien changer.

— C'est un superbe poupon de six mois, très éveillé et très gourmand, se rengorgea Louis de Martignac.

— Dites à Angéla que je suis navrée, ajouta encore Faustine. Je retourne rassurer Claire et papa. Et vous, disparaissez, par pitié!

Elle adoucit ces mots d'un sourire chaleureux. Le châtelain sortit de l'église. Il avait fait le nécessaire. Maintenant, il espérait rentrer le plus vite possible à Villebois, loin de Jean, surtout.

« Faustine a raison, se disait-il, je n'aurais pas dû céder. Angéla ne se rend pas compte de la situation dans laquelle elle me met, moi aussi. Je ne tiens pas à croiser le regard de Dumont. »

Mais leur automobile, une grosse Ford rouge aux chromes étincelants, était vide, bien vide. Il observa les alentours, mais il ne vit qu'une foule joyeuse qui se pressait sur le parvis de l'église. Des cris d'enfants ponctuaient l'envol bruyant d'une cinquantaine de colombes blanches.

— Vive les mariés! hurla la vieille Jeanne.

— Longue vie et beaucoup d'enfants! renchérit Anita, radieuse.

César, copie conforme de son père avec vingt ans de moins, jeta son chapeau en l'air. Ravie, Thérèse ne put s'empêcher d'applaudir. Claire et Jean, rassurés par Faustine, participaient de grand cœur à l'allégresse générale.

Cachée derrière le tronc du tilleul, Angéla pleurait. Elle croyait avoir le courage d'aborder la mariée, mais elle réalisait sa sottise.

« Qu'est-ce qui m'a pris de traîner Louis jusqu'ici? se reprochait-elle. Je n'appartiens plus à cette famille, je les ai tous trahis. »

La jeune femme jeta un coup d'œil vers leur voiture. Louis s'était assis au volant et fumait un cigarillo.

« Je ne sais pas si je mérite d'être aussi heureuse, songea-t-elle encore. Louis est tellement gentil et prévenant! J'ai une maison magnifique, j'ai un atelier où je peux dessiner et peindre sans être dérangée. Et notre fils est sage, tellement mignon. »

Angéla n'avait pas conscience qu'elle désirait une sorte d'absolution de la part de la personne la plus importante pour elle, Claire. Le destin s'en mêla. Jean et Léon conduisaient le couple de mariés au Moulin à bord de la luxueuse automobile des Giraud, décorée de fleurs en crépon blanches et roses. Claire devait descendre dans la vallée en compagnie de Faustine et de Matthieu, son frère s'étant garé devant la mairie. Mais les jeunes gens discutaient avec l'institutrice du village, qui venait de faire la connaissance d'une de ses futures élèves, la charmante Isabelle.

Claire s'aventura sous la ramure du tilleul pour s'abriter du soleil. Elle crut entendre quelqu'un pleurer, contourna l'arbre et se trouva nez à nez avec Angéla. La jeune femme tenait un paquet enrubanné d'une main et, de l'autre, elle frottait ses yeux noyés de larmes.

— Je m'en vais! balbutia-t-elle. Je suis confuse, Claire. Pardon, je ne voulais pas déranger, je pars...

Le vent chaud souleva la frange d'Angéla, dévoilant un instant la cicatrice qui barrait son front. Elle devait cette marque pâle à un coup de couteau assené par le souteneur de sa mère, ce même individu qui l'avait violée fillette, après l'avoir frappée et blessée au visage un soir où il était ivre. Quelque chose se déchira dans le cœur de Claire, l'ultime bastion de sa rancune, de sa colère.

— Non, ne te sauve pas! dit-elle. Pourquoi es-tu venue?

— Thérèse était ma meilleure amie! répliqua Angéla.

Claire éprouva un début de pitié, parce que l'orpheline qu'elle avait prise sous son aile à l'âge de treize ans ressemblait toujours à un chaton affamé, trop mince, le teint mat, vêtue d'une robe très simple en cotonnade verte.

— Et puis je voulais tant te voir enceinte! Tu as reçu ma lettre, Claire! J'ai prié pour toi, j'ai imploré un miracle. Quand j'ai su que tu attendais un enfant, tu ne pourras jamais comprendre à quel point j'étais contente!

— Dans ce cas, il faut croire que Dieu écoute plus volontiers les brebis égarées! soupira Claire. Et ton fils, comment se porte-t-il?

— Très bien, mais je n'ai pas pu l'allaiter longtemps. Quentin, Louis l'a baptisé Quentin.

— Je sais, Angéla. C'est un cadeau pour Thété que tu as là?

— Oui, un portrait de sa mère. Je l'ai peint de mémoire. Je me souviens de Raymonde. Elle me grondait souvent, mais je l'aimais beaucoup. Merci de m'avoir parlé, Claire, si tu savais! J'en avais vraiment besoin! Tu ne pourras jamais me pardonner, mais, tant pis, je te demande encore pardon, de toute mon âme. Parfois, je me réveille la nuit et je repense à cette affreuse période de ma vie où je n'étais que haine et chagrin. Et j'ai honte, je ne comprends plus pourquoi Louis m'a épousée, pourquoi je n'ai pas été davantage punie.

— Je crois que tu as trop souffert dans ton enfance. Tu te vengeais... Et tu as été suffisamment punie le jour où tu as perdu ton premier enfant, celui de Jean. Tout est rentré dans l'ordre. Sois heureuse, Angéla, cela ne servirait à rien de te rendre malade de nouveau, alors que tu es maman. Si tu veux, je remettrai ce paquet à Thérèse.

Elles échangèrent un regard d'une rare intensité où chacune exprimait ses sentiments.

«Je t'aimais comme une seconde mère et je te voue un immense respect!» semblait dire Angéla.

«Si je te revoyais plus souvent, j'aurais vite fait de te pardonner pour de bon, car tu as l'air d'une gamine perdue qui a fait une bêtise et ne sait pas comment réparer», disaient les yeux noirs de Claire.

— Eh bien, au revoir, dit timidement la jeune femme en tendant son cadeau.

— Edmée a-t-elle fait la connaissance de ton fils?

— Oui, nous avons été invités au château. Je me faisais toute petite. Elle ne m'a pas adressé la parole, mais au dessert nous étions tous ensemble penchés sur Quentin. Ensuite, Edmée l'a bercé en lui chantonnant une comptine!

— C'est donc l'année des miracles! conclut Claire. Cela finira par s'arranger.

— Je me doute que c'est grâce à toi! Merci!

Angéla s'approcha et, saisissant la main libre de sa mère adoptive, y déposa un rapide baiser. Puis elle s'enfuit. Claire en demeura songeuse plusieurs minutes. Enfin, d'un pas lent, elle se dirigea vers la mairie, en pleine lumière. Les cloches de l'église Saint-Vincent sonnaient à la volée.

— Je te pardonne, petite folle! dit-elle, tout bas. Tu le sauras bien assez tôt...

20
Augustine

Moulin du Loup, même jour

Une grande table composée de planches disposées sur trois tréteaux et nappée d'un drap immaculé était dressée sous le tilleul du Moulin du Loup, sur une étendue d'herbe jaunie qui succédait aux pavés de la cour. Anita avait placé une rose rouge près de chaque convive, et du lierre serpentait entre les assiettes et les verres en cristal. Claire avait sorti pour le repas sa plus belle vaisselle, un service en porcelaine de Limoges qui avait fait la fierté de sa mère.

Léon observait le ciel d'un air préoccupé. Il venait d'enlever sa cravate et se grattait le menton.

— Pourvu qu'un orage vienne pas tout gâcher! pesta-t-il. C'est bien joli, de souper dehors, mais on sait jamais, il fait encore rudement lourd.

— Aie confiance! lui dit Jean. Tu as marié ta fille à un brave petit gars, alors détends-toi.

Les deux hommes installaient un tonneau de vin rouge sur une caisse, près de la table du banquet. Des rires et des éclats de voix leur parvenaient des étendoirs. Faustine, escortée par les enfants, faisait visiter le moulin aux parents de Maurice. Il y avait dans son sillage Isabelle et Janine, Pierre et Félicien, ainsi que la benjamine, Gabrielle.

— Y en a, du monde! ronchonna Léon. Madame Bertille m'a demandé de sortir des sièges, mais je peux pas les pondre, moi, les sièges!

— Vas-tu finir de râler? s'écria Jean, agacé. Tu deviens aigri, avec l'âge. Pourtant, tu as cinq ans de moins que moi. Qu'est-ce qui te chiffonne, Léon?

— Fiche-moi la paix, Jeannot! Dès que j'aurai bu un coup, j'serai de meilleure humeur.

— Ce n'est pas une solution! Viens, c'est le moment ou jamais qu'on discute, tous les deux.

Jean l'entraîna vers le potager. Entre un rang de betteraves et une ligne de carottes, ils s'arrêtèrent.

— Léon, crache le morceau! Bon sang, on était bons camarades sur le *Sans-Peur.* Dis, ça date de trente ans et plus!

— J'suis pas content, voilà! D'abord, y a ma Thérèse. Je te parie qu'elle attend un gosse. C'est pour ça qu'ils se sont mariés en catastrophe. Si c'est le cas, et j'en mettrais ma main au feu, à quoi ça rime, son salon de coiffure? Elle a dilapidé toutes ses économies et l'argent de madame Bertille pour ses accessoires, ses produits et l'aménagement. Elle ne pourra pas élever un petit et travailler! Donc, son affaire va se casser la gueule.

Léon ne se montrait plus grossier depuis que Janine, sa fille cadette, avait répété un juron bien senti. Son laisser-aller prouvait qu'il était contrarié. Jean lui tapa sur l'épaule.

— Bon, je peux te rassurer sur ce point-là. Hier soir, Claire m'a dit une chose. Nous bavardons beaucoup, une fois couchés. Thérèse n'a rien accordé à Maurice et elle ne veut pas d'enfants avant quelques années, à cause de son salon de coiffure. Elle a du caractère, comme Raymonde, et elle veut réussir, gagner sa vie! De quoi te plains-tu?

— Tu me le jures, Jeannot? jubila Léon. Tu peux pas savoir ce que je suis soulagé! Je me minais, j'en dormais plus. Mais y a pas que ça qui me rongeait...

Léon baissa la tête et s'absorba dans la contemplation de ses chaussures du dimanche, soigneusement cirées.

— Et quoi d'autre? demanda Jean, certain de connaître la réponse.

— Je t'ai fait du tort, au procès! J'suis allé témoigner fin saoul, parce que j'avais l'esprit à l'envers. Parole, Jeannot, je me disais que tu pouvais très bien avoir tué ce type, l'Anglais. Et Claire avait tellement souffert déjà, par ta faute, que j'avais presque de la haine pour toi, de lui faire encore du mal! Claire, c'est une grande dame. Même en sabots bourrés de paille, ça resterait une grande dame. Et même si elle vivait dans une grotte avec ses loups…

Des larmes coulaient sur les joues de Léon. Il sortit d'une poche un large mouchoir à carreaux et se moucha bruyamment.

— Et t'étais innocent, gémit-il.

— Léon, ne te reproche rien! J'avais perdu la boule, moi aussi, à crever de jalousie. Mais c'est fini, cette folie-là. Tu pouvais douter, va! Je m'interroge encore… Si la voûte du souterrain ne s'était pas effondrée sur nous deux, je l'aurais peut-être cogné encore Lancester, et si fort qu'avec son cœur fragile il y serait resté. Il faut oublier, penser à l'avenir. Je vais être papa! Claire porte mon enfant. Dieu m'a pardonné. Aussi bien, je te pardonne tout, tu m'entends, tout!

Jean prit son ami de toujours dans ses bras et lui décocha une bourrade affectueuse.

— Arrête de renifler, grand couillon! On ferait mieux d'aller trinquer!

— J'suis d'accord, mon Jeannot. T'es un frère pour moi. Ta famille, c'est ma famille!

— Mais oui, ne t'en fais pas! Viens, c'est un beau jour, notre Thété s'est mariée!

Dans la cuisine du Moulin, le cœur palpitant du corps de logis, régnait une activité de ruche. Bien qu'invitée au banquet, Mireille avait décidé de seconder Anita. Elle n'était jamais venue chez Claire et ne perdait pas une miette de la fête. Tout en ciselant artistement des radis, elle donnait ses impressions.

— J'échangerais bien mes cuisines modernes contre votre fourneau en fonte, affirmait-elle. C'est pas mon habitude de me tourner les pouces, alors je me suis dit, quitte à déguster tous les bons plats qui mijotent, autant participer!

Le discours de la vieille gouvernante amusait Bertille, qui se pavanait d'un buffet à l'autre pour le plaisir délicieux de sentir sur son corps le contact de sa robe de faille bleue. Le tissu bruissait, parsemé de strass le long du décolleté. Un bandeau assorti retenait en arrière sa chevelure frisée d'un blond lunaire.

— C'est quand même un événement! dit-elle. Mireille a quitté l'enceinte du domaine! Mais croyez-vous qu'elle se reposerait un peu? Non!

— Mon repos, je le prends le soir dans mon lit avec un roman! répliqua dignement Mireille. Grâce à notre demoiselle Faustine qui m'a appris l'alphabet au début de la guerre. Ensuite, j'ai déchiffré tout ce que je pouvais! Il n'y a pas de plus grand bonheur que la lecture. Eh! Où est-elle, Faustine?

— Ma fille joue les guides à ma place, répondit Claire, assise dans le fauteuil en osier près d'une fenêtre grande ouverte dont le rebord était fleuri de géraniums roses en pots de terre cuite. Les parents de Maurice souhaitaient visiter la salle des piles, l'imprimerie et les étendoirs. Bref, toute notre propriété.

— Décidément, s'écria Bertille, ce bon vieux fauteuil tourne la tête de ceux qui l'occupent! Vous avez entendu Claire, comment elle a parlé de la propriété? Tu deviens fière, Clairette. Mireille, vois donc, c'est ce siège où je me morfondais de ne pas pouvoir gambader, du temps où j'étais infirme. Il est d'une solidité...

— Nous l'avons repeint tant et tant de fois que la peinture le maintient en état, plaisanta Claire.

— Mais pourquoi as-tu choisi ce rouge foncé? coupa Bertille. Je l'ai vu blanc ou vert, mais pas rouge!

— Madame m'avait dit d'acheter de la peinture. J'ai pris ça, intervint Anita, contrariée. J'aime bien le rouge.

— Vos origines espagnoles, sans doute! trancha Bertrand en riant.

Les manches de chemise retroussées au-dessus des coudes, l'avocat ouvrait des huîtres. Bertille vint coller sa joue contre l'épaule de son mari.

— Quelle idée! s'étonna-t-elle. Nous sommes en août, ce n'est pas un mois à manger des huîtres! Je croyais qu'il fallait un « r » dans le nom du mois pour qu'elles soient bonnes.

— Thérèse et Maurice n'en ont jamais goûté, se défendit-il. J'ai voulu leur faire ce petit plaisir. Je les ai achetées aux Halles d'Angoulême, à prix d'or, chez un marchand de confiance.

Attendrie, Claire écoutait et regardait. Ses rêves les plus doux se concrétisaient.

« Mon cher Basile aurait été enchanté du tableau, songeait-elle. Bertrand, la plus grosse fortune de la vallée, avocat à la Cour, ouvre des huîtres, son col défait, et il blague avec Anita. Mireille discute sans gêne avec Bertille, sa patronne depuis des années. Toutes les classes sociales confondues, et que de sourires, que de rires sous le toit de mon moulin! »

César et Suzette entrèrent au même instant, se tenant par la main. Ils avaient été à la rencontre de Jeanne. La grand-mère des enfants de Léon avait tenu à venir au Moulin à pied.

— J'ai installé mémé Jeanne dehors, à l'ombre des saules, sur le banc en fer forgé, annonça le jeune homme.

— Dis-moi, César, interrogea aussitôt Bertrand, ton garage marche bien, il paraît? Je suis passé à Balzac la semaine dernière et j'ai vu ton enseigne! Thérèse et toi, vous en avez, du cran! Tous les deux à votre compte! C'est formidable.

— Je me suis un peu plus endetté que ma sœur, avoua César d'un air embarrassé. Mais la pompe à essence me rapporte beaucoup. Je n'ai pas de mal à payer les traites.

Bertille prit son mari par le cou et l'embrassa sur la joue, puis sur les lèvres, ce qui fit pouffer Suzette.

— Tu me plais, toi, en chemise et décoiffé, lui dit-elle à l'oreille. Mon Bertrand…

Claire vit aussi cet élan spontané de sa cousine, qui exprimait un indéfectible amour conjugal.

— Comme tu es gaie, aujourd'hui! constata l'avocat.

— J'ai bu du champagne, toute seule, en cachette. Je devais m'assurer qu'il était bon. Et puis, je suis euphorique. Un mariage au Moulin du Loup, mon petit Maurice et la belle Thérèse! Je suis comblée. La prochaine fête sera en l'honneur du bébé, n'est-ce pas, Clairette? Quels prénoms avez-vous choisis? Impossible de savoir! Ce n'est pas gentil de ta part!

Bertille virevolta sur ses talons et courut vers Claire, qu'elle câlina en riant.

— Aurais-tu bu toute la bouteille de champagne? s'inquiéta sa cousine.

— Peut-être!

Suzette éclata franchement de rire, malgré sa timidité.

Tout le monde la surnommait la petite épouse de César, parce qu'elle était menue et discrète. Là encore, elle se réfugia près de l'horloge, n'osant ni s'asseoir ni approcher de la table changée en un présentoir de plats appétissants.

— Si je peux aider à quelque chose? demanda-t-elle enfin, d'une voix douce.

— Non, les femmes enceintes doivent être ménagées, répliqua Bertille. Mais César et Arthur pourraient dresser la table des enfants, à environ trois mètres de celle du banquet.

— Arthur n'a pas le temps! s'écria Clara, qui s'était débrouillée pour grimper sur une chaise et apparaître à une fenêtre, en équilibre instable.

— Tu ne peux pas entrer par la porte, comme les gens normaux? la sermonna Bertrand. Tu risques de te casser une jambe, à faire des acrobaties.

— Je viens de suspendre les lampions avec Jean et le cousin, fanfaronna Clara. Je ne sais pas son nom, à celui-là. Maurice l'appelle le cousin, alors je fais pareil.

Bertille se précipita vers la fenêtre, mais sa fille avait déjà sauté dans la cour et s'enfuyait en riant.

— Je me réjouis toujours de la voir aussi vive, aussi agile, fit-elle remarquer. Clairette, est-ce que je lui ressemblais, à quinze ans?

— Un peu, mais Clara est moins blonde que toi, elle vire au châtain en grandissant. Sinon elle est aussi belle, aussi malicieuse.

— Elle vire au châtain! répéta Bertille, outrée. Tu dis n'importe quoi. Ma fille est très blonde, comme moi.

Des parfums engageants flottaient dans l'air tiède. Mireille s'inquiéta soudain du dessert.

— Le repas est prêt, madame, soupira-t-elle, mais la pièce montée? On devait nous la livrer ici, à seize heures. Personne n'est venu. Le soleil se couche, dites!

— J'ai fait retarder la livraison, expliqua Bertille en se lançant dans un récit pointilleux où il était question de sucre candi, de camionnette en panne, de crème anglaise.

Sa voix limpide et bien timbrée ranima Claire, à demi somnolente. Elle sursauta et se reprocha d'être aussi lasse.

«Je n'ai pas coutume de rester inactive, pensa-t-elle. L'oisiveté ne me réussit pas. Après la naissance du bébé, je reprendrai les rênes de ma maisonnée.»

Encore une fois, son ventre se durcit, signe annonciateur de la douleur sourde, semblable à une vague qui montait dans tout son corps avant de refluer. Claire respira profondément en luttant contre l'angoisse que lui causaient ces contractions imprévues, désordonnées. Cela durait depuis deux semaines, mais elle ne s'y habituait pas.

— Dix-neuf grandes personnes et cinq enfants, calcula Anita. Il ne faudra pas se tromper en servant. Les feuilletés aux truffes, pas question d'en donner par erreur aux petits. Ce serait du gâchis.

Mireille approuva en ajustant ses lunettes. Elle étudia un des cartons couleur ivoire où le menu était imprimé en lettres dorées, dans un cadre de motifs floraux et de colombes.

— Huîtres de Marennes, commença-t-elle, canapés au foie gras, feuilletés aux truffes, rôti de sanglier et sa garniture…

— Des cèpes et des pommes de terre sautées, précisa Anita. Les cèpes, ce sont des conserves de madame Claire. Je n'ai pas mis d'ail sur son conseil, rapport aux mariés, mais du persil et de la ciboulette. Continuez, madame Mireille.

— Oh! Appelez-moi donc Mireille tout court. Bon, salade du jardin, fromages du Moulin et pièce montée. Enfin, j'espère. Que mangent les enfants?

— Des radis, des rillettes et de la fricassée de lapin, avec des petits pois, dit Anita.

Bertille était sortie discrètement. Claire voulut se lever, mais elle y renonça tout de suite, terrassée par une étrange fatigue. De l'extérieur lui parvenaient des bruits de discussion et des rires. Elle se sentit seule, ce qui lui parut absurde. Elle comprit que Jean lui manquait.

«Que je suis sotte! Il a de l'occupation dehors, lui, comme Léon. Je vais attendre encore un peu et j'irai le rejoindre.»

Ses yeux se fermaient contre sa volonté. Elle s'endormit. Bertrand quitta la pièce à son tour. César et Suzette le suivirent.

— Regardez, madame, dit à voix basse Anita à Mireille. Elle s'est levée tôt ce matin et elle n'a pas pu faire sa sieste.

Quand même, un premier enfant à son âge, ce n'est guère prudent.

La vieille gouvernante fit la moue. Elle respectait beaucoup Claire qui l'avait soignée d'un mal au dos tenace l'année précédente.

— Votre patronne, elle est aussi calée qu'un docteur et elle a un vrai don de guérison. Que voulez-vous qu'il lui arrive?

— Pardi, on raconte bien que les cordonniers sont souvent les plus mal chaussés! rétorqua Anita. Ouf! Je suis en sueur. Venez donc prendre un peu l'air par la porte du cellier. Elle donne sur le champ de luzerne. Je sors souvent de ce côté pour aller nourrir les lapins. Léon a construit de nouveaux clapiers.

Mireille eut droit à une visite particulière, celle de la basse-cour et de la bergerie.

Claire n'était pas vraiment seule. Moïse le jeune s'était couché au pied de son fauteuil et la chatte Mimi, légère comme une plume, la surveillait du coin du buffet où elle s'était postée. Le loup semblait faire de même. Il levait souvent la tête et, de ses yeux dorés, fixait le visage de sa maîtresse.

Une demi-heure plus tard, Jean la réveilla d'un baiser.

— Ma chérie, nous avons un splendide coucher de soleil! Tout est prêt dans le jardin et les convives sont déjà attablés. Bertrand débouche du champagne.

— Oh non! se lamenta-t-elle. Je ne voulais pas dormir! Que va penser Thérèse? En plus, j'ai fait un mauvais rêve.

Jean lui caressa le front et lissa du bout des doigts une fine mèche rebelle de ses longs cheveux bruns qu'elle avait coiffés en chignon bas sur la nuque.

— Tu as eu une dure journée, mais à présent tu vas pouvoir profiter pleinement de la soirée, dit-il tendrement.

— Jean, dans ce rêve, j'ai vu des événements étranges. De drôles d'engins métalliques entraient dans le village et nous avions tous peur, une peur horrible. Et les maisons étaient démolies, à Puymoyen. Des enfants hurlaient.

— Des engins métalliques? s'étonna-t-il. Où vas-tu chercher tout ça?

— Des machines de guerre! précisa-t-elle avec un air terrorisé. Je le savais, dans mon rêve.

— Clairette, un rêve n'a pas forcément un sens précis. Isabelle et Janine chantaient à tue-tête, Faustine a dû leur ordonner de se taire, là, à l'instant. Et le couvercle d'une marmite vibrait en touchant une casserole. Ce sont ces bruits qui ont provoqué les images de ton rêve. La guerre est finie depuis dix ans et les maisons de Puymoyen sont solides, nous les avons vues ce matin. Tu te souviens de ce que nous a raconté le nouveau maire, juste après le mariage civil?

Claire se mit à sourire, réconfortée.

— Ah oui, cette histoire au sujet de la construction de la mairie! Un énorme pan de falaise s'était détaché, vers 1850, et les gens du bourg ont décidé d'utiliser cette masse de belle pierre blanche pour bâtir une mairie plus grande et les écoles qui l'entourent. De ça aussi, papa ne m'a jamais parlé. Pourtant, j'ai assisté aux travaux, en 1887. J'avais sept ans, et j'étais pressée d'aller en classe, dans ces beaux locaux tout neufs. Mon Dieu, comme le temps a passé vite! Quarante ans se sont écoulés. Jean, je ne fais pas trop vieille?

Il l'aida à se lever, car elle était engourdie.

— Ma chérie, tu es superbe! Tu aurais dû écouter les conversations, dehors. Les parents de Maurice te donnaient trente ans et le cousin, le fameux cousin, comme dit Clara, a déclaré que tu étais une bien belle dame!

— Une dame, c'est âgé, déplora-t-elle. Jean, j'aurais tellement voulu être enceinte dans ma jeunesse. Je dois me reposer sans arrêt, je m'endors dès que je suis assise.

— Chut! implora-t-il. Ne brasse pas des idées noires. Viens donc avec moi!

Il lui prit la taille, ému de sentir l'arrondi de son ventre sous ses doigts. Un spectacle d'enchantement attendait Claire. Il faisait presque nuit et les lampions en papier de couleur étaient déjà allumés. L'appentis, nettoyé, tendu de draps et de branches de frêne, abritait le piano qui avait été transporté de l'église au Moulin, en camionnette. Arthur, en redingote de lin brun, se lança dans l'interprétation d'une valse viennoise dès qu'il la vit sur le perron.

— C'est merveilleux! s'extasia-t-elle. Et toutes ces bougies!

Sur l'appui des fenêtres et sur le muret du bief s'alignaient des flammes dansantes. Il y avait tant de sources de lumière que les feuillages des arbustes et du tilleul étaient parsemés de reflets changeants. Claire ne savait plus où regarder. Elle aperçut les enfants à leur table, en toilette du dimanche, les cheveux scintillants. Bertille lui fit signe, ainsi que Thérèse qui était assise près de Maurice.

Elle prit place aux côtés de Jean. Bertrand Giraud, que nul n'avait encore vu aussi détendu et jovial, joua les échansons. Il y avait du pineau pour les dames, ainsi que du champagne, et aussi du vin rouge, un cru bordelais fruité et savoureux.

Claire n'avait absolument pas faim. Elle picora un peu de chaque plat, si heureuse qu'elle se rassasiait davantage de l'exquise harmonie de ce banquet de noces, charmant et familial.

Thérèse riait beaucoup, grisée d'être la reine de la fête. Les parents de Maurice, flattés par la présence des patrons de leur fils, se confondaient en compliments sur chaque plat du menu.

Au moment du dessert, Bertille frappa dans ses mains.

— Pendant que la Belle au bois dormant sommeillait, dit-elle en désignant Claire, la pièce montée est arrivée. Un chef-d'œuvre, une véritable splendeur!

C'était vrai. Les enfants acclamèrent l'arrivée du gâteau, porté à bout de bras par César sur un plateau drapé de dentelle rose.

— Vive les jeunes mariés! s'écria-t-il à nouveau. En ma qualité de frère, ma chère Thété, je réclame un gros morceau du socle en nougatine.

On s'esclaffa. La majestueuse pyramide de choux à la crème luisait doucement sous les lampions. Le caramel rutilait. Au sommet de l'appétissant édifice, un couple de figurines représentait le marié en habit noir et haut-de-forme et la mariée en robe blanche.

Jean fut désigné pour distribuer à chacun sa part de dessert. Ce n'était pas une mince affaire. Il s'appliqua, équipé d'un couteau, sans se rendre compte du visage crispé de Claire. Elle cacha de son mieux la souffrance qui la taraudait depuis le milieu du repas.

«Je voudrais monter m'allonger, se disait-elle. Mais je ne peux pas abandonner Thété un soir comme celui-là. Arthur va bientôt se remettre au piano, et tout le monde pourra danser.»

La douleur reflua. Claire tint bon. Enfin, ce fut l'heure d'enchaîner polkas et mazurkas, valses et tangos. Après avoir ouvert le bal avec son père, Thérèse était passée d'un bras à l'autre.

Sur l'air du *Beau Danube bleu*[39], on vit Maurice faire tournoyer sa patronne, Bertille, qu'il n'avait jamais osé approcher à moins d'un mètre. On vit aussi Bertrand Giraud se lancer dans un tango langoureux avec Anita, écarlate de confusion. Léon s'en tenait les côtes à force de rire. Faustine et Matthieu exécutèrent un charleston endiablé. Arthur disposait d'une pile de partitions et, à la fin de chaque morceau, on l'applaudissait.

— J'adore danser sur l'herbe, disait Clara, qui avait pour cavalier le fameux cousin dont le prénom était en fait Firmin.

Les parents du marié osèrent valser à leur tour, juste avant la remise des cadeaux. Claire les admira, car ils étaient lestes et paraissaient très unis. Jean, qui, selon son habitude, refusait de danser, ne l'avait guère quittée.

— Es-tu sûre que tout va bien? lui demanda-t-il pour la cinquième fois en une heure. Tu es pâle et tu sembles soucieuse.

— Je suis juste contrariée de ne pas pouvoir valser, moi aussi, répliqua-t-elle. Mais je t'avoue que j'aimerais me coucher dès que Maurice et Thérèse partiront. Veux-tu aller me chercher un paquet que j'ai rangé derrière l'horloge?

— Oui, bien sûr!

Elle n'avait pas parlé à Jean de sa rencontre avec Angéla, devant l'église, simplement parce qu'elle n'en avait pas eu l'occasion.

«Je ne sais pas si c'est le meilleur moment pour offrir à Thété un portrait de sa mère! Cela pourrait l'attrister. Non, je me fais des idées, elle est si joyeuse que rien ne gâchera son bonheur.»

---

39. Célèbre valse viennoise écrite par Johann Strauss en 1866.

Bertille avait aménagé le pavillon de chasse du domaine pour le jeune couple. Thérèse avait d'abord protesté, déclarant que son logement au-dessus du salon de coiffure ferait l'affaire, mais personne ne résistait aux désirs de la dame de Ponriant.

— Dis oui, Thété! Ce sera magnifique, un décor paradisiaque, des fleurs, des tentures, des bougies et des draps de soie, oui, mademoiselle! Tu as bien entendu, des draps en soie rouge! Tu seras superbe, dans ce lit, une vraie vedette de cinéma!

Thérèse avait rougi, mais elle était impatiente de se retrouver là-bas, seule avec Maurice.

Isabelle et Janine ignoraient tout des draps de soie rouges, mais elles étaient très fières de leur rôle, qui consistait à apporter les cadeaux aux mariés. Ils déballèrent des ustensiles de cuisine, selon le vœu de Thérèse, une batterie de casseroles en cuivre, une marmite en fonte émaillée et une ménagère garnie de couverts en argent. Il y avait également des draps brodés à leurs initiales, des lots de mouchoirs et le traditionnel pot de chambre en faïence, ce qui fit bien rire les enfants à cause de l'œil dessiné au fond du récipient.

— Et ce paquet? Qu'est-ce que c'est? s'étonna la mariée en retournant entre ses doigts le cadeau d'Angéla. Un plateau?

— Ouvre-le donc! s'empressa Claire. Tu comprendras.

La jeune fille découvrit une toile de taille moyenne, dont le cadre ouvragé, du plâtre peint en doré, représentait des volutes de feuillages. De cela, elle se moquait bien. Raymonde venait de lui apparaître, telle qu'elle en avait gardé le souvenir. Devant la beauté de l'œuvre et l'émotion qu'elle dégageait, un flot de larmes la suffoqua.

— Regardez! s'émerveilla-t-elle. Maman est assise sur le muret du bief, au soleil couchant. Ses cheveux avaient cette nuance-là, le soir, en été. Elle porte sa robe grise et son tablier noir. C'était sa tenue de travail. Les branches de saule, derrière elle, on dirait qu'elles vont bouger au vent. Et l'eau, elle scintille!

Un attroupement se fit autour de Thérèse. Seule Claire resta assise, ainsi que Jean qui avait compris d'où venait le tableau.

— Ma petite maman, comme elle me manque! sanglota la mariée. Ce cadre, je vais l'accrocher dans mon salon. Maman ne me quittera plus!

Bertille se frotta les yeux, prête à pleurer elle aussi. Faustine sécha vite une larme en se blottissant contre Matthieu.

— Quelle artiste exceptionnelle! s'exclama Bertrand.

« Oui, et il fallait qu'elle vive, pour enchanter nos cœurs avec son talent! J'ai bien fait de la soigner lorsqu'elle a perdu son enfant », se dit Claire en son for intérieur.

— Angéla deviendra célèbre! s'écria Arthur, toujours ravi de créer un malaise.

Il savait bien qu'on ne citait pas le prénom de la jeune femme au Moulin du Loup.

— C'est un très beau cadeau, affirma Thérèse. Je lui écrirai pour la remercier.

— Elle était dans l'église avec Louis, dit Faustine. Je suppose qu'elle a fait passer le paquet à quelqu'un de la famille.

— Oui, elle me l'a remis, coupa Claire. Angéla t'adresse bien des souhaits de bonheur, ma Thété.

La nouvelle provoqua un silence gêné. Mais Léon fit diversion en annonçant qu'il était temps de conduire les mariés à Ponriant. Il avait jeté un coup d'œil sur le tableau représentant Raymonde et il était bouleversé. Cette femme qu'il avait tant aimée semblait presque vivante, lumineuse, à l'apogée de sa beauté. Mais l'œuvre était signée par Angéla et il n'avait pas daigné faire le moindre compliment. Thérèse s'enveloppa de son voile en le drapant sur ses épaules rondes à la façon d'un châle. Maurice lui prit la main. Toute la noce les escorta jusqu'à la voiture. Jean tenait Claire par la taille, car elle avait insisté pour saluer le départ des jeunes gens.

— Je suis désolé, lui dit-il à l'oreille. Tu sais bien pourquoi!

— Ne sois pas désolé, Jean, répondit-elle tout bas. Il y a une semaine, nous sommes allés tous les deux fleurir la tombe de William Lancester. Le passé est mort avec lui et, même si c'est difficile, je parviens à pardonner. Angéla était comme une fille pour moi. Elle m'a confié qu'elle m'aimait toujours et cela m'a touchée. Pendant des mois, elle a prié pour qu'un miracle se produise, pour que j'attende un enfant!

Jean approuva d'un marmonnement, mais il brûlait de changer de sujet. Pendant que Maurice et Thérèse s'installaient sur la banquette arrière, Léon se mit au volant. Janine et Pierre lancèrent encore du riz sur les mariés.

Enfin, l'automobile s'ébranla et roula au ralenti en s'éloignant. Clara et Arthur criaient des vivats; Isabelle et Janine couraient comme des folles sur le chemin.

— Jean, Matthieu, voulez-vous m'aider à regagner ma chambre? Je dois…

Elle se tenait très droite, le corps raidi. Un liquide chaud et visqueux ruisselait entre ses cuisses. Faustine devina ce qui se passait.

— Maman, tu as perdu les eaux?

Claire se pencha un peu et vit ses bas maculés de sang. Elle s'affola.

— Je saigne! Mon Dieu! Le bébé arrive, mais c'est trop tôt, bien trop tôt! Jean, il faut téléphoner à Odile, la sage-femme. Non, va la chercher, je t'en prie!

Faustine obligea Claire à marcher doucement vers le perron. Bertille, alarmée, leur barra le passage.

— Et si nous allions immédiatement à l'hôpital? proposa-t-elle. Clairette, ne te vexe pas, mais c'est un premier enfant, et tu as quarante-sept ans! Il ne faut courir aucun risque, ni pour toi ni pour le bébé!

— Tantine a raison, insista Faustine. Cela me rassurerait.

— Non, je ne veux pas me retrouver à l'hôpital, gémit Claire. Montez-moi dans mon lit. Mon enfant naîtra ici, au Moulin du Loup, sous le toit familial. Mon Dieu, vite, je souffre!

Jean accourait. Il souleva sa femme et la porta ainsi à l'étage.

— Je voudrais que madame Odile soit là, implora-t-elle en s'accrochant à son cou. Jean, mon Jean, j'ai très mal! Faustine, est-ce normal d'avoir aussi mal?

— Oui, maman. Souviens-toi, quand j'ai mis Isabelle au monde, dans la Grotte aux fées, je t'ai raconté combien je souffrais. Le travail commence; ce n'est pas alarmant.

Anita et Bertille accoururent dans la chambre. Jean

allongea Claire sur le lit. Elle les regarda tous, les yeux écarquillés, le visage défait par la peur.

— J'ai saigné. Je n'aurais pas dû saigner! Princesse, dis-moi, as-tu saigné au début, pour Clara?

— Je ne sais plus. Un peu, sans doute! Voyons, Claire, calme-toi. Tu es parfaitement au courant de ce qui se passe dans ton corps, puisque tu as aidé des femmes à accoucher, ces dernières années. Sans oublier Gabrielle, n'est-ce pas, Faustine?

— Mais oui, tantine dit vrai, maman. Allons, respire bien, ne sois pas apeurée.

Jean ne savait plus où donner de la tête. Il poussait des jurons à mi-voix, en déambulant autour du lit.

— Matthieu est parti à Vœuil chercher Odile Bernard, dit-il enfin. As-tu besoin de moi, Clairette?

— Non, tu peux descendre fumer une cigarette, je vais me changer, enfiler une chemise de nuit. Anita, fais chauffer de l'eau, beaucoup.

— Maman, ne te préoccupe pas de ça, coupa Faustine. Il y a de l'eau chaude dans la salle de bains.

Bertille força Jean à quitter la pièce, car il s'attardait, son regard bleu rivé sur les bas ensanglantés de Claire.

— Je t'appellerai plus tard, quand elle sera présentable, fit-elle remarquer. Demande à Bertrand de rentrer au domaine avec les enfants, tous les enfants. Mireille et *miss* Margaret les coucheront. Les parents de Maurice ont une chambre de prête dans le logement de leur fils.

— Oui, c'est mieux ainsi, renchérit Faustine. Les petits seront contents. Cela leur fera une petite aventure. Clara les mène à la baguette, je ne m'inquiète pas.

Claire les entendait dans un brouillard de panique. Elle avait l'intuition effarante qu'il se passait quelque chose de grave.

« Cette douleur est différente des contractions. On dirait qu'on me déchire le ventre. Mon Dieu, ayez pitié, protégez mon bébé! »

— Mon Dieu! hurla-t-elle en se couchant sur le flanc, pareille à une bête blessée.

Anita se signa, alors que Bertille et Faustine échangeaient

un coup d'œil anxieux. De la part de Claire, elles ne s'attendaient pas à un tel paroxysme de nervosité.

— Pourquoi ce soir? geignit-elle encore. Pourquoi si tôt! C'était en septembre, pas ce soir. Jean! Jean, viens! Mais où est donc Jean?

Bertille retenait sa respiration. Elle devait comprendre ce qui épouvantait ainsi sa cousine. Dominant ses propres craintes, elle s'assit au chevet de Claire. Anita l'avait aidée à se dévêtir et à se glisser entre les draps.

— Bien, maintenant, tu as tout d'une future accouchée, commenta sa cousine. Tu es une jolie maman prête à recevoir des compliments et des félicitations. Madame Odile sera bientôt là. Tu veux accoucher chez toi, alors garde ton calme! Il n'y a aucun souci. De toute manière, ce n'est pas une partie de plaisir.

Claire soupira et s'immobilisa, cessant tout net de gémir.

— J'ai moins mal! dit-elle. Princesse, ma Faustine chérie, pouvez-vous tout préparer? La layette est dans cette malle en osier près de l'armoire et il faudrait que Jean allume le poêle, peut-être. Un bébé de huit mois ne doit pas avoir froid!

— Tu le coucheras contre toi, bien au chaud, répliqua Bertille. Je t'assure qu'il fait doux ce soir.

— Pardonnez-moi, je suis complètement affolée! avoua enfin Claire en s'asseyant avec un restant de souplesse. Tout le monde me répète que c'est dangereux d'avoir un premier enfant à mon âge. J'en perds confiance, moi! Et j'ai saigné!

Anita se sentait inutile. Elle couva sa patronne d'un chaud regard plein de compassion avant de sortir de la chambre.

— Vous n'avez qu'à taper au plancher, je remonterai ce que vous désirez, dit-elle sur le pas de la porte. Je vais débarrasser la table, dehors, et mettre l'eau à chauffer. Voulez-vous que je prépare une tisane spéciale, madame?

Claire parut réfléchir. Elle inventoria à voix basse une liste de plantes et énonça d'un ton ferme:

— Oui, ma chère Anita, tu prendras dans mon placard de l'achillée, de la sauge et des feuilles de framboisier. Fais-les infuser ensemble. Cela facilite le travail. Et ajoute de la bourse à pasteur, aussi! Les contractions seront plus efficaces.

— Bien, madame!

— Alors, garçon ou fille, à ton avis? voulut plaisanter Bertille, de plus en plus nerveuse. Tu n'as pas de pressentiment?

— Je voudrais surtout un bébé bien vivant, répliqua Claire. Mon bébé, mon tout petit!

Faustine avait entendu un bruit de moteur. Elle regarda par la fenêtre et dit:

— Matthieu est de retour avec Odile Bernard. Au moins, elle pourra nous rassurer.

La sage-femme entra, chargée d'un gros sac en cuir et d'une petite valise. Elle eut un sourire aimable pour les trois femmes, puis se concentra sur Claire.

— Et alors, ce bébé a décidé de naître en avance! Il n'y a pas de quoi s'alarmer. Il fait chaud et, comme vous l'allaiterez, il se portera comme un charme. Mesdames, je vous demanderai de sortir, je dois examiner notre future maman.

Faustine et Bertille s'éclipsèrent, presque soulagées de laisser Claire aux mains d'une personne expérimentée. Dès qu'elles furent seules, Odile fixa intensément sa patiente.

— Chère madame, vous m'avez l'air en pleine détresse. Ayez confiance, je me battrai avec vous.

— Vous avez peur vous aussi? s'inquiéta Claire. J'ai eu si mal, tout à l'heure, et ce sang...

— J'ai quelques appréhensions, je préfère ne pas vous le cacher!

Sur ces mots, elle procéda à un examen méticuleux. Pour terminer, elle écouta le cœur de l'enfant à l'aide d'un petit ustensile en bois faisant cornet de résonance.

— Le bébé semble en forme! affirma-t-elle. Souffrez-vous encore?

— Un peu, mais je n'ai plus de contractions!

— J'aimerais bien qu'elles se déclenchent pour de bon! Vous n'êtes pas prête à accoucher. Vous n'êtes pas dilatée, pas assez. Respirez bien, cela peut stimuler l'enfant.

Grâce à la présence de la sage-femme, Claire retrouvait son calme. Anita apporta une cruche de tisane et une tasse et du miel.

— Je vous fais confiance en ce qui concerne cette boisson, dit la sage-femme, toujours aimable et souriante. Je mets mes chaussons, la nuit va être longue…

Elle ne croyait pas si bien dire. Quatre heures s'écoulèrent, pendant lesquelles Claire se tordit de douleur, sans résultat, avec des temps de répit où elle pouvait parler, se lever et faire quelques pas autour du lit, ce qui favorisait le travail, selon Odile.

Au rez-de-chaussée, personne ne pensait à dormir. Léon avait fait du café bien fort et l'avait servi sur la table du banquet. Trois lampions dont Jean avait changé les bougies dispensaient une douce clarté. Assis sur un banc et étroitement enlacés, Faustine et Matthieu ressemblaient à deux gamins apeurés. Mais, pour ménager Jean qui ne tenait pas en place, aucun n'osait avouer son angoisse.

— Faisons une belote, Jeannot! proposa Léon. Tu me donnes le tournis à déambuler de droite et de gauche.

— Je ferais mieux de monter! répondit celui-ci. Claire a crié, il y a dix minutes, un cri à vous glacer le sang. Mince alors! J'ai assisté à la naissance de Faustine; je ne vais pas m'évanouir!

— Papa, coupa sa fille, je suis déjà remontée deux fois demander à Odile si tu pouvais entrer; c'est Claire qui ne veut pas.

— Ma sœur est trop têtue! renchérit Matthieu. Pas d'hôpital, pas de médecin, cela devient stupide.

— Là, je suis d'accord! soupira Bertille. Oh, écoutez!

Claire avait lancé une sorte de plainte rauque. Ils en eurent tous le frisson. Anita les rejoignit, le visage défait par la peur.

— La sage-femme voudrait que madame Bertille vienne! bredouilla-t-elle. Vite, il lui faut de l'aide.

— Alors, j'y vais aussi, hurla Jean. Claire a besoin de moi.

Il suivit Bertille à l'étage malgré les protestations d'Anita. Odile ne le laissa pas entrer.

— Monsieur Dumont, patientez encore un peu. Je vous tiens au courant.

— Pourquoi Bertille a-t-elle le droit de voir ma femme? coupa-t-il. Expliquez-moi, au moins!

— Elle va me seconder. Si vous tenez à des précisions, les voici: le bébé est bien descendu, mais il ne peut pas sortir, votre épouse s'épuise à pousser. Je ferai tout mon possible pour mettre ce petit au monde rapidement. Lui aussi se fatigue.

Pendant ce temps, Bertille se penchait sur Claire. Sa cousine, le teint blafard, transpirait beaucoup. Dès qu'elle la reconnut, elle tendit la main et se cramponna à son poignet.

— Princesse, j'ai mal, j'en deviens folle! La tisane n'a pas agi, je n'ai pas de contractions, et toujours cette douleur qui me vrille le ventre. Et je saigne, mon Dieu, comme je saigne! Princesse, je vais mourir, comme maman! Tu te souviens, ses draps étaient ensanglantés, le bois du lit aussi. Papa en a perdu la tête plusieurs jours. Tout ce sang! Oh! Pourquoi, princesse?

— Je descends et j'appelle une ambulance, décida Bertille. C'était insensé d'accoucher ici. Madame Odile, vous êtes d'accord avec moi, il faut la conduire à l'hôpital!

La sage-femme avait réussi à fermer la porte en laissant Jean dans le couloir.

— Je suis désolée, ce serait trop dangereux, maintenant. Madame Dumont a perdu du sang, mais je la fais boire et ce n'est pas encore alarmant. Je n'ai pas voulu que son mari entre, car je dois inciser le périnée. Sinon l'enfant restera bloqué.

Claire étouffa un gros sanglot. Odile l'avait prévenue, mais elle redoutait l'opération.

— C'est la seule solution. Madame Giraud, il faudrait bien vous laver les mains. Je voudrais que vous pesiez avec vos paumes sur le bas-ventre. Et vous, Claire, respirez à fond et poussez encore. Je sais que vous n'en pouvez plus, mais déjà c'est un miracle. Votre bébé n'est pas loin de sortir; il aurait pu rester bloqué dans l'utérus.

«Mon Dieu! Au secours, mon Dieu, pitié!» implorait Claire, à demi inconsciente.

Elle se sentait écartelée, broyée, mais aussi languide, à bout de résistance. Jamais elle n'aurait imaginé que l'on pouvait souffrir autant pour donner la vie.

— Courage, Claire! répétait Bertille. Je t'en prie, tiens bon!

La sage-femme avait coupé les chairs distendues mais fermes qui retardaient la progression du bébé.

— Oui, oui, oui! cria Odile en recueillant enfin dans ses mains un petit corps dodu d'où s'éleva immédiatement un frêle vagissement. Mon Dieu, merci!

Jean fit irruption, en larmes, bouche bée. Il ne vit d'abord que le nouveau-né.

— C'est une magnifique petite fille! déclara Odile en riant de soulagement.

— Une fille, une petite fille! balbutia Claire. Comme je suis contente...

— Une fille! dit Jean en écho. J'ai été exaucé!

— Je croyais que tu rêvais d'un fils! s'étonna Bertille qui tamponnait délicatement le front moite de sa cousine.

— Plus maintenant, je n'ai pas assez d'une Claire, j'en veux une autre à adorer. Mon Dieu, que j'ai eu peur!

Il s'approcha du lit et tomba à genoux, la tête posée contre l'épaule de sa femme. Anita arriva, elle aussi prête à pleurer. Léon, Faustine et Matthieu trépignaient dans le couloir, à l'instar de Jean quelques minutes auparavant.

— Pour huit mois, cette demoiselle est bien constituée, commenta Odile Bernard. Elle doit peser presque trois kilos. Les ongles ne sont pas bien finis, mais elle respire bien, c'est le principal. Monsieur Dumont, prenez votre petite, je dois m'occuper de la maman.

Jean se retrouva avec un frêle poupon enveloppé dans un linge doux, d'une propreté absolue. Il contempla, ébahi, les traits ravissants de sa fille. Faustine le rejoignit sur la pointe des pieds.

— Ma chérie, admire ta petite sœur, ta toute petite sœur!

— Oh! Ces grands yeux qu'elle a, papa, avec tes cils! Et elle boucle, ma parole, elle sera brune, chuchota la jeune femme, en extase elle aussi.

Bertille ne se déplaça pas pour voir l'enfant. Elle observait les gestes de la sage-femme qui avait veillé à l'expulsion du placenta.

— C'est fini, je ne souffre plus, articula péniblement

Claire. Quelle délivrance! Où est mon bébé? Je voudrais voir ma fille.

— Attendez un peu! s'écria la sage-femme qui ne rabattait pas le drap sur le corps de sa patiente. Comment vous sentez-vous, madame?

— Délicieusement bien! avoua Claire. J'ai sommeil. Je voudrais voir mon bébé.

Bertille fut témoin au même instant d'un flux de sang qui souilla la literie et provoqua une expression de terreur sur le visage poupin d'Odile.

— Seigneur! bredouilla-t-elle. Pas ça!

— Réveille-toi, Clairette! s'écria Bertille. Ne t'endors pas, je t'en prie.

Comme une enfant obéissante, Claire rouvrit les yeux. Elle n'était pas dupe, la mort rôdait.

— Ma mère est morte dans un bain de sang, dit-elle très bas. C'était mon destin, porter un fruit, le plus beau fruit, et mourir. Les arbres font ainsi... Un dernier fruit et l'année suivante ils sont morts.

— Claire! appela Jean qui avait tout entendu. Non, Claire, ne parle pas comme ça.

Il confia le bébé à Faustine et se rua de nouveau vers le lit.

— Mon amour, ma Câlinette, tu ne vas pas m'abandonner, dis? Tu dois veiller sur notre fille, elle est si belle!

— Maman, regarde-la! dit la jeune femme en s'approchant.

Claire tourna la tête et découvrit son enfant. Elle crut tendre les bras pour s'en saisir, mais ses bras demeurèrent inertes le long de son corps.

— Jean, tu l'aimeras très fort, supplia-t-elle. Tu devras l'aimer pour deux. Je voudrais qu'elle soit baptisée Augustine.

— Mais oui, je sais! sanglota Jean. Nous avions choisi, Augustin ou Augustine. Claire, je t'en conjure, reste avec nous!

— Je ne peux pas, dit-elle d'un ton profondément surpris.

Sur ces mots, elle perdit connaissance.

Léon et Matthieu entrèrent, défigurés par le chagrin. Odile leur avait demandé d'appeler le prêtre de Puymoyen. Anita s'en était chargée.

— Claire! hurla Bertille. Non, Claire, tu ne vas pas nous laisser! Oh non, ma Claire, je ne pourrai pas vivre sans toi, ma sœur, ma chérie.

Elle se mit à genoux et posa ses lèvres sur une des mains exsangues de sa cousine. La sage-femme continuait à masser le ventre de Claire, à lui donner de légers coups.

— Elle se laisse partir, dit-elle en prenant Matthieu et Faustine à témoin. Que quelqu'un prépare du bouillon. Apportez du vin et de l'eau-de-vie, il faut lutter. Si l'hémorragie s'arrête, nous pouvons encore la sauver, en aidant son corps à refaire du sang.

Le front appuyé contre la joue de sa femme, Jean priait à voix basse. Jamais il n'avait prié avec tant de ferveur, de sincère désespoir.

« Ne t'en va pas, mon amour! Seigneur, rendez-la-moi! Sans elle, je n'aurai jamais le courage d'élever cette petite fille. Sans elle, je vais mourir aussi. Mon Dieu, sauvez mon trésor, mon épouse. Elle qui a su pardonner tout le long de sa vie, elle qui s'est dévouée sans cesse pour les plus pauvres, les plus malades! Dieu, ayez pitié! »

Claire percevait des chuchotements et une rumeur triste. Elle ne comprenait plus rien, car elle voyait de très près une poutre du plafond et même le dessus de son armoire, où s'était racornie la crêpe de la Chandeleur, censée faire la fortune du maître de maison.

« Mais qu'est-ce que je fais ici? » s'interrogea-t-elle.

Puis elle vit des gens rassemblés autour d'un lit. Les bruits de voix venaient d'eux. Et, dans le lit, elle aperçut une femme aux longs cheveux bruns étalés sur le blanc de l'oreiller. C'était une très belle femme, dont le visage lui était familier.

« C'est moi, couchée en bas, pensa-t-elle. Et là, il y a Jean et Bertille. Et mon frère, et Faustine. »

Elle essaya de les appeler, de leur faire signe, mais aucun ne leva la tête vers le fronton de l'armoire.

« Tant pis, c'est trop épuisant! » se dit-elle.

L'instant suivant, une nuit opaque l'engloutit. Elle flottait dans ces ténèbres, attirée par une musique sublime. Il lui suffisait de songer à la direction qui la tentait pour être comme aspirée vers le but choisi. C'était en l'occurrence une vive lumière blanche, étincelante, au fond d'un immense tunnel aux parois sombres. Claire éprouvait une sensation exquise de légèreté et de sérénité. Elle distinguait des silhouettes et toute son âme frémissait d'impatience, comme à l'approche de douces retrouvailles.

Elle crut voir Hortense, sa mère, qui souriait gentiment, et ce détail la changeait beaucoup. Son père n'était pas loin, couronné de ses cheveux de neige. Ces silhouettes étaient transparentes, mais Claire n'avait qu'un désir: les étreindre, ou du moins les rejoindre. Soudain, Raymonde lui apparut, agitant la tête en signe de négation. Elle criait non de toutes ses forces en déplaçant un bras dans le sens opposé à la lumière.

« Tu ne peux pas venir, c'est bien trop tôt, petite! » fit une voix moqueuse, celle du vieux rebouteux.

Dans la chambre, Odile Bernard avait perdu espoir. Le sang sourdait toujours du ventre de Claire. Jean pleurait et Bertille sanglotait, tandis que Faustine, ravagée par un flot de larmes, serrait contre sa poitrine sa petite sœur Augustine, qui, indifférente au drame qui s'abattait sur sa famille, suçait sagement son pouce.

Atterré, Matthieu s'était assis par terre, le dos au mur. Il fixait le lit et le corps inanimé de sa sœur.

« Clairette m'a élevée, j'ai connu grâce à elle la tendresse d'une mère et sa vigilance. Une chance que je ne suis pas croyant, sinon j'insulterais Dieu! Ma sœur était une sainte. Pourquoi l'arracher aux siens, alors qu'elle était enfin devenue mère? »

Le jeune homme n'était plus que révolte et incompréhension. Léon priait, agenouillé, ainsi qu'Anita. Mais elle avait pris la peine de monter tout ce que la sage-femme avait demandé.

Un sinistre aboiement montant de la cour du Moulin les fit tous sursauter. Moïse le jeune, assis sous la lune, hurlait à la mort. Jean se redressa, hagard.

— Claire s'est éteinte, balbutia-t-il. Le loup l'a senti.

Horrifiée, Bertille se leva.

— Il faudrait une autre guérisseuse! Une autre Claire pour ramener à la vie notre Claire à nous! Mais il n'y en a pas ou bien elles sont dans une autre région. Mon Dieu, ce n'est pas juste, ça!

Cela non plus, Claire ne l'entendit pas, cruellement déçue de ne plus voir la merveilleuse lumière au bout du tunnel. Elle tombait au sein d'une obscurité pailletée d'étincelles. Ce n'était pas une chute très rapide, mais vertigineuse. Et les images se mirent à fuser, pareilles aux traînées colorées des feux d'artifice.

Elle vit d'abord une fillette aux nattes brunes qui gambadait en chantant au bord d'une rivière. Aucun doute, c'était elle à huit ans, au retour de l'école. Elle rendait visite au locataire de son père, monsieur Basile Drujon, qui inspectait ses cahiers sous le prétexte qu'il avait été instituteur, puis elle musardait dans les buissons en quête d'une grenouille ou d'une fleur d'eau d'un jaune délicat. Elle reconnut Bertille, en robe blanche, assise dans la brouette en osier, dont les roues étaient en bois massif. Là encore, elle poussait le pittoresque engin pour que sa cousine infirme puisse se promener, au mois de mai, le joli mois de mai...

Des loups surgirent, menés par Sauvageon aux prunelles d'or, et sur leurs traces un cheval blanc galopait. Cette belle fille vêtue d'une amazone en velours brun, c'était toujours elle, Claire.

Défilèrent alors de façon fulgurante les visages mobiles de Frédéric Giraud, son premier mari, et celui du Follet, ce brave ouvrier qui avait sacrifié sa vie pour sauver Nicolas, le fils de Colin et de la servante Étiennette. Une scène inattendue et d'une rare sensualité se dessina, celle d'un couple nu sur le lit de sable d'une grotte, qui s'ébattait en proie à l'amour fou.

« Jean, Jean! » voulut-elle appeler à nouveau.

Mais elle était muette, privée de son corps terrestre. Elle se revit dansant au bal du 14 juillet avec Thérèse, fillette de neuf ans, et conduisant la calèche du Moulin que tirait vaillamment Roquette, sa jument noire enterrée un triste soir au fond d'un pré.

« Toute ma vie défile. Je vais mourir! Encore des images, encore… Je ne veux pas mourir! »

Colin jouait de l'harmonica à son mariage; Bertille dansait, superbe dans une robe bleue; Matthieu sortait de l'école du bourg, tout fier d'avoir obtenu une bonne note en calcul.

Enfin, elle se reconnut, étendue dans une chaise longue, les mains posées sur son ventre gonflé d'une extraordinaire promesse. Jean se tenait près d'elle, un peu grisonnant aux tempes, mais toujours aussi séduisant. Il la fixait de ses yeux bleus, si bleus, comme la robe de Bertille.

«J'ai pourtant quelque chose à faire! » se dit-elle faiblement.

Le prêtre de Puymoyen était en retard. Léon s'en inquiétait, car il avait besoin de réconfort. Une dame comme Claire devait recevoir l'extrême-onction. Jean avait crié qu'il s'en fichait, que Dieu n'avait pas écouté ses prières. Odile Bernard nettoyait ses instruments. Il ne s'était écoulé qu'une poignée de secondes depuis le cri du cœur de Bertille : « Il nous faudrait une autre Claire! »

Il se passa alors une chose singulière. Augustine, épuisée et jusqu'alors plongée dans un sommeil réparateur, se mit à pleurer vigoureusement. Elle agitait ses menottes et clignait des paupières, tout en lançant des cris de colère.

— Mais qu'est-ce qu'elle a? interrogea Faustine entre deux sanglots. Elle réclame le sein, la pauvre petite, sans se douter que sa maman ne pourra pas la nourrir!

— Mets-la sur Claire! ordonna Bertille, le visage meurtri par le chagrin. Elle a passé des mois dans le ventre de sa mère, à l'abri, et elle en est séparée! Vite, laisse-la sentir l'odeur de Claire, sa chaleur, puisque son pouls est encore perceptible. Augustine a si peu de temps pour connaître sa mère!

Faustine hésitait, impressionnée par l'air farouche de Bertille. Jean approuva d'un mouvement de tête très las. Odile haussa les épaules. Elle détestait l'échec.

— Tantine, je ne sais pas si c'est une bonne idée!

Mais Augustine criait de plus en plus fort. Bertille s'en

empara et la posa entre les seins de Claire, à plat ventre. Tout de suite, le bébé s'apaisa. Sa bouche chaude cherchait à téter, tandis que ses doigts palpaient le tissu de la chemise.

Ce spectacle poignant acheva de désespérer Jean. Il se leva et se rua vers la porte.

— Papa, supplia Faustine, je t'en prie, ne fais pas de bêtises, reste avec nous!

— Je dois prendre l'air, je ne peux pas voir ça! hurla-t-il.

— Jean!

Il se figea, pétrifié par le son de cette voix. Le silence qui suivit s'éternisa, avant de voler en éclats de joie.

— Jean, Claire a ouvert les yeux! Elle te réclame! cria Bertille, ivre d'un soulagement indescriptible.

Faustine se jeta au pied du lit et caressa le visage de sa mère adoptive.

— Maman chérie, nous attendions le curé et tu es revenue! On te croyait morte. C'était un vrai cauchemar!

De nouvelles larmes, de bonheur cette fois, lui coupèrent le souffle. Odile Bernard, abasourdie, s'activait.

— Toutes les heures, vous allez boire un grand verre d'eau coupé de vin rouge, madame, et du bouillon de poule. La peur que j'ai eue! Madame Claire, vous ne saignez plus.

Mais Claire ne voyait que le crâne bien rond de sa fille, couvert de boucles brunes. Augustine ne dormait pas, mais elle ne criait plus. Lovée contre le sein maternel, elle suçait son pouce. Entre ses paupières douces comme du velours brillait un regard bleu foncé.

— Mon bébé, ma chérie, mon trésor! balbutia Claire.

Jean avançait vers le lit d'une démarche vacillante. Deux miracles en une année, c'était beaucoup. La seconde d'avant, il était assommé d'avoir cru perdre sa femme adorée. De la revoir vivante, d'une beauté sublimée par un incommensurable bonheur, l'animait maintenant d'une joie indicible.

— Claire, ma tendre chérie, mon amour, dit-il en s'asseyant à ses côtés, comment te sens-tu?

— Si légère que je pourrais m'envoler, répliqua-t-elle. Mais je n'ai plus de force, je n'arrive pas à bouger la main ni la tête.

— Vous avez perdu une quantité considérable de sang,

madame! expliqua Odile Bernard. Alors, repos absolu, vous ne bougez pas. Pendant deux jours au moins, il vous faut des repas fréquents, beaucoup de viande rouge, des tisanes et de l'eau coupée de vin, car c'est excellent pour revigorer l'organisme après une grave hémorragie.

— Mais je peux allaiter mon enfant?

— Oui, à condition d'éviter tout effort! On vous la change de langes, on la couche dans son berceau, on vous la donne. Je viendrai chaque matin vous examiner.

— C'est aimable à vous, chère madame, mais je suis guérie, le danger est écarté. Je le sens. C'est inexplicable, mais c'est la vérité.

— Dans ce cas, je ne peux que m'en réjouir, rétorqua la sage-femme avec un large sourire. Dieu vous aime!

Ébranlé par ce revirement inespéré, Matthieu avait pris Faustine dans ses bras. Ils savouraient ensemble la résurrection de Claire, en pleurant et riant tout à la fois.

— Dès que j'ai posé Augustine sur toi, narra Bertille, debout au chevet de sa cousine, elle a cessé de crier. Je ne sais pas pourquoi j'ai eu cette idée de vous réunir, elle et toi. Une sorte d'illumination.

— Merci, princesse! Tu as suivi ton instinct, c'était ce qu'il fallait faire. Je suis tellement heureuse de vous revoir tous et de sentir Augustine contre moi!

Matthieu vint embrasser Claire. Léon arriva à son tour pour en faire autant.

— Hé! patronne, je décommande le curé si jamais il arrive! Faut plus me faire des émotions pareilles, j'en suis tout retourné.

— Sœurette, ajouta Matthieu en se penchant sur elle, je pensais que tu comptais énormément pour moi, mais en te croyant morte j'ai compris que c'était bien pire! Claire, tu es notre soleil à tous, notre bonne étoile. Soigne-toi bien, deviens centenaire, je t'en prie.

Elle écoutait et souriait, éblouie par la saveur retrouvée du monde réel. Son étrange voyage hors de son corps épuisé par les affres de l'accouchement la marquerait longtemps.

« Dès que je peux tenir un crayon, je dois tout écrire,

dans un cahier, comme le père Maraud, songea-t-elle. Plus tard, j'en parlerai à Jean et à Bertille. Mais plus tard. »

Anita lui avait fait boire du bouillon et du lait chaud sucré au miel. Bertille et Odile avaient tendu une double épaisseur de draps propres sous elle, puisqu'elle ne pouvait pas se lever. Claire n'avait plus qu'une envie : dormir.

— Jean, peux-tu allonger le bébé dans le lit, contre moi? Si elle a soif ou faim, elle trouvera mon sein. Elle te plaît, notre Augustine?

— C'est la plus belle enfant de la terre! Tu m'as offert un cadeau fantastique!

Claire s'endormit, comblée par la joie de son mari.

— Je dors près de vous, mes chéries, ajouta Jean pour lui-même, il y a un peu de place.

Chacun se mit en quête d'un lit. Anita insista pour que la sage-femme prenne un peu de repos et l'installa sur un divan, dans la chambre de Janine, où Faustine et Matthieu s'étaient couchés, harassés.

Un coq chanta, puis un autre, au loin. Le ciel pâlissait. L'aube jetait sa clarté rose sur la vallée. Réfugiée dans son vieux fauteuil en osier calé près d'une fenêtre de la cuisine, Bertille guettait l'instant magique où le soleil se lèverait et nimberait d'or pourpre l'alignement des falaises, ces hautes vagues de pierre qui protégeaient le Moulin du Loup depuis des siècles.

« Et si c'était Augustine qui... pensa-t-elle. Non, je suis folle, ce n'est pas possible. »

Elle secoua sa chevelure de fée, attentive à la magnificence du nouveau jour qui s'annonçait. Les oiseaux se mirent à chanter dans les haies et les frênes bordant la rivière; le clocher du village sonna avec lenteur, solennel. Un pas feutré sur le parquet intrigua Bertille. Moïse s'approchait d'elle. Le loup ne lui avait jamais manifesté d'attention particulière.

— Toi aussi, tu as eu peur! lui dit-elle. Mais Claire est sauvée.

L'animal se coucha à ses pieds avec un bref soupir. Elle eut l'impression fugace qu'il la remerciait. Réconfortée par ce compagnon inattendu, elle sombra dans un profond sommeil.

L'été avait porté ses fruits, dont un plus précieux que tout, une petite fille, Augustine.

Épilogue

Moulin du Loup, quatre ans plus tard, août 1932

Mimi, la chatte noire et blanche, avait caché sa portée de chatons dans l'écurie au creux d'un tas de vieux chiffons. Les petits étaient nés pendant la nuit et leur mère les léchait encore, pour faire leur toilette et les inciter à téter.

Augustine avait surveillé les allées et venues de la chatte, car tout le monde au Moulin lui répétait que Mimi aurait bientôt des chatons. Janine, à présent âgée de douze ans, prétendait que personne ne les trouverait. Ils étaient déjà réservés. Faustine en prenait un; Thérèse aussi; tante Bertille également.

La fillette triompha en entendant de faibles miaulements dès qu'elle eut franchi le seuil du bâtiment.

— Mimi? appela-t-elle. Mimi?

À quatre ans, Augustine se passionnait pour le monde animal, uniquement dans le périmètre de la cour et du jardin potager; Claire lui interdisait de s'éloigner. Mais c'était amusant de désobéir…

— Mimi, je te vois! chantonna-t-elle.

Elle se mit à genoux près de la chatte qui ronronnait, pleine de confiance envers l'enfant.

— Allons, montre-moi tes bébés! Un noir, un blanc et un gris!

Les minuscules petits corps, couverts d'un pelage soyeux, se trémoussaient en rampant vers les tétines maternelles. Amusée par ce spectacle, Augustine frappa des mains. Soudain, elle s'arrêta, les sourcils froncés. Elle venait d'apercevoir un quatrième chaton, recroquevillé sur lui-même, le poil roux zébré de blanc. Il était sale, avait les paupières fermées, et respirait à peine.

— Pauvre bébé! gémit-elle.

Augustine prit la petite bête entre ses mains et le garda ainsi, en soufflant de temps en temps son haleine chaude sur ses minuscules narines.

— Petit chat, petit chat! appela-t-elle. Réveille-toi. C'est bien, tu es gentil.

Le chaton miaula et s'ouvrit à la vie comme une fleur qui s'épanouit. Bientôt, il se débattit pour rejoindre sa mère. Augustine eut un sourire malicieux avant de porter son pouce à la bouche, à nouveau sérieuse.

Claire la trouva ainsi, plongée dans de mystérieuses pensées pour une si petite fille. Elle la contempla, toujours émue par ses boucles brunes, ses doux yeux bleu-gris ourlés de longs cils noirs, ses lèvres couleur de cerise.

— Que faisais-tu, ma chérie, dans l'écurie où tu n'as pas le droit d'entrer? demanda-t-elle d'un ton faussement sévère.

— J'ai soigné le bébé de Mimi! répondit Augustine. Il voulait pas se réveiller.

Stupéfaite, Claire s'appuya à la cloison de planches.

« Bertille avait raison! se dit-elle. Augustine a le don de guérir, comme moi. »

— Ma chérie, quand tu étais bébé naissant, comme le chaton de Mimi, tu as réussi à réveiller maman. Tu m'as sûrement sauvé la vie. Mais c'est un peu compliqué, tout ça. Viens, c'est l'heure du goûter.

Augustine prit sa mère par la main. Elles traversèrent la cour du Moulin ainsi, avec le même bonheur au cœur, celui d'être toutes les deux.

Tome I
562 pages; 24,95 $

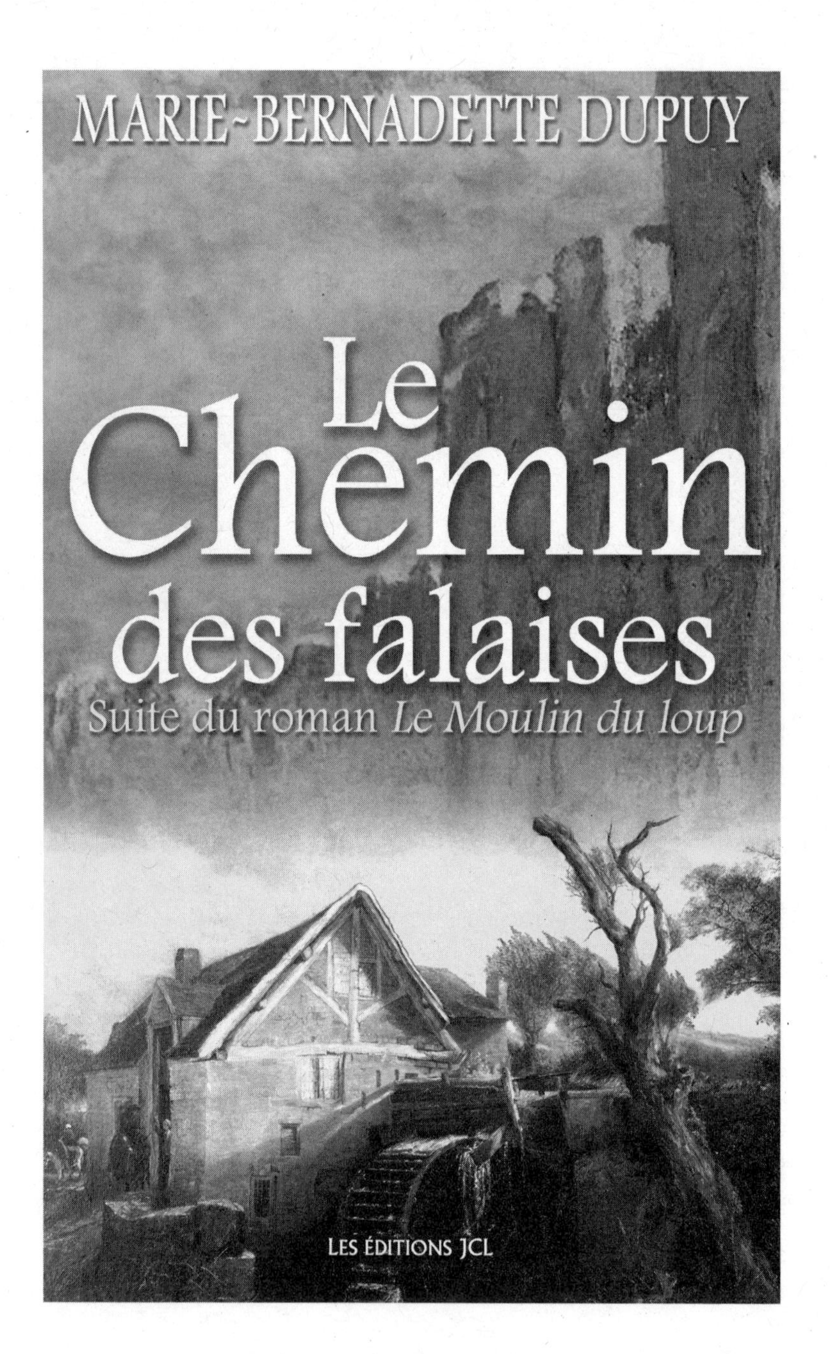

Tome II
634 pages; 26,95 $

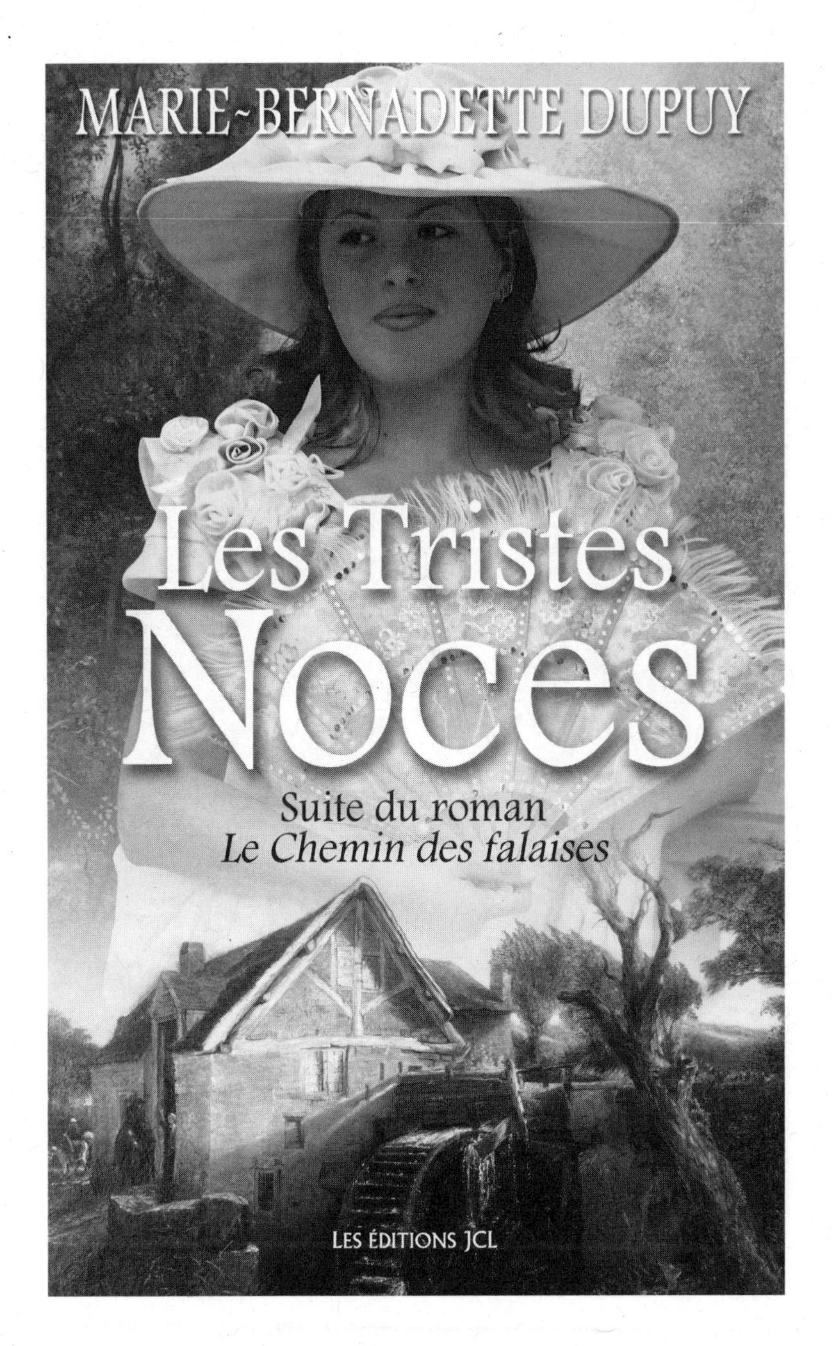

Tome III
646 pages; 26,95 $

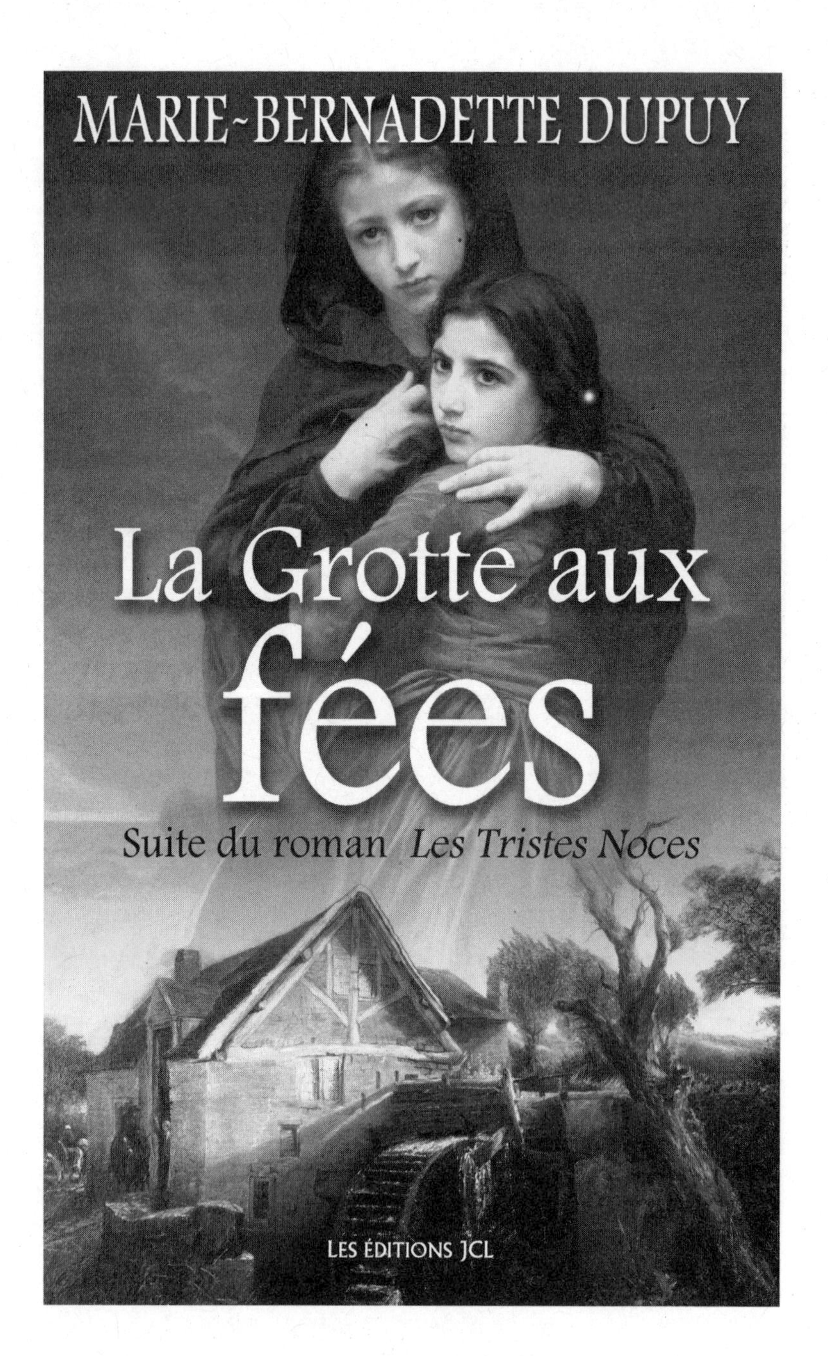

Tome IV
650 pages; 26,95 $

DISTRIBUTEURS EXCLUSIFS

Distributeur pour le Canada et les États-Unis
LES MESSAGERIES ADP
MONTRÉAL (Canada)
Téléphone : (450) 640-1234 ou 1 800 771-3022
Télécopieur : (450) 640-1251 ou 1 800 603-0433
www.messageries-adp.com

Distributeur pour la France et autres pays européens
DISTRIBUTION DU NOUVEAU MONDE (DNM)
PARIS (France)
Téléphone : 01 43 54 49 02
Télécopieur : 01 43 54 39 15
Courriel : libraires@librairieduquebec.fr

Distributeur pour la Suisse
(À l'usage exclusif des librairies)
SERVIDIS / TRANSAT
GENÈVE (Suisse)
Téléphone : 022/342 77 40
Télécopieur : 022/343 46 46
Courriel : transat-diff@slatkine.com

Dépôts légaux
Bibliothèque nationale du Canada
Bibliothèque et Archives nationales du Québec, 2010
Imprimé au Canada

Imprimé sur Rolland Enviro100, contenant 100% de fibres recyclées postconsommation, certifié Éco-Logo, Procédé sans chlore, FSC Recyclé et fabriqué à partir d'énergie biogaz.